Uhland, Ludwig

Uhlands Schriften zur Geschichte der Dichtung und Sage

Sagenforschungen Der Mythos vom Thôr nach nordischen Quellen

Uhland, Ludwig

Uhlands Schriften zur Geschichte der Dichtung und Sage

Sagenforschungen Der Mythos vom Thôr nach nordischen Quellen

Inktank publishing, 2018

www.inktank-publishing.com

ISBN/EAN: 9783747789407

Uhlands Schriften

zur

Geschichte der Dichtung und Sage.

Sechster Band.

Stuttgart.

Verlag der J. G. Cotta'schen Buchhandlung.

1868.

Vorwort des Herausgebers.

Die „Sagenforschungen" sind ausgeführt in der Zeit, nachdem der Verfaßer seine Lehrthätigkeit an der Universität Tübingen eingestellt hatte. Der erste Band erschien 1836 im Druck, im gleichen Verlage wie jetzt wider. Er enthielt den Mythus von Thôr. Der neue Abdruck schließt sich genau an den ersten an. Einzelne Bemerkungen, welche Uhland mit Bleistift in seinem Handexemplar nachgetragen hat, sind hier theils in den Text eingefügt, theils in den Noten mitgetheilt, immer in eckige Klammern gefaßt, um sie als spätere Zusätze zu kennzeichnen.

Von der Fortsetzung hat sich in Uhlands Nachlaß nur ein Theil der Abhandlung über Odin vorgefunden. Die Einleitung ist nach dem Datum am Rande am 20 September 1837 angefangen und mit deutscher Schrift geschrieben. Die Abhandlung selbst scheint um fast zwei Jahrzehende jünger und ist mit lateinischen Buchstaben geschrieben, wie sie Uhland erst in der spätesten Zeit für seine zum Druck bestimmten wißenschaftlichen Arbeiten in Anwendung brachte. Diese mit lateinischer Schrift geschriebene Abhandlung ist im Manuscript ohne Rücksicht auf die Einleitung foliiert, oder vielmehr die 95 halben Bogen sind gezählt. Daß die Abhandlung in diese Ordnung gehöre und mit den gegebenen Capiteln zunächst abgeschloßen sei, ergibt sich auch aus einem in mehrfacher Faßung vorhandenen Inhaltsverzeichnis. Als Titel des ganzen ist in einer der Inhaltsübersichten obenangestellt:

„Odin als Dichtergott.“ In einer früheren ist eine Einleitung nicht erwähnt, in einer späteren dagegen ist sie vorangestellt.

In keinem der Inhaltsverzeichnisse ist dagegen der letzte, hier im Anhang gegebene Abschnitt über Skirnisför aufgeführt. Er bezieht sich aber widerholt in Citaten auf das Frühere und erweist sich auch schon durch die lateinische Schrift und das Äußere als zu dem Buche gehörig. Eine Überschrift ist nicht vorhanden, auch sind die Blätter des Manuscripts nicht mit Zahlen versehen.

Die Verweisung auf neuere Fachlitteratur schien für diesen Theil meist unterbleiben zu können. Was seit Jakob Grimms deutscher Mythologie Bergmann, Maurer, Möbius, Lüning, Simrock, Weinhold u. a. in diesem Gebiet geleistet haben, ist bekannt; die Anführung im einzelnen wird hier nicht erwartet werden.

Nicht unterlaßen kann ich, noch beihelfender Freunde dankbar zu erwähnen. Felix Liebrecht hat mich manchfach bereitwillig unterstützt; ihm verdanke ich zu S. 193 noch die Hinweisung auf Minos, Διὸς ὀαριστής (Odyssee 19, 179). Hermann Kurz macht darauf aufmerksam, daß S. 223 von den herbeigezogenen griechischen Mythen nur eine behandelt ist; unter der andern möge die Sage von Orion gemeint sein; und wir dürfen bedauern, daß Uhland seine Gedanken darüber nicht weiter ausgeführt hat.

Tübingen, 20 Merz 1868.

A. v. Keller.

Sagenforschungen.

Uhland, Schriften. VI.

Der Mythus von Thôr

nach nordischen Quellen.

[Gedruckt Stuttgart und Augsburg im Verlag der Cotta'schen Buchhandlung 1836.]

Abkürzungen.

D. Gramm. = Jacob Grimms Deutsche Grammatik. I—III. Götting. 1822—31.

D. Myth. = Ebd. Deutsche Mythologie, das. 1835. [Die von mir in eckigen Klammern beigesetzten Zahlen deuten auf die 2te Auflage, von 1844. K.]

D. Rechtsalth. = Ebd. Deutsche Rechtsalterthümer, das. 1828.

Edd. Havn. = Edda Sæmundar hinns Fróda ꝛc. I—III. Havn. 1787—1828.

Faye = Norske Sagn samlede og udgivne af A. Faye Arendal 1833.

Fornald. S. = Fornaldar Sögur Nordrlanda utg. af C. C. Rafn. I—III. Kaupm. 1829—30.

Fornm. S. = Fornmanna Sögur. I—III. Kaupm. 1825—27.

Lex. isl. = Lexicon islandico-latino-danicum Biörnonis Haldorsonii cura R. K. Raskii ed. I. II. Havn. 1814.

Lex. myth. = Priscæ veterum borealium mythologiæ lexicon ꝛc. auct. Finno Magnusen. Havn. 1828, auch in Edd. Havn. III. Besonders reichhaltig s. v. Thórr, S. 617 ff.

Sæm. Edd. = Edda Sæmundar hinns Fróda ꝛc. ex recens. Er. Chr. Rask curavit A. A. Afzelius. Holm. 1818. Einzelne Lieder daraus:

Aeg. = Aegis-drecka, S. 59. Alv. = Alvis-mál, S. 48. Fafn. = Fafnis-mál, S. 186. Grimn. = Grimnis-mál, S. 39. Hamd. = Hamdis-mál, S. 269. Harb. = Harbarz-liod, S. 75. = Háv. = Háva-mál, S. 11. Hrafn. = Hrafnagaldur Ódins, S. 88. Hým. = Hýmis-qvida, S. 52. Hyndl. = Hyndlu-liod, S. 113. Lodf. = Lodfafnismál, S. 24. Rigsm. = Rigs-mál, S. 100. Rún. = Rúnatal, S. 27. Skirn. = Skirnis-för, S. 81. þrym. = þryms qvida, S. 70. Vafþr. = Vafþrúdnis-mál, S. 31. Vegt. = Vegtams-qvida, S. 93. Vsp. = Völu-spá, S. 1.

Sag. Bibl. = P. E. Müller, Sagabibliothek ꝛc. I—III. Kiöbh. 1817 ff.

Sax. = Saxonis Grammatici Historiæ danicæ libri XVI, ed. Stephanii, Soræ 1644.

Sn. Edd. = Snorra-Edda ásamt Skáldu ꝛc. útgef. af R. Kr. Rask, Stockholm 1818.

Thorlac. Spec. VI. VII. = Antiquitatum borealium observationes miscellaneæ ꝛc. scrips. Sk. Th. Thorlacius, Specimen VI, Havn. 1799. Spec. VII, ib. 1801.

[3] Aus den Tiefen einer Vorzeit, in die keine äußere Geschichte hinabreicht, haben die Völker altnordischen Sprachstamms sich ein großartiges Geistesdenkmal gerettet, eine volle Mythologie, eine umfassende religiöse Weltanschauung in Sinnbildern.

Die beiden Hauptquellen dieser Mythologie, die unter dem Namen ältere oder Sämunds Edda bekannte Sammlung altnordischer Götter- und Heldenlieder, muthmaßlich in der ersten Hälfte des zwölften Jahrhunderts veranstaltet, sodann die jüngere oder Snorris Edda [1], ein mythologisch-poetisches Handbuch, dessen Grundlage dem Isländer Snorri in der vordern Hälfte des dreizehnten Jahrhunderts zugeschrieben wird, erhalten manigfache Ergänzung durch [4] die vielen mythischen Überlieferungen, die in isländischen Sagan, in den Geschichtwerken Saxos und Snorris, in Volksliedern und Volkssagen, zum Theil noch jetzt gangbaren, aufbewahrt sind.

Bei aller Reichhaltigkeit der vorhandenen Quellen ist jedoch in diesen selbst auf manches nun Verlorene hingewiesen, wovon oft nur noch dürftige Andeutungen oder die bloßen Namen übrig geblieben sind. Aber auch die formelle Beschaffenheit jener Quellen erschwert auf verschiedene Weise den Gebrauch derselben. Die ältesten Urkunden, die mythischen Eddalieder von unbekannten Verfassern aus heidnischer Zeit, bedienen sich einer sehr gedrängten Darstellung, wobei der Gegenstand großentheils als schon bekannt vorausgesetzt ist; einige Lieder dieser Art aber, die sich durch ihre Annäherung an den Kunststil des nordischen Skaldengesangs als spätere verkünden, sind eben darum auch theilweise mit den Dunkelheiten des gedachten Stils behaftet. In viel stärkerem

[1] Unter diesen Namen sind im Folgenden, der Kürze wegen, auch Skálda und die weiteren Anhänge in Rasks Ausgabe begriffen. Die Entstehung des Ganzen erörtert P. E. Müller: Über die Ächtheit der Asalehre &c., übers. von L. C. Sander, Kopenh. 1811.

Maße trifft dieß die zahlreichen größeren und kleineren Bruchstücke von Liedern genannter Skalden des neunten und der folgenden Jahrhunderte, welche der jüngeren Edda als Belege der hier angegebenen dichterischen Ausdrücke eingeflochten sind; die Sprache dieser Skaldenlieder, in welchen alte Mythen entweder als Hauptgegenstand behandelt oder zum dichterischen Redeschmucke benutzt waren, ist durch künstliche Bildlichkeit und durch die [5] äußerste Freiheit der Umstellungen nicht selten so schwierig, daß die sprachkundigsten Erklärer, geborne Isländer, rathlos davor stehen. Die prosaischen Erzählungen der jüngeren Edda, meist Auszüge und Paraphrasen noch vorhandener oder verlorener Mythenlieder, sind zwar an sich deutlich, müssen jedoch behutsam gebraucht werden, weil den Verfassern derselben schwerlich mehr ein tieferes Verständniß der Mythen zu Gebot stand und deßhalb die Auffassung hin und wieder ungenau oder verfehlt ist, wie man sich da, wo die reineren Quellen noch zugänglich sind, aus der Vergleichung überzeugen kann. Die mythischen Rahmen, worein diese Erzählungen, nach dem Beispiel der alten Lieder, gefaßt sind, und einige offenbare Einflüsse christlicher Ansicht müssen ohnedieß in Abzug gebracht werden. Bei Saxo hat man nicht bloß die Färbung durch ein rhetorisches Latein, in das er die heimischen Sagen übertragen hat, von diesen abzustreifen, sondern man muß auch bei ihm, wie in Snorris Geschichtbuche, den historischen Gesichtspunkt, unter welchem beide die alte Götterwelt aufgefaßt und dadurch nothwendig verdunkelt haben, erst wieder auf den mythischen zurückführen. In den isländischen Sagan ist der ächte Mythenbestand häufig in das willkürlich Gefabelte hinübergespielt und aufgelöst, in den späteren Volkssagen und Volksliedern aber ist derselbe meist zum ergetzlichen Märchen geworden.

[6] Zu diesen äußerlichen Schwierigkeiten kommt nun diejenige, die im Wesen der Mythen selbst liegt. Jede Mythologie ist ihrem Begriffe nach sinnbildlich; mögen daher auch ihre Bilder noch so vollständig und ungetrübt erhalten sein, so fragt es sich dann erst um die Ergründung ihres Sinnes oder vielmehr um eine solche Aneignung derselben, wobei Bild und Bedeutung in unmittelbarer, ungetheilter Anschauung wirken. Die nordischen Mythen sind, nach dem Zeugnisse der Mythenquellen selbst, Runen, Geheimreden, Geheimnisse, sie wollen, nach Räthselart, gelöst sein.

Es kann unter solchen Umständen nicht befremden, daß diese Mythologie sehr verschiedenartige Deutungen erfahren hat, und wer es, bei aller Anerkennung des durch vielfaches Verdienst bereits Geleisteten, nicht für überflüssig hält, hierin Weiteres zu versuchen, hat sein Augenmerk vorerst darauf zu richten, welcher Weg zur Lösung durch die besondre Natur des Gegenstandes angezeigt sei.

Hier bietet sich nun zunächst die unverkennbare Bedeutsamkeit der mythischen Namen dar, und zwar in einem Stufengange, der von den unmittelbarsten und klarsten Bezeichnungen in stätiger Folge zu entfernteren und versteckteren fortleitet. Unter den Namen der mythischen Wesen sind manche, noch im jetzigen Isländischen, das gebräuchliche und eigentliche Wort für denselben Gegenstand, den der Mythus damit [7] bezeichnet; andre sind zwar nicht minder eigentlich, müssen aber, da sie schon in den altnordischen Schriftdenkmälern nicht mehr in solchem Gebrauche vorkommen, in andern, näher oder ferner verwandten Sprachen aufgesucht werden; noch andre halten zwar das mehr oder weniger unmittelbar bezeichnende Wurzelwort fest, fügen aber Endformen bei, durch welche Person und Geschlecht schärfer hervortreten; weiter gibt es solche, in denen Eigenschaften oder Thätigkeiten des damit benannten Wesens bald leicht erkenntlich und wieder eigentlich ausgesprochen, bald bildlich und in tieferliegenden Beziehungen angedeutet sind. Von allen diesen Benennungsweisen, oder auch von Spielarten und Übergängen derselben, werden sich im Folgenden Beispiele ergeben. Daß gleichwohl manche Namen, sei es etymologisch in der Wurzel oder in der bestimmteren Beziehung zu ihrem Gegenstand, auch der beharrlichsten Forschung sich verschließen mögen, hebt den Nutzen nicht auf, der aus einem aufmerksamen Verfolgen der in den Namenbildungen gegebenen Fingerzeige und aus einer vertrauteren Beobachtung des dabei stattgefundenen Verfahrens für die Erklärung des inneren Mythengehaltes gezogen werden kann.

Selbst der sprachlich unzweifelhafteste Name gewährt jedoch nur dann eine sichere Mythendeutung, wenn das Wesen, dem er angehört, auch durch seine [8] Erscheinung in Lied oder Sage demselben wirklich entspricht. Weit mehr noch ist man bei zweifelhaftem oder gänzlich unerklärbarem Namen auf die Anschauung des Gegenstandes verwiesen, aus welcher umgekehrt oft der Name selbst erst deutlich wird. Schon bei der ersten, unbefangenen Betrachtung lassen die nordischen Mythenbilder in ihrer Gesammtheit einen entschiedenen Eindruck zurück, sie machen sich auf einen gewissen Grad verständlich und lassen weiteres Verständnis ahnen. Dieß ist die Folge davon, daß sie aus dichterisch schaffendem Geiste hervorgegangen sind. Sie können darum auch nur mit poetischem Auge richtig erfaßt werden, diesem aber werden sie sich bei näherem Anblick immer voller und lebendiger entfalten. Jede Deutung dagegen, die in der Einbildungskraft keinen Anhalt findet, die den Bildern einen Sinn unterlegt, durch welchen ihr anschaulicher Zusammenhang aufgehoben würde, muß eine unrichtige sein, weil für sie in der Natur des dichterischen Hervorbringens überall keine Möglichkeit gegeben ist. Erst im Vereine mit der poetischen Anschauung wird nun auch die etymologische Forschung ihre rechte Wirksamkeit üben, beide werden sich wechselsweise prüfen, bestätigen und ergänzen. Aber nicht bloß die allgemeinen Bedingungen des poetischen Gestaltens hat sich der Erklärer zur Richtschnur zu nehmen; die mythische Symbolik hat sich bei verschiedenen Völkern so verschiedenartig [9] angelassen, ihre Plastik ist so manigfach, die Rechte des Bildes einerseits und der innwohnenden Idee andrerseits sind so abweichend ausgetheilt, daß es nöthig ist, auch hierin je die Eigenthümlichkeit der besondern Götterlehre zu beachten, wenn die Deutung im Einzelnen glaubhaft und im Ganzen übereinstimmend werden soll.

Der Gesammtumfang nordischer Mythen ist allerdings von durchgreifenden Gedanken über göttliches Wesen und Wirken, über Leben und Schicksal der Welt beherrscht, allein diese Gedanken sind vornherein auf die mythische Darstellung gerichtet, sie werden daher nicht als nackte Lehrsätze vorgetragen, sondern sind durchaus in Bild und bildliche Handlung gesetzt, ja sie treten oft ganz in den Hintergrund und überlassen das Feld der absichtloseren Lust des dichterischen Gestaltens. Die vielen Mythen vom Wechsel der Jahreszeiten, des Lichtes und des Dunkels, vom Streite wohlthätiger und verderblicher Naturkräfte, hängen zwar alle mit jenen Grundgedanken zusammen; sollten aber auch sie durchaus in der Richtung erforscht werden, Philosopheme oder physikalische Weisheit des Alterthums in ihnen zu ergründen, so würde entweder die Ausbeute sehr karg ausfallen, man würde unter der sinnbildlichen Verhüllung doch oft nur die bekanntesten Naturerscheinungen wiederfinden [die Hauptsache ist hier eben das schöne, sinnreiche Bild, die lebendige Handlung], oder man müßte, wie es wohl auch geschehen ist, Ansichten und [10] Denkweise einer viel späteren Zeit in die Erzeugnisse der früheren hineinlegen. Der Drang des menschlichen Geistes, sich mittelst der ihm eingeborenen Vermögen der Außenwelt zu bemächtigen, ist in philosophischen Zeitaltern vorzugsweise durch die Reflexion, in poetischen durch die Einbildungskraft thätig. Wie die Natur selbst ihre Spiegel hat, im Wasser und in der Luft [und im Auge des Menschen], so will auch die Dichterseele von den äußeren Dingen ein Gegenbild innerlich hervorbringen, und diese Aneignung für sich schon ist ein geistiger Genuß, der sich auch andern Betrachtern des Bildes mittheilt. Gewinnt ja doch das Bekannteste in irgend einer Wiederspieglung den Reiz des Fabelhaften und stammen wohl eben daher die Wunder des Zauberspiegels. Das Innere des Menschen aber stralt nichts zurück, ohne es mit seinem eigenen Leben, seinem Sinnen und Empfinden getränkt und damit mehr oder weniger umgeschaffen zu haben. So tauchen aus dem Borne der Phantasie die Kräfte und Erscheinungen der unpersönlichen Natur als Personen und Thaten in menschlicher Weise wieder auf. Die nordische Mythologie zeigt diesen Hergang in allen Graden der Belebung und Gestaltung, und wer sie in ihrem eigenen Sinne würdigen will, muß dieser Wiedergeburt im Bilde, als solcher schon, ihre selbständige Geltung einräumen. Gleich den Kräften und Erscheinungen der Natur sind aber auch die des Geistes in den Mythen [11] persönlich geworden; selbst die abgezogensten Begriffe, namentlich die Formen und Verhältnisse der Zeit, haben sich als handelnde Wesen gestaltet. Indem so einerseits die Natur durch Personification beseelt wird, andrerseits der Geist durch dasselbe Mittel äußere Gestaltung erlangt, werden beide fähig, auf dem gleichen Schauplatze sinnbildlicher Darstellung zusammenzutreten.

Es macht sich übrigens wohl fühlbar, daß die nordische Mythendichtung nicht auf die bildende Kunst gerichtet oder von letzterer bestimmt war. Wenn es gleich nicht an Beispielen fehlt, daß an heiliger Stätte Götterbilder aufgestellt, daß zur Weihung oder zum Schmucke des Hauses, des Ehrensitzes, des Schiffes, des Schildes, Bildwerke aus der Götterwelt angebracht waren, so spricht doch nichts dafür, daß diese Kunstübung ein allgemeineres Bedürfnis des Volkslebens gewesen sei oder irgend eine höhere Stufe der Ausbildung erreicht habe. So blieb die mythische Symbolik von den Bedingungen der künstlerischen Darstellbarkeit unabhängig und nur denen der inneren Anschauung unterworfen, ihr Inhalt konnte daher auch nicht in der äußeren Vollendung des Bildes aufgehen. Der Gedanke in seiner Versinnlichung, der Naturgegenstand in seiner Personification blieb doch zugleich er selbst. Nimmt man hiezu die vorbemerkte Bedeutsamkeit der Namen, so [12] kann es nicht befremden, daß in manchen Fällen die Allegorie ziemlich unverschleiert heraustritt. Der Gebrauch der Sinnbilder erscheint als ein bewußter und ist eben deßhalb ein freierer; derselbe Gegenstand kann in verschiedenen Beziehungen auch unter verschiedenen Namen und Bildern aufgeführt sein; es können sich Mythengruppen bilden, die unter sich wenig oder äußerlich gar nicht zusammenhängen; es kann selbst Widerspruch zwischen einzelnen Mythen oder mehrfachen Darstellungen des nämlichen Mythus stattfinden. Ob man geneigt sei oder nicht, ein solches Bewußtsein der Mythenbildung im nordischen Alterthum anzuerkennen, die Thatsache liegt in den Mythen selbst. Diese Mythik ist darum doch nicht in trockenen Abstractionen erstarrt; denn da für Gegenstände der religiösen Weltbetrachtung noch keine andere Weise des Ausdrucks, ja des Denkens selbst, gefunden war, als eben die bildliche, so steht der Gedanke doch niemals ausgeschieden neben dem Bilde, wohl aber theilt er den aus der Natur und der menschlichen Erscheinung entnommenen Gebilden seine eigene schrankenlosere Bewegung mit, und so erhält das Natürliche, indem es theils seinen gewohnten, theils fremden und höheren Gesetzen folgt, den Zauber des Wunderbaren, die Mythendichtung im Ganzen aber den Charakter des Tiefsinns und der sicheren Kühnheit.

[13] Jene Thatsache der selbstbewußten oder sich fühlenden Symbolik hebt auch nicht den Glauben an göttliche Persönlichkeit auf, der überall als religiöses Bedürfnis vorauszusetzen ist; nur wird oft schwer zu bestimmen sein, wo das Sinnbild aufhöre und der wahrhaft persönliche Gott eintrete. Im Allgemeinen befindet diese Frage sich in der Schwebung zwischen der dem sinnlichern Volksglauben und dem herkömmlichen Götterdienste zugewandten Außenseite und dem innersten Sinne des durchgebildeten Mythus. Der Mythenforscher wird somit zwar auch die rohere Volkssage und die zerstreuten Nachrichten über den heidnischen Cultus als Hülfsmittel zu gebrauchen haben, obwohl mit Vorsicht gegen

die Befangenheit der christlichen Aufzeichner; stets aber werden ihm die Mythen selbst, sowie der eigentliche Gegenstand der Betrachtung, so auch die Hauptquelle der Erklärung sein. Hier nun weichen allerdings die Persönlichkeiten großentheils entweder nach außen in die Natur oder nach innen in den Begriff zurück, allein auch die bewußt sinnbildliche Personification zeugt von dem Verlangen und Erfühlen eines lebendigen Gottes, für dessen manigfaches Walten und Wirken in Natur und Geisteswelt kein anderer Ausdruck genügt, als Gestalt und Bewegung lebendiger, begeistigter Wesen. Diese persönlichen Gestaltungen, besonders die bedeutendern, durch älteste Überlieferung [14] geheiligten, wurden denn auch fortwährend nicht rein bildlich genommen, sondern sie wirkten mit dem Hauche des göttlichen Lebens, das in ihnen zur Erscheinung kam, und so vermittelte sich der tiefere Geist des Mythus mit der sinnlicheren Volksansicht.

Während auf dem angezeigten Wege sich der etymologischen Forschung und der poetischen Anschauung die einzelnen Durchblicke lichten, wird zugleich der vorausgefaßte Gesammteindruck sich bestimmter gestalten, der Geist des Ganzen, von innen heraus arbeitend, stets näher und vernehmbarer entgegenkommen und so die Genauigkeit im Besondern mit der umfassenden Übersicht zum rechten Verständnisse zusammen wirken.

Diese Bemerkungen über Mittel und Wege der Mythendeutung können zwar nur an der näheren Beleuchtung ihres Gegenstandes selbst sich bewähren, doch schienen sie geeignet, über manches Nachfolgende einleitend zu verständigen und die Wiederkehr allgemeinerer Betrachtungen abzuschneiden.

Die Erforschung des Einzelnen darf sich, wie eben bemerkt, vom Hinblick auf das Ganze, dem Jenes angehört, niemals lossagen; da aber die umfassendere Erkenntniß doch nicht mit einem Schritte zu erlangen ist, so wird es auch zu ihr am sichersten führen, wenn vom Leichteren zum Schwierigeren, vom Helleren zum Dunkleren fortgeschritten wird. Mythen, die im [15] Naturgebiete verkehren, liegen nun gewis dem Verständnis offener, als solche, die sich auf die innere Welt beziehen; dort sind die stoffartigen und greifbaren Dinge, hier die körperlosen und übersinnlichen. In der nordischen Götterlehre fällt auf diese Seite der Mythus von Odin, auf jene der von Thôr; im ersteren Mythenkreise ist vorzugsweise das Geistesleben, im letzteren das Naturleben vergegenwärtigt. Schon die Anerkennung dieser verschiedenen Gebiete und die Auseinanderhaltung dessen, was der einen oder der anderen Seite angehört, ist ein erheblicher Schritt zur richtigen Auffassung des Ganzen. Thôr waltet überall in der Natur und befindet sich im unablässigen und manigfachsten Zusammenstoße mit den gewaltsamsten Naturkräften, deren mythische Erscheinung denn auch am meisten in die Sinne fällt. Mit dem Mythus von Thôr wird daher ein neuer Versuch, Inhalt und Geist der nordischen Mythologie zu erforschen, am zweckmäßigsten beginnen.

Jötune (iötnar, Sing. iötunn), Thurse, Riesen, sind dieser Mythologie die Personification des Ungeheuren und Ungestümen, Finstern und Feindseligen in der Natur, der rohen, ungezähmten Elemente. Das chaotische Urwesen Ymir, der Brauser, auch Örgelmir, der Uralte, aus dessen Körper die Welt geschaffen [16] ist, war ein Jötun und aller Jötune Stammvater. Ymir selbst ist dadurch geworden, daß im Abgrunde Ginnûngagap die von der kalten Nordseite, von Niflheim, der Nebelwelt, hergedrungenen Eisströme, Elivâgar, vor den von Muspellsheim, der südlichen Feuerwelt, ausgeflogenen Funken zu schmelzen anfiengen und die Tropfen sich belebten. Der so entstandene Urriese erzeugte aus sich selbst seine jötunische Nachkommenschaft: unter dem Arme wuchsen ihm Sohn und Tochter, ein Fuß zeugte mit dem andern einen Riesensohn. Aus des erschlagenen Ymirs Fleische ward dann die Erde geschaffen, aus seinem Gebeine Felsen, aus seinen Haaren Bäume, aus seinem Blute das Meer, aus der Hirnschale der Himmel, aus dem Gehirne die mismuthigen Wolken, aus seinen Brauen Midgard, das Geheg der mitteln, bewohnbaren Erde (Vsp. 3. Vafþr. 21. 28 bis 35. Grîmn. 40. 41. Hyndl. 32. Sn. Edd. 5 bis 7).

Aber auch in der erschaffenen und geordneten Welt behalten Ymirs Abkömmlinge, Riesen und Riesenweiber, die Liebe zum alten Chaos, den Hang zur Zerstörung, die Feindschaft gegen Alles, was den Himmel mild und die Erde wohnlich macht. Sie sind die Dämone des kalten und nächtlichen Winters, des ewigen Eises, des unwirthbaren Felsgebirgs, des Sturmwinds, der sengenden Hitze, des verheerenden

Gewitters, des wilden Meeres; und darnach sind sie [17] auch besonders benannt, Reif- oder Eisthurse, Berg- oder Felsriesen (hrîmþursar, bergrisar) ꝛc. Zurückgedrängt oder gebunden, rütteln sie unablässig an ihren Schranken und Fesseln, auch wird es ihnen noch einst gelingen, alle Bande zu zerreißen, und selbst die in Ymir verbundenen Elemente werden im Weltuntergange zugleich losbrechen.[1]

Schöpfer, Ordner und Erhalter der Welt sind die Götter, Asen (æsir, Sing. âs). Ihr Stammvater Buri gieng, nach der j. Edda, aus salzigen Reifsteinen (Sn. Edd. 7), aus der Blume und Würze des Urstoffes, hervor; in ihnen ist die treibende und bildende Kraft, der lebendige und belebende Geist. Buris Sohn ist Bör, der mit der Riesentochter Bestla drei Söhne zeugt (Sn. Edd. 7. Vsp. 4. Rûn. 3). Odin, der erste von diesen, ist fortan der Asen oberster (Grîmn. 44. Vgl. Hyndl. 29). Er und seine Brüder schaffen in vorbesagter Weise Himmel und Erde aus dem Körper des von ihnen erschlagenen Urriesen. Dann ordnen die Asen den Gang der Gestirne, den Wechsel der Tageszeiten und den Jahreslauf (Vsp. 6). Sie erschaffen aus Brimirs, des Brandenden (wieder des Urriesen), Fleisch und schwärzlichen Knochen [18] (Vsp. 9), d. h. nach Obigem aus Erde und Gestein, die Zwerge (dvergar), die, besonders im Schoß der Erde, still und unsichtbar wirkenden Naturgeister. Zuletzt wird aus Ask und Embla, Esche und Ulme, das Menschengeschlecht gebildet und beseelt (Vsp. 17. 18). Die Asen walten über ihrer Schöpfung, indem sie täglich nach der Esche Yggdrasil zum Gerichte fahren (Grimn. 29. 30). Dort sitzen sie, in der Zwölfzahl gedacht (Hyndl. 28. Sn. Edd. 23), wie auch im nordischen Rechte der Gerichtsmänner meist zwölfe sind, auf Rathstühlen (Vsp. 9. 27). Darum heißen sie auch Regin, rathende, waltende Mächte. Die Esche selbst, hochragend und mit weitverbreiteten Wurzeln, immergrün und doch vielzernagt (Vsp. 19. Grimn. 35), ist ein Bild des wachsenden und vergänglichen Naturlebens. Unter derselben Esche wohnen an Urds Brunnen die drei schicksalskundigen Nornen (nornir), Urd, Verdandi und Skuld (Vsp. 20), die schon durch ihre Namen, welche auf Vergangenheit, Gegenwart und Zukunft weisen, als Zeitgöttinnen

[1] Eine weitere Stufe des Jötunwesens, die Übertragung desselben auf die Geisteswelt ist mit dem Vorbesagten nicht ausgeschlossen; so ist z. B. der Zweifel (Îmr, Îmi, Vafþr. 5. Sn. Edd. 211) ein Riese.

bezeichnet sind. Sie bedeuten das Gesetz der Zeit, des Werdens und Vergehens, dem die erschaffene Welt und in ihr die waltenden Äsen selbst unterworfen sind. Die geistige Natur des Äsengeschlechts hat sich schon in der Ehe Börs mit der Riesentochter an die Materie gebunden und ist dadurch im Loose dieser mitbefangen. Wann einst die entfesselten Jötune hereinbrechen, dann [19] werden im Untergange der Welt auch die kämpfenden Äsen verschlungen und darum heißt das Ende der Dinge Ragnarök, der Regin, waltenden Götter, Dämmerung. Aber aus dem allgemeinen Untergange steigt eine neue Welt empor, in der auch die Äsen wieder aufleben, und so bewährt sich der im Salzsteine gelegene Keim dennoch als ein Göttliches, das im Durchgange durch die Zeit zwar ihren Wechseln verfallen, an sich aber unvertilgbar ist.

Auf dem zeitlichen Dasein der Äsen lastet nun stets das Vorgefühl des hereindrohenden Verderbens. Überall erkennen sie die Zeichen desselben; im Einbruche der Nacht, in der jährlichen Abnahme des Lichtes, im Welken des Sommergrüns, im Siege des Winterfrosts ahnen sie den Tod ihrer Schöpfung, empfinden sie ihr eigenes Altern. Haben sie doch Den in ihrer Mitte, in dem sich durchaus die Neige der Dinge verbildlicht. Loki, der Beschließer, Endiger [1], von jötunischer Abkunft, hat in frühester Zeit schon mit Odin Blutbrüderschaft geschlossen (Aeg. 9) und befindet sich stets in der Äsen Gesellschaft. Nach Raum und Zeit bezeichnet er Ziel und Ende der Göttermacht. Er [20] wirkt die Abnahme des Lichtes, er ist der Abend des Jahres, wie der Zeiten überhaupt, und steht in durchgängigem Gegensatze mit Heimdall [2], dem überall die Frühe, der Aufgang, angehört, dessen Schwert Höfud, der Anfang, ist, der Gras und Wolle wachsen hört, jedes leiseste Werden erlauscht. In die Gemeinschaft der waltenden Götter aufgenommen, vertritt Loki

[1] Lex. isl. lok, n. pl. finis, consummatio; namentlich auch von einer größern Katastrophe: Niflûnga-lok (Sæm. Edd. 230), der Niflunge Untergang. Das Zeitwort ist: liuka, lûka, claudere, finire, part. præt. lokinn. Vgl. Lex. myth. 232. 629. D. Myth. 148 [221].

[2] [224] Heimdallr, Heimþallr, Weltstamm, Lex. isl. dallr, m. arbor prolifera, Baumstamm, der Schößlinge und Zweige ansetzt. Ebd. þollr, m. palus; 2) pinus. [Sn. Edd. 213 [b], 18 f. 158. Sæm. 194, 5. 196, 21 ættbadmr, ættstudill.] Vgl. Fornald. S. I, [85.] 119. In Rigsmál (Sæm. Edd. 100) erscheint Heimdall als Stamm und Stifter der verschiedenen Stände (vgl. Vsp. 1).

nicht bloß den im Leben der Welt auch den Jötunen gebührenden Antheil, er ist zugleich das leise Verderben, das rastlos unter den Göttern umherschleicht. Dieß sein stille zehrendes Wirken wird als List und Trug, als boshafter Rath dargestellt, wodurch er die von ihm getäuschten Äsen in Schaden und Unfall führt. Aber auch ihren endlichen, gewaltsamen Untergang hat er vorbereitet. Mit dem Riesenweib Ögurboda oder Ängrboda, der Unheilkünderin, hat er außer der Todesgöttin Hel, den Wolf Fenrir und die Midgardsschlange gezeugt; das erstere dieser Ungeheuer wird im letzten Kampfe Odins Tödter sein, das andre Thörs, der beiden Hauptgötter. Als die Äsen seines Verrathes inne werden, fangen und binden sie ihn, allein auch er wird einst los werden und die zerstörenden Gewalten heranführen. Dann geben Loki und Heimdall sich gegenseitig den Tod, Anfang und Ende gehen in der Auflösung alles Zeitlichen mit einander auf. Lokis Eltern sind Farbauti und Laufey, wörtlich: Fährmann, Ruderer, [21] und Laubinsel [1]. Vergegenwärtigt man sich was diese Namen besagen, so zeigt sich ein Fährmann, der einem dichtbelaubten, abendlich schattenden Eilande zurudert; in diesen wenigen Zügen mag die Heimkehr der Dinge in die alte Nacht, die Dämmerung der Götter selbst, Lokis künftiges Werk, vorgebildet sein. Schiff und Schifffahrt leihen auch sonst dem nordischen Mythus Bilder der Bewegung und des Umlaufs im Leben der Welt, Sohn des Zeitverlaufs aber ist das Ende; Loki selbst steuert am Schlusse der Zeiten den Kiel der Zerstörer (Vsp. 51).

Doch nicht verzagend und thatlos harren die Götter dem Schicksal entgegen. Jeder wacht und wehrt, schafft und kämpft an seiner Stelle. Odin (Odinn), das Haupt der Äsen, der, auch dem Namen nach (Lex. myth. 364. D. Myth. 94 [120]), der Gott des lebendigen Geistes ist, durchforscht rastlos die Welt und stärkt die Sache der Götter, indem er überall geistiges Leben weckt und den irdischen Heldengeist zu höherem Berufe, zur künftigen Theilnahme an dem großen Götterkampf, in seine himmlische Halle heranzieht. Dagegen ist Thór, Odins kräftigster Sohn, vorzugsweise Beschirmer der Erde, deren [22] Anbau er begründet,

[1] Die Mutter heißt auch Nál (Hrafn. 16. Sn. Edd. 32), Nadel; der Name (dessen Deutung in Sn. Edd. 355 wenig aufhellt) betrifft wieder das Schiffswesen, denn unter den Benennungen des Schiffes (Sn. Edd. 220ᵃ) findet man nálar, wie árar ꝛc.

deren Fruchtbarkeit und Freundlichkeit er zum Besten ihrer Bewohner unermüdlich fördert und schützt, und darum mit den wilden Elementargewalten in beständigem Kampfe liegt.

Zu seiner näheren Charakteristik kann nach diesen allgemeinen Andeutungen übergegangen werden.

Thôr (þôrr statt þonr, D. Gramm. III, 353. D. Myth. 112 [151]) ist der personificierte Donner, der Donnergott. Das Wort findet sich zwar im Isländischen nicht mehr für Donner gebraucht und ist durch andre ersetzt. Aber die neueren nordischen, sowie andre germanische Sprachen, und selbst eine weitergreifende etymologische Verwandtschaft setzen die Wortbedeutung außer Zweifel. Dazu stimmt denn auch Thôrs äußere Erscheinung. Wenn er daherfährt, erzittern die Berge, brechen die Felsen und steht die Erde in Flammen (Aeg. 55. þrym. 23. Fornm. S. II, 154). Seinen Wagen ziehen dann zwei stattlichgehornte (Hym. 7) Böcke, Tanngniostr und Tanngrisnir, Zahnknistrer und Zahnknirscher. Sie versinnlichen eben die Sprungfahrt über die Gipfel des Gebirgs. Von solchem Fahren heißt er nach der j. Edda (Sn. Edd. 26) Ökuthôr, der wagenlenkende Thôr, und in einem Eddaliede Wagenmann (vagna verr, Alv. 3) [1]. Auf seinem täglichen [23] Wege zum Gerichte bei der Esche Yggdrasil muß er durch die Ströme Körmt, Örmt und beide Kerlaug waten, denn die Äsenbrücke steht all in Flammen, heilige Wasser glühen (Grimn. 29). Die Äsenbrücke ist das Himmelsgewölbe, das bei des Donnergottes Herankunft brennt und unter den glühenden Strömen sind blitzumloderte Gewittergüsse zu verstehen [2]. Kerlaug ist:

[1] [Vgl. Njâls Saga C. 89.]

[2] Das erste Lied von Helgi dem Hundingstödter (Sæm. Edd. 149) sagt in der Beschreibung einer Sturmnacht: „Aare klangen, heilige Wasser (heilög vötn, ganz wie in Grimn. 29) rannen von Himmelbergen.“ [Vgl. Sæm. Edd. 142, 6. Fornald. S. II, 378.] Die klingenden Aare sind Sturmwinde; der Sturm erscheint auch sonst, wie sich weiterhin ergeben wird, in Adlergestalt; in Vsp. 34 schlägt Egdir (der Sturmadler) die Harfe. Die Wasser, die von Himmelbergen niederfallen, sind in solchem Zusammenhang augenscheinlich Regenströme, die sich aus den aufgethürmten Wolken ergießen; heilig sind sie, weil sie vom Himmel kommen.

Wannenbad, geheiztes Bad, die zwei andern Namen sind unerklärt. Aus Thôrs Augen scheint Feuer zu flammen (þrym. 29. Vgl. Sn. Edd. 50) und zu den Menschen tritt er als ein ansehnlicher, jugendlicher Mann mit rothem Barte, dem Zeichen seiner Feuernatur (Fornm. S. II, 182 f. V, 249); wenn er in diesen Bart bläst und damit seine Bartstimme, seinen Bartruf (skeggrödd, skeggraust) erregt, so verursacht er den seinem Heiligthum nahenden Feinden heftigen Gegenwind (Fornm. S. I, 302 f. vgl. II, 204 f. þrym. 1. D. Myth. 120 [161]). Seine Ankunft ist eine plötzliche, wie [24] die des Gewitters; kaum genannt, ist er auch schon gegenwärtig und schlagfertig (Æg. 55. Sn. Edd. 47. 108). Mit Eisenhandschuhen oder Eisengriffen (Sn. Edd. 26) schwingt er den Hammer Miölnir, den Malmer, der, ausgeworfen, in seine Hand zurückkehrt (Sn. Edd. 132) und mit dem er den Jötunen die Schädel zerschmettert; unverkennbar hatte man dabei die sogenannten Donnersteine, Donnerhämmer, im Auge, die nach dem Volksglauben mit dem zündenden Blitze niederfahren; dem Wurfe des Hammers gehen Blitz und Donner voran (Sn. Edd. 109), auch hiedurch erweist er sich als der einschlagende Donnerkeil [1]. Dieser Erscheinung des Gottes entsprechen die Beiwörter: der Starke, Thatkräftige, Hartgesinnte (Hým. 38. 23. þrym. 33). Wenn er Megingiardar, die Stärkegürtel, um sich spannt, dann verdoppelt sich ihm die Götterkraft (Sn. Edd. 26). Ihm vorzugsweise schwillt, dem Jötunzorne (jötunmôdr, Vsp. 50. Sn. Edd. 107. 150) gegenüber, Asenzorn (âsmôdr, Sn. Edd. 109) und Asenstärke (âsmegin, Hým. 30. Sn. Edd. 26. 51. 114).

Die Stammtafel Thôrs ist folgende: er ist der Sohn Odins von Jörd (Vsp. 56. 57. þrym. 34. Æg. 58 ꝛc.). Seine Pflegeltern sind Vingnir [25] und Hlôra (Sn. Edd. 101). Er wird Meilis Bruder genannt (Harb. 9. Haustl. in Sn. Edd. 111). Seine Gemahlin ist Sif, die ihm einen Stiefsohn Ullr zugebracht und eine Tochter Thrûd geboren hat (Sn. Edd. 101. 119). Zwei Söhne hat er: Môdi und Magni (Vafþr. 51. Hým. 33. Harb. 9. 51. Sn. Edd. 101); nur von

[1] D. Myth. 122 [163] f. Stellen der Skaldengesänge, worin Thôr als Donnerer und Blitzeschleudrer geschildert wird, sind angemerkt im Lex. myth. 638. 685 f.

letzterem wird die Mutter, Jarnsaxa, ausdrücklich genannt (Sn. Edd. 110)[1].

Die Verbindung des Asenvaters Odin mit Jörd (Jörd), d. h. die Beziehung der schaffenden und bildenden Götterkraft zur Erde, äußert in Thôr, dem Sohne, ihre volle und manigfache Wirkung. Bedeuten Vingnir[2] und Hlóra, wie vermuthet wird[3], den Flügelschwinger und die Funkelnde, so eignen sich solche Pflegeltern für den Gott, der in Sturm und Flamme daherfährt und dem dieses geflügelte Wesen nicht von der schwerfälligen Mutter Erde angeboren oder anerzogen sein kann; Vingnir findet sich auch im Verzeichnis der Jötune (Sn. Edd. 210), zu denen die [26] Stürme gehören. Den Namen der Pflegeltern entsprechen dann die von Thôr selbst gebräuchlichen: Vingthôr (Alv. 6. þrym. 1), der beschwingte Thôr, und Hlôrridi (Hym. 4 u. s. w. Æg. 54. 55. þrym. 8 u. s. w.), Stralschleudrer[4]. Das nordische Herkommen, die Kinder in fremdem Hause erziehen zu lassen, ist hier auf den Göttersohn übertragen[5]. Von Thôrs Bruder Meili wird nichts weiter erwähnt, als daß auch er ein Sohn Odins ist (Sn. Edd. 211. Haustl. ebd. 120); auch die gleiche Mutter, Jörd, ist zu vermuthen, da Thôr allein unter den Asen als Meilis Bruder zugenannt wird. Seine Söhne Môdi (Mòdi) und Magni treten wenig in den vorhandenen Mythen auf, und über Thôrs Verbindung mit Jarnsaxa, der Eisensteinigen ([D. Gr. II, 518.] D. Myth. 306 [500]), die als Mutter Magnis genannt ist, einer Riesin[6], wird die eigene Sage vermißt. In Môdi, dem

1 Nach Hálfdans S. Eysteinss. (Fornald. S. III, 556) war der Jötun Svadi ein Sohn Åsathôrs, allein die genannte Saga ist sehr unsicher und wo sonst dieses Jötuns (Svada iötuns, Fornald. S. II, 4. 20) ganz genealogisch gedacht wird, geschieht seiner Abstammung von Thôr keine Erwähnung. Über Hálfdan, der für Thôrs Sohn gehalten worden, weiterhin Mehreres.

2 [Ein Bote Vingi in Säm. Edd.].

3 Lex mytb. 636. Man findet glôa und hlôa, Grimn. 29 (glær und hlær?); analog wären glôra und hlôra, vgl. Sn. Edd. form. 12.

4 Lex. isl. „rid, n. vibratio; at rida, tremere." Aber auch transitiv; Fornald. S. III, 575: ridr, wirft, schwingt.

5 Der Ausdruck in Sn. Edd. 101: fóstri Vingnis oc Hlôru gestattet zweifache Auslegung, da fóstri (alumnus) den Pflegvater sowohl als den Pflegsohn bezeichnet; doch sagt Letzteres den angegebenen Verhältnissen besser zu.

6 Sn. Edd. 110. 210b. Hyndl. 34. 35. Jarnsaxa ist in der Skaldensprache eine Benennung der Streitaxt (Sn. Edd. 173. 182), aber ohne daß

Muthigen, Zornigen, und Magni, dem Starken, scheinen die Eigenschaften des Vaters: [27] Äsenzorn (ásmódr) und Äsenstärke (ásmegin), besonders personificiert zu sein. Die übrigen Glieder der Stammtafel werden besser bei den einzelnen Mythen betrachtet werden.

Dienstpflichtige Gefährten Thôrs sind Thiâlfi und Röskva (Sn. Edd. 50. 101), der Arbeiter und die Rasche [1], Kinder eines Bauers; sie bezeichnen die unverdrossene menschliche Arbeit beim Anbau der Erde.

Thôr wohnt in Thrûdheim (Grimn. 4) oder Thrûdvâng (þrûdvângar, Sn. Edd. 25. 61. 110). Bilskirnir nennt Odin das wölbige Haus seines Sohnes mit 540 Böden (Grimn. 24. Vgl. Sn. Edd. 25); daß aber Thôr dieser Sohn Odins sei, sagt die j. Edda ausdrücklich (Sn. Edd. 25) und wird hierin durch die Skaldensprache beglaubigt (ebd. 102). Thrûdheim ist, wie in der Folge erörtert werden soll, das fruchtbare Land, Bilskirnir der Wolkenhimmel.

Der Beruf Thôrs, als Schirmers der bewohnten Erde und der Götterwohnungen selbst durch Bekämpfung der Jötune, ist in bestimmten Ausdrücken angezeigt. Im Eddaliede von Hymir heißt er: Freund der Menschenstämme; der die Geschlechter schirmt, der Schlange Alleintödter; Zerschmettrer der Felsbewohner; Thursentodwalter; Riesenweibsbetrüber (Hym. 11. 22. [28] 17. 19. 14. Vgl. Sn. Edd. 101). Anderswo (Harb. 23) sagt Thôr selbst: „Ich war im Osten und schlug der Jötune schadenkluge Bräute, die zum Berge giengen; groß würde der Jötune Geschlecht, wenn alle lebten; aus wär' es mit den Menschen unter Midgard.“ Und Loki spricht zu ihm (þrym. 20): „Bald werden Jötune Äsgard (die Götterburg) bewohnen, du holest denn deinen Hammer dir wieder.“

Thôr heißt auch Veor (Veorr, Hym. 11. 17. 22), Midgards Veor (M. veorr, Vsp. 56, nach der Schreibung dieses Wortes in Sn. Edd. 74), Hardveor (Sn. Edd. 211. Vrgl. ebd. Veodr). Ve (n. pl.) bedeutet sonst Heiligthum, Vear (m. pl.) Götter, heilige Götter. Ist Veor hiernach der Heiliger? Ein solcher Name geziemte sich für ihn eben in Beziehung auf Midgard, die bewohnbare Erde, die hierzu von ihm die Weihe hat. Das Werkzeug dieser Heiligung ist der Hammer

sich daraus Näheres über Magnis Mutter entnehmen ließe, da jene Waffe überhaupt nach Riesenweibern dichterisch benannt werden kann (ebd. 160. Vgl. 215b).

[1] Lex. isl. þiálf, n. labor. at þiálfa, labore domare. röskr, strenuus, fortis.

Miölnir, dessen harter Schlag, wie ein besondrer Mythus ergeben wird, die Erde urbar macht, daher Hardveor. Der Hammer erscheint dann überhaupt als Symbol von Thôrs göttlicher Wirksamkeit, das von ihm selbst zu verschiedenen Weihungen, der Braut (þrym. 32), des Leichenbrandes (Sn. Edd. 66. Vgl. 49)[1], auf dieselbe Weise angewandt wird, wie es in [29] menschlichen Verhältnissen gebräuchlich sein mochte (vgl. Fornm. S. I, 35).

Wie mit der äußeren Erscheinung Thôrs, als des Donnerers, sein göttliches Wesen und Wirken keineswegs erschöpft ist, so wird er nicht bloß Ökuthôr und Vingthôr, sondern auch Âsathôr (Harb. 50. Sn. Edd. 25), Thôr der Âsen, beigenannt. Seine hohe Geltung unter den Göttern bezeichnen ferner die Benennungen Âsenfürst (Âsabragr, Skîrn. 34. Vgl. Sn. Edd. 211) und Âsenheld (Âsahetia, Sn. Edd. 211).

Noch manche Namen und Beiwörter liegen vor (Sn. Edd. 211. Lex. myth. 236 f.), die entweder selbst dunkel sind, oder doch nicht zu besserer Erläuterung der bisher nur in den Grundzügen angegebenen Eigenthümlichkeit Thôrs beitragen. Die vollere Aufhellung ist vielmehr da zu suchen, wo er mit Freunden und Feinden in Handlung tritt, in einer Reihe von Mythen, welche jedesmal erst als Räthselbilder aufgestellt und dann soweit möglich gedeutet werden sollen. Die einzelnen Mythen werden je nach den bedeutendern Wesen benannt sein, mit denen Thôr in Gutem oder Bösem zusammentrifft. „Niemand ist so kundig, heißt es in Sn. Edda 26, daß er alle Großthaten desselben aufzuzählen wüßte: doch kann ich dir so Vieles von ihm berichten, daß der Tag lang werden wird, bevor Alles gesagt ist, was ich weiß."

---

[30] 1. Forniot.

In Thôrsdrâpa, einem Gesange zu Thôrs Ruhme, welchen Eilif, Gudrûns Sohn, ein nachmals zum Christenthum bekehrter Skalde vom Schlusse des zehnten Jahrhunderts, gedichtet und wovon die j. Edda ein beträchtliches Stück erhalten hat, wird Thôr als „Fäller der luftigen

[1] An allen diesen Stellen wird das Zeitwort vigia gebraucht; über dessen Verhältnis zu ve s. D. Gramm. III, 428.

Götterstühle Forniots" umschrieben (Sn. Edd. 115). Forniot (Forniotr) ist auch unter den Jötunen verzeichnet (Sn. Edd. 209) und es gibt zwei altnordische Erzählungen vom Anbau Norwegens, welche über ihn und sein Geschlecht Folgendes sagen (Fornald. S. II, 3 bis 5. 17 bis 21):

Ein Mann mit Namen Forniot (der eine der beiden Berichte läßt ihn König über Jötland sein, welches Finnland und Kvenland genannt werde) hatte drei Söhne, Hlér, Logi und Kári; der erste derselben, auch Ägir genannt, waltete über das Meer, der zweite über das Feuer, der dritte über die Winde. In der weitern Stammfolge weichen die Erzählungen etwas von einander ab: nach der einen war Káris Sohn Jökul, Vater des Königs Snär, und dessen Kinder waren Thorri, Fönn, Drifa und Miöll, in der andern wird Káris Sohn, der Vater Snärs des Alten, Frosti genannt, von Snär aber nur der Sohn Thorri angeführt. [31] Übereinstimmend folgen dann in beiden Thorris Söhne Nor und Gor, nebst einer Tochter Göi. Indem Nor und Gor ihre abhanden gekommene Schwester aufsuchen, unterwirft jener sich Norwegen, das von ihm den Namen erhält, Gor aber nimmt die Inseln ein; von Ersterem stammen die Gebieter des norwegischen Festlandes, von Letzterem die Seekönige.

Über Logi, den Bruder Káris, und sein Geschlecht wird an andrem Orte, in der Saga von Thórstein Vikingssohn (Fornald. S. II, 383 bis 385), Auskunft gegeben:

Er wird von seinem hohen Wuchse, denn er ist Riesenstammes (risakyns), Hálogi genannt und das Land, dessen König er ist, erhält nach ihm den Namen Hálogaland. Seine Frau heißt Glöd und von ihr hat er zwei Töchter, Eysa und Eimyria, welche von zwei verbannten Jarlen, Vefeti und Vifil, nach fernen Eilanden entführt werden.

Der Wortsinn der aufgezählten Namen liegt fast nur allzu nackt am Tage. Hlér und Kári (stridens, Lex. isl.) erscheinen zwar nicht mehr unter den gangbaren Benennungen des Meeres und des Windes, aber durch den Zusammenhang, durch die ausdrücklichen Erklärungen des Sagenschreibers und der j. Edda (Sn. Edd. 79. 125. 126. 332) und durch den [32] Skaldengebrauch ist ihre Bedeutung im Allgemeinen gesichert. Dagegen stehen noch unveraltet im isländischen Wörterbuche: von Káris Nachkommen, Frosti, Frost; Jökull, Eisberg; Snär, Snior, Schnee; Fönn, dichter Schnee; Drifa, Schneegestöber; Miöll, feinster, glänzendster Schnee; Thorri und Göi sind Monatsnamen, ungefähr dem Januar und Februar entsprechend, sowie Gor auf den Gormonat (gormánadr), Schlachtmonat im Spätjahre, sich zu beziehen scheint; Nor, als Landesherr, ist rückwärts aus Noregr, Norwegen, hervorgegangen. Logi heißt Flamme (Hálogi, hohe Flamme, Hochlohe), seine Frau Glöd, Glut, die Töchter Eysa und Eimyria, Glutasche. Ist Ägir, der in den Mythen vorherrschende Name des Meergottes, identisch mit Hlér, wie hier und anderwärts ausgesprochen wird (Fornald. S. II, 16. Sn. Edd. 125 ꝛc.), so ergiebt sich auch in dieses Bruders Hause dieselbe Erscheinung. Ägirs Gattin ist Rân, Raub, und unter den Namen seiner neun Töchter (Sn. Edd. 185) sind, neben einigen versteckteren, die folgenden: Hefring, Hrönn, Bylgia, Bâra, Dröfn, Kólga, wieder im Wörterbuch als Meereswelle, Flut, Seegebraus ꝛc. zu finden.

Der gemeinsame Stammvater dieser drei Linien, in denen drei Elemente sich kund geben, ist nun Forniot und auch sein Name spricht deutlich genug. Forniot ist der Vorbesitzer, der vormalige Inhaber [33] des Landes [1]. Er und sein jötunisches Geschlecht bedeuten die Urzeit des Nordlandes, als in diesem noch einzig die rohen Elemente walteten.

Die dürre genealogische Allegorie, wie sie in diesem Stammbaume heraussteht, möchte wohl dazu versuchen, das Geschlecht Forniots aus dem Kreise der ächten lebendigen Mythen gänzlich zu verweisen. Man kann dieß hinsichtlich der letzten Glieder, Thorri und Gôi, Nor und Gor, einräumen. Anders verhält es sich mit den übrigen, elementarischen Wesenreihen, die, von örtlicher Anknüpfung unabhängig, in allgemeinerer Geltung erscheinen. Forniots Gesippte heißen, dem Zusammenhange nach, die Winde in einem der mythischen Eddalieder, wenn auch keinem der ältesten (Hrafn. 17). Namen und Verwandtschaftsverhältnisse aus obigem Stammbaume kommen in den Skaldengesängen vor und werden hiernach in der j. Edda angegeben (Sn. Edd. 126). So der Skalde Sveinn: „Mit Schneegestöbern begannen Forniots häßliche Söhne.“ Das volksmäßigere Räthsellied in Hervörssaga (Fornald. S. I, 475) läßt den verdunkelnden [34] Nebel allein vor dem Sohne Forniots (wieder dem Winde) fliehen. Es mag in der ganzen Weise der mythischen Personendichtung liegen, daß die Grundwesen, die einfachsten

[1] Vergl. Lex. isl. I, 235. Sag. Bibl. II, 430. For-niotr ist gebildet wie for-madr, antecessor, for-fedr, majores ꝛc. niotr, von niota, frui, uti, kommt auch anderwärts vor: hafra-niotr (Sn. Edd. 102), niotr giardar (Sn. Edd. 116, 7. Thorlac. Sp. VII, 25. 92), Besitzer der Böcke, des Gürtels, Beides von Thôr; Niotr einfach als einer der Namen Odins (Lex. myth. 371).

Naturerscheinungen, zugleich in etymologischer Schroffheit sich darstellen und daß erst wie sie in manigfachere Thätigkeit, Verbindung und Wechselwirkung unter sich und mit anderartigen Kräften eintreten, mit der lebendigern Gestaltung eine weniger abstrakte Wortbezeichnung sich entwickle. Dieselbe Wahrnehmung ergibt sich in Hinsicht auf ein andres jötunisches Urwesen, Nött, die Nacht, mit ihrem Stamme. Nött und ihre Tochter Jörd erscheinen in den Eddaliedern selbst bald als Begriffe, bald als Personen (Vsp. 6, vgl. mit Vafþr. 24. 25), und zeigen so die untersten Ansätze der Mythenbildung. Die unmittelbare Bezeichnung ist auch weniger entbehrlich, wo die Anschauung noch sparsam zu Hülfe kommt; sie kann zurücktreten, wo die Bilder sprechen. Jener unverhüllten Namen ungeachtet lassen sich aber schon in Forniots Geschlechte die Spuren einer volleren Belebung nachweisen. Abgesehen von den Mythen, in denen späterhin Ägir eine Rolle spielen wird, ist es doch bereits dichterische Anschauung, wenn der Mann Logi, das flammende Feuer, mit dem Weibe Glöd, der milderen Glut, verbunden ist; oder wenn Snär, Forniots Abkömmling, der Alte zugenannt wird, dessen dreihundertjähriges Alter König [35] Hálfdan sich wünscht (Fornald. S. II, 8), das Alter des greisen, ewigen Gebirgschnees. Es haben sich aber auch insbesondre von diesem Könige Snär oder Snio und dessen Angehörigen, wenn gleich durch fabelnde Willkür oder geschichtliche Auffassung entstellt und verkümmert, noch Überreste durchgebildeter Mythen erhalten. Wenn, bei Saxo, der Dänenkönig Snio seinen vermummten Boten nach einer schönen Königin in Schweden ausschickt, wenn der Bote ihr leise, leise zusingt: „Snio liebt dich", und sie ebenso, kaum hörbar, entgegenflüstert: „Ich lieb ihn wieder" [1], und wenn sie dann die verstohlene Zusammenkunft auf den Anfang des Winters bestimmt; wenn, nach der Saga von Sturlaug (Fornald. S. III, 634 bis 638), dieser norwegische Jarl und nachmalige König in Schweden seinen Pflegbruder Frosti nach der schönen, lichtgelockten Miöll, der Tochter des Finnenkönigs Snär [2],

[1] Sax. VIII, 158: „exili vocula succinens: amat, inquit, te Snio etc. Illa allapsum auribus sonum dissimulanter excipiens etc. obscuro et vix aures offendente sibilo: amantem, inquit, me redamo etc."

[2] In Yngl. S. C. 16 (Heimskringla, ed. J. Peringskiöld, Stockh. 1697. I, 16) erscheint der finnländische König Snii der Alte mit einer andern seiner vorgenannten Töchter, Drifa.

aussendet und Frosti die mit ihm Entfliehende unter dem Gürtel fassen muß, worauf sie rasch im Winde hinfahren; oder wenn, nach dänischen Chroniken (Langebek, Script. rer. dan. 1, 225. 80), Snio ein Hirte des Riesen Lä (Hlér) auf Läsö ist, so [36] erahnt man wohl noch bald das leise Gesäusel der niederfallenden Flocken, bald den stürmischen Flug des glänzenden Schneegestöbers, bald den dichten Trieb der Schneewolkenheerde vom Meere her, dem Gebiete Hlérs, in seltsame Märchenbilder verwandelt, und diese Schneemärchen mögen einst, in ihrer ungetrübten Gestalt, Seitenstücke zu den Eddasagen von Freys Brautwerbung durch Skirnir, von der Entführung Iduns &c. gewesen sein. Umgekehrt aber wird nachher in eine der ausgeführtesten Sagen von Thór noch unmittelbar der elementarische Forniotssohn Logi einschreiten.

Wenn nun Thór im Gesange Eilifs Fäller der luftigen Götterstühle Förniots genannt wird, so ist damit in der Dichtersprache dasselbe gesagt, was anderwärts in Prosa, er sei durch Berge gefahren und habe Felsen gebrochen (Fornm. S. II, 154). Luftige Götterstühle oder Tempelgestelle heißen bildlich die Berge, diese sind aber Forniots, denn ihm und seinem Stamme, den jötunischen Elementarmächten des Windes, des vulkanischen Feuers, des Eises und Schnees, gehört das hohe Felsgebirg. Ohne daß man der Liedesstelle für sich weitergreifende Deutung gibt [1], ist übrigens Thór als derjenige zu betrachten, [37] der dieses

[1] Die Stelle der Thórsdrápa (Sn. Edd. 115): „flug stalla fellir Forniotz goda“ ist im Obigen so aufgefaßt, daß die Worte: flug stalla goda zusammengenommen werden; stallir, pl. von stalli, m., sind Gestelle, worauf in den nordischen Tempeln die Götterbilder gesetzt waren (Eyrbyggia-Saga, Havn. 1787, S. 8: „undan stallanum þar er þórr hafði ásetit.“ Ebd. 10. Forn. S. II, 154); goda-stallir gibt, da stalli auch allgemeineren Sinn hat, noch bestimmter den Bezug auf die Götterbilder, god, n. pl. (Fornm. S. II, 162: hann skýfdi godin af stallonom); flug-stallir sind diese Gestelle, weil sie hier steile, hohe Gebirgsfelsen bedeuten, das vorgesetzte flug (n. volatus) bezeichnet, wie in flug-stigr, præcipitium (Lex. isl. s. v. vgl. Sæm. Edd. 168, 36. Grimm, Lieder d. alt. Edda, Berl. 1815, S. 119, Not.), das Luftige, nur Befliegbare. Diese Erklärung stimmt mit der im Lex. myth. 637: „altarum ararum (vel rupium) etc. destructor.“ Im Übrigen verbinden die Ausleger (Thorlac. Sp. VII. 17, 54. Lex. myth. 75. 637. Geijer, Svea Rikes Häfder, I. Ups. 1825. S. 274. 411): Forniotz goda, und erklären: Umstürzer der Altäre Forniotischer Götter; woran dann religionsgeschichtliche Folgerungen über einen durch den Thórsdienst verdrängten älteren Cultus

Riesengeschlecht in die Berge zurückgeworfen hat; als Gründer des Anbaus steht er mit dem wilden Urzustande des Landes in natürlichem Gegensatz.

Die geschichtliche Saga vom König Olaf, Tryggvis Sohne, der gegen das Ende des zehnten Jahrhunderts die Einführung des Christenthums in Norwegen durchsetzte, läßt den vormaligen Befreier und Schutzgott des Landes, den Landâsen (Landâs, Egils Saga, [38] Havn. 1809, S. 365), wie Thôr in einer Skaldenstrophe genannt ist, noch einmal am hellen Tage mitten unter den Christen sichtbar werden (Fornm. S. II, 182 ff.):

Als König Olaf eines Tags südwärts die Küste entlang mit gelindem Fahrwinde segelt, steht ein Mann auf einem Felsvorsprung und ruft um Aufnahme in das Schiff, die ihm auch gewährt wird. Er ist von stattlichem Wuchse, jugendlich, schön von Aussehen und rothbärtig. Mit dem Gefolge des Königs beginnt er allerlei Kurzweil und scherzhaftes Wettspiel, wobei die Andern schlecht gegen ihn bestehen. Sie führen ihn hierauf, als einen vielkundigen Mann, vor den König selbst. Dieser heißt ihn irgend eine alte Kunde sagen. Der Mann antwortet: „Damit heb' ich an, Herr! daß dieses Land, dem wir vorbeisegeln, ehemals von Riesen bewohnt war. Diese kamen jedoch zufällig schnellen Todes um, bis auf zwei Weiber. Hernach begannen Leute aus östlichen Landen sich hier anzubauen, aber jene großen Weiber thaten ihnen viel Gewalt und Bedrängnis an, bis die Landbewohner beschlossen, diesen rothen Bart um Hülfe anzuflehen. Alsbald ergriff ich meinen Hammer und erschlug die beiden Weiber. Das Volk dieses Landes blieb auch dabei, mich in seinen Nöthen um Beistand anzurufen, bis du, König! fast alle [39] meine Freunde vertilgt hast, was wohl der Rache werth wäre." Hiebei blickt er bitter lächelnd nach dem König zurück, indem er sich so schnell über Bord wirft, als ob ein Pfeil in das Meer schöße, und niemals sehen sie ihn fortan wieder[1].

In dieser Volkssage schimmert, wenn auch nur noch halbverstanden, die alte mythische Vorstellung durch, daß Thôr es war, der die Herrschaft der jötunischen Urbesitzer des Landes, Forniots und seines Stammes, gebrochen.

Forniotischer Gottheiten geknüpft werden. Allein die Verbindung Forniots goð zur Bezeichnung von Göttern aus dem Geschlechte Forniots erregt in sprachlicher, und die Benennung goð für jötunische Wesen in mythologischer Hinsicht Bedenken, hauptsächlich aber scheint ein so unmittelbarer Ausdruck dem bildlichen Charakter der Skaldensprache, wie er sonst in Thôrsdrápa herrscht, nicht gemäß zu sein.

[1] [K. Maurer, die Bekehrung des norwegischen Stammes zum Christenthum. S. 328 f. H.]

Der allgemeine Gegensatz, in welchem Thôr bisdaher mit den rohen Naturgewalten sich gezeigt hat, läuft in eine große Manigfaltigkeit besonderer Dichtungen aus, worin jene Urwesen verblümtere Namen und persönlichere Gestalt annehmen. In allen vier Elementen ist Thôr wirksam und nach diesen werden auch die folgenden Mythen am natürlichsten eingetheilt werden, obgleich eine strenge und durchgreifende Absonderung ebensowenig anwendbar ist, als sie in der Natur selbst stattfindet. Alle Wirksamkeit Thôrs bezieht sich in ihrem Endzweck und Ergebnis auf die Erde, seine Mutter. Sie erscheint in der Sage von Forniot noch unbelebt, als das nördliche Land, dessen Entwilderung erst im Beginn ist. Wenn sie aber auch anderwärts, ihrer Natur gemäß, im Ganzen [40] ruhig und leidend verharrt, so bietet sie doch zwei verschiedene Seiten dar, die eine starr und unwirthsam, die andre fruchtbar und wohnlich, und so kommen unmittelbar an ihr entgegengesetzte Wesen und Kräfte zum Vorschein, welche, je nachdem sie ihrem Anbau förderlich oder hinderlich sind, von Thôr geschirmt oder bekämpft werden. In diesem nächsten Verhältnis zur Erde soll nun Thôr zuerst betrachtet werden. Wenn es räthlich schien, die Naturmythen vor den auf das geistige Leben bezüglichen zu erforschen, so wird die Erklärung der erstern wieder am sichersten vom festen Elemente zu den schwebenden und flüchtigen vorschreiten.

2. Hrûngnir.

Auszug aus der Erzählung der j. Edda (Sn. Edd. 106 bis 110):

Thôr und der Jötun Hrûngnir haben sich an die Ländergrenze auf Griotûnagardar zum Holmgange (Zweikampf) beschieden. Die Jötune fürchten das Schlimmste von Thôr, wenn Hrûngnir, der stärkste von ihnen, erläge. Da machen sie auf der Kampfstätte einen Mann von Lehm, neun Rasten (Wegmeilen) hoch und drei breit unter den Armen. Das Herz[1] nehmen sie von einer Stute, das ihm jedoch nicht haltbar ist, als Thôr kommt. Hrûngnir aber hat ein Herz [41] von hartem Steine, mit drei Ecken; von Stein ist auch sein Haupt, sowie sein breiter und dicker Schild. Diesen hat er vor sich, als er auf Griotûnagardar steht und Thôrs wartet. Seine Waffe ist ein Schleifstein, den er über die Schulter nimmt; und nicht mild ist er anzusehen. Ihm zur Seite steht der

[1] [Heselier 11, 19. 36, 26.]

Lehmjötun, Möckrkälfi genannt. Dieser ist sehr furchtsam; es wird gesagt, daß er das Wasser ließ, als er Thôr sah. Thôr fährt heran und mit ihm Thiálfi, der gegen Hrûngnir vorläuft und zu ihm spricht: „Du stehst übel behütet, Jötun! hast den Schild vor dir, aber Thôr hat dich gesehen, er fährt niederhalb in der Erde und wird von unten an dich kommen.“ Da wirft Hrûngnir sich den Schild unter die Füße und steht darauf, die Steinwaffe aber faßt er mit beiden Händen. Demnächst sieht er Blitze und hört starke Donner. Thôr fährt daher in Äsenzorn, schwingt den Hammer und wirft ihn weit nach Hrûngnir. Der Jötun wirft die Steinwaffe entgegen, sie trifft den Hammer im Fluge und der Schleifstein bricht entzwei. Der eine Theil fällt zur Erde (davon sind alle Wetzsteinfelsen geworden), der andre fährt in das Haupt Thôrs, so daß dieser vor sich auf die Erde stürzt. Miölnir aber trifft den Hrûngnir mitten an das Haupt und zerschmettert ihm die Hirnschale zu kleinen Splittern. [42] Der Riese fällt vorwärts über Thôr, so daß sein Fuß auf dessen Halse liegt. Thiálfi greift den Lehmriesen an, der mit geringem Ruhme fällt. Dann will er Hrûngnirs Fuß von Thôr nehmen, ist es aber nicht im Stande. Als die Äsen erfahren, daß Thôr gefallen, eilen sie herbei, aber keiner vermag zu helfen, bis Magni, der Sohn Thôrs und Jarnsaxas, hinzukommt. Erst drei Nächte (nach andrer Lesart: drei Winter) alt, wirft er Hrûngnirs Fuß von Thôr und spricht: „Schmerz und Schmach, Vater, daß ich so spät kam! mit meiner Faust würd ich diesen Jötun erschlagen haben, wär' ich mit ihm zusammengetroffen.“ Da steht Thôr auf, bewillkommt seinen Sohn und sagt, derselbe werde sehr tüchtig werden.

Dieser Erzählung ist ein Stück aus Haustlöng, einem Gedichte des norwegischen Skalden Thiodôlf, aus dem neunten Jahrhundert, angehängt. Das Bruchstück von sieben Strophen (Sn. Edd. 111. 112. Thorlac. Sp. VI) besingt nur den Hauptkampf, im Ganzen übereinstimmend mit Obigem; der Lehmriese, Thiálfi und Magni kommen darin nicht vor. Als Thôr mit seinen Böcken daherfährt, reißen und brechen die Felsen und brennt der Himmel. Der Kampf Thôrs mit Hrûngnir war aber sehr wahrscheinlich auch Gegenstand eines besondern, nun verlorenen Mythenliedes in der einfachern Weise der in der [43] ä. Edda erhaltenen. Diese selbst spielen wiederholt auf das Ereignis an und beurkunden es damit als zu ihrem Kreise gehörig. Sie lassen Thôr sich der Erlegung des hochfahrenden Jötuns rühmen, dessen Haupt von Stein war, und nennen Thôrs Hammer Hrûngnirstödter (Harb. 14. 15. Hym. 16. Æg. 61. 63. Grottas. in Sn. Edd. 148). Bei den Skalden heißt Thôr selbst Schädelsprenger Hrüngnirs (Sn. Edd. 102) und der Schild Hrüngnirs Fußsohlenblatt oder Fußgestell (ebd. 160. 162. Kormaks Saga, Hafn. 1832. S. 40), weil der Jötun auf dem seinigen stand.

Wenn auch der Name Hrüngnir [1] ohne erwiesene Deutung bleibt, so steht die Gestalt um so entschiedener da. Der Jötun, der bis in sein dreigespitztes Herz von Stein ist, stammt unzweifelhaft vom Gebeine des Urriesen, daraus einst die Felsen geschaffen wurden. In ihm bezwingt Thôr die dem Anbau der Erde widerstrebende Steinwelt.

Der erste Anlaß, dem Donnergotte die Urbarmachung der Erde zu übertragen, lag in der felsenspaltenden Gewalt des Wetterstrals. Es ist zuvor gesagt worden, wie die Berge zittern und die Felsen brechen, wenn Thôr feurig einherfährt, und wie insbesondre seine Anfahrt gegen Hrüngnir im Skaldenliede so [44] geschildert wird. Die volle, zerschmetternde Kraft aber äußert sich im Wurfe des Hammers Miölnir, des Donnerkeils, von dem auch Hrüngnir zusammenstürzt. Der Volksglaube schrieb die Bergfälle, die Felslawinen im Gebirge, dem Thôr und seinem Hammer zu (Sax. VII, 187. Lex. myth. 656. Faye, 3 bis 6). Es ist nur eine ausgedehntere Auffassung dieses zermalmenden Hammerschlags, ihm die Bereitung des harten Steingrunds zum urbaren Erdreiche beizumessen. Thôr vollbringt dieß mit dem einen Streiche auf Hrüngnirs steinernes Haupt, das in kleine Stücke springt.

Die Kämpfer haben sich auf die Landmark nach Griottûnagardar, nach den Bezirken der Steingehege, beschieden, an die Grenze des jötunischen Steingebietes. Thôr kommt dahin mit seinem Diener Thiâlfi, der, wie schon bemerkt, die menschliche Arbeit vorstellt. Thiâlfi beredet den Hrüngnir, sich nach unten mit dem Schilde zu decken; dieser täuschende Rath kommt aus dem Munde Dessen, der von unten herauf das Gebirg zu bearbeiten gewohnt ist. Aber Asathôr fährt von obenher. Auch dem Thiâlfi wird sein Theil am Kampfe. Die Jötune haben den langen und breiten Lehmriesen aufgerichtet, der aber feig ist und nur ein scheues Stutenherz in der Brust hat; sein Name ist Möckurkâlfi, Wolken- oder Nebelwade. Er ist der zähe, wässrige Lehmboden am dunstigen Fuße des Steingebirgs. Mit ihm wird menschliche [45] Anstrengung fertig, während den Steinriesen nur Götterkraft besiegen

[1] Vgl. Lex. isl. s. v. D. Myth. 302 [494].

kann. Daß Thôr in Gefahr kommt, vom Sturze des erschlagenen Steinjötuns erdrückt zu werden, ist dem Anblick verschüttender Bergfälle, die gleichwohl Thôrs Werk sind, entnommen; nach der Volkssage verlor er einst auch bei solchem Anlasse seinen Hammer (Lex. myth. 656). Die Aufraffung, die erneute Kraft, die ihn rettet, wird seinem jungen Sohne Magni, der personificierten Äsenstärke, beigemessen.

Ist auch das Nebenwerk da und dort verdunkelt [1], so bleibt doch das Hauptbild verständlich. Den Lehmhügel hinan, am Abhange des Gebirgs, regt sich der mühsame Anbau, oben herein ragt das ungeheure [46] Felshorn, an dem eine Gewitterwolke blitzt und donnert, daß plötzlich der ganze Gebirgsstock erbebt. Die Feldarbeiter blicken empor und siehe! der Fels wird zum Steinriesen, in der Wolke steht der feurige Wagenlenker Thôr, den malmenden Hammer schleudernd. Da fühlt Thiâlfi, daß er nicht allein arbeite, ein gewaltiger Gott ist hülfreich mit ihm, und während er das Geringe schafft, vollbringt Jener das Große und hat das Schwerste schon vorgearbeitet.

3. Örvandil.

Weiter meldet die j. Edda (110 f.):

Vom Kampfe mit Hrûngnir fährt Thôr heim nach Thrûdvâng, aber der Schleifstein steckt in seinem Haupte. Da kommt die Weissagerin Grôa hinzu, die Frau Örvandils des Kecken; sie singt ihre Zauber über Thôr bis der Schleifstein los wird. Als aber Thôr Dieses merkt und hoffen kann, den Schleifstein wegzubekommen, will er ihr die Heilung durch die frohe Botschaft lohnen, daß

[1] Was Skâlda als Anlaß zum Kampfe Thôrs mit Hrûngnir voranschickt, darüber muß lediglich auf die Quelle selbst (Sn. Edd. 107 f.) verwiesen werden, indem keine befriedigende Erklärung zu gewinnen war. Daß der Steinriese nach Âsgard eindringt, daß er droht, Valhöll auf sich zu nehmen und nach Jötunheim zu tragen, auch Freyja und Sif mitzunehmen, die übrigen Götter aber zu erschlagen u. s. f., kann zwar wohl auf das himmelansteigende Gebirg gedeutet werden; dagegen ist das Ross Gullfaxi, das goldmähnige, auf dem er mit Odin in die Wette reitet und das Thôr nachher dem Magni schenkt, eine ungelöste Rune. Auch Haustlöng hat sich auf die Darstellung des Holmganges beschränkt, denn die daraus mitgetheilten Strophen schließen sich zu einem Ganzen ab, und wenn die Vorgeschichte sich im Liede gefunden hätte, so ist nicht abzusehen, warum nicht auch diese Stelle desselben zum Belege der prosaischen Erzählung beigebracht worden wäre.

er von Norden her über Elivágar gewatet sei und im Korb auf seinem Rücken Örvandil aus Jötunheim getragen habe. Zum Wahrzeichen sagt er ihr, daß eine Zehe desselben aus dem Korbe vorgestanden und erfroren sei, weshalb er sie abgebrochen, an den Himmel geworfen und daraus den [47] Stern Örvandilstá, Örvandils Zehe, gemacht habe. Es werde nicht lange anstehn, daß Örvandil heimkomme. Hierüber wird Gróa so erfreut, daß sie der Zauberlieder vergißt, und so wird der Schleifstein nicht loser und steckt noch in Thórs Haupte.

Zwar geschieht dieser Begebenheit weder in den Eddaliedern noch im Bruchstücke von Haustlöng Erwähnung; da gleichwohl letzteres noch besagt, wie der zerbrochene Schleifstein in Thórs blutendem Schädel stecken geblieben, so ist hiemit allerdings auch die Kunde vom Heilversuche eingeleitet.

Das Stück von Hrúngnirs zerschmetterter Steinwaffe, das in Thórs Haupte haftet, ist das Gestein, darauf auch im urbaren Felde Pflug und Karst noch immer stoßen. Gróa ist das Wachsthum, das Saatengrün, das vergeblich bemüht ist, die Steine des Feldes zu bedecken, Thórs Wunde zu heilen; das nordische Zeitwort (at gróa), das hier zu Grunde liegt, bezeichnet doppelsinnig das Wachsen und Grünen, das Zuwachsen und Vernarben. Eine Weissagerin (völva) kann sie heißen, weil die weissagenden Frauen zugleich magische Heilkunst zu treiben pflegten, auch ist sie ja Vorbotin der künftigen Ernte. Örvandil (Örvandill), wörtlich: der mit dem Pfeil Arbeitende, Anstrebende [1], ist der Fruchtkeim, der, wenn einmal [48] die Saat grünt, bald auch hervorstechen und aufschießen wird. Ihn hat Thór von Norden her aus Jötunheim, der Riesenwelt, über Elivágar, die Eisströme, im Korbe getragen, er hat das keimende Pflanzenleben den eisigen Winter über bewahrt; aber der kecke Örvandil hat eine Zehe hervorgestreckt und erfroren, der Keim hat sich allzu frühe herausgewagt und muß es büßen. Daß Örvandils erfrorene Zehe an den gestirnten Himmel versetzt wird, dazu hat irgend ein Sternbild von entsprechender Form den Anlaß gegeben.

Nicht zufrieden, den harten Boden dem Anbau bereitet zu haben, schirmt Thór auch die in der Wintererde verwaiste Aussaat. Es ist ein ansprechendes Bild, wie der getreue Thór, auf seinen Götterschultern den fürwitzigen Örvandil tragend, durch die eisigen Urströme watet,

[1] Lex. isl. ör, f. sagitta. at vanda, elaborare, industriam adhibere.

welche die Heimath alles winternächtlichen Grauens sind (Hym. 5. Hrafn. 13).

Für die dargelegte Ansicht zeugt noch besonders eine Erzählung bei Saxo (III, 48 f.):

Horwendil (Horwendillus) und Fengo folgen ihrem Vater Gerwendil in der Statthalterschaft von Jütland nach. Der Ruhm, den sich Horwendil als Seeheld erworben, weckt die Eifersucht des Königs von Norwegen Koller (Collerus). Er sucht Jenen auf, um sich mit ihm zu messen. An einer Insel mitten im Meere [49] legen die Flotten Beider von verschiedenen Seiten an. Die Annehmlichkeit der Ufer lockt die Führer, das Innere der frühlingsgrünen Gehölze (interiora nemorum verna) zu durchstreifen, und sie begegnen einander ohne Begleitung. Ein Zweikampf wird alsbald beschlossen, doch verabreden sie, daß der Sieger den Besiegten ehrenvoll bestatten und, wer den Andern verwunde, ihm mit zehn Pfunden (talentis) Goldes büßen solle. Die Anmuth des frühlingsmäßigen Ortes (vernantis loci jucunditas) vermag nicht, sie vom Kampfe abzuhalten. Der kühne Jüngling Horwendil kümmert sich in seiner Hitze nichts um den Schild und faßt das Schwert mit beiden Händen. Koller fällt von seinen Streichen. Dem Vertrage gemäß setzt ihn Horwendil mit königlichem Begängnis in einem prächtigen Grabhügel bei. Dann verfolgt er Kollers Schwester Sela, gleichfalls eine Seeheldin, und erlegt auch sie. Nachmals erhält er die Tochter seines Oberherrn, des Dänenkönigs Rörik, Gerutha, zur Gemahlin und hat von ihr einen Sohn Amleth. Sein Bruder Fengo, neidisch auf solches Glück, stellt ihm nach und ermordet ihn. Auch nimmt er sich die Wittwe des Erschlagenen zur Frau. Amleth aber rächt in der Folge blutig den Tod des Vaters.

Durch alle historische Verkleidung sind hier dennoch die Grundzüge des alten Naturmythus unverkennbar. [50] Der jugendliche Held Horwendil, dessen Kühnheit (audacia) wiederholt hervorgehoben wird, ist wieder Örvandil der Kecke (hinn frækni). Der Gegner, mit dem er den Inselkampf, Holmgang, zu bestehen hat, heißt Koller, der Kalte [1], der von Norwegen kommt. Es ist der Sieg des jungen Keimes, des aufkeimenden Jahressegens, über den Frühlingsfrost, den Nordhauch, der besonders in jenen Gegenden auch dem Saatfelde Verderben droht. Die Bezeichnung der Frühlingszeit hat sich vollkommen erhalten. Örvandil, der in der früheren Sage noch erwartet wurde, ist nun gekommen.

[1] Kollr, assimiliert aus Koldr, wie in dem ähnlichen Namen Snækollr, Fornald. S. III, 713.

Aber er ist noch ebenso unbehutsam, als da er die Zehe herausstreckte. Er kämpft sogleich mit weggeschobenem Schilde, der Keim hat die schützende Hülse abgestreift. Dießmal jedoch ist er glücklicher, denn es ist günstigere Zeit und er selbst ist besser erstarkt, als da man ihn über die Eisströme trug. Der prächtige Grabhügel, den er seinem Gegner errichtet, ist wohl der hohe, dichte Halmenwuchs und die Buße von zehen Pfunden Goldes kann er mit goldenen Körnern zahlen (vgl. D. Rechtsalth. 672).

Die eigenthümliche Weise, wie Saxo den manigfaltigen Stoff, den er für sein Geschichtwerk vorfand, unter seine dänischen Königsreihen einordnete, macht es oft schwierig, das wirklich Zusammengehörende [51] auszusondern, die mythischen Namen von den historischen rein abzuscheiden. Im vorliegenden Fall ist der Königsname Rörik (isl. Hrærekr) nur der äußere Anhalt für verschiedene sagenhafte Erzählungen [1]. Dagegen verläugnet Gerwendil, Horwendils Vater, die mythische Verwandtschaft nicht. Ist Horwendil (Örvandill) der Arbeiter mit dem Pfeile, so ist Gerwendil (Geirvandill) der mit dem Speere [2] Der Name des Sohnes, der in der vorigen Fabel allein hervortrat, wird in dieser durch den des Vaters verdeutlicht. Der vollgewachsene Fruchthalm mit der spitzigen Ähre strebt wie ein Schaft mit dem Speereisen empor, der neukeimende, der von jenem abstammt, bringt nur wie eine Pfeilspitze heran; so ist Örvandil der Sohn Geirvandils. Gerutha erscheint in anderer Form (grôdr, grôdi, feracitas, dänisch grœde) gleichartig mit Grôa, wie in der j. Edda Örvandils Frau heißt. Ob Fengo, Horwendils Bruder, Mörder und Ehenachfolger, und Sela, Kollers kriegerische Schwester, auch in die mythische Verwandtschaft einschlagen, muß, obgleich nicht unwahrscheinlich, doch in Ermanglung passender Etymo[52]logieen dahingestellt bleiben. Noch weniger ist bei der schon in Saxos Erzählung romanhaften Beschaffenheit der Sage von Amleth (Amlôdi, Sn. Edd. 126. Vgl. Lex. isl. I, 29) zu

[1] Über Rörik s. P. E. Müller, Critisk Undersögelse af Danmarks og Norges Sagnhistorie ꝛc. Kiöbh. 1823. S. 41.

[2] Vgl. Anm. 20. geirr, m. hastile; Saxo gebraucht gleichmäßig Geruthus für Geirrödr. Die althochd. Form ist Kêr, wovon der entsprechende Name Kêrwentil, aus dem neunten Jahrhundert, Schmellers Bayr. Wörterb. II, 334. [IV, 106.]

ermitteln, ob sie mit dem Mythus, dem sie jetzt angereiht ist, nur durch spätere Willkür oder schon ursprünglich verbunden sei.

4. Thiâlfi.

Wie Thôr zu seinem Dienstgefolge, Thiâlfi und Röskva, gekommen, berichtet die j. Edda (49 f.) mit Folgendem:

Ökuthôr fährt mit Wagen und Böcken aus, mit ihm der Âse Loki. Sie nehmen Abends Herberge bei einem Bauer. Thôr schlachtet seine beiden Böcke, welche abgezogen und im Kessel gesotten werden. Er ladet dann den Bauer mit Weib und Kindern zum Essen und heißt sie die Knochen auf die Bocksfelle werfen. Thiâlfi, des Bauers Sohn, zerbricht mit seinem Messer das Schenkelbein des einen Bocks, um zum Marke zu kommen. Thôr bleibt die Nacht über, am Morgen aber hebt er den Hammer Miölnir und weiht damit die Felle. Da stehen die Böcke auf, doch hinkt der eine am Hinterfuße. Als Thôr bemerkt, daß das Schenkelbein zerbrochen ist, sagt er, der Bauer oder seine Leute müssen nicht verständig mit den Knochen [53] umgegangen sein. Groß ist des Bauers Erschrecken, als Thôr die Brauen senkt; was aber der Bauer von den Augen sieht, vor dessen bloßem Anblick glaubt er zusammensinken zu müssen. Thôr schlägt die Hände so fest um den Hammerschaft, daß die Knöchel weiß werden. Die Bauersleute rufen ihn flehentlich um Frieden an und bieten ihm Alles, was sie haben, zur Sühne. Als er ihre Furcht sieht, verläßt ihn der Zorn und er nimmt zum Vergleiche die Kinder des Bauers, Thiâlfi und Röskva. So werden diese Thôrs Dienstpflichtige und folgen ihm fortan beständig.

Das Ereignis ist hier an den Beginn einer abenteuervollen Reise Thôrs nach Ûtgard, dem unwirthsamen Jötunenlande, gestellt. Im Eddaliede von Hymir wird desselben unter andern Umständen gedacht. Auf der Rückfahrt Thôrs vom Gebiete des Eisriesen Hymir stürzt einer der Böcke halbtodt vorwärts, er ist schief geworden durch Anstiften des trugkundigen Loki; als bekannt wird dabei ausdrücklich vorausgesetzt, welchen Ersatz Thôr dafür von dem Gesteinbewohner (hraunbûi) empfangen habe, der seine beiden Kinder zum Entgelte gegeben (Hym. 36. 37). Dieses weist darauf hin, daß der Mythus vom Hinken des Bockes und der Erwerbung des Dienstgefolgs eine allgemeinere Bedeutung hatte, wodurch er verschiedener Anknüpfungen fähig war.

[54] Thiâlfi, der Arbeiter, der menschliche Fleiß beim Anbau der Erde, zeigt sich in dieser Eigenschaft am klarsten in der ebendarum

vorangestellten Fabel von Hrüngnir. Seine Schwester Röskva, die Rasche, ist ihm zugesellt als die unverdrossene Rüstigkeit, womit jene Arbeit betrieben wird, und dieselbe Bedeutung hat es, wenn Thiâlfi der fußrüstigste (fóthvatastr, Sn. Edd. 50), flinkeste, aller Menschen genannt wird. Die Lähmung und das Straucheln des Bockes auf dem Wege nach und aus jötunischen Gebieten bezeichnet Hindernisse, worauf Thôrs Wirksamkeit in solcher Nähe stößt. Für diese Hemmung werden ihm Thiâlfi und Röskva zum Ersatz und damit entwickelt sich vollständig der Gedanke vom nothwendigen Zusammenwirken göttlicher und menschlicher Thätigkeit zur Urbarmachung der Erde. Ohne daß der Gott vorgearbeitet, kann Menschenarbeit nichts fruchten, das war im Kampfe mit Hrüngnir dargestellt; aber da, wo das Wirken des Gottes aufhört, muß die menschliche Anstrengung ergänzend eingreifen, werden Thiâlfi und Röskva zu Thôrs Gefolge berufen.

Nimmt man an, daß der Hindeutung des Eddaliedes in der Hauptsache der gleiche Mythus vorgelegen, welchen die j. Edda ausführlich erzählt, so muß es auch gestattet sein, diese Erzählung in einzelnen Zügen aus dem älteren Liede zu ergänzen und zu erläutern. Nach dem Liede war der trugkundige Loki Anstifter des Schadens, hier gewiß wie anderwärts [55] durch hinterlistigen Rath, und zwar indem er die Zerbrechung des Knochens anrieth, wodurch Thôrs Fahrt gehemmt wird. So erhält Lokis Mitanwesenheit im Hause des Bauers Bedeutung, während sie in der j. Edda müßig ist. Der Bauer (Sn. Edd. búi, búandi) wird im Liede genauer als Bewohner des Steinichts (hraunbúi) bezeichnet. Es handelt sich vom Anbau eines steinigen Geländes; der Bauer ist mit den Seinigen zu Thôrs Tische geladen, aber sie wollen allzu leichten Kaufes zum Marke kommen. So erlahmt Thôrs Gespann, der Bauer muß nun selbst herhalten, er muß seine Kinder Thiâlfi und Röskva, seine eigene angestrengte Arbeit, in Thôrs Dienst geben.

Die Wiederbelebung der am Abend bis auf die Knochen verzehrten Böcke mittelst des weihenden Hammers in der Frühe drückt aus, wie die den Winter über aufgezehrte Nahrung durch Thôrs segnende Macht sich jährlich wiederherstelle. Der hier sinnbildlich angewandten Vorstellung, daß die aufbewahrten Knochen wieder belebt werden können, begegnet man in Sagen und abergläubischen Gebräuchen verschiedener Völker.

Thiâlfi wird im Zusammenhange weiterer Mythen von Thôr, als Begleiter des Gottes, die bisherige Darstellung seines Wesens bewähren. Hier ist noch eine Sage beizubringen, die ihn und ein von ihm abstammendes Geschlecht besonders angeht.

[56] Hinter dem alten Rechtsbuche der Insel Gotland wird über die erste Auffindung und Bebauung derselben Nachstehendes berichtet (Gutalag, herausg. von Schildener, Greifsw. 1818. S. 106 f.):

Gutland fand zuerst der Mann, welcher Thielvar hieß. Damals war Gutland so lichtlos, daß es Tags untersank und Nachts oben war. Der Mann aber brachte zuerst Feuer auf das Land und seitdem sank es nicht wieder. Thielvar hatte einen Sohn, der Hafdi hieß; Hafdis Weib aber hieß Hvitastierna. Diese zwei wohnten zuerst auf Gutland. Die erste Nacht, die sie zusammen schliefen, träumte ihr, als wenn drei Schlangen in ihrem Schoße zusammengeschlungen wären und daraus hervorkröchen. Hafdi deutete diesen Traum so: „Alles ist mit Ringen gebunden, Bauland wird dieß werden und wir werden drei Söhne haben.“ Den noch ungeborenen gab er Namen: Guti soll Gutland haben, Graipr soll der zweite heißen und Gunfiaun der dritte. Diese theilten hernach Gutland in drei Theile, so daß Graipr das nördlichste Drittheil erhielt, Guti das mittlere und Gunfiaun das südlichste. Von diesen Dreien mehrte sich nachmals das Volk in Gutland.

Thielvar, Thialvar (so war das Wort als Eigenname auf einem Runenstein in Ostgotland zu lesen), ist, nur in anderer Ableitungsform, gleich[57]bedeutend mit Thiâlfi (Lex. myth. 607 f.). Thôrs Diener erscheint hier als erster Bearbeiter des bestimmten Insellandes. Der Name Thorsborg, wie eine hohe Felsgegend daselbst hieß (Gutal. 107. 260), weist auch auf die Verehrung des Gebieters hin; auch von Thôr erhielten sich dort Sagen, wie noch weitere von Thialfar [1]. Das Feuer, welches Thielvar zuerst nach Gotland bringt, ist Bedingung und Sinnbild menschlicher Besitznahme und Ansiedlung; mit dieser wird das Land den nächtlichen, jötunischen Gewalten entrissen. Es ist als alter Rechtsgebrauch, besonders an nordischen Beispielen, nachgewiesen, von herrenlosem Lande sowohl, als erkauften Grundstücken, mittelst angezündeten Feuers Besitz zu ergreifen (D. Rechtsalth. 194 f. 941. Lex. myth. 541); damit hatte man sich das neue Grundeigenthum

[1] Lex. myth. 608*. 661 unter Beziehung auf Strelows Guthiland. Cron. (Kiöbh. 1633).

geheiligt (helgat). In Thielvars Geschlechte sind, wie in so mancher ähnlichen Sage, Ortsbenennungen auf erst aus ihnen gebildete Personennamen zurückgeführt. Guti besitzt Gutland gerade so, wie Nor von Norwegen Besitz nahm. Auch von einigen der andern Namen sind Zeugnisse örtlicher Beziehung übrig, z. B. in den Ortsnamen Thialvars, Hvitastierna, weißer Stern (Gutal. 260). Die Dreitheilung der Insel in Nord-, Süd- und Mitteltheil [58] zeigt sich als eine altbestandene (ebd. XLI. 111. 113). Der Traum Hafdis von den drei Schlangen bezieht sich eben darauf und wird auch so von ihm ausgelegt. Wenn er sagt: „Alles ist mit Ringen gebunden, Bauland wird dieß werden;" so kann unter diesen Ringen entweder die mit dem Anbau überhaupt verbundene Abgrenzung und Umzäunung oder insbesondre die ringförmige, mit heiligen Bändern (vêbönd) gezogene Einhegung der Dingstätten des dreigetheilten Landes verstanden sein (vgl. D. Rechtsalth. 809 f.). Der Sinn der ganzen Genealogie ist, wie der ersten Ansiedlung die allmähliche Ausbreitung über die verschiedenen Bezirke der Insel folgte [1].

Die Besitznahme von dem noch unbewohnten Eilande mittelst des eingebrachten Feuers findet ihr Entsprechendes in einem zuvor aus der Saga von Thôrstein Vikingssohn angeführten Mythus des forniotischen Kreises. Zwei Jarle, Veseti und Visil, entführen die Töchter des Königs Hálogi, um welche sie vergeblich geworben, und lassen sich mit ihnen auf fernen Eilanden nieder, der erstere mit Eysa auf Bornholm (Borgundarhôlmr), der letztere [59] mit Eimyria auf Visilsey (Fornald. S. II, 384 f.) Wenn die Eltern, Hálogi und Glöd, Hochlohe und Glut, noch ganz dem ungebundenen Geschlechte Forniots angehören, so treten ihre sanfteren Töchter, deren beider Namen Asche, Glutasche, bedeuten, in Gemeinschaft mit der Menschenwelt. Wie Thiálfi das erste Feuer nach Gotland bringt, so führen Veseti und Visil nach andern Inseln des Belts den Keim der heiligenden Flamme, des friedlichen Heerdfeuers; Veseti ist wörtlich der Stifter heiliger Stätten, Visil [2] der Freier, Weibnehmer, in dessen neubegründetem Hauswesen zur Einweihung

[1] Nach § 11 der Erzählung (Gutal. 111 f.) gieng ebenso der kirchliche Anbau des Landes von den drei Kirchen aus, deren je eine in jedem Drittheil der Insel erbaut war, und es scheint, daß diese ältesten Kirchen an vormaligen Dingstätten gegründet wurden (ebd. 264).

[2] Visill, analog mit bidill, m. procus; vgl. Lex. isl. s. v. vífandi.

das erste Feuer aufgemacht wird (vgl. D. Rechtsalth. 195. Lex. myth. 540 *). Vielleicht ist es auch noch als Überrest sinnbildlicher Darstellung zu betrachten, wenn im Verfolge der Saga Visil und seine Hausfrau Cimbria, beide gealtert, am eingesunkenen Heerdfeuer, das nur dämmernde Helle gibt, Abends beisammensitzen (Fornald. S. II, 388).

Mehr in geschichtlichem Lichte stehen die Ansiedlungen auf der Hauptinsel Island. Doch hat das Buch, welches eigens davon handelt (Islands Landnámabók, Havn. 1774), Züge verzeichnet, die mit dem bisher Ausgeführten wohl zusammenstimmen. Einer der dortigen Ansiedler, Thórkell, führt den Beinamen [60] Thiálfi (Landn. 350). Ein besondrer Verehrer Thórs, Thórólf Mostrarskegg, wirft bei der Anfahrt gegen Island die aus Norwegen mitgenommenen Pfeiler des Ehrensitzes, auf welchen Thórs Bildnis ausgeschnitzt ist [1], über Bord, damit Thór da an das Land komme, wo er wolle, daß der Einwandrer sich anbaue; dabei gelobt Thórólf, allen Landbesitz, den er einnehmen würde, dem Thór zu heiligen und nach demselben zu benennen. Er nennt dann auch sein Landgebiet Thórsnes, stiftet dem Thór ein Gotteshaus und gründet da, wo Thór an den Strand getrieben, eine heilige Dingstätte (ebd. 92 f. vgl. 134). Eine andere Saga (Eyrbygg. 8) meldet noch weiter, daß Thórólf vor Unternehmung der Fahrt seinen lieben Freund (ástvin sinn, vgl. Egils S. 616) Thór befragt, und als Dieser solche angerathen, das meiste Holzwerk von Thórs Tempel mitgenommen habe, sammt der Erde unter dem Gestelle, worauf Thór gesessen. Wer so die geweihten Pfeiler oder das heimische Gotteshaus im neuen Besitzthum wieder aufstellte, der konnte füglich Veseti (sacra collocans) genannt werden. [2] Das erstangeführte Buch gibt [61] mehrere Beispiele vom Auswerfen der Hochsitzsäulen zur Leitung der Ankömmlinge, sowie von der Besitznahme durch Feuer. Aber auch das kommt darin vor, daß der Anfahrende jenes Auswerfen der Pfeiler für unzuverlässig hält und lieber zu Thór selbst fleht, um durch die Richtung, die Dieser dem Schiffe geben soll, an die rechte Stelle gewiesen zu werden (Landn.

[1] Man findet es auch am Vordertheile des Schiffes, Fornm. S. II, 324.

[2] Vgl. Eyrbygg. 10: „hann setti bæ.“ Fornm. S. III, 216: „setti bú.“ Nicht unbedeutsam heißt ein Sohn Vesetis: Búi (Fornald. S. II, 385), Bewohner, Anwohner. [Vgl. Fornm. S. XI, (Jómsvík. S.) 77 ff., wo Veseti und Búi als historische Personen.]

210. 211. Vgl. 229)[1]. Daß Thôr schon das Stammland Norwegen, durch Bezwingung der Riesenweiber, den Einwanderern baulich gemacht, ist bei den Mythen von Forniot gezeigt worden. Überall bricht er seinem Diener Thiâlfi die Bahn und wo Dieser auch für sich erscheint, ist doch Thôr im Hintergrunde zu denken.

5. Skrŷmir.

Die j. Edda fährt fort (50 bis 61):

Nachdem Thôr die Kinder des Bauers zur Sühne empfangen, läßt er die Böcke dort zurück und zieht mit Loki, Thiâlfi und Röskva ostwärts nach Jötunheim und zum tiefen Meer, über das sie fahren. Als sie an das Land gestiegen und eine kleine Weile gegangen, zeigt sich vor ihnen ein großer Wald, durch den sie den ganzen Tag über [62] wandern. Thiâlfi, aller Männer fußrüstigster, trägt Thôrs Tasche, aber Speisevorrath ist nicht leicht zu erlangen. Ihr Nachtlager nehmen sie in einem großen Hause, dessen Thür gleichbreit mit dem Hause selbst ist. Um Mitternacht entsteht großes Erdbeben, der Boden unter ihnen schüttert und das Haus erbebt. Sie flüchten sich in einen Anbau, den sie zur rechten Hand am Hause finden. Thôr setzt sich in die Thür, die Andern sind innerhalb und fürchten sich. Er aber hält den Hammerschaft und gedenkt sich zu wehren. Da hören sie großes Gebraus und Geräusch. Bei Tagesanbruch geht Thôr hinaus und sieht nicht weit von sich im Walde einen großen, schlafenden Mann liegen, der gewaltig schnarcht. Da merkt er, wie es in der Nacht sich verhalten. Er umspannt sich mit den Stärkegürteln und ihm erwächst Äsenstärke. Indem erwacht der Mann und steht hastig auf. Da wagt Thôr, das éine Mal, nicht, mit dem Hammer nach ihm zu schlagen, und fragt ihn nach dem Namen. Jener nennt sich Skrŷmir. „Dich," sagt er, „brauch' ich nicht um den Namen zu fragen; ich weiß, daß du Äsathôr bist; aber wohin hast du meinen Handschuh geschleppt?" Damit streckt Skrŷmir den Arm aus und hebt seinen Handschuh auf. Thôr sieht nun, daß er denselben diese Nacht zur Herberge gehabt, das [63] Nebenhaus aber war der Däumling des Handschuhs. Skrŷmir bietet sich ihm zum Reisegenossen an; auch schlägt er vor, ihren Speisevorrath zusammenzulegen. Nachdem Thôr eingewilligt, bindet Skrŷmir Alles in Einen Bündel, den er auf seinen Rücken nimmt. Er geht den Tag über mit großen Schritten voran, die Nachtherberge sucht er unter einer großen

[1] Ausführlicher, doch in andrer Ansicht vom Wesen Thôrs, handelt von diesen Orakeln und Tempelgründungen Leo: Über das Leben in Island ꝛc. in Raumers histor. Taschenb. 1835, S. 382 ff. 433 ff.

Eiche. Hier heißt er sie den Speisebündel nehmen und sich ein Nachtessen bereiten. Er selbst legt sich schlafen und schnarcht mächtig. Thôr aber, was unglaublich scheint, ist nicht im Stande, die Riemen des Bündels aufzuknoten. Darüber wird er zornig, faßt Miölnir mit beiden Händen, setzt den einen Fuß gegen Skrŷmir vor und schlägt ihn auf's Haupt. Skrŷmir erwacht und fragt, ob ihm ein Blatt auf den Kopf gefallen sei. Um Mitternacht, als Skrŷmir wieder schnarcht, daß es im Walde donnert, wiederholt Thôr den Schlag mitten auf Skrŷmirs Wirbel, so daß das Hammerende tief in den Kopf dringt. Da erwacht Skrŷmir und fragt: „Fiel mir eine Eichel auf den Kopf?“ Zum dritten mal, kurz vor Tagesanbruch, schwingt Thôr den Hammer mit aller Kraft auf Skrŷmirs Schläfe; bis zum Schafte dringt der Hammer ein. Skrŷmir aber erhebt sich, streicht sich die Wange und spricht: „Sitzen Vögel auf dem Baume über mir? mir [64] kam vor, da ich erwachte, als fiele mir Moos von den Ästen auf den Kopf. Wachst du, Thôr? Zeit wird nun sein, aufzustehen und sich anzukleiden. Nicht weit habt ihr mehr zu der Burg, die Ûtgard heißt. Ich hörte, daß ihr unter euch rauntet, ich sei kein kleingewachsener Mann; aber dort werdet ihr größere Männer sehen. Nun will ich euch heilsamen Rath geben: überhebt euch nicht zu sehr! nicht werden Ûtgardslokis Hofmänner von solchen Burschen stolze Worte dulden; besser würdet ihr gar umkehren. Wollt ihr aber weiter reisen, so ziehet ostwärts! mein Weg geht nun nordwärts nach diesen Bergen, die ihr jetzt werdet sehen können.“ Da wirft Skrŷmir den Speisebündel auf seinen Rücken und wendet sich quer hinweg von ihnen in den Wald, und nicht ist gemeldet, daß die Äsen ihm Glück auf den Weg wünschten. Thôr wandert mit seinen Gefährten bis Mittags; da sehen sie auf dem Feld eine Burg stehen, über die sie nur mit zurückgebogenem Nacken wegschauen können. Sie gehen zum Thore, vor dem ein verschlossenes Gatter ist. Thôr vermag nicht es zu öffnen, darum kriechen sie zwischen den Latten hinein. Sie gehen in eine große, offene Halle, wo sie auf zwei Bänken viele, meist hochgewachsene Männer sehen. Sofort kommen sie vor den König Ûtgardsloki und grüßen ihn; [65] er aber blickt sie verächtlich an und fragt, höhnisch lächelnd, ob der kleine Bursch da Ökuthôr sei. Weiter fragt er, welcher Künste oder Fertigkeiten sie kundig seien. Loki, der zuhinderst gieng, rühmt sich, daß Keiner hier innen sei, der seine Speise hurtiger aufessen könne, als er. Ûtgardsloki läßt Dieß für eine Kunst gelten und heißt den Logi von der Bank vortreten, um sich gegen Loki zu versuchen. Es wird ein Trog auf den Estrich der Halle gebracht und mit Fleisch gefüllt. Loki setzt sich an ein Ende, Logi an das andre, und sie essen auf das Hurtigste, bis sie sich mitten im Troge begegnen. Da hat Loki alles Fleisch von den Knochen abgegessen, Logi aber hat Fleisch und Knochen zusammt dem Troge verzehrt und es bedünkt nun Alle, daß Loki das

Spiel verloren habe. Nach Diesem wird außen auf ebenem Felde ein Wettlauf zwischen den jungen Gesellen Thiálfi und Hugi, einem Diener Útgardsloki's, veranstaltet. Beim ersten Lauf ist Hugi so sehr voran, daß er am Ende der Bahn sich umwendet, dem Thiálfi entgegen. Gleichwohl gesteht Útgardsloki, daß noch kein Raschfüßigerer hieher gekommen. Sie beginnen den zweiten Lauf und als Hugi am Ende der Bahn sich umwendet, ist er einen guten Pfeilschuß von Thiálfi. Im dritten Laufe hat Dieser noch nicht die Mitte der Bahn erreicht, [66] als Hugi sich am Ende derselben umwendet. Nun fragt Útgardsloki nach den Künsten Thórs, von dessen Thaten so große Sagen gehen. Thór sagt, er wolle am liebsten sich mit Jedem im Trinken messen. Útgardsloki ruft seinen Schenken und heißt ihn das Horn bringen, woraus die Hofleute zu trinken pflegen. „Aus diesem Horne," spricht er, „scheint uns wohl getrunken, wenn es auf éinen Trunk leer wird; Einige trinken es auf den zweiten aus, Keiner aber ist ein so schwacher Trinker, der es nicht auf drei leerte." Thór beschaut sich das Horn und es erscheint ihm nicht zu groß; wohl ist es ziemlich lang, er aber ist sehr durstig. Er hebt an zu trinken und schlingt gewaltig; als er aber nachsieht, wieviel ausgetrunken sei, scheint ihm fast soviel im Horne zu sein als vorher. Thór setzt zum zweiten mal an, um einen größern Trunk zu thun, aber noch immer will die Spitze des Hornes nicht genugsam hinauf, und als er es vom Munde nimmt, scheint weniger abgegangen als auf's erste mal. Doch kann man jetzt das Horn tragen ohne zu verschütten. Zornig über Útgardsloki's Spottreden, trinkt Thór nochmals so stark und lang als möglich und nun ist mehr als zuvor ein Abgang bemerklich. Da giebt er das Horn zurück und will nicht mehr trinken. Doch ist er bereit, noch ein Spiel zu versuchen. [67] Da spricht Útgardsloki: „Junge Bursche pflegen hier, was wenig heißen will, meine Katze von der Erde aufzuheben; nicht wagt' ich Solches dem Ásathór vorzuschlagen, hätt ich nicht zuvor gesehen, daß du viel weniger vermagst, als ich dachte." Alsbald kommt eine graue, ziemlich große Katze gelaufen; Thór faßt sie mit der Hand mitten unterm Bauche, die Katze krümmt den Rücken, und als Thor soweit aufhebt als er vermag, lüpft sie einen Fuß; weiter bringt Thór dieses Spiel nicht. Útgardsloki spricht: „Das Spiel lief so ab, wie ich mich deß versehen; die Katze ist ziemlich groß, Thór aber ist kurz und klein neben den ansehnlichen Männern, die hier bei mir sind." Hierauf Thór: „So klein ihr mich nennt, so komme nun Jeder her und ringe mit mir! jetzt bin ich zornig." Útgardsloki sieht sich nach der Bank um und antwortet: „Keinen seh' ich hier innen, den es nicht eine Kleinigkeit bedünkte, mit dir zu ringen. Aber ruft mir gleich die Alte her, meine Amme Elli! mit ihr ringe Thór, wenn er will! sie hat schon Männer niedergeworfen, die mir nicht schwächer vorkamen denn Thór." Thór muß nun mit dem alten Weibe ringen, aber je mehr er sich anstrengt, um so fester steht sie; zuletzt schlägt sie ihm ein Bein unter, er schwankt und fällt auf das eine Knie. Da heißt Ûtgardsloki [68] aufhören, bewirthet die Gäste wohl und begleitet sie am Morgen zur Burg hinaus. Beim Abschied aber fragt er, wie Thôr mit seiner Reise zufrieden sei, oder ob er einen Mächtigern, als er selbst, getroffen habe. Thôr gesteht, daß er nicht ehrenvoll bestanden und übel zufrieden sei. Da spricht Ûtgardsloki: „Nun du wieder aus der Burg bist, will ich dir die Wahrheit sagen, daß, wenn ich lebe und Macht habe, du niemals wieder hereinkommen sollest; auch wär' es nimmer geschehen, wenn ich vorher gewust hätte, daß du so große Kraft besitzest, womit du uns nahezu in großes Unglück gebracht hättest. Aber ich habe dir Blendungen vorgemacht. Gleich als ich euch im Walde traf und du den Speisebündel lösen solltest, da hatte ich ihn mit Eisendrath zugebunden und du fandest nicht, wo du ihn öffnen solltest. Hernach führtest du auf mich mit dem Hammer drei Schläge, wovon der erste der geringste und doch so stark war, daß er mein Tod geworden wäre, wenn er getroffen hätte; aber du hast bei meiner Halle einen Felsstock und oben darinne drei viereckige Thäler gesehen, deren eines besonders tief ist, das sind deine Hammerspuren; den Felsstock hielt ich vor den Schlag, du aber sahest es nicht. So war es auch mit den Spielen, worin ihr euch mit meinen Hofleuten maßet. Loki war sehr hungrig [69] und aß hastig, aber der, welcher Logi hieß, war Wildfeuer (villieldr, Blitz[1]) und verbrannte das Fleisch und den Trog zugleich. Als sodann Thiâlfi im Laufe mit Dem stritt, welcher Hugi hieß, das war mein Gedanke (hugi minn) und nicht war zu erwarten, daß Thiâlfi es mit dessen Geschwindigkeit aufnehmen könne. Als aber du aus dem Horne trankst und es dir langsam abzunehmen schien, da geschah, was ich nicht für möglich gehalten hätte; das andre Ende des Hornes war außen im Meere, was du nicht sahest; wenn du aber jetzt zum Meere kommst, so wirst du sehen können, welchen Abmangel du darein getrunken hast; das nennt man jetzt Ebbe. Als du hernach die Katze lüpftest und ihr einen Fuß von der Erde hobst, da erschracken Alle, die es sahen; diese Katze war die Midgardsschlange, die um alle Lande liegt, und kaum war dieselbe lang genug, daß Schweif und Haupt die Erde berührten, denn so hoch strecktest du den Arm auf, daß nicht weit zum Himmel war. Ein groß Wunder war es auch um den Ringkampf, den du mit Elli rangst, indem Keiner ward noch werden wird, den nicht, wenn er so bejahrt ist, daß Elli ihn erreicht, das Alter (elli, f. senectus) zu [70] Falle brächte. Nun müssen wir uns trennen und es wird beiderseits besser sein, wenn ihr nicht öfter mich zu besuchen kommt; auch werd ich ein andermal meine Burg mit

[1] Vgl. Schmeller, Bayr. Wörterb. I, 553: Wildfeur.

solchen oder andern Täuschungen schirmen, daß ihr keine Macht über mich erlanget." Als Thôr diese Rede gehört, will er den Hammer vorschwingen, aber nirgends mehr sieht er Ûtgardsloki. Er wendet sich zurück nach der Burg, sie zu brechen, da sieht er weite und schöne Grasfelder, aber keine Burg. Hierauf kehrt er um und zieht seines Weges bis er wieder nach Thrûdvâng kommt.

In zwei Eddaliedern (Harb. 26. Æg. 60) muß Thôr den Vorwurf hören, daß er sich in den Handschuh des Riesen oder in des Handschuhs Däumling furchtsam verkrochen. In einem dieser Lieder (Æg. 62) wird ihm noch besonders vorgerückt: „Scharf bedünkten dich Skrýmirs Riemen und nicht vermochtest du damals zur Reisekost zu gelangen und wurdest bei gesundem Leibe von Hunger verzehrt." Der Name Ûtgardsloki kommt nicht in den Liedern vor, ebenso wenig eine Anspielung auf die übrigen Abenteuer in Ûtgard. In der j. Edda selbst ist kein andrer Mythus in solcher Breite ausgeführt, wie dieser, so daß er zwar nicht in den Grundzügen, doch in Einzelheiten der Ausführung späteres Gepräge trägt. Weit mehr noch ist Letzteres der Fall mit der Erzählung [71] Saxos (VIII, 164 bis 166) von einer Seefahrt, welche Thorkill auf Befehl des Dänenkönigs Gorm zum Ûtgardsloki (Ugarthilocus, vgl. IX, 175: Utgarthia) unternimmt. Er findet denselben in entlegenem Lande, wo ewige Nacht herrscht, tief in einer Höhle an Händen und Füßen mit ungeheuren Ketten belastet, was eine augenscheinliche Verwechslung mit dem von den Göttern gefesselten Âsaloki ist (Müller, crit. undersög. 145). Saxo sucht auch hier den Mythen, die er selbst schon in sehr getrübter Gestalt empfangen haben mochte, historischen Anhalt zu geben.

Den Gegensatz zu Âsgard und Midgard, den von Göttern und Menschen bewohnten Gebieten, bildet in den Eddaliedern Jötunheim, die Riesenwelt. Sie liegt von jenen aus ostwärts, nach welcher Seite den Norwegern die rauhe Gebirgskette lag. Dorthin gehen Thôrs Ostfahrten, um Jötune zu schlagen, wovon so häufig die Rede ist (Æg. 60. Harb. 23. vgl. þrym. 5. 10. Grimn. 41). Auch im vorliegenden Mythus zieht er ostwärts nach Jötunheim, über das tiefe Meer und durch großen Wald, zu der Riesenburg Ûtgard (Ûtgardr, in Zusammensetzung Pluralform), deren Name noch schärfer die Lage außerhalb jener beiden Gebiete [1] und damit den Sinn [72] der ganzen Sage ausspricht. Diese zeigt den Âsen und den Menschen, Thôr und Thiâlfi,

[1] Vgl. Sax. VIII, 164: „extramundani climatis."

jenseits der Grenze, die ihrer Macht und Anstrengung gezogen ist (Müller, a. a. O. 142 f.), und auf dem Boden, wo das Jötunengeschlecht sich in seinem Rechte befindet. Der Name des Riesenkönigs, Ûtgardsloki (Ûtgardaloki), bezeichnet weiter dieses Verhältnis. Loki (der Endiger) in Ûtgard steckt der bildenden Äsenmacht in ihrer räumlichen Ausdehnung ein Ziel. Er kann aber zugleich auch als Âsaloki gegenwärtig sein, als gewöhnlicher Gefährte der Äsen, wo es gilt, sie nach Zeit oder Raum dem Ende ihrer Macht entgegenzuführen. Übrigens kennt die Liederedda nur den Namen Skrŷmir, Possentreiber, Praler [1], wie auch in der prosaischen Erzählung, bei der Begegnung im Walde, der Riese sich nennt. Zwar betreffen die Anspielungen in den Liedern eben nur diesen Theil der Fabel, aber auch die nachfolgenden Wettkämpfe in Ûtgard sind voll ähnlicher Vorspieglungen und Blendungen, wie sie schon im Walde vorkamen, und jener Name kann daher mit gleichem Recht auch auf die späteren Abenteuer bezogen werden. Nachdem Thôr seine Machtgrenze überschritten hat, ist er in fortwährenden Täuschungen über das Maß seiner Kräfte befangen.

[73] Dieser Mythus ist ein Gegenstück zu Thôrs siegreichen Kampffahrten überhaupt und dann insbesondre zu seinem Kampfe mit Hrûngnir. An der Ländergrenze, bei den Steingehegen, konnte Thôr des Steinriesen und Thiâlfi des Lehmjötuns mächtig werden, aber weiter hinaus, nach Ûtgard, ist all ihr Kraftaufwand vergeblich. Schon am Anfang ihrer Fahrt, beim Bewohner des Steinichts, wird Thôrs Bock hinkend. Zwar schließen sich dafür Thiâlfi und Röskva ihm an, womit der Bezug auch dieser Fabel auf die Urbarmachung der Erde genügend angezeigt ist; allein der Weg führt durch weiten Wald, wo der Speisevorrath aufhört. Der Riesenhandschuh, darin sie übernachten, ist eine Steinkluft mit ihrer Nebenhöhle. Der Riese selbst, von dessen Schnarchen es im Walde donnert, ist das sturmschnaubende Felsgebirg. Vergeblich gürtet sich Thôr zu gewaltigen Hammerschlägen; werden auch nachmals die Spuren des Hammers als Vertiefungen im Felsstocke sichtbar, der Riese selbst bleibt unangetastet und hält den Speisesack fest zugeschnürt; Thôr kann hier wohl Felsen kerben, aber nimmermehr nährende Frucht dem Steingrunde abringen. Die Wettkämpfe in Ûtgard scheinen zwar

[1] Lex. isl. s. v. skrum, skruma, skrŷmnir.

den Mythus über den nächsten Bezug auf die versuchte Bezwingung des Steinreichs hinauszuspielen, anderartige mythisch-allegorische Wesen, Logi, die Flamme, Hugi, der Gedanke, Elli, das Alter, kommen auf [74] die Bahn, das Meer wird zur Ebbe getrunken und die erdumgürtende Schlange gelüpft. Allein eben diese bunte Mischung verräth, daß die aufgezählten Wesen hier keine selbständige Geltung haben, daß hier keine Deutung im Besondern zu versuchen, sondern nur die allgemeine anwendbar sei, wonach alles Einzelne im gemeinsamen Ausdrucke der Unmöglichkeit zusammentrifft. So wenig die verzehrende Gewalt des Wildfeuers überboten, die Schnelligkeit des Gedankens überflügelt, dem niederwerfenden Alter widerstanden, das Meer ausgetrunken, die Midgardsschlange dem Ocean enthoben werden kann, so wenig wird Ütgard vom Gott in der Zeit und dem Menschen in seinem Gefolge gänzlich bezwungen werden. Lokis allmäliges Zehren, Thialfis Raschheit, Thôrs Äsenstärke selbst, die das Ungeheure vollbringt, aber doch zuletzt ihre Grenze findet, sind mit ihren Gegensätzen hier Bild im Bilde, mythischer Ausdruck im Mythus, und so sind die Blendungen, welchen die Helden unterliegen, auch auf die Darstellung übergegangen. Ütgardsloki bemüht sich am Ende noch selbst, die Täuschung durch seine planen Erklärungen aufzuheben, welche freilich nur dem prosaischen Nacherzähler beizumessen sind, während im Mythenliede, wenn ein solches auch hiebei zu Grunde lag, die Lösung wie gewöhnlich dem Hörer überlassen blieb.

[75] 6. Sif.

Eine der vielen Benennungen des Goldes in der Skaldensprache war: Sifs Haar (haddr Sifiar [1]). Der Grund derselben wird so angegeben (Sn. Edd. 130 bis 132):

Loki, Laufeys Sohn, hatte trügerischer Weise Sifs Haar alles abgeschoren. Als Thôr, ihr Gatte, dessen gewahr wird, ergreift er Loki und würde ihm alle Knochen zerschlagen haben, wenn er nicht geschworen hätte, von den Schwarzalfen zu erlangen, daß sie aus Golde der Sif ein Haar machen, das wie natür-

[1] Haddr, m. bedeutet nach Sn. Edd. 205: Frauenhaar; doch ist zweifelhaft, ob eigentlich oder nicht, indem das Wort an einigen Stellen auch für Haartuch, Haarschleier gebraucht sein kann; vgl. Sæm. Edd. 213a. 267b. Kormaks S. 26. Über den Ausdruck: „sem onnat hâr“ (Sn. Edd. 130) s. J. Grimm, Reinhart Fuchs (Berl. 1834) CCLVII.

liches wachse. Hierauf begibt sich Loki zu den Zwergen, die Ivaldis Söhne heißen, und diese machen das Frauenhaar. Loki bringt es dem Thôr und dasselbe wächst fest, sobald es auf Sifs Haupt kommt.

Dieser Mythus ist der einzige, in welchem Thôrs Gattin bestimmter in das Bild tritt. Er läßt aber auch über ihr Wesen kaum einen Zweifel übrig. Sif, die schönhaarige Göttin (Sn. Edd. 119), ist das Getreidefeld, dessen goldener Schmuck im Spätsommer abgeschnitten, dann aber von unsichtbar wirkenden Erdgeistern [76] wieder neu gewoben wird. Damit stimmen auch die anderwärtigen Erwähnungen dieser Göttin überein.

Das Wurzelwort Sif, sonst noch in mehrfachen Ableitungen und Zusammensetzungen vorhanden [1], bedeutet Sippe, Verwandtschaft: wohl geeignet für die gröste aller Sippschaften, das zahllos wuchernde Geschlecht von Halmen, Ähren, Körnern. Sif ist mit Thôr vermählt, dem göttlichen Freund und Beschützer des Feldbaus. Als der Steinriese Hrûngnir sie zu rauben droht (Sn. Edd. 107), da wird Thôr der Rächer dieser Prahlerei. Unter den vielen Namen Jörds, der Erde, wird in den Denkversen (Sn. Edd. 220) auch Sif aufgezählt. Die Möglichkeit dieses Gebrauchs in der Dichtersprache dient obiger Deutung zur Gewähr. Das Getreidefeld, als eine besondre Gestaltung der Erde, konnte im rechten Zusammenhange synonym mit dieser gebraucht werden; darum besteht aber nicht minder der Unterschied des Allgemeinen und Besondern, Sif ist Thôrs Gattin, Jörd seine Mutter, und letztere heißt daher Sifs Schwieger (Sn. Edd. 123). Der schönen Haare wird Sif durch den Trug Lokis beraubt, der hier, seinem ganzen Charakter gemäß, die Neige des Sommers, die Reife des Feldschmuckes für die Sichel, darstellt. In einem der Eddalieder (Æg. 54) rühmt sich Loki, den Hlôrridi zum Hanrei gemacht zu haben, mag Dieß nun auf Umstände des vorliegenden Mythus in einer [77] vollständigern Gestalt, oder auf eine anderweitige besondre Fabel vom Ende des Sommers sich beziehen. Den Schluß der Sommerzeit mit der Ernte bezeichnet es auch, daß der Wintergott Ullr ein Sohn Sifs, von ungenanntem Vater, und damit Thôrs Stiefsohn ist (Sn. Edd. 105). Thôr zwingt Loki, von den Zwergen, den Söhnen Ivaldis (des innen Waltenden?), neues, goldenes Haar für Sif herbeizuschaffen. Damit lenkt sich die Betrachtung

[1] [Vgl. Altdeutsche Wälder 1, 147, Note 83.]

auf die Natur des Zwergevolks zurück, wie solche schon in der Geschichte seines Ursprungs begründet ist. Aus des Urriesen Fleisch und schwärzlichen Knochen, d. h. aus Erde und Gestein erschaffen, haben sie fortwährend ihre Wohnung in der Erde und in Felsen, und diesem Leben in der Finsternis gemäß heißen sie auch, nach der j. Edda, Schwarzälfe (Sn. Edd. 34. 130. 136). Sie sind die unsichtbaren Naturkräfte, die im Erdenschoße die leuchtenden Erze, das verführerische Gold und das gewaltige Eisen, hegen und bereiten, deren Werk die wunderbar kunstreichen Gewächse sind, die aus dem dunkeln Grunde hervorkommen. Sie sind Schmiede, in deren verborgener Esse Geräthschaften, Waffen, Schmuck der Götter und Göttinnen gefertigt werden.[1] [78] Der Mythus von Sifs Haaren erweitert sich zu einer größeren Erzählung vom Wettstreit der Zwerge in Bereitung der trefflichsten Götterkleinode, unter denen dem Hammer Thôrs der Preis zuerkannt wird, nur daß der Schaft ziemlich kurz ausgefallen ist (Sn. Edd. 132. Vgl. Sax. III, 41), was sich auf die Form der Donnersteine zu beziehen scheint. Der Zwergname ist allerdings auf manche Erscheinungen und Verhältnisse in der Natur ausgedehnt worden, in denen sich, ohne daß sie aus dem Innern der Erde hervorgehen, überhaupt ein stilleres Wirken, eine sinnreiche, kunstmäßige Einrichtung offenbart; als Verfertiger der Haare Sifs aber erweisen sich die Zwerge ganz in ursprünglicher Wirksamkeit und vollbringen das Meisterstück der stillarbeitenden Erdkraft, das staunenswerthe Goldgeschmeid einer vollen Ernte. Der spätere isländische Sprachgebrauch hat den Mythus sehr in das Enge gezogen, indem jetzt nur noch ein kleines, lichthaariges Kraut Sifs Haar (haddr Sifar, polytrichum aureum, Lex. myth. 691) genannt wird.

7. Alvis.

Eddalied von Alvis (Sæm. Edd. 48 bis 51):

Der Zwerg Alvis, der unter der Erde wohnt und unterm Stein Stätte hat, will eilig seine Braut, Thôrs Tochter, die schönglänzende, schnee[79]weiße

[1] Lex. isl. I, 160: „dverga-smidi, n. fabrica affabre et artificiose elaborata.“ Vgl. Lex. myth. 53***. Faye, 21. Im Schwedischen wird das kunstreiche Geweb der Spinne Zwergsnetz (dvergsnæt) genannt, Ihre, Glossar. Sviogoth. (Upsal. 1769) I, 373. II, 241.

Jungfrau, heimholen. Vingthôr, dem Zwerge noch unerkannt, tritt entgegen und erklärt, daß ein Bleichnasiger, der wohl heute Nacht bei Leichen gewesen, ein Thursengleicher, nicht zur Braut geboren sei. Alvis beruft sich auf unverbrüchliche Verheißung. Thôr will diese doch aufheben, er allein, als Vater, habe über die junge Maid zu verfügen und nicht sei er daheim gewesen, als die Verheißung geschehen. Er nennt sich auf die Frage des Zwerges und wiederholt, daß die Heirath ohne seine Zustimmung nicht zu Stande kommen werde. Der Zwerg hofft, diese doch zu erlangen, und Thôr willigt ein, wenn der weise Gast Alles, was er wissen wolle, aus jeder Welt zu sagen vermöge. Alvis ist bereit, die Probe zu bestehen, denn alle neun Welten hat er durchfahren und der Wesen jedes kennen gelernt. In einer Reihe von Fragen und Antworten gibt nun Alvis Bescheid, wie Erde, Himmel und Gestirne, Wolken, Wind und Windstille, Meer, Feuer, Baum, Nacht, Saat und Bier bei den verschiedenen Wesenklassen, bei Menschen, Äsen, Vanen, Jötunen, Älfen, Zwergen, verschieden benannt seien. Am Schlusse gesteht Thôr, daß er niemals mehr alte Kunden in einer Brust gefunden habe; doch überlistet sei der Zwerg, oberhalb der Erde von Tag und Sonnenschein überfallen.

[80] Die Eddalieder, welche Belehrung über einen größeren Umfang mythischer Gegenstände zum Zwecke haben, gebrauchen als Rahmen hiezu irgend eine Handlung oder Situation, die wieder der Mythenwelt entnommen ist und mit dem Inhalt nicht immer in näherem Zusammenhange steht. Selbst noch die manigfaltigen Erzählungen der prosaischen Edda sind in solche Fassungen eingereiht. Im Liede von Vafthrûdnir (Sæm. Edd. 31 bis 38) muß ein Wettgespräch Odins mit diesem Jötun, wobei es um das Haupt geht, zur Form der Belehrungen dienen, im vorliegenden Lied ein Fragespiel Thôrs mit dem Zwerge Alvis, wobei es die Braut gilt. Wie dem Jötun das Beiwort der Allkluge (alsvidr) gegeben wird, so führt der Zwerg den Namen Allkundig (Alvîs); beide sind in allen neun Welten bewandert (Vafþr. 43. Alv. 9), beider Wissen besteht in alten Runen (Vafþr. 1. 42. 43. 55. Alv. 36), geheimen Kunden aus der Urwelt. Diese formelle Ähnlichkeit der beiden Lieder läßt annehmen, daß das unzweifelhaft jüngere von Alvis eine Nachahmung des älteren von Vafthrûdnir sei. An die Stelle des mythologischen Inhalts ist in jenem ein sprachlichpoetischer getreten, zu dessen Aufnahme sich ein alter Mythus von Thôr und dem Zwerge darbot. Alvis, der sich gleich dem Jötun der Erfahrenheit in allen neun Welten rühmt, erprobt solche als Bekanntschaft mit der Sprache

[81] aller Wesenklassen. Übrigens haben die Synonyme, die er aufzählt, nur geringen Theils eine anschauliche Beziehung zu der eigenthümlichen Natur der Wesen, in deren Sprache sie gehören sollen. Einem Zwerge die allseitige Sprachkenntnis beizulegen, war ein volksmäßiger Anlaß gegeben. Das besondre Gebiet der Zwerge erstreckt sich über das Innere der Erde, Gestein sowohl als urbaren Grund. Vom Gestein aber hallt aller Klang, aller Wesen Sprache wider und noch jetzt heißt in den nordischen Mundarten das Echo Zwergrede (dvergmål, Lex. isl. I, 160. Ihre I, 374. Lex. myth. 53); namentlich läßt ein färöisches Volkslied in den Bergen, in jedem Fels diese Zwergsprache singen (dvörgamaal sang, Fær. qv. 464, 77. 470, 95. D. Myth. 255 [421]).

Sieht man von dem lehrhaften Inhalte des Gesprächs zwischen Thôr und Alvis ab und betrachtet man die Handlung, in die derselbe eingelegt und die hier allein von Belang ist, so scheidet sich ein Mythus aus, der glaublicher Weise zuvor schon für sich bestanden hat und sich den bisher abgehandelten anschließt.

Thôr hat von Sif eine Tochter Thrûd (Thrûdr, Sn. Edd. 101. 119). Die Tochter des Anbaus und des Getreidefeldes artet begreiflich in den gleichen, landwirthschaftlichen Kreis. Hat nun der Name Thrûd die Bedeutung Kraft, Stärke (Lex. myth. 698. Vgl. Edd. Havn. I, 710. II, 858), so ist das Nächste, hier [82] an das nährende und stärkende Erdmark zu denken, an die Nährkraft, die im Korne liegt, dem eigensten Erzeugnisse der Eltern Thôr und Sif. Auch dadurch ist Thrûd diesem Kreise verfangen, daß im Bruchstück eines Skaldenliedes (Sn. Edd. 162) der Steinjötun Hrûngnir Thrûds Dieb genannt wird; der steinige Boden stiehlt das Korn, das auf ihn gesät ist. So erklärt sich nun auch Thôrs Gebiet Thrûdheim oder Thrûdvâng als das fruchtbare, nährkräftige Bauland und es erscheint nicht unbedeutsam, wenn gerade nach den Abenteuern mit Hrûngnir und Skrŷmir, den Gebirgsriesen, beidemal gesagt wird, Thôr sei nach Thrûdvâng zurückgekehrt, und wenn ihn eben dann Grôa vom Steinsplitter heilen will (Sn.

[1] Noch weiter klingt, auf Thôr bezüglich, die Wurzelsylbe Þrûd in Ableitung und Zusammensetzung an. Er selbst wird Þrûdugr âs (Þrym. 19. Vgl. Lex. myth. 698: Þrûdmôdgr) und Þrûdvaldr goda (Harb. 9), sein Hammer wird Þrudhamar (Æg. 57) genannt. Auch diese Ausdrücke können auf den in Thrûdr, der Tochter Thôrs, personificierten Begriff der Nährkraft

Edd. 61. 110)[1]. Diesen Muthmaßungen über Thrûd kommt nun auch die Sage von Thôr und Alvis in der nachfolgenden Deutung zu Statten.

Der Gott verweigert und entrafft seine Tochter dem Zwerge, dem sie in seiner Abwesenheit verlobt worden. Daß diese Tochter jung, schönglänzend, [83] schneeweiß genannt wird, paßt ganz auf das neugewachsene und neues Leben beginnende, goldfarbige, weißmehlige Saatkorn[1]. Der Zwerg ist sehr bestimmt als Unterirdischer, als lichtscheuer, unheimlicher Erdgeist gezeichnet; er haust unter Erd' und Stein, er ist Thursen ähnlich, bleich ist er um die Nase, als hätt' er die Nacht bei Leichen zugebracht, die ja auch in der dunkeln Erde liegen und zur Nachtzeit hervorkommen (Hrafn. 25). Ihm ist Thôrs junge Tochter anverlobt, das ausgestreute Saatkorn scheint dem finstern Erdgrunde verhaftet zu sein; aber Vingthôr kommt heran und hebt dieses Verlöbnis auf, die Saat wird mit dem rückkehrenden Sommer wieder an das Licht gezogen. Während Thôrs Abwesenheit fand die Verheißung statt, die Aussaat ist in einer Zeit gedacht, zu welcher Thôr auf seinen Kampffahrten gegen die Jötune begriffen war. Bei seiner Zurückkunft überrascht er den Zwerg mit Tageslicht und Sonnenschein. Dieß kann auf die Wiederkehr der längern, sonnigen Tage bezogen werden, welche dem Boden die Saat wieder abgewinnen, es waltet [84] aber dabei noch besonders die in manche Sagen eingreifende Vorstellung, daß Nachtgespenster, vom Tageslicht überfallen, in Steine verwandelt werden (z. B. Sæm. Edd. 145, 30. Sn. Edd. 165). Die nächste Anwendung findet Dieß auf den Zwerg, der, an die unterirdische Finsternis gewöhnt, auch nur im Schatten der Nacht sich hervorwagt und nun, da ihn der Sonnenstral getroffen, zum Stein erstarrt, der sein Element ist.

Die Jungfrau im Alvisliede erscheint nach dieser Auffassung als Eine Person mit der Thôrstochter Thrûd und die Verlobung derselben

zurückgeführt werden, wogegen in der Walkyrie gleichen Namens (Grimn. 36), der Dienerin Odins, eine Kampfkraft zur Erscheinung kommt.

[1] Im Liede selbst, unter den sprachlichen Fragen und Antworten, wird zwar die Saat (sád, Alv. 32. 33), das Samenkorn, mit ihren Synonymen ohne irgend eine Beziehung zu Thôrs Tochter aufgeführt, aber die in den Mythus eingelegte Nomenclatur ist überhaupt unpersönlich. Es findet sich weder Ägir oder Hlér unter den Benennungen des Meeres, noch Logi unter denen des Feuers (Alv. 25. 27) 2c.

an den Zwerg Alvis als ein mythisches Seitenstück zu der Entführung durch den Jötun Hrüngnir, der nicht minder seinen Frevel büßen muste.

8. Harbard.

Eddalied von Harbard (Sæm. Edd. 75 bis 80):

Thôr kommt von der Ostfahrt her an einen Sund; jenseits ist der Fährmann mit dem Schiffe. Thôr ruft hinüber: „Führ du mich über den Sund! ich nähre dich morgen; einen Futterkorb hab' ich auf dem Rücken, nicht gibt es bessere Speise. Ich aß in Ruhe, ehe ich von Hause fuhr, Häringe und Haberkost[1], satt bin ich noch davon." Der Fähr[85]mann: „Allzu frühe rühmst du die Mahlzeit, nicht genau weist du voraus, traurig ist dein Heimwesen, todt wird deine Mutter sein." Thôr: „Das sagst du jetzt, was Jedem die herbste Kunde, daß meine Mutter todt sei." Der Fährmann: „Nicht siehst du aus, als ob du drei gute Höfe habest; baarbeinig stehst du da in Landstreichersaufzug, nicht einmal hast du deine Beinkleider." Thôr: „Steure hieher die Eiche! ich werde dir den Staden weisen; doch wes ist das Schiff, das du am Lande hältst?" Fährmann: „Hildólf heißt er, der mich es halten hieß, der rathkluge Recke, der in Rádseysund wohnt; nicht hieß er mich Taugenichtse überführen oder Pferdediebe, ehrliche Leute nur und die ich genau kenne; sag deinen Namen an, wenn du über den Sund fahren willst!" Der Wandrer nennt sich nun als Thôr, Odins Sohn, Meilis Bruder und Magnis Vater, den Kräftiger der Götter. Auch der Fährmann gibt, auf Thôrs Frage, seinen Namen Harbard an, doch verweigert er beharrlich die Überfahrt. In fortgesetztem bitterem Wortwechsel hebt Jeder seine Thaten hervor und verkleinert die des Andern. Thôr rühmt sich der Siege über Hrüngnir und Thiassi, auch wie er im Osten der Jötune schadenkundige Bräute geschlagen, als sie zum Berge giengen: „groß wäre der Jötune Geschlecht, wenn [86] alle lebten; aus wär' es mit den Menschen unter Midgard." Weiter führt er an, wie er im Osten war und den Stromübergang wehrte, als Svarángs Söhne ihn angriffen und mit Steinen schlugen, doch erfolglos, indem sie zuerst ihn um Frieden bitten musten; dann wie er auf Hlesey Berserkbräute schlug, die das Schlimmste verübt, alles Volk betrogen hatten; Wölfinnen, kaum Weiber, wanden sie sein Schiff los, das er auf Stützen gebracht hatte, bedrohten ihn mit dem Eisenknüppel und vertrieben Thiálfi. Harbard hält seine Kriegsthaten, Zauber- und Liebesabenteuer entgegen: fünf Winter hab' er auf der Insel Algrön gekämpft und Männer gefällt;

[1] Str. 3: „sildr oc hafra;" über diese althergebrachte Speise s. D. Myth. 169. [2te Ausg. S. 251.]

in Balland sei er Schlachten gefolgt, habe Fürsten aufgehetzt und niemals versöhnt; Odin habe die Jarle, die auf der Walstatt fallen, Thôr habe der Thräle (Unfreien) Geschlecht; Thôr habe Stärke genug, aber nicht Herz, aus Furcht und Feigheit sei er im Handschuh gesteckt und habe nicht zu niesen gewagt, so daß es der Riese gehört hätte. Insbesondre noch rühmt Harbard sich, im Heere gewesen zu sein, das hieher Kriegsfahnen erhob, den Speer zu färben. Zwar verspricht er, den Schaden Thôrs mit einem Handringe zu büßen, nach der Bestimmung vergleichstiftender Schiedsmänner. Thôr aber nimmt Dieß für Hohn und droht, [87] durch das Wasser zu waten und den Gegner mit dem Hammer zu hauen, daß er lauter als ein Wolf aufschreie. Harbard meint, besser werde Thôr sich an den Buhler machen, den Sif daheim habe. Thôr schilt das eine Lüge, verlangt nochmals vergeblich Überfahrt und fordert dann den Fährmann auf, ihm sonst den Weg zu weisen. „Nicht weit, antwortet Harbard, ist die Fahrt; eine Weil' ist zum Stocke, eine andre zum Steine; halt dich so zum linken Wege, bis du Verland erreichst! dort wird Fiörgyn ihren Sohn Thôr treffen und sie wird dich der Verwandten Wege lehren zu Odins Landen." Thôr: „Werd' ich dahinaus heute heim kommen?" Harbard: „Mit Noth und Mühe bei noch obenstehender Sonne, wann ich von dannen gieng." Mit Drohung und üblem Wunsche trennen sie sich.

Harbard (Harbardr) ist, nach dem Eddaliede von Grimnir (Sæm. Edd. 46. Vgl. Sn. Edd. 24 [1]), einer der Namen Odins. Auch dem Wesen nach ist Odin in Harbard vollkommen kenntlich. Zwar sind die hier beiläufig angeregten Mythen von ihm, wie auch einige von Thôr, anderwärts meist verschollen; aber wenn Harbard sich als Denjenigen bezeichnet, der den Kämpfen nachziehe, der Fürsten aufreize und niemals versöhne, so ist Dieß ganz und gar Odin, wie er überall in der nordischen Heldensage umgeht; [88] auch ist dieser Bezeichnung unmittelbar und namentlich, im fortlaufenden Gegensatze zu Thôr, beigefügt, daß Odin die Jarle habe, die auf der Walstätte fallen (Harb. 24) [2]. Odin, der Beleber und Erreger alles Geistes, facht insbesondre als Kriegsgott den kriegerischen Geist an, der in jenen Zeiten die höchste Geltung hatte, er bildet und gewinnt sich auf Erden schon die Seelen der Kampfrüstigen für den künftigen Weltkampf. Er besucht in menschlicher Verkleidung und unter mancherlei Namen die Heldengeschlechter, stiftet Zwietracht auch unter Verwandten, nimmt selbst am Kampfe

1 [Sogun af Nidli C. 103. S. 159.]

2 [Saxo ed. Klotz. S. 50. Fornald. S. III, 8.]

Theil und versammelt die Geister der Erschlagenen in Valhöll, seinem himmlischen Heldensaale. So zeigt ihn das Lied im Dienste Hildölfs, dessen Name selbst wieder deutlich spricht. Das Wurzelwort (hild-) bedeutet Kampf, die Anhängsylbe (-ölfr) bezeichnet ein Ungeheures, Unheimliches, Hildölf (Hildölfr) also einen furchtbaren, dämonischen Kriegsmann [1]. In den Gedenkversen (Sn. Edd. 211) wird Hildölf unter den Söhnen Odins genannt. Im Heere Hildölfs ist Odin hergekommen, dem Thôr zum [89] Schaden, und als Fährmann am Sunde verweigert er nun auch demselben den Eintritt. Hält man fest, daß Thôr der Gott des Anbaus ist, und beachtet man die landverheerende Weise der alten Kriegsführung (Sæm. Edd. 142), so ergibt sich das einfache Thema des Liedes: der Segen des Landbaus, verdrängt durch zerstörende Kriegsgewalt. In dem Namen Harbard (Heerschild?), welchen Odin hier annimmt, scheint auch sonst die Kriegsplage mit ihrem übeln Gefolge, Fehljahr und Hungersnoth, personificiert worden zu sein [2].

Der angegebene Gedanke des Liedes läßt sich auch in das Einzelne verfolgen. Thôr kommt von Osten her, aus dem Winter, in ärmlichem Aufzug, denn um diese Zeit gehen die Jahresvorräthe zu Ende, die ihn bisher satt erhalten. Noch verspricht er, aus dem Futterkorb (meis) auf seinem Rücken den Fährmann zum Lohne der Überfahrt morgen zu speisen. Es ist dieß wohl derselbe Korb (auch meis genannt), in welchem Thôr sonst Orvandil, den Fruchtkeim, auf seinem Rücken aus Jötunheim herüberträgt. Damit glaubt er Nahrung auf morgen, für

[1] Über die Formel -olf, -ölfr s. D. Gramm. II, 330 f. 537. III, 706. Synonym mit Hildölfr sind die altnordischen Namen Gunnölfr, Vigölfr, Heriölfr. Nicht so offen liegt, warum Hildölf in Rádseysund (í Ráðseyjarsundi, Harb. 8) wohne. Bedeutet Rádsey, wie man erklärt, insula imperii, so heißt auch das damit im Stabreim stehende Beiwort Hildölfs: inn rádsvinni, der befehlkluge, der kundige Heerführer.

[2] Harbarðr, deutsch Herbort, altfranzösisch [durch Vermittlung von -bald, vgl. J. Grimms Reinhart Fuchs, S. CCXLIV] Herbout (Roquefort, Gloss. I, 748), welch letzteres Wort J. Grimm (Reinh. Fuchs, CXXXV) als einen Namen der personificierten Hungersnoth aufgezeigt hat. Har- scheint veraltete Form des sonst in Zusammensetzungen gebräuchlichen her-, heri-, zu sein, sowie -barðr das starke Masc. statt des gewöhnlichen schwachen barði, der Schild (vgl. Sn. Edd. 216 b).

das nächste Jahr, [90] zusagen zu können. Aber Harbard verweigert die Fähre und meint, Jener rühme allzu frühe die Mahlzeit, traurig steh' es in seiner Heimath, todt sei seine Mutter und einen Buhler habe Sif. Thôrs Mutter, die Erde, in Folge von Hildôlfs Kriegszuge verheert und ungebaut, liegt leblos da und seine Gattin Sif, die letzte Ernte, ward der fremden Gewalt zur Beute. Doch ist Jörd nicht wirklich todt, denn auf dem Wege zur Linken, den Harbard zuletzt dem Wanderer anzeigt, in Verland, wird Fiörgyn (einer der Namen Jörds, Vsp. 57. Sn. Edd. 178. 220) ihren Sohn Thôr finden und ihn der Verwandten Wege zu Odins Lande lehren; mit Mühe wird er bei noch obenstehender Sonne dahin gelangen. Unter diesem mühsamen Umweg, dessen Angabe Thôr für Spott zu nehmen scheint, ist dem ganzen Zusammenhange nach eine neue Aussaat und Feldbestellung, die doch dem Jahre noch einen Ertrag abgewinnt, zu verstehen. Dem von Osten kommenden Thôr ist der Weg zur linken Hand ein südlicher, sommerlicher; in Frühlingssaat und Sommerfrucht muß er seinen Ausweg suchen; Verland [1], wo er seine Mutter Erde noch am Leben trifft, ist das von Menschen bewohnte, dem Anbau günstige Land; die Bahnen der Verwandten zu Odins [91] Landen beziehen sich dann auf das Emporstreben der Saat in Licht und Luft, die Gebiete der Âsen, im Gegensatze zu den finstern, beeisten Pfaden, auf denen Thôr sonst mit dem Saatkorbe wandeln muß; mit Noth kommt er noch vor untergehender Sonne an das Ziel, kaum noch gelangt die neue Aussaat vor einbrechendem Winter zur Reife.

Von den Anspielungen auf Thôrs Thaten und Wesen, welche diesem Hauptbestande des Liedes eingeflochten sind, erfordern hier nur diejenigen nähere Betrachtung, deren Gegenstände nicht mehr in besondern Liedern und Sagen sich erhalten, sondern nur hier noch ihre Spur zurückgelassen haben. Dahin gehören Svarângs Söhne, gegen welche Thôr im Osten den Fluß vertheidigte, als sie ihn mit Steinen angriffen, aber nichts gewannen und um Frieden bitten musten (Harb. 29). Svarâng (Svarângr, Svârângr), unter den Jötunnamen aufgezählt (Sn. Edd. 209), ist wörtlich: schwere Angst, harte Bedrängnis. Die Söhne dieses Jötuns, des Ängstigers, die nach Thôr, dem Gotte des

[1] Vgl. die sonstigen Zusammensetzungen mit vër-, D. Gramm. II, 480.

Anbaus, mit Steinen werfen, bedeuten den Hagel, der aus schwerdrohender Wetterwolke fährt; sie stürmen in Mehrzahl an, weil die Schlossen wie von vielen Händen zugleich geworfen werden. Thôr aber wehrt ihnen siegreich den Übergang in sein bebautes Gebiet, denn, obgleich selbst Herr des Donners, kämpft er doch, wie sich [92] noch ferner zeigen wird, auch gegen die verheerende Macht des Gewitters, wie gegen jede jötunische Gewalt, schirmend an. Weiter hat Thôr auf Hlësey Berserkbräute geschlagen, Wölfinnen mehr denn Weiber, die alles Volk betrogen, die sein Schiff losgewunden, das er auf Stützen gebracht hatte, die ihn mit dem Eisenknüppel bedroht und Thialfi vertrieben (Harb. 35. 37). Auf Hlësey, mag damit Meereiland überhaupt oder die Insel Läsö besonders gemeint sein, hat Thôr sein Schiff an den Strand gezogen, auf Pfähle gesetzt, er hat den Anbau nach dieser Insel gebracht. Darum ist Thialfi bei ihm, derselbe, der auch nach Gotland das erste Feuer geführt. Aber Berserkbräute, wilde Riesenweiber (vgl. Harb. 23), betriegen und beschädigen hier das Volk, wütende Sturmfluten verheeren wieder das ihnen allzusehr ausgesetzte, vergeblich angebaute Uferland, reißen das schon befestigte Schiff wieder los und verjagen Thialfi, ihr gewaltiger Wogenschlag gleicht dem Schlage mit eisenbeschlagenen Keulen. Vorzüglich beachtenswerth ist endlich der von Harbard aufgestellte Unterschied zwischen Odin und Thôr: Jener habe die Jarle, die auf der Walstatt fallen, Dieser das Geschlecht der Thräle; Thôr habe Stärke, aber nicht Herz, zu dessen Beweise seine Angst im Riesenhandschuh angeführt wird (Harb. 24. 26). Zu Odin nach Valhöll fahren, nach altnordischem Glauben, allerdings nur [93] die Helden, die Kampfrüstigen und Kampferprobten, die auf der Walstätte oder durch freien Entschluß gefallen, oder die, in sinnbildlicher Darstellung des Waffentodes, mit Speeresspitze gezeichnet worden. Die Knechte, deren Zustand seinen Ursprung in der Gefangenschaft hat (D. Rechtsalth. 320 ff.), sind nicht waffenfähig und darum auch nicht für Odin geeignet (ebd. 340 f. vgl. 349)[1], aber ihnen besonders liegt die Bestellung des Feldes ob, darum gehören sie dem Thôr; in Vergleichung dieses anstrengenden, aber gefahrlosen Berufes mit dem kühneren des

[1] In Gautreks S. (Fornald. S. III, 8) kann der Thräl nur im Gefolge des freien Hausherrn nach Valhöll fahren; denn außerdem würde Odin Jenem nicht entgegengehn.

Kriegsmanns wird dem Thôr vorgeworfen, daß er mehr Stärke als Muth habe.

Der Gegensatz, in welchen durch das ganze Harbardslied Thôr und Odin gebracht sind, ist gleichwohl kein innerer Widerspruch der nordischen Glaubenslehre, keine Spaltung religiöser Ansichten, er zeigt nur den nothwendigen äußern Zusammenstoß der verschiedenen, je unter Obhut eines dieser Götter gestellten Richtungen und Zustände des irdischen Daseins. Daß dieser äußerliche Zwiespalt nicht in das Leben der Götter selbst eingreife, ist schon durch das Verhülltbleiben Odins unter Namen und Gestalt des Fergen Harbard angedeutet. Auch ist damit auf eine höhere [94] Ausgleichung hingewiesen, daß Harbard dem Thôr für den erlittenen Schaden Buße und Vergleich nach dem Ausspruche von Schiedsmännern verspricht (Harb. 40. Vgl. Æg. 12. 13) und zuletzt selbst ihm den Weg angibt, auf dem er zum Ersatze gelangen kann. Odins weitschauender Rath und Thôrs unermüdliche Thatkraft wirken am Ende doch wieder hülfreich und heilend zusammen und in neuem Segen ergrünt das Land, das der Kriegsdämon verödet hatte.

Wenn gleich Thôrs Thätigkeit unmittelbar oder mittelbar stets der Erde zugewandt ist, so waltet er doch schon ursprünglich als Donnerer in der Luft und von dieser aus wirken ja die manigfachsten Einflüsse freundlich oder feindlich auf alles irdische Leben und Wachsthum. Thôrs irdisches Gebiet ist, nach Obigem, Thrûdheim oder Thrûdvâng, das urbare, nahrhafte Land. Er hat aber auch einen Bau Bilskirnir, mit Schwibbögen und mit 540 Böden, der besparrten Häuser gröstes (Grimn. 24). Name und Schilderung dieses Hauses stellen auch dessen Bedeutung heraus. Bilskirnir, der sich langsam Heiternde[1], ist der Wolkenhimmel mit seinen Bedachungen, seinen zahlreichen Lagen und Schichten, die vielräumige Halle [95] des Donners. In der j. Edda (25) werden zwar Thôrs Reich Thrûdvâng und sein Saal Bilskirnir gleich nacheinander genannt, aber die dabei angeführte Strophe des Eddaliedes, die sich auf letztern bezieht, ist in dem Liede selbst weit

[1] Lex. isl. bil, n. momentum, interstitium temporis v. loci; bil-giarn, cunctabundus, segnis; at skírna, clarescere.

von derjenigen getrennt, in welcher Thrúdheims gedacht wird (Grimm. 4. 24), und man ist daher um so mehr berechtigt, die beiden Besitzthümer Thôrs nach ihren sonstigen Merkmalen auch den Gebieten verschiedener Elemente, in denen er gewaltig ist, anzueignen. Sie können gleichwohl in einer Gesammtanschauung aufgefaßt werden: über dem weiten Ackerlande der hochaufgeschichtete Wolkenbau.

Sowie nun Thôr bisher mit gefügigen oder widerstrebenden Erdstoffen und Erdkräften zu schaffen hatte, so verkehrt er in weiteren Sagen mit den verschiedenen Stimmungen der Luft, mit Wind und Wetter in ihrem Ungestüm und ihrer Milde, je nach der wechselnden Jahreszeit. In dieser Reihe gebührt der Vortritt demjenigen Mythus, in welchem Thôr durchweg als Hauptperson handelt und mit Luftwesen beider Art, der milden und der gewaltsamen, in Berührung kommt.

9. Thrym.

Eddalied von Thrym (Sæm. Edd. 70 bis 74):

Zornig ist Vingthôr, als er aufwacht und seinen Hammer vermißt, er schüttelt den Bart,[96] bewegt das Vorderhaupt und tastet umher. Zuerst sagt er Loki, daß ihm der Hammer gestohlen sei. Sie gehen zu Freyjas schönen Gehegen und Thôr befragt dieselbe, ob sie ihm ihr Federgewand leihen wolle, damit nach dem Hammer gesucht werde. Freyja sagt, sie würd' es geben, wär' es auch von Gold oder Silber. Loki fliegt hin mit dem tönenden Gefieder, bis er hinauskommt vor der Âsen Gebiet und hinein in das der Jötune. Hier sitzt Thrym auf dem Hügel, der Thurse Herr, seinen Hunden Goldbänder windend und seinen Rossen die Mähnen schlichtend. Er fragt, wie es bei Âsen und Âlfen stehe und warum Loki allein nach Jötunheim gekommen. „Übel steht es bei Âsen, übel bei Âlfen, antwortet Loki; hast du Hlórridis Hammer versteckt?“ „Ich habe Hlórridis Hammer versteckt, acht Rasten unter der Erde, ihn holt Niemand wieder, er bringe mir denn Freyja zum Weibe.“ Mit diesem Bescheide fliegt Loki zu Thôr zurück und sie gehen abermals zu der schönen Freyja; sie soll sich mit dem Brautlein binden, um nach Jötunheim geführt zu werden. Da schnaubt Freyja vor Zorn, all der Âsensaal erbebt unter ihr und der große Brîsingschmuck springt; die Mannlüsternste will sie heißen, wenn sie mit nach Jötunheim fahre. Âsen und Âsinnen versammeln [97] sich und berathen, wie sie den Hammer wieder erlangen. Heimdall, der Âsen lichtester, vorwissend wie die Vanen, räth an, den Thôr als Braut zu kleiden und zu schmücken. Da spricht Thôr: „Mich werden die Âsen einen Weibischen nennen, wenn ich mich mit dem Bräutlein binden lasse." Aber Loki erwidert: „Bald werden Jötune Asgard bewohnen, wenn du nicht den Hammer dir wieder holst." Da binden sie Thôr mit dem großen Brisingschmucke, lassen Schlüssel an ihm herabfallen und Frauengewand sein Knie umwallen; auf der Brust hat er edle Steine und das Haupt zierlich umgipfelt. Loki schließt sich als Dienerin ihm an. Die Böcke, eilig heimgetrieben und an die Deichsel gespannt, müssen weidlich rennen; Felsen brechen, die Erde brennt und flammt, Odins Sohn fährt nach Jötunheim. Da heißt Thrym die Jötune aufstehn, die Bank bespreiten und Freyja ihm zum Weibe bringen, Niörds Tochter aus Nôatûn. Golbgehörnte Kühe, schwarze Ochsen wandeln hier, dem Jötun zur Kurzweil, dem Hofe zu, Kleinode und Halsgeschmeide hat er in Menge, Freyja allein fehlt ihm. Am Abend zeitig kommen die Gäste an und es wird Bier herbeigetragen; die Braut allein ißt einen Ochsen, acht Lachse, alle Leckerstücke, die den Frauen gebühren, drei Tonnen Meets trinkt sie. Nie sah Thrym [98] eine Braut breiter beißen, noch ein Mägdlein mehr Meet austrinken. Die schlaue Dienerin aber spricht: „Nichts aß Freyja seit acht Nächten, so sehnsüchtig war sie nach Jötunheim." Thrym beugt sich unter den Lein, lüstern sie zu küssen, aber zurück springt er den ganzen Saal entlang, so furchtbar sind Freyjas Augen, aus denen Feuer zu brennen scheint. Da sagt wieder die schlaue Dienerin: „Nicht schlief Freyja seit acht Nächten, so sehnsüchtig war sie nach Jötunheim." Herein kommt die arme Jötunenschwester und verlangt Goldringe von Freyjas Händen zum Brautgelde. Da heißt Thrym den Hammer Miölnir hereinbringen, auf der Jungfrau Kniee legen und so die Brautleute zusammenweihen. Hlôrridi lacht das Herz in der Brust, als er den Hammer erkennt; zuerst erschlägt er den Thursenherrn Thrym, alles Geschlecht des Jötuns zerschmettert er, die alte Riesenschwester erhält Hammerschall für Schillinge. So kam Odins Sohn wieder zum Hammer.

Freyja, die mit dieser Fabel in den Thôrsmythus eintritt, ist vom Stamme der Vanen und heißt darum auch Vanengöttin (Vanagoð; Vanadîs, Sn. Edd. 119). Die Vanen bezeichnet der Name schon als dem Leeren, Stofflosen angehörig [1]. Ihr Gebiet [99] heißt Vanenheim (Vafþr. 39: î Vanaheimi); von da kam Niörd, der Vater der Vanengötter, zu den Asen und befindet sich seitdem mit seinen Kindern Frey (Freyr) und Freyja in der Gesellschaft Jener. Die zwei letztern Namen besagen Herr und Frau und noch weiter hinauf die Frohen,

[1] Vgl. Lex. myth. 538. D. Gramm. II, 655. Beneckes Wörterb. z. Wigal. 738 f.

Freundlichen [1]. Dieses Geschlechtes milde Herrschaft besteht nun darin, daß von ihm alle Annehmlichkeiten und Segnungen der heiteren und gelinden Luft, der fruchtbaren Witterung ausgehen. Im Besonderen waltet Niörd in Nóatún, der Schiffstätte [2], Strandgegend, vorzüglich über dem für Schifffahrt und Fischfang günstigen Wind und Wetter, Frey über der den Feldgewächsen gedeihlichen Witterung, während in Freyja Glanz und Wärme des reinen, wolkenlosen Himmels der schönen Jahreszeit zur persönlichen Erscheinung kommt. Als Luftgöttin hat sie ein Fluggewand, nach der j. Edda eine Falkenhaut (Sn. Edd. 81), und auch in ihrem heftigen Aufbrausen äußert sich ihr erregbares Element. Ihre Wohnstätte ist Fólkváng (Fölkvângr), Volkfeld, eben das Luftgebiet, die große Almende, die für alles Volk Raum hat, und in gleichem Sinne [100] wird ihr großer und schöner Saal Sessrymnir, der Sitzräumige, genannt (Sn. Edd. 28. Lex. myth. 75. D. Myth. 194); täglich erkiest sie sich die Hälfte der Gefallenen, die andere Hälfte hat Odin (Grimn. 14), zu Diesem fahren die Seelen, die Leiber gehen mit dem Rauche des Scheiterhaufens in die Luft auf. Ihre Thränen, der Thau, sind lichtes Gold und sie heißt davon die thränenschöne Göttin (Sn. Edd. 119). Unter ihrem leuchtenden Halsgeschmeide, dem Brisingschmucke (Brîsinga-men), ist vermuthlich der klare Venusstern, Morgen- und Abendstern zugleich, verstanden, denn um ihn stritten sich einst, in Gestalt von Seehunden, Heimdall und Loki, der Frühe und der Späte, bis Ersterer das Kleinod zurückerlangte, welches Loki unter Meeresklippen versteckt hatte (Sn. Edd. 104 f. 106). Die wohlthätige Natur dieses Vanenstammes hat ihm ein Recht auf die Gemeinschaft der Asen gegeben. Aber im Gegensatze zu den Vanengöttern und doch zugleich, vermöge des gemeinsamen Elements, im Bande der Verwandtschaft mit ihnen steht ein Geschlecht wilder, winterlicher Thurse, die, zum Unterschiede der bisher aufgetretenen Steinjötune, als Sturmriesen bezeichnet werden können. Ihr Gebiet heißt Thrymheim (þrymheimr, Grimn. 11) und die Erklärung dieses Wortes fällt zusammen mit derjenigen des Jötunnamens Thrym im vorliegenden Liede.

[1] D. Gramm. III, 335. D. Myth. 135 bis 137. 189 bis 192. Lex. isl. „hûs-freya, mater familias;“ vgl. Fornald. S. II, 388.

[2] Finn Magnusen, den ældre Edda (Kjöbhv. 1821 bis 23). I, 233. II, 124. Sn. Edd. 219 hat unter den Benennungen des Schiffes: nór.

[101] Thrym (þrymr) bedeutet Getös, der Thursenfürst dieses Namens ist Gebieter der tosenden Winterstürme. Der Weg nach Thrymheim, das zwar in diesem Liede nicht genannt wird, geht in das Gebirge (Sn. Edd. 27. 28). Auf der rauhen, windumbrausten Gebirgshöhe kann auch wohl Thryms Herrschersitz, die Heimath der Stürme gedacht werden, die hier nur den allgemeineren Namen Jötunheim trägt [1]. Aber Loki kommt fliegend dahin, auf dem Luftwege, und als Thôr ebendahin fährt, brechen die Felsen. Thrym sitzt auf dem Hügel, hier dem Kulme des Gebirgs; die Hunde, denen er Goldbänder schnürt, und die Rosse, denen er die Mähnen schlichtet, sind seine wilde Sturmjagd; als wiehernde Rosse werden auch im Verfolge dieser Mythen die Winde sich darstellen. Die goldhornigen Kühe und die schwarzen Ochsen, an denen Thrym sich vergnügt, sind die finstern, lichtgesäumten Sturmgewölke; auch der Riese Enio war ein Wolkenhirte. Aber jetzt ist Thrym daheim, sitzt auf dem Hügel, wie auch sonst die Fürsten in ihrem Heimwesen gefunden werden [2], er legt seinen Hunden Bänder an und bringt den Rossen die verwehte Mähne wieder zurecht, seine Heerde kehrt zum [102] Hofe. Dieß entspricht ganz der Jahreszeit, in welche die Handlung des Liedes fällt. Der Thursenfürst hat dem schlafenden Thôr den Hammer gestohlen; die Entwaffnung des ermatteten Donnergottes ist das Werk eines Winterriesen. Acht Rasten tief unter der Erde hat Thrym den Hammer verborgen; damit können acht Monate gemeint sein, während welcher kein Donner zu verlauten pflegt [3]. Doch jetzt ist die Zeit herangekommen, wo Thôr zürnend erwacht und nach seiner Waffe sucht; es ist dieselbe Zeit, um welche Thryms wilde Jagd [4] und Wolkenheerde heimkehren. Jetzt wird Freyja sichtbar, der milde,

[1] Im dänischen Volksliede, wovon nachher, ist es Norden-Fjeld, Nordgebirg.

[2] Fornald. S. II. 66. III, 39. Fornm. S. II, 58. Vgl. Vsp. 34. Skirn. 11.

[3] Mone, Gesch. d. Heidenth. im nördl. Europa 1, 406. Vgl. D. Myth. 123 f.

[4] In den Volkssagen vom wilden Jäger und wütenden Heere, die auch in Dänemark und Schweden im Umlaufe sind, haben sich zwei ganz verschiedene Bestandtheile vermischt, welche füglich mittelst jener beiden Namen wieder ausgesondert werden können, der Naturmythus von des Sturmriesen, Thurses, wilder Jagd (schweiz. Dürstengejäg) und der odinische von der Ausfahrt der Valkyrien und Einherien, von Wuotes Heer und dem Reiten der Todten.

klare Frühlingshimmel; darum ist diese Göttin in Theilnahme gezogen. Götter- und Menschenwelt ist, nach einem durchgehenden Zuge der nordischen Fabel, von den Jötunen auf zweifache Weise gefährdet, mit den männlichen Götterwesen liegen sie im Kampfe, den schönen, weiblichen trachten sie nach, um dieselben nach Jötunheim hinwegzuführen. Hier nun will Thrym den Hammer [103] Thôrs nur unter der Bedingung zurückgeben, daß ihm die schöne Freyja zum Weibe werde. Bei dieser Unterhandlung sind wieder die zwei Entgegengesetzten Loki und Heimdall thätig. Loki vermittelt überall den Verkehr der Äsen mit den Jötunen, hier jedoch, im Zusammentreffen Lokis mit Heimdall, des Niedergangs mit dem Aufgang, ist noch besonders die Zeit angedeutet, in welcher Tag und Nacht sich die Waage halten. Loki, der finstern Jötunenwelt zugeneigt, bringt die harte Bedingung, daß Freyja hingegeben werden müsse, Heimdall, der Pförtner des Lichtreichs, gibt den Rath, wie sie zu behalten und doch der Hammer zu gewinnen sei. Thôr selbst fährt nach Jötunheim, als Freyja verkleidet, die Sommerkraft noch in Frühlingsheitre gehüllt. Doch schon verkündet sich, beim Brautmahle, seine verzehrende Gewalt auf gleiche Weise, wie an Ûtgardsloki's Hofe Logi, das Wildfeuer, den Wettstreit bestand (vgl. auch Hým. 14 bis 16); aus seinen Augen sprüht erschreckende Glut, und als ihm der Hammer zur Vermählungsweihe auf den Schoß gelegt ist, da fährt plötzlich der zerschmetternde Streich hernieder, ein Wetterstral aus blauem Himmel. Die arme oder armselige [1], nach Freyjas Gaben gierige Riesenschwester ist wohl die Armuth, Nothdurft des Winters; etwa die unter mehrern von Thôr erschlagenen Riesenweibern in einem Skaldenliede (Sn. Edd. 103) genannte Bûseyra, wörtlich: [104] Hefe des Haushalts [2]. „Hunger und Hefe“ (sultr og seyra, Lex. isl. II, 240 [3]) besagt im Isländischen sprichwörtlich den Mangel der täglichen Nahrung. Thôr erschlägt Bûseyra, er macht der Winternoth ein Ende.

Das Lied von der Wiedererlangung des Hammers (Hamars-heimt, Sæm. Edd. 70), von der neuerwachten und zum Sieg erstarkten

[1] [Vgl. Sæm. Edd. 24. 30. Fornald. S. II, 168. 508. Jómsvík. S. C. 44 (Fornm. S. XI, 141): „manna armastr.“]

[2] Lex. isl. bû, n. res familiaris, rusticatus; seyra, fæculentia, fex. Lex. myth. 636.

[3] [Yngl. S. C. 18. Þidr. S. ed. Unger S. 146 oben.]

Sommerkraft, ist vor allen andern Eddaliedern durch lebendige Bewegung, durch vollendetes Verschmelzen des Gedankens mit der freien, poetischen Gestaltung, ausgezeichnet. Daher ist auch gerade bei diesem Liede weniger erforderlich und ausführbar, die Allegorie bis in das Einzelnste nachzuweisen oder genau zu unterscheiden, was dem unmittelbaren Ausdrucke der Idee, was einer unabhängigern Darstellung der menschlichen Verhältnisse, die jener zur Einkleidung dienen, hier z. B. der Hochzeitgebräuche, angehöre. Das poetisch selbständige Leben, vermöge dessen dieses Lied, abgesehen von seiner mythologischen Bedeutung, als vergnügliches Märchen wirken kann, hat sich dadurch bewährt, daß der Inhalt desselben, wenn auch im Einzelnen entstellt und im Tone herabgestimmt, doch den Hauptzügen nach unversehrt, in den späteren Mundarten des Nordens, schwedisch, dänisch und norwegisch, als gereimtes Volkslied, fortbestand [1].

[105] 10. Svadilfari.

Woher Odins Roß Sleipnir stamme, erzählt die j. Edda also (Sn. Edd. 45 bis 47):

Frühe beim ersten Bau der Götter, nachdem sie Midgard gesetzt und Valhöll gemacht, kommt ein Meister dahin und erbietet sich, ihnen in drei Halbjahren eine Burg zu bauen, welche vor Berg- und Eisriesen sicher sei, wenn auch solche innerhalb Midgards hereinkommen. Zum Lohne bedingt er sich den Besitz Freyjas nebst Sonne und Mond. Die Äsen berathen sich und sichern ihm das Verlangte zu, wenn er die Burg in Einem Winter fertig bringe; wenn aber am ersten Sommertage noch irgend etwas an der Burg fehle, so soll' er um den Lohn sein, auch dürf' er sich Niemand zum Werke helfen lassen. Der Meister verlangt jedoch, daß sie ihm gestatten, sein Pferd Svadilfari zu Hülfe zu nehmen, und nach Lokis Rathe wird ihm Dieses bewilligt. Am ersten Wintertage beginnt er den Bau, aber die Nacht über läßt er das Pferd Steine herbeiziehen. Die Äsen sind erstaunt, wie große Felsen dieses Pferd zieht; dasselbe arbeitet nochmal soviel als der Meister. Der Vertrag ist durch Zeugen [106] und Eide befestigt, denn ohne solchen Frieden hätten die Jötune sich nicht sicher

[1] Schwedisch in Iduna VIII, 122 bis 127 (Stockh. 1820) und in Arwidsson's Svenska Fornsånger (Stockh. 1831) I, 3 bis 6. Dänisch in Nyerups Udvalg af danske Viser (Kjöbh. 1821) II, 188 bis 193. Ebd. II, 226 die erste Str. des norwegischen Liedes.

bei den Äsen geglaubt, wenn Thôr heimkäme, der damals nach Osten gezogen, Unholde zu schlagen. Als nun der Winter zur Neige geht, wird der Bau der Burg sehr beschleunigt und diese ist so hoch und stark, daß ihr kein Angriff schaden kann. Noch sind es drei Tage zum Sommer, als das Werk fast bis zum Burgthore vorgerückt ist. Da setzen sich die Götter auf ihre Gerichtstühle und befragen einander, wer dazu gerathen habe, Freyja nach Jötunheim zu vergeben und Luft und Himmel so zu verderben, daß Sonne und Mond davon weggenommen und den Jötunen gegeben werden sollten. Alle kommen überein, daß Der es gethan, der auch sonst zum Übeln rathe, Loki, Laufeys Sohn. Sie drohen ihm den Tod, wenn er nicht Rath finde, den Meister um den Lohn zu bringen. Als nun Loki bange wird, schwört er Eide, um jeden Preis es so anzurichten, daß Jener um den Lohn komme. Denselben Abend, als der Meister mit dem Pferde Svadilfari nach Steinen ausfährt, läuft aus dem Wald eine Stute und wiehert dasselbe an. Da wird Svadilfari rasend, reißt die Stricke entzwei und jagt der Stute nach. Diese läuft voran zum Walde, der Meister aber nach, um sein Pferd zu fangen. Die beiden Rosse [107] rennen die ganze Nacht umher, auch der Meister verweilt sich solang und am Tage wird dann nicht wie sonst gearbeitet. Der Meister sieht nun, daß das Werk nicht zum Ende kommen werde, da geräth er in Jötunzorn. Als die Äsen dadurch gewiss werden, daß ein Bergriese dahin gekommen, da wird der Eide nicht gedacht und sie rufen zu Thôr. Gleichbald erscheint Dieser, schwingt den Hammer Miölnir und zahlt den Arbeitslohn, doch nicht mit Sonne und Mond, vielmehr versagt er dem Meister auch das Wohnen in Jötunheim. Der erste Streich schmettert den Schädel in kleine Stücke und sendet den Meister hinab unter Niflhel. Loki aber gebiert, von der Begegnung mit Svadilfari, einige Zeit nachher ein graues, achtfüßiges Füllen, und ist dieß der Pferde bestes bei Göttern und Menschen.

Die Erzählung knüpft hier zwei Strophen aus Völuspâ des Inhalts an:

Da giengen alle Götter zu den Rathstühlen und beriethen, wer die ganze Luft mit Verderben gemischt oder dem Geschlechte des Jötuns Freyja gegeben habe. Thôr allein schwoll dort von Zorne, nicht bleibt er sitzen, wenn er Solches erfährt. Eide wurden gebrochen, Wort' und Schwüre, alle kräftige Beredungen, die unter ihnen geschehen (Vsp. 29. 30. Vgl. Sn. Edd. 47).

[108] Auch das Eddalied von Hyndla erwähnt, daß Loki den Sleipnir mit Svaldilfari erzeugt habe (Hyndl. 37).

Die angeführten Strophen der Völuspâ, die überhaupt nur in größeren Zügen den Bau und die Schicksale der Welt vorüberführt, lassen nicht erkennen, wie weit der ihnen zu Grunde gelegene Mythus mit der Erzählung der j. Edda auch im Einzelnen übereingestimmt. Beide Darstellungen versetzen übrigens den Vorgang in die Zeit der frühesten Welteinrichtung. Es ist die erste und hauptsächlichste Scheidung des Jahres in Sommer und Winter. Diesem, der als Jötun eingeführt ist, wird von Seite der Äsen seine Grenze gesteckt, und zwar, da zwischen Wesen so entgegengesetzter Art Verträge keine Gewähr haben, schließlich doch nur durch gewaltsame Bekämpfung. Wie bei den meisten dieser Naturmythen waltet aber auch hier die Vorstellung, daß dieselbe vorbildliche Handlung in jedem Jahre sich erneue.

Der ungenannte Baumeister aus Jötunheim ist unverkennbar ein Winterriese; seine Arbeit beginnt mit dem ersten Wintertage und soll bis zum ersten Sommertage vollendet sein. Der Winter (Vetr) selbst wird im Liede von Vafthrúdnir personificiert und sein Vater wird Vindsval (Vindsvalr), Windkühl, genannt, welchen die j. Edda zu den Jötunen zählt (Vafþr. 27. Sn. Edd. 23. 127. 210). Wie der [109] Thursenfürst Thrym, so bedingt nun auch der jötunische Baumeister sich die schöne Freyja; tritt an ihre Stelle der trübe Winterhimmel, so sind damit auch Sonne und Mond hingenommen. Eine der Benennungen des Windes im Liede von Alvis ist: Wieherer (Alv. 21); von Thryms Rossen war gleichfalls schon die Rede. So erscheint denn auch das Pferd Svadilfari, Eisfahrer [1], als der Winterwind, der in der kalten Nacht mit den ungeheuern Steinen, den Eis- und Schneemassen, zum Bau des Winterriesen heranfährt. Dieser Bau soll den Bergriesen und Reifthursen (bergrisum oc hrímþursum) selbst als Bollwerk entgegenstehen, er bedeutet die feste, schützende Eis- und Schneedecke, unter der die Erde vor den schädlichen Wirkungen des Winterfrostes selbst geborgen ist. Doch darf der mächtige Bau nicht vollendet, nicht mit dem Burgthor auf immer abgeschlossen werden. Die Götter zwingen Loki, der auch hier den verderblichen Rath gab, Abhülfe zu schaffen. Loki hat zur Hingabe Freyjas sammt Sonne und Mond an den Winterriesen gerathen, wie er auch im Thrymsliede das Begehren des Jötuns ausrichtet, er ist ja die Neige des Sommers, die Abnahme [110] des

[1] Vgl. Lex. myth. 439**. Lex. isl. „svadi, m. (s. auch oben S. 16, Anm. 1) svadill, m. lubricitas, glacies lubrica.“ (Ist svell, n. glacies, contr. aus svadhill?) Die Hds. wechseln mit -fari, -föri, -feri; transitiv wäre -færi.

Lichtes. Jetzt aber, um nothgedrungen dem Bau des Winters ein Ziel zu setzen, verwandelt er sich in eine Stute, auch er wirkt in der Eigenschaft des Windes; ist der eisthürmende Svadilfari Ost oder Nordost, so kommt nun der abendliche Loki, auch hier der Endiger, als Gegenwind, als thauender West oder Südwest. Wie die wiehernden Pferde die Nacht hindurch im Wald umherrennen und der Meister vergeblich dem seinigen nachläuft, das ist der Wandel und Wechsel der Winde bei einbrechendem Thauwetter. An seinem Jötunzorne über die vergebliche Arbeit erkennen die Götter, daß Derjenige, der ihnen zuerst ein nützlicher Werkmeister gegen die Eisthurse geschienen, selbst ein Riese des rauhen Felsgebirgs (bergrisi) sei, und wie sie sich in ihm getäuscht, so achten sie nun auch ihrerseits des beschworenen Friedens nicht und rufen zu Thôr, der, als Sommergott, während der Arbeit des Winterriesen abwesend war. Wie immer auf solchen Ruf fährt Thôr plötzlich herab, zerschmettert mit dem ersten Hammerschlage des Jötuns Haupt und schickt ihn nieder unter Niflhel, in die tiefste, licht- und wärmelose Unterwelt; der Thauwind brach den Eisbau, der erste Donner vernichtet gründlich die Gewalt des Winters [1].

[111] Die Entstehung des Rosses Sleipnir gehört zwar nicht zum Hauptbestande des Mythus, wie denn auch in Völuspâ davon nichts erwähnt ist, aber sie knüpft sich passend demselben an und stimmt nicht minder zu dem Wesen dieses Rosses und seines Besitzers. Sleipnir, der Gleitende [2], der seinen Herrn ebensowohl hoch durch die Lüfte als tief zu Niflhel hinunter (Vegt. 6) trägt, von zwei entgegengesetzten Winden [3] erzeugt, ebendarum wohl auch achtfüßig, die ganze Windrose in sich schließend (Lex. myth. 439), von grauer Farbe, als der unscheinbarsten, der Unsichtbarkeit am nächsten kommenden, wie auch Odin selbst in grauem Mantel zu den Menschen kommt, dieses trefflichste der Pferde (Grimn. 44), bedeutet die nach jeder Richtung schnellbereite Gegenwart Odins, des Geistes, der mit allen Winden fährt.

Eine Volkssage aus Norrland [4] zeigt den riesenhaften Baumeister

[1] Vgl. Mone, a. a. O. I, 378 ff. Lex. myth. 439 f.

[2] Lex. isl. sleipr, lubricus; sleipa, f. lubricitas. Über die Verbalbildungen mit -n s. D. Gramm. II, 170. [Fornald. S. I, 486: lida lönd yfir.]

[3] [Vgl. Hagens Minnes. II, 13b eb. III, 182b, 91]

[4] Iduna, H. III. 3:e Aufl. Stockh. 1824. S. 60 f. D. Myth. 317 [514] f.

legendenartig umgestaltet. Ein Tröll verpflichtet sich dem heiligen Olaf, den Bau einer Kirche von wunderbarer Größe, Pfeiler und Zierathe außen und innen von hartem Flinsstein, auf bestimmte Zeit allein zu vollenden, bedingt sich aber zum Lohne Sonne und Mond oder den heiligen Olaf [112] selbst. Schon ist das Werk fertig und selbst die Spitze aufgesetzt, als der Riese bei Nennung seines Namens mit schrecklichem Krach vom Dachkamme stürzt und in viele Stücke zerspringt, die lauter Flinssteine sind. In diesen Flinssteinen am Kirchenbau und vom zerkrachenden Riesenleibe sind noch wohl die Eiskrystalle zu erkennen. Der Name des Werkmeisters, der im Mythus ganz verschwiegen bleibt, wird hier am Ende ausgesprochen: Wind und Wetter, nach Andern: Bläster, Blaser, und es ist damit für obige Deutung auch der bestätigende Ausdruck gefunden [1].

Nach der Saga von Olaf Tryggv. S. (Fornm. S. II, 225 bis 228) war auf Island in einem harten Winter und bei eingetretener Hungersnoth von einer Bezirksversammlung beschlossen worden, die alten und gebrechlichen Leute, die ihren Unterhalt nicht erwerben könnten, auszutreiben; der Häuptling Arnór aber lud zu einer neuen Zusammenkunft, auf der er die Zurücknahme des grausamen Beschlusses und die Annahme menschenfreundlicher Vorschläge zur Ernährung aller Bedürftigen auswirkte; bereits dem Christenglauben zugeneigt, verwies er dabei auf den Gott, [113] der die Sonne geschaffen, um die Welt zu erhellen und zu wärmen, und der an ihnen seine Macht und sein Erbarmen so bewähren möge, daß sie hinfort an ihn glauben. Nun heißt es weiter: „Damals waren Kälte und Frost strenger, als lange Zeit vorher, und die grimmigsten Nordwinde, mit Eis und der härtesten Schneerinde (svelli ok hinu hardazta hiarni) war die ganze Erde übergossen, so daß sie nirgends vorstand; aber in der Nacht nach dieser Zusammenkunft wechselte durch göttliche Fürsorge die Beschaffenheit der Luft so schnell, daß am nächsten Morgen aller Grimm des Frostes vorbei und statt dessen lauer Südwind und das beste Thauwetter gekommen war; von da an war milde Witterung und freundliche, eisschmelzende Sonne, die Erde

[1] In einer ähnlichen Sage aus Norwegen heißt der Riese Skalle (Lex. myth. 79 f. Faye 114); unter den Jötunnamen in Sn. Edd. 210 a finden sich Vindr und Skalli, der Kahle, passend für einen Eisriesen, wie ein dritter Name, der dem norrländischen Tröll gegeben wird, Slätt, der Glatte.

kam Tag für Tag mehr hervor, so daß in Kurzem der ganze Viehstand Gras genug von ihr zur Nahrung erhielt; da freuten sich Alle und waren sehr vergnügt, daß sie Arnórs Mitleidsrathe gehorcht hatten, und empfiengen alsbald so reichliche Wohlthat göttlicher Gabe. Darum traten auch alle Dingmänner Arnórs schnell und gerne mit ihrem Häuptling unter das heilige Gebot des wahren Glaubens, der ihnen bald nachher verkündet wurde, denn nach Verlauf weniger Winter war das Christenthum über ganz Island durch Gesetz angenommen." In dieser einfachen Erzählung ist ohne Bild der Hauptinhalt des vorstehenden Mythus [114] dargelegt; auch sie zeugt von dem Eindrucke des wunderähnlichen Wechsels in der Natur auf die Gemüther, aber die Gnade des Christengottes wirkt hier, was in heidnischer Vorstellung der um Hülfe angerufene Thór vollbringt.

11. Thiassi.

Die j. Edda gibt folgende Sage (Sn. Edd. 80 bis 82):

Die drei Äsen Odin, Loki und Hänir ziehen durch Gebirg und Einöden, wo es übel mit dem Essen steht. Als sie aber in ein Thal herab kommen, sehen sie einen Trupp Ochsen, nehmen einen davon und wollen ihn sieden. Zweimal decken sie vergeblich auf, um nachzusehen, ob er gesotten sei. Während sie nun sich berathen, woher das kommen möge, hören sie in der Eiche über sich sprechen, daß Der, welcher dort sitze, das Sieden verhindre. Sie sehen hin und es sitzt ein großer Adler dort. Derselbe sagt weiter: „Wollet ihr mir meine Sättigung von dem Ochsen geben, so wird es sieden." Sie bewilligen es, da läßt er sich vom Baume nieder, setzt sich zum Sude und nimmt sogleich vorweg die zwei Lenden des Ochsen nebst beiden Bugen. Loki, zornig hierüber, greift nach einer großen Stange und stößt sie mit aller Macht dem Adler in den Leib. Der Adler schwingt sich auf, während die Stange an seinem Körper fest ist, am andern Ende derselben haften Lokis Hände. [115] Er fliegt nah am Boden, so daß Loki mit den Füßen Gestein und Gehölze streift, die Arme aber, glaubt er, werden ihm aus den Achseln reißen. Flehentlich ruft er den Adler um Frieden an, doch Dieser will ihn nicht loslassen, er schwöre denn, Idun mit ihren Äpfeln aus Ásgard herauszubringen. Als Loki Dieses zusagt, wird er los und kommt wieder zu seinen Genossen. Zur verabredeten Zeit lockt er Idun aus Ásgard in einen Wald, indem er vorgibt, daß er Äpfel gefunden habe, die ihr wahre Kleinode dünken werden; auch bittet er sie, ihre Äpfel mitzunehmen und mit jenen zusammenzuhalten. Dorthin kommt nun der Jötun

Thiassi in Adlerhaut, ergreift Idun und fliegt mit ihr in sein Heimwesen. Die Äsen aber befinden sich übel bei Iduns Verschwinden, sie werden schnell grauhaarig und alt. Da halten sie Versammlung und befragen einander um Idun; was man zuletzt von ihr gesehen, ist, daß sie mit Loki aus Äsgard gieng. Loki wird ergriffen und herbeigeführt; man droht ihm mit Tod oder Peinigung. Erschreckt hiedurch, verspricht er, Idun in Jötunheim aufzusuchen, wenn Freyja ihm ihre Falkenhaut leihen wolle. Mit solcher fliegt er nordwärts nach Jötunheim zu Thiassi. Der Jötun ist auf die See gerudert, Idun ist allein daheim. Loki verwandelt sie in eine Nuß, [116] die er in seinen Klauen hält und eiligst davonfliegt. Als nun Thiassi heimkommt und Idun vermißt, nimmt er die Adlerhaut und verfolgt Loki. Die Äsen sehen den Falken mit der Nuß und den Adler heranfliegen, da gehen sie hinaus unter Äsgard und häufen Spähne. Kaum hat sich der Falke innerhalb der Burgmauer niedergelassen, so werfen sie Feuer in die Spähne, der Adler aber vermag sich nicht anzuhalten, das Feuer schlägt ihm ins Gefieder und macht seinem Flug ein Ende. Die Äsen sind nahe und erschlagen den Jötun Thiassi innerhalb des Gatters; allbekannt ist dieser Todtschlag.

Noch wird erzählt, wie Skadi, Thiassis Tochter, zur Buße für den Tod ihres Vaters, den Niörd zum Gemahl erhält, auch wie Odin zur Überbuße Thiassis Augen an den Himmel wirft und daraus zwei Sterne macht.

Nach dieser Darstellung in der j. Edda würde Thôr mit Thiassi und Idun in keiner Beziehung stehen. Anders verhält es sich nach dem Harbardsliede. In diesem sagt Thôr: „Ich erschlug Thiassi den übermüthigen Jötun, auf warf ich seine Augen [1] an den heitern Himmel; sie sind die grösten Wahrzeichen meiner Thaten, die seitdem allen Menschen sichtbar sind (Harb. 19).“ Im Eddaliede von Ägir rühmt sich Loki, der Erste und Hitzigste zur Tödtung [117] gewesen zu sein, als Thiassi ergriffen ward (Æg. 50. 51). Das Skaldenlied Haustlöng (Sn. Edd. 119 bis 121), sonst mit obiger Erzählung der j. Edda übereinstimmend, sagt allgemein, daß die Götter ihre Schäfte geschüttelt; ob Thôr dabei besonders thätig gewesen, hängt von der zweifelhaften Erklärung der Schlußzeilen ab. Der Ehre, welche den Augen Thiassis widerfahren, wird hier gar nicht erwähnt.

„Der Wind, der über das Wasser fährt, den Menschen unsichtbar,“ kommt, nach dem Eddaliede von Vafthrûdnir, von den Schwingen

[1] [Vgl. Grimms D. Myth. 441. RA. 707, 5.]

des Jötuns Hräsvelg (Hræsvelgr), der in Adlershaut an des Himmels Ende sitzt (Vafþr. 36. 37). Der Name Hräsvelg, Leichenschlund, Leichenschlinger, ist eine auf den Windriesen, vielleicht den forniotischen Kâri, übertragene Bezeichnung des Adlers [1]. Vermöge derselben Symbolik ist der als Adler ausfliegende Thiassi ein Sturmjötun; er hat die mächtige Adlerschwinge [2], während der milden Luftgöttin Freyja das schwächere Falkengefieder zukommt [3]. Seine Wohnstätte ist, nach [118] dem Liede von Grimnir, Thrymheim (Grimn. 11; vgl. Sn. Edd. 81, Anm. 2), das tosende Sturmgebirg. In Haustlöng heißt er Bergwolf (fiallgyldir, Sn. Edd. 120) ꝛc. [4] Den Stamm Thiassis gibt die j. Edda so an:

Ölvaldi, sein Vater, war sehr reich an Golde; als Dieser starb und die drei Söhne, Thiassi, Idi und Gâng, das Erbe theilen sollten, war das ihr Maß, daß Jeder seinen Mund voll des Goldes nahm und Alle gleich oft. Darum heißt in Runen oder in der Dichtkunst das Gold: Maß oder Rede dieser Jötune (Sn. Edd. 83).

[1] Hræsvelgr findet sich nicht unter den poetischen Benennungen des Windes (Sn. Edd. 126), wohl aber unter den Jötunnamen (ebd. 209); bei den Bezeichnungen des Adlers (ebd. 181 ff.) ist zwar Hræsvelgr nicht besonders angeführt, dagegen im Allgemeinen gesagt, daß man den Adler und den Raben bezeichne, indem man Blut oder Leichnam (hræ) ihre Nahrung nenne.

[2] [S. af Gunnlaugi Ormst. C. 2. S. 34. Vgl. oben S. 23 [16], Note 1.]

[3] Die gleiche Anschauung ist es, wenn in den Zweigen der Weltesche Yggdrasil, wie Thiassi auf der Eiche, ein Adler sitzt und zwischen dessen Augen der Habicht Vedrfölnir, Luftweller (Sn. Edd. 19; vgl. Grimn. 32); auch in Diesen ist das stärkere und das mattere Rauschen des Windes verbildlicht. [D. Rechtsalth. 39**. D. Mythol. 362.] Windjötune mit Adlernamen sind auch: Egdir, der Riesin Hirte, der auf dem Hügel sitzt und die Harfe schlägt (Vsp. 34; vgl. Sn. Edd. 182); Agdi, Thryms Sohn (Fornald. S. II, 5); Örnir, der unter den Jötunen aufgezählt (Sn. Edd. 210) und im Mühlliede (ebd. 148) mit den Brüdern Thiassi und Idi, statt des hier fehlenden Gâng, genannt wird, zur Bestätigung der äolischen Natur dieses Geschlechts. [Saxo VII, 124, 3. VIII, 164. Sæm. Edd. 84, 27. 8, 50. Fornald. S. II, 378.]

[4] Berg- oder Felsriesen und Reif- oder Eisthurse werden, besonders als Gegner Thôrs, in der j. Edda öfters zusammen genannt (Sn. Edd. 18. 26. 45. 65), der winterliche Baumeister ist ein Bergriese (ebd. 47) und das Mühllied scheint den Steinriesen Hrungnir mit Thiassi, Idi und Örnir, die es „Bergriesenbrüder“ nennt, in Verwandtschaft zu bringen (ebd. 148). Überall liegt hiebei die Vorstellung zu Grunde, daß im Gebirge die Heimath der kalten und heftigen Winde sei.

[119] Auch diese Sage bewegt sich im Reich der Winde. Ölvaldi und seine drei Söhne sind die vier Hauptwinde; er selbst, wörtlich: der Bier, Getränke herschafft, ist der Bringer des Regens, der Regenwind; sein Gold, sein aufgehäufter Schatz, sind die Wolken. Nach seinem Abscheiden, wann der Regenwind gewichen, fällt dieses Erbe den übrigen Winden anheim, es wird von ihnen mit dem Munde getheilt, aufgehaucht und zerblasen. Idi (Idi), der Geschäftige[1], und Gáng (Gángr), Wandel, Geräusch, sind leicht verständliche Windnamen; Thiassi ist dem Worte nach dunkel, sein Wesen aber wird sich bei näherer Betrachtung des Hauptmythus vollständig herausstellen.

Als die wandernden Äsen sich umsonst bemühen, den Ochsen zum Sieden zu bringen[2], hören sie in der Eiche über sich die Stimme des Adlerriesen; der Sturm rauscht in den Baumzweigen. Sie erfahren, daß eben der Adler es sei, der den Sud verhindre; der Wind verweht das Kochfeuer. So ist auch hierin die Weise des Sturmdämons wohl eingehalten. Der Sinn des Streites mit dem Adler ergibt sich jedoch nur mit der richtigen Auffassung des Hauptgegenstandes dieser Sage: Raub und Rückerlangung der Göttin Idun.

[120] Die in den älteren germanischen Sprachen gangbare Partikel id-, wieder[3], verbunden mit der nordischen Endung weiblicher Namen auf -un, unn, bildet den Eigennamen Idun (Idunn), die personificierte Wiederkehr, Erneuung. Jene Partikel äußert im Isländischen auch sonst die Kraft einer Wurzel, die in Ableitung und Zusammensetzung insbesondre auf das Ergrünen des Feldes angewandt wird.[4] Hält

[1] Lex. isl. „at idia, operari. idia, f. opera. idinn, diligens, solers. idni, f. sedulitas."

[2] [Vgl. Saxo III, 165, 4.]

[3] Über die Partikel id-, re-, s. D. Gramm. II, 757 f. Daselbst namentlich: ahd. it-cruod, genimen.

[4] Lex. isl. „idiar, f. pl. viror prati. idia-grœnn, viridis, floridus. ida-vollr, m. viretum." (Vsp. 59: iörd idia-grœna. 7. 60: á idavelli. 61: í grasi. Vgl. D. Myth. 476 [783].) [D. Gramm. II, 603 u.] Nimmt man hiezu die in Anm. 1 angeführten Wörter, dann noch weiter: „idull, continuus, frequens; idka, solere, frequentare; idkan, idkun, f. exercitium rc.", so ergibt sich der gemeinsame Begriff der Wiederholung, Erneuung, bald im Sinne des emsigen, beharrlich fortgeübten Wiederholens, bald in dem, hier zunächst in Betracht kommenden, der neuen Belebung, der wiederkehrenden Frische.

man mit dem Wortsinn in dieser besondern Färbung die ganze mythische Erscheinung Iduns zusammen, so überzeugt man sich leicht, daß in ihr das frische Sommergrün an Gras und Laub persönlich geworden sei und daß Iduns Raub durch den Jötunadler Thiassi die Entblätterung der Bäume und Entfärbung der Wiesen durch den rauhen Hauch der Herbst- und Winterwinde darstelle. Diese Bedeutung des Ganzen wird sich klar machen lassen, wenn auch einzelne Umstände hier, wie anderwärts, unerklärt oder zweifelhaft [121] bleiben. Die drei Äsen kommen aus Gebirg und Einöde, wo es an Nahrung gebricht, in ein Thal herab, in welchem sie einen Trupp Ochsen sehen, deren sie einen sich zum Mahle bestimmen, darüber jedoch mit Thiassi in Streit gerathen. Schon Dieß steht in Beziehung zum Mythus von Idun, in der nämlich, daß Idun über dem grünen, beweideten Thale waltet und der nährenden Heerde pflegt, der winterliche Thiassi aber solches Gedeihen räuberisch zu stören sucht. In Haustlöng wird Iduns Wohnung oder Gebiet Brunnacker (Brunnakr, Sn. Edd. 121) genannt, ein malerischer Name für eine quellenreiche Gegend mit üppigem Gras- und Baumwuchs, wie jenes Thal, in das die drei Äsen niederstiegen. Wieder ist es Loki, der die Sommergöttin an den Winterriesen verräth und dann auch Abhülfe zu schaffen gezwungen wird, wie in der Sage von dem jötunischen Baumeister, der sich Freyja ausbedungen. Loki übernimmt es, Idun mit ihren Äpfeln aus Asgard zu locken und so dem Jötun Thiassi zu überliefern. In der Zeit, wann Idun Äpfel hat, wann der grüne Baum Früchte trägt, ist sie auch durch Loki, den Endiger des Sommers, dem Räuber Thiassi verfallen. Dann wird Idun aus dem Walde geraubt, dann streift der Wind den Schmuck der Blätter ab. Da werden die Götter grauhaarig, alt und runzlig (hamliot, Haustl. in Sn. Edd. 121). Die Naturgötter, dem [122] Wechsel der Jahreszeiten unterworfen, müssen freilich bei Iduns Verschwinden Glanz und Jugendfrische verlieren. Die Zeit des Laubfalles ist das Altern der Natur.[1] Von den Göttern gezwungen, die Geraubte zurückzuholen,

[1] Zwar sagt Sn. Edd. 30: Idun verwahre in ihrer Büchse die Äpfel, wovon die Götter essen sollen, wenn sie altern, dann werden sie jung und so werd' es sein bis Ragnarök; auch sollen, ebd. 119, die Äpfel: Alterarznei der Äsen (elli-lyf Åsanna) dichterisch genannt werden. [D. Myth. 2te Aufl. 1103 Sæm. 261, 77.] Allein in der Sage selbst, ebd. 81, steht nichts davon, daß

fliegt Loki nordwärts [1] nach Jötunheim mit Freyjas Falkenhaut, gerade wie damals, als er Thôrs Hammer suchte; er fährt aus mit der Frühlingsluft. Dort findet er Idun allein daheim, Thiassi ist auf das Meer gerudert; er ist ja der Wind, der, wie das Eddalied sagt, über das Wasser fährt, der [123] die See aufwühlt. In Gestalt einer Nuß [2] wird Idun von dem Falken zurückgebracht. Die Nuß bedeutet hier allgemein den Kern, aus dem die erstorbene Pflanzenwelt immerfort wieder aufgrünt; in enger Schale liegt die Gewähr eines neuen reichen Wachsthums, der Frühling in einer Nuß. [3] Die Götter zünden dem nacheilenden Adler ein Feuer an, das ihm die Schwingen versengt, die Sommerglut macht dem Fluge des Wintersturmes ein Ende. Und nun fährt auch Thôr herab, der überall den Sieg des Sommers mit seinem Hammerschlage besiegelt. Thiassis Augen, unter die Sterne versetzt, sind irgend ein den Hingang des Winters anzeigendes Sternbild, wie früher Örvandils Zehe.

Zur Probe der hier geltend gemachten Bedeutung Iduns dient ein dieser Göttin besonders gewidmetes Eddalied, Odins Rabenzauber (Sæm. Edd. 88 bis 92), das, bisher für eines der räthselhaftesten gehalten,

vom Verluste der Äpfel die Götter alt geworden seien, und es ist an der betreffenden Stelle nur vom Wegkommen Iduns die Rede (en Æsir urdu illa vid hvarf Idunnar, oc gerduz þeir hrâtt hârir oc gamlir), auch wird bei ihrer Rückkehr der Äpfel weiter nicht gedacht; der Ausdruck: elli-lyf Âsanna (Âsa) aber ist dem dabei angeführten Stücke von Haustlöng (Sn. Edd. 121) entnommen, wo Idun die trauerstillende Jungfrau genannt wird, die sich auf der Äsen Alterarznei verstehe (sorg-eyra mey, — þâ er elli-lyf Âsa kunni), ohne daß irgend der Äpfel erwähnt würde. [Vgl. Hrafn. 11 (Sæm. 89): veiga-seljo u. s. w. Sæm. 261, 77: at lyfja elli. Grimms D. Myth. 989 oben. Fornald. S. 3, 156 oben.] Ist man daher weder durch Sage noch Lied gedrungen, den Äpfeln diese Wunderkraft beizumessen, so erscheint es passender, die Gabe der Verjüngung bei der in ihrer Lenzesfrische wiederkehrenden Idun selbst zu suchen, die Äpfel aber als Wahrzeichen der Herbstzeit zu betrachten, in welcher Idun dem Abfall oder Raube zugereift ist.

1 [Sn. Edd. 121 (Arnam. Kopenhagen 1848. 1, 312): „sunnan."]

2 Nach einer andern Lesart, wie es scheint: in Gestalt einer Schwalbe (Edda &c. op P. J. Resenii, Havn. 1665. Dæmes. LII. Vgl. Lex. myth. 199), was wohl auch auf die Wiederkunft des Frühlings Anwendung findet, aber dem Wesen Iduns nicht so unmittelbar entspricht.

3 [Vgl. Grimm, Kindermärch. III, 418, d. Zeitschr. f. d. Alt. I, 141. Grimm, D. Myth. 1224 oben.]

hinwider durch obige Forschung in seinen Hauptzügen einfach erklärt wird. Die Anlage des Liedes ist diese:

Schlimme Ahnung drückt die Äsen, dunkle Vorzeichen, schwere Träume lassen großes Weltunheil [124] erwarten. Idun, die neugierige Göttin, vom Geschlecht der Älfe [1], Ivalds älterer Kinder jüngstes, weilt in Thälern, von Yggdrasils Esche gesunken. Übel erträgt sie dieses Herabkommen, unter des Laubbaumes Stamme festgehalten; nicht gefällt sie sich bei Nörvis Tochter (der Nacht), an heitrere Aufenthalte gewohnt. Die Götter sehen ihre Trauer und Odin sendet Heimdall mit Bragi und Loki hinab zu ihr, sie zu befragen, was sie von den Geschicken der Welt wisse; er selbst lauscht auf Hlidskiälf (seinem Hochsitze). Doch vergeblich ist alles Befragen, sie spricht kein Wort, gibt keinen Laut, Thränen rinnen, mühsam verborgen, von ihren Augen. Wie schlafbetäubt erscheint den Fragenden die Harmvolle, und wie sehr sie drängen, wird ihnen doch keine Antwort. Da kehrt der Vormann der Sendung (Heimdall) mit Loki zurück, aber Odins Skalde (Bragi) bleibt als Hüter unten. Beim Mahle der Götter berichten Jene ihre übelausgeführte Botschaft. Odin fordert die Äsen auf, die Nacht über auf neuen Rath zu sinnen. Es folgt eine dichterische Schilderung der einbrechenden Nacht und dann der Auffahrt des Tages, dessen Verkünder Heimdall ist.

Das Verschwinden Iduns, zuvor als Entführung durch den Sturmriesen dargestellt, ist in diesem Lied [125] auf andere Weise ausgeführt, wodurch die im Gewächsreich haftende Natur der Göttin sich noch mehr veranschaulicht. Idun stammt hier vom Geschlecht der Älfe, der kunstreichen Zwerge, wie dieß der Name ihres Vaters, Ivalds, anzeigt, der doch wohl derselbe mit jenem Zwerg Ivaldi ist, dessen Söhne Sifs Goldhaar schmiedeten. Wunderbares Erzeugnis der unterirdisch wirkenden Zwerge, bald als Abstammung, bald als Arbeit ausgedrückt, ist ebensowohl die grüne Blätterwelt, die sich in Idun personificiert, als die goldenen Ähren, die in Sifs Haare verbildlicht sind. Das jüngste von Ivalds älteren Kindern kann Idun eben in Vergleichung mit früheren und späteren Erzeugnissen dieser Erdkräfte heißen. Neugierig, fürwitzig (forvitin) ist die junge, aus den Sprossen dringende Idun, ungefähr wie Örvandil der Recke. Darin, daß sie von Yggdrasil herabsinkt, fallen Bild und Gegenstand fast gänzlich zusammen. Das Sommergrün erscheint hier als Laub der großen Esche, des Sinnbilds

[1] [Vgl. D. Myth. 2te Aufl. 309.]

der lebendigen Natur; wann die Erde zu grünen aufhört, dann ist Yggdrasils Blätterfall, dann sinkt Idun vom Laubbaume. In Thälern, im tiefen Grunde, unter dem Stamme des Baumes festgehalten, weilt sie jetzt; die zuvor in Luft und Licht lebte, ist nun von Nacht umgeben, in schlummerähnliche Betäubung, in dumpfe Trauer versenkt; die stockende Triebkraft des Gewächses ist tief in die Wurzel [126] hinabgedrängt [1]. Die Wirkung, welche Iduns Fall auf die Götter ausübt, ist ein Zustand banger Ahnung, daß das Leben der Welt sich zum Ende neige; dieses jährliche Welken der Natur ist Vorbote der endlichen allgemeinen Auflösung. Die Orakel schweigen; Odin, der vor allen über dem tieferen Leben seiner Schöpfung wacht, besendet die versunkene Idun selbst, um sie über Alter und Ende der Welt zu befragen, allein auch sie bleibt stumm; wohl ist jetzt nur in der Wurzel die Gewähr des Fortlebens zu suchen, aber noch gibt sich dieses durch kein äußeres Zeichen kund. Odins Boten sind Heimdall, Loki und Bragi. Die beiden Ersteren bilden auch hier den schon bekannten Gegensatz des Aufgangs und der Neige in gleichmäßiger Anwendung auf Tags- und Jahreszeit, auf Weltanfang und Weltende. Sie kehren unverrichteter Dinge zurück, nichts ist zwischen ihnen entschieden. Bragi, der Skalde unter den Göttern, erscheint anderwärts als Iduns Gatte, denn im Naturgefühle des Alterthums ist die schöne, grünende Jahreszeit auch die Zeit des Gesanges, des menschlichen wie des Vogelsanges; darum bleibt Bragi jetzt auch unten bei Idun in ihrer Verbannung, der verstummte Gesang bei der hingewelkten Sommergrüne. Die das Lied [127] schließende Beschreibung der einfallenden Nacht und des aufgehenden Tages gibt denselben Gegensatz wie zwischen Loki und Heimdall, welch Letzterer selbst am Ende sieghaft heraufsteigt und so die Hoffnung erglänzen läßt, daß auch Idun wiederkehren werde.

Wenn nun gleich dieses Mythenlied für sich seinen guten Sinn hat, so läßt doch dessen Überschrift: Odins Rabenzauber, womit der Inhalt nicht genügend zutrifft, vermuthen, daß dasselbe Theil eines größeren Ganzen gewesen sei [2]. In dem vorhandenen Liede wird nur gesagt,

[1] Darauf mag sich auch die Verhüllung in den Wolfsbalg (Str. 8) beziehen.

[2] Die weitere Überschrift Forspjallsljod kann auch den fünf ersten Strophen gelten, hinter denen die Stockh. Ausg. abtheilt.

daß, bei der ahnungsvollen Besorgnis über Iduns Niedersinken, Hugin (Hugr, sonst Huginn) sich aufgemacht und die Himmel gesucht, die Götter aber Unheil befürchtet haben, wenn er verweile (vgl. Hrafn. 3 mit Grimn. 20). Hugin ist einer der beiden Raben Odins, die jeden Tag über die Erde hinfliegen, der verkörperte Gedanke. Raben, durch eine besondere Opferweihe dazu bereitet, ließ man, vor dem Gebrauche des Magnets, vom Schiffe auffliegen, um die Nähe des Landes zu erforschen [1]. Sagenhaft werden auch sonst Raben auf Botschaft ausgeschickt. Rabenzauber (hrafna-galdr) hieß nun wohl die Beschwörungsformel, wodurch diese Vögel [128] zu solchem Dienste geweiht wurden [2], und dann auch die Rabensendung überhaupt, womit sich der Name des Liedes erklärt. Von der Wiederkehr Hugins, des nach Rath und Rettung ausgesandten göttlichen Gedankens, schweigt dasselbe, es hält sich im Gebiete banger, träumerischer Ahnung und nur am Schlusse dämmert die Hoffnung auf. Ein zweiter, fehlender Theil mochte das Ergebnis des Rabenfluges und die endliche Erlösung Iduns darstellen.

Die schwierige, mythologisch gelehrte Sprache dieses Eddaliedes, die poetische Malerei (vgl. Edd. Havn. I, 204), die gemessene Behandlung des Verses und die offenbaren Entlehnungen aus andern Liedern von älterem Gepräge (Vsp., Grimn., Vegt.) weisen demselben eine verhältnismäßig späte Zeit der Abfassung an. Gleichwohl herrscht darin noch durchaus das innere Verständnis der mythischen Symbolik und es ist auch davon, daß der Gegenstand desselben einst volksmäßig gewesen, noch einige Spur in der mit den skandinavischen Volksliedern so nahe verwandten schottischen Balladenpoesie vorhanden, und zwar in der Ballade von Hind Etin [3]:

[1] Nach Landn. 7 f. Leo a. a. O. 388 ff.

[2] Vgl. Str. 10 des nämlichen Liedes: galdur gôlo, göndom rido ꝛc., wo gleichfalls der Zusammenhang ergibt, daß durch galdur die Wölfe zum Ritte beschworen werden.

[3] In der alterthümlichsten, obwohl fragmentarischen Gestalt steht diese Ballade in (Kinloch's) Ancient Scottish Ballads, Lond. 1827. S. 225 ff. Die scheinbar vollständigste Überlieferung gibt Buchan, Anc. Ballads and Songs of the North of Scotland, Edinb. 1828. I, 6 ff. unter dem Titel: Young Akin; aber gerade hier ist das älteste Gepräge verwischt und der neuere Bestandtheil um so ausführlicher behandelt. Mit dem alten Sagenliede vom Etin scheint nämlich, auch bei Kinloch, ein andres, romantisches Balladen-

[129] Jungfrau Margret steht in ihrer Thür und kämmt ihr gelbes Haar; sie sieht Nüsse, im Walde gewachsen, und wünscht dort zu sein. Sie flicht ihre Locken, schürzt ihr Kleid und eilt zum Walde hin. Kaum hat sie eine Nuß gepflückt, als der Hind Etin aufspringt und ihr es wehrt. Sie erwidert, diese Wälder seien ihr Eigenthum, ihr Vater hab' ihr dieselben zu Lust und Spiel gegeben. Kaum pflückt sie aber zum zweiten mal, nichts Schlimmes denkend, so faßt er sie bei den gelben Locken, bindet sie an einen Baum und droht ihr übeln Tod. Er reißt einen Baum aus, den dicksten im Wald umher, gräbt eine Höhle, viele Klaftern tief, und setzt Jungfrau Margret darein. Hier soll sie bleiben, wenn sie nicht lieber mit ihm ziehen will. Keine Ruhe hat Margret in der [130] Grube, kein Schlaf kommt über sie, ihr Rücken liegt auf dem kalten, kalten Boden, ihr Haupt auf einem Steine. Sie schreit, er möge sie heraus und zu sich heim nehmen, wo sie ihm (als Edelknabe) dienen wolle. Er nimmt sie aus dem tiefen Kerker, doch traurig ist der Tag, an dem eines Grafen Tochter mit Hind Etin heim geht. Sie lebt mit ihm manches Jahr und schenkt ihm sieben Söhne. Eines Tages geht Etin mit dem ältesten auf die Jagd. Dieser fragt den Vater, warum der Mutter Wangen so selten trocken seien. Der Vater gibt den Grund an, daß sie von edler Geburt und jetzt das Weib des Unchristen Hind Etin sei: „aber laß uns die Lerche in der Luft und die Ammer auf dem Baume schießen! die sollst du der Mutter heimbringen und sehen, ob sie getröstet sein wird." Derselbe Sohn bewirkt dann auch die Rückkehr Margrets zu ihrem gräflichen Vater und dessen Aussöhnung mit Hind Etin.

Dieses erst neuerlich der mündlichen Überlieferung entnommene Märchenlied verläugnet doch, durch alle Umgestaltung, Erweiterung und Vermischung hindurch, seinen mythischen Ursprung nicht. Solchen verräth gleich der Name des Räubers. Der Etin ist der Jötun (angelsächsisch Eoten) und die jötunische Natur ist dadurch bezeichnet, daß er kein Christenthum hat. Die schöne Margret aber, die durch die reifen Nüsse [131] aus des Vaters Haus in den Wald gelockt, hier vom Etin ergriffen und in die Grube des ausgerissenen Baumes auf den kalten Boden gesetzt wird, die dann mit dem Etin in sein Heimwesen ziehen

thema verschmolzen worden zu sein, eine Entführungsgeschichte, Young Hastings, die bei Buchan II, 67 ff. und in Motherwell's Minstrelsy anc. and modern, Glasg. 1827. S. 287 ff. gedruckt ist. Chambers, The Scott. Ballads, Edinb. 1829. S. 217 ff. sucht noch größere Vollständigkeit zu erreichen, indem er aus den drei angeführten Stücken (Etin, Akin, Hastings) ein Ganzes zusammensetzt.

muß, wo ihr die Wangen nicht trocken werden, daß sie, eines edeln Grafen Tochter, das Weib eines Unchristen sein solle, der hernach die Vögel, die Boten des Frühlings, zum Troste gebracht werden, worauf auch ihre Befreiung erfolgt, diese Margret und ihr Geschick gemahnen gar sehr an Idun, theils wie sie durch die Vorspieglung von wunderbaren Äpfeln aus Äsgard in den Wald verleitet [1] und da von dem Riesen Thiassi geraubt wird, bei dem sie nun in Jötunheim weilen muß, bis Loki sie in Gestalt einer Nuß zurückholt, theils wie sie unter der Esche Yggdrasil in Nacht und Trauer, fern den gewohnten, heiteren Heimathsorten, festgehalten ist und ihr die Thränen unaufhaltsam von den Augen rinnen. Merkwürdig ist es und zeugt von manigfachem Umtriebe der Fabel, [132] daß in der schottischen Ballade Züge aus beiderlei altnordischen Darstellungen zusammentreffen.

Aber auch für den vermutheten zweiten Theil des Eddaliedes, die Befreiung Iduns mittelst der Aussendung des Raben, ergibt sich, wieder zwischen manchem Anderartigem hindurch, noch ein mythischer Anklang im skandinavischen Volksgesange selbst. Die schwedische Volksballade vom Raben Rune, verglichen mit einer dänischen Behandlung desselben Gegenstandes, erzählt, wie dieser kluge Rabe zwischen einer in fremdem Lande gefangen liegenden Frau und ihrem Vater Botschaft trägt, in deren Folge Letzterer auf einem wunderbaren, gleich Odins Sleipnir über das Meer rennenden Rosse ausreitet und die befreite Tochter zurückholt [2].

Das Feuer ist dem Donnergott ein vertrautes Element. Hlorridi, der Stralschwinger, der Pflegsohn Hloras, der Funkelnden, fährt in Flammen daher und watet durch glühende Ströme, während die Äsen-

[1] Ursprünglich mochten es auch in nordischer Sage, statt der Äpfel, Nüsse gewesen sein. In Hálfs S. ziehen die Frauen, selbst die Königstochter, zu ihrer Belustigung in den Nußwald (á hnetskóg, Fornald. S. II, 51. 59). Auch bei Saxo (VIII, 151) heißt es:

Quis vetuit te, note senex, juvenilibus uti
Rite jocis, agitare pilam, morsu nuce vesci?

(Das Ballwerfen ist Frühlingsspiel, das Nüssesammeln herbstliches.) So würde sich der Mythus an eine altherkömmliche Sitte knüpfen.

[2] Svensk. Folkvis. II, 194 bis 200. Udv. Danske Viser I, 319 bis 325.

brücke brennt. Dem gemäß hat er sich bisher als Widersacher und Bezwinger winterlicher Sturm- und Frostjötune erwiesen. Aber auch der Sommer [133] hat sein verderbliches Übermaß [1], und wann die Eisthurse geschlagen sind, bemächtigen sich Feuerriesen des Dunstkreises und der Witterung. Auch wider sie erhebt sich Thôr und wenn gleich selbst ein Feuerheld, bewährt er sich doch auch ihnen gegenüber als den Bekämpfer aller maßlosen, das irdische Gedeihen bedrohenden Naturgewalt. Zwei jötunische Wesen dieser Art greifen in den Thôrsmythus ein.

12. Geirröd.

Wie Thôr ohne seinen Hammer Miölnir, ohne Stärkegürtel und Eisenhandschuhe, nach Geirrödsgard (til Geirrödargarda) zieht, auf Anstiften Lokis, der auch sein Begleiter ist, wird in der j. Edda berichtet (Sn. Edd. 112 bis 115):

Loki fliegt einmal zu seiner Kurzweil mit Freyjas Falkengewand. Aus Neugier fliegt er bis Geirrödsgard, sieht dort eine große Halle, läßt sich nieder und schaut zum Fenster hinein. Geirröd erblickt ihn und befiehlt, den Vogel zu greifen und ihm zu bringen. Der Ausgesandte gelangt mit Noth die hohe Hallenwand hinan. Loki ergetzt sich daran, wie Jener ihm mühsam nachstrebt, und er gedenkt nicht eher aufzufliegen, als bis der [134] Mann den ganzen schwierigen Weg zurückgelegt. Jetzt langt derselbe nach ihm, da schlägt er die Flügel und spreizt die Füße, aber diese hangen fest; er wird ergriffen und dem Jötun Geirröd gebracht. Diesem sind die Augen des Vogels verdächtig, aber Loki schweigt auf seine Frage. Da schließt ihn Geirröd in eine Kiste und läßt ihn darin drei Monate lang hungern. Als er den Gefangenen wieder herausnimmt und sprechen heißt, gesteht Loki, wer er sei, und löst sein Leben damit, daß er dem Jötun schwört, Thôr ohne Hammer und Gürtel nach Geirrödsgard zu bringen.

Auf dem Wege dahin nimmt Thôr Herberge bei der Riesin Grid, der Mutter Vidars des Schweigsamen. Sie sagt ihm die Wahrheit von Geirröd, als einem klugen und übelumgänglichen Jötun; auch leiht sie ihm ihre eigenen Eisenhandschuhe, ihre Stärkegürtel und ihren Stab (Gridarvölr). Damit zieht Thôr zu dem Flusse Vimur, aller Flüsse gröstem. Er umspannt sich mit den Stärkegürteln, stemmt Grids Stab gegen die Strömung, Loki aber hält

[1] In Sn. Edd. 209 wird Somr, Sumar, der Sommer selbst, mit seinem Vater Svâsudr (vgl. Vafþr. 27) unter den Jötunen aufgezählt.

sich unten am Gurte. Als nun Thôr mitten in den Fluß kommt, da wächst dieser so stark an, daß er bis zu Thôrs Schulter steigt. Aber Thôr ruft dem Strome zu: „Weist du, wenn du wächsest, daß dann mir Äsenkraft anwächst himmelhoch?“ Beim Ausblick in ein [135] Geklüfte sieht Thôr, daß Giálp, Geirröds Tochter, quer über dem Strome steht und das Wachsen desselben verursacht. Er nimmt einen großen Stein aus dem Flusse, wirft nach ihr und spricht: „An der Mündung muß man den Strom stemmen[1].“ Sein Wurf fehlt nicht, in demselben Augenblicke naht er sich dem Land, erwischt einen Vogelbeerenstrauch und steigt so aus dem Flusse; daher das Sprichwort, dieser Strauch sei Thôrs Rettung. Als nun die Reisegefährten zu Geirröd kommen, werden sie zuerst in das Gästehaus gewiesen. Hier ist nur Ein Stuhl, auf den Thôr sich setzt. Er bemerkt, daß der Stuhl unter ihm sich gegen das Dach hinanhebt, stößt daher mit Grids Stabe aufwärts in das Sparrwerk und drückt sich auf den Stuhl herab; da entsteht großes Gekrach und folgt lautes Geschrei; unter dem Stuhle waren Geirröds Töchter Giálp und Greip, Beiden hat Thôr das Genick gebrochen. Darauf läßt ihn Geirröd in die Halle zu den Spielen rufen. Dort sind große Feuer, der ganzen Länge der Halle nach. Als nun Thor dem Jötun gegenübersteht, faßt Dieser mit der Zange einen glühenden Eisenkeil und wirft nach ihm; Thôr aber fängt den Keil mit den Eisenhandschuhen auf und wirft ihn zurück. [136] Geirröd läuft hinter eine Eisensäule, sich zu wahren. Doch von Thôrs Wurfe fährt der Keil durch die Säule, durch Geirröd, durch die Wand und darüber hinaus in die Erde. Nach dieser Sage hat Eilif, Gudrûns Sohn, in Thôrsdrápa gedichtet.

Es folgen hierauf 19 Strophen des genannten Skaldenliedes vom Schlusse des zehnten Jahrhunderts[2]. Diese Stelle gibt den Mythus von Thôrs Fahrt zu Geirröd im Ganzen übereinstimmend mit obiger Sage, doch fehlt Lokis Gefangenschaft, und der Einkehr bei Grid ist nicht besonders erwähnt, wohl aber des Stabes. Die Gebirgsgegend stellt sich bestimmter heraus, ebenso die cynische Weise, wie der unreine Strom von der Riesentochter Giálp angeschwellt wird; in der pomphaften Skaldensprache nimmt sich Dieß noch widerlicher aus. Hier erscheint auch Thiálfi als Gefährte Thôrs, mit dessen Beistand er mühsam das Ufer erreicht, doch zittert auch ihm das Herz nicht (Str. 9. 10).

Überrest eines älteren, einfacheren Mythenliedes von dieser Fahrt

[1] Nach Lex. myth. 625 noch jetzt ein isländisches Sprichwort.

[2] Über den Dichter s. Skáldatal, Heimskr. II, 483. Thorlac. Spec. VII, S. IX f.

kann die der prosaischen Erzählung einverleibte Strophe sein, worin Thór dem wachsenden Strome Trotz bietet [1]. Wie sehr dieser Mythus [137] verbreitet war, ergeben noch anderwärtige Zeugnisse. Saxo (VIII, 160 bis 164) berichtet die fabelhafte Fahrt eines Dänenkönigs Gormo, unter Führung Thorkills, nach den Wohnsitzen Geruths (sedes Geruthi cujusdam). Die Reisenden kommen zu einer finstern Stadt, die einem dunstigen Gewölke gleicht (oppidum vaporanti maxime nubi simile). In einer schauerlichen Steinkammer sitzt dort der greise Geruth mit durchbohrtem Leib einem gespaltenen Fels gegenüber und drei höckrige Weiber liegen mit gebrochenem Rücken da; denn einst hat Thór durch die Brust des übermüthigen Riesen den glühenden Stahl getrieben, der dann noch die Bergwand spaltete; die Weiber aber, von Blitzen zerschmettert, büßen gleichfalls dafür, daß sie den Gott versucht. Weiteren mythischen Zusammenhang eröffnet eine ähnliche isländische Erzählung von Thórsteins, zugenannt Bäarmagn, Abenteuern am Hofe Geirröds, in den Anhängen zu der Geschichte Olafs Tryggvasons (Fornm. S. III, 182 ff.). Endlich in der historischen Saga von Harald Hardrádi (ebd. VI, 361 f.) wird erzählt, wie dieser norwegische König um die Mitte des eilften Jahrhunderts, also aus christlicher Zeit, einst dem Skalden Thiodólf aufgab, die Schlägerei eines Gerbers und eines Schmieds, die von der Straße aus zu sehen war, dergestalt zu besingen, daß der Eine den Jötun Geirröd, der Andre den Thór vorstellen sollte. [138] Thiodólf dichtete sogleich eine Strophe, wie Thór aus der Schmiede Blitze von Bocksfleisch nach dem häutegerbenden Jötun schleudert.

Geirröd (Geirrödr) hat eine Halle, deren ganzer Länge nach große Feuer brennen, er schleudert einen glühenden Eisenkeil und auch sein Name gibt ihm Wurfgeschoß [2]. Der Weg nach Geirrödsgard wird nicht als ein nördlicher oder östlicher bezeichnet, wie es bei andern Ausfahrten Thórs in jötunische Gebiete zu geschehen pflegt [3]. Im Eddaliede

[1] Die weitere Strophe, Sn. Edd. 115 ob., scheint einem Liede angehört zu haben, in welchem Thór auf ähnliche Weise wie im Harbardsliede, von seinen vorigen Thaten spricht.

[2] Geirr, m. hastile; rödr, womit auch sonst nordische Eigennamen gebildet sind, bedarf noch einer sicheren Ableitung, vgl. D. Gramm. I, 769.

[3] Nach Örvar-Odds S. C. 23 (Fornald. S. II, 253) läge zwar Geirrödsgard im Osten, allein in dieser Sage hat Geirröd alle mythische Bedeutung

von Grimnir setzt Geirröd seinen Gast zwischen zwei Feuer, wo er von Hitze gepeinigt wird und ihm das Gewand brennt. In der Saga von Thórstein (Fornm. S. III, 186 f.) wird an Geirröds Hof ein glühender, funkensprühender Ball zum Spiele geworfen. Die Töchter des Jötuns dagegen, Giálp, Lärm, Brandung, und Greip, Griff, schwellen den Fluß [1] und gefährden damit Thór und seinen Begleiter Thiálfi. [139] Offenbar ist nun Geirröd ein Dämon der glühenden Hitze; sollen aber die lärmende Brandung und die reißende Strömung als Töchter des Glutriesen ihre Erklärung finden, so wird Geirröd, wozu auch sein Name paßt, zum Gewitterriesen; der brennende Sommer entladet sich in furchtbarem Gewitter, in Wolkenbruch und Überschwellen der Bergströme, die den Anbau zu verschlingen drohen; Geirröd wirft den glühenden Keil, Giálp und Greip schwellen den Strom, der dem Thór an die Schulter steigt und den Thiálfi fortreißen will. Wohl ist Thór selbst Donnergott, aber das schädliche, verheerende Gewitter stammt nicht von ihm, der darum auch hier den Hammer Miölnir nicht bei sich hat, es kommt von Jötunen und wird, wie jeder andre Ausbruch wilder Elemente, von Thór gedämpft. Gleicherweise hat er in Svarángs Söhnen den zerstörenden Hagel abgetrieben.

Diese Auffassung der Hauptgestalten bewährt sich auch im Nebenwerk der Sage. Dieselbe beginnt damit, daß Loki mit Freyjas [2] Falkengefieder ausfliegt, [140] wodurch, wie anderwärts, der Eintritt der schönen Jahreszeit angezeigt wird. Er fliegt bis nach Geirrödsgard, in das Gebiet des Sommers; hier aber wird er festgehalten und in eine Kiste verschlossen, worin er drei Monate lang hungern muß, der Dämon des abnehmenden Lichtes muß jetzt, über die Zeit der grösten Tageslänge, gefangen sein und verkümmern. In dem Manne, der mühsam

verloren. Nicht zuverlässiger ist die mythische Geographie bei Saxo und Petrus Olai (Langebek, Script. rer. danic. I, 76. Vgl. Müller, crit. Undersög. 143**). Eine vollständigere Darstellung Geirröds in der Reihe sämmtlicher Jahreszeiten muß hier ausgesetzt bleiben.

[1] Ein Flußname Greipa in Fornald. S. I, 489.

[2] Sn. Edd. 113 sagt zwar: med valsham Friggiar, allein þrym. 3 bis 5 und Sn. Edd. 81 weisen auf Freyja, wie denn auch in Friggs Wesen nichts liegt, was ihr dieses Attribut anpaßte, und wenn auch sie, ebd. 119 (obgleich nicht in allen Hds.): drotning valshams genannt wird, so ist dieß wohl nur eben der hier befragten Stelle entnommen. Vgl. D. Myth. 192.

nach ihm aufsteigt und zuletzt ihn erhascht, ist eben die allmälige Zunahme des Tages versinnlicht. Um sich zu lösen, schwört er, Thôr ohne Hammer und Stärkegürtel nach Geirrödsgard zu bringen; die Sonnenwende ist eingetreten, der Sommer wird jötunisch, der Glutriese Geirröd waltet im Gewölk, und wie Thôrs Hammer einst vom Winterriesen gestohlen war, so fehlt ihm derselbe nun auf dem Wege nach Geirrödsgard. Aber die Riesin Grid (Grîdr) leiht ihm Stab und Gürtel. Mit Grids Stabe stützt sich Thôr gegen den schwellenden Strom und denselben stemmt er gegen die Decke, als er Geirröds wilden Töchtern den Rücken bricht. Großes Ansehen hat im nordischen Alterthum das Wettermachen, besonders von zauberkundigen Weibern geübt [1]; Sturm zu Land und Wasser, Hagel, Schneegestöber, Wolkenbruch, werden durch [141] Zauberei erregt und wieder gestillt. Die Kraft des Zaubers aber liegt meist in einem Stabe (vgl. Lex. myth. 502). Die Wurzelsilbe Grid [2] bedeutet Heftigkeit, Ungestüm; Stab des Ungestüms konnte nun wohl der Wetterstab, Grid die Wettermacherin selbst heißen. Diese personificierte Gewalt über das Wetter steht dem Thôr gegen die wütenden Riesentöchter bei. Sonst wohl mochte Grid, ihrem Namen gemäß, als Urheberin des Ungewitters auftreten [3], hier aber, wo dasselbe schon von andrer Seite erregt ist, äußert ihr Stab nur seine niederschlagende Kraft; sie erscheint als Mutter des schweigsamen Gottes. Dunkel ist die besondre Beziehung des Vogelbeerenstrauches zu Thôrs Rettung. Liegt sie etwa darin, daß um die Zeit, in welcher diese Beeren reif werden, die Heftigkeit der Gewitter nachläßt? [4] Der Stuhl, mittelst dessen Thôr Geirröds Töchtern den Rücken quetscht, läßt folgende Räthsellösung zu. [142] Es sind noch in der Volkssage, wie auch in dem Ortsnamen

[1] Manche Stellen, die hier zum Belege dienen können, sind im Sachregister zu Fornald. S. (III, 748 f.) unter: Gjörningaveđr verzeichnet.

[2] Die Länge des Vokals wird durch die Reimverbindung strîd- Grîdim Fragment der Thôrsdrápa Str. 9 (Sn. Edd. 117) bestätigt.

[3] In der S. af Illuga Grîdarfôstra (Fornald. S. III, 653) wird ein weibliches Ungethüm (tröllkona) Grîdr beschrieben, aus dessen Naslöchern Unwetter und Platzregen oder Hagel hervorzubrechen scheint. Hierin hat sich noch eine Spur mythischer Bedeutsamkeit erhalten. Auch in Sn. Edd. 210 a wird Grîdr unter den tröllqvenna heiti aufgeführt; vgl. Sæm. Edd. 164 a.

[4] Über mancherlei auf den Vogelbeerenbaum bezüglichen Aberglauben, besonders dessen Schutzkraft gegen Teufel und Hexerei, s. Lex. myth. 625.

Thórsbro, Thórs Brücke, Spuren vorhanden, daß Brücken, besonders an schwierigen Stellen erbaute, für das Werk Thórs angesehen wurden (Lex. myth. 655 f. 663), der ja überall den menschlichen Verkehr fördert und gegen zerstörende Naturgewalten schirmt. Die Brücke mit Pfeilern und Jochen ist nun auch der Stuhl, unter welchem Thór den aufgebäumten Wellen des Bergstroms das Genick bricht. Zuletzt wendet Thór sich gegen den Urheber der Drangsal, den Jötun in der Feuerhalle selbst, dem er den eigenen Glutkeil zurückschleudert, und eben der Umstand, daß Thór und Geirröd sich desselben Wurfgeschosses bedienen können, ist ein Stützpunkt für die versuchte Erklärung des Mythus, nach welcher im gleichen Elemente der Jötun verderblich und der Gott hülfreich waltet.

13. Hyrrokin.

Aus der Sage von Baldurs Tod und Leichenbegängnis, wie solche in der j. Edda erzählt ist, gehört hieher Folgendes (Sn. Edd. 66):

Die Äsen führen Baldurs Leiche zum Meere. Sein Schiff Hringhorni, aller Schiffe gröstes, wollen sie vom Strande stoßen, um darauf die Verbrennungsfahrt zu bewerkstelligen, aber dasselbe geht nicht von der Stelle. Da wird nach Jötunheim, nach der Riesin Hyrrokin gesandt. Diese [143] kommt auf einem Wolfe geritten, der mit einer Schlange gezäumt ist. Als sie vom Rosse gesprungen, ruft Odin vier Berserke herbei, um dasselbe zu halten, sie vermögen Dieß aber nicht anders, als indem sie es niederwerfen. Hyrrokin tritt an das Vordertheil des Schiffes, das sie im ersten Anfassen vortreibt, so daß Feuer aus den Walzen fährt und alle Lande zittern. Da ergreift Thór zürnend den Hammer und würd' ihr das Haupt zerschmettert haben, wenn nicht alle Götter ihr Frieden erbeten hätten. Sodann wird Baldurs Leichnam auf das Schiff hinausgetragen; als aber seine Frau, Nanna, Neps Tochter, Dieses sieht, zerspringt sie vor Jammer und stirbt. Sie wird auf den brennenden Scheiterhaufen gelegt. Thór tritt hinzu und weiht diesen mit Miölnir. Vor seinen Füßen läuft der Zwerg Lit, da stößt ihn Thór mit dem Fuß in das Feuer und der Zwerg verbrennt.

Olaf, Höskulds Sohn, zugenannt Pá (Pfau), ein reicher Isländer am Schlusse des zehnten Jahrhunderts, ließ sein neuerbautes Haus mit Sagenbildern schmücken, auf welche dann Ùlf, Uggis Sohn, einen Gesang dichtete, der nach diesem Anlaß Húsdrápa genannt wurde. [1] Aus den vorhandenen [144] Überresten dieses Skaldenliedes ist ersichtlich, daß in jenen Bildern mit Andrem auch Baldurs Leichenbegängnis dargestellt war, und insbesondre ist noch eine Halbstrophe erhalten, welche besagt, wie die Riesin das Schiff in Bewegung brachte und die Berserke das Ross niederwarfen (Sn. Edd. 162). Ein Bruchstück eines andern Liedes, von dem Skalden Thórbiörn, gedenkt, in der Aufzählung mehrerer von Thór bezwungener Wesen, wie Lit von ihm erschlagen ward und wie Hyrrokin starb (Sn. Edd. 103). Lit wird auch in Völuspá (Str. 12) unter den Zwergen aufgezählt, sowie Hyrrokin in der j. Edda (210) unter den Namen von Unholdinnen.

Über Baldur und Nanna ist hier soviel zu sagen, als zur Erklärung der allerdings nur episodischen Theilnahme Thórs an ihrem Geschicke nöthig scheint.

Baldur [2], Odins Sohn von Frigg, der allbeliebteste der Äsen, ist so schön und licht, daß Glanz von ihm ausgeht; das weißeste aller Kräuter wird mit seinen Brauen verglichen und darnach kann seine Schönheit an Antlitz und Haar ermessen werden (Sn. Edd. 26; vgl. Vegt. 3. Lex. myth. 20); er wohnt in [145] Breidablik [3], Weitglanz, wo nichts Schädliches oder Unreines bestehen kann (Grimn. 12. Sn. Edd. 27). Sein Tod, dessen Vorahnung die Götter auf das Äußerste beängstigt und den nachmals die ganze Natur beweint, ist eine Anstiftung Lokis. Die besorgte Mutter hat Elemente und Wesen aller Art schwören lassen, Baldurs zu schonen. Als nun die Äsen sich damit vergnügen, nach ihm zu schlagen und zu werfen, ohne daß es ihm irgend schadete, reicht Loki dem blinden Äsen Höd einen Mistelsprossen (mistilteinn), den Frigg, weil er ihr noch zu jung schien, nicht in Eid genommen, und bedeutet Jenem, wo Baldur stehe; von diesem Geschosse durchbohrt, fällt Baldur und muß hinab in Hels, der Todesgöttin, dunkle Wohnungen (Sn. Edd. 64 f. Vsp. 36. 37. Vegt.) Die meisten

[1] Laxdæla-Saga, Hafn. 1826. C. 29. S. 112 ff. In der angehängten Abhandlung, S. 386 ff., hat Finn Magnusen die Bruchstücke der Húsdrápa zusammengestellt, wozu aber noch das im Lex. myth. 635* aus Sn. Edd. 162 nachgetragene kommt, welches sich auf den Mythus von Hyrrokin bezieht.

[2] Den Namen Baldr betreffend s. D. Myth. 141 [244. K.] f.

[3] [Vgl. W. Wackernagels Leseb. III, 1, 440, 7. Ph. Wackernagels Kirchenlied 818 a.]

Erklärer erkennen im Tode Baldurs, soweit sie den Mythus physisch nehmen, die Neige des Lichtes in der Sommersonnenwende und diese Erklärung zeigt sich auch bei näherer Ansicht probehaltig. Baldur ist das Licht in seiner Herrschaft, wie solche bis zum Mittsommer sich vollendet, von da an aber zur Neige geht. Seine ganze glänzende, allerfreuende Erscheinung verkündet ihn als vollkommenes Lichtwesen. Er stammt aus Odins echter Ehe, das Licht scheint für die reinste Offenbarung des Geistes in der Natur, für die nächste Vermittlung zwischen Geist und Stoff gegolten zu haben. Die Lichtnatur [146] Baldurs bestätigt sich auch im Gegensatze zu Höd (Hödr)[1], seinem Tödter, dem Blinden, Lichtlosen. Gleichwohl ist Höd ein Äse, auch ein Sohn Odins (Sn. Edd. 105), er ist für sich am Morde unschuldig und in der verjüngten Welt werden einst diese beiden Brüder in des Vaters Hause zusammenwohnen (Vsp. 62). Dieß bezeichnet ihn als das unschädliche Dunkel, das nothwendige Zusammenbestehen und den wohlthätigen Wechsel des Schattens mit dem Lichte, und erst damit, daß Loki sich Höds bemächtigt, wird des letzteren Hand verderblich. Loki führt durch ihn jene große Abnahme des Lichtes herbei, welche nicht nur jährlich das heitere Leben der Natur ertödtet, sondern auch das ahnungsvolle Vorspiel der nur durch beständiges Entgegenwirken der Götter aufgehaltenen Endesdämmerung ist. Baldurs Unverletzbarkeit durch Wurf und Schlag erklärt sich mit der unkörperlichen Natur des Lichtes; die einzige Waffe, die an ihm haftet, ist ein Symbol des düsteren Winters. Die Mistel, die im Winter wächst und reift, die darum auch nicht des Lichtes zu ihrem Gedeihen zu bedürfen scheint, ist allein nicht für Baldur in Pflicht genommen.

Der mythische Gegensatz von Baldur und Höd hat sich in der halbhistorischen Darstellung Saxos (III, 39 ff.) zu einem hartnäckigen, von wechselnden [147] Erfolgen begleiteten Kriege zwischen zwei Helden Hother und Balder um die norwegische Königstochter Nanna gestaltet. Wenn jedoch hier der von Balder in die Flucht geschlagene Hother sich in abgelegener Wildnis verbirgt, weil, bemerkt Saxo, der Kummer dunkle und einsame Zufluchtsorte suche, so überträgt man Dieses leicht auf den Sieg Baldurs, des sommerlichen Lichtes, vor dem der dunkle Höd nur noch im tiefsten Waldesschatten eine Stätte findet.

[1] Über höd s. D. Gramm. II, 460.

Vorzüglich aber bewährt sich Baldurs angegebenes Wesen in seinem Verhältnisse zu Nanna.

Nanna [1], Baldurs Gattin, ist die Blüthe, die Blumenwelt, deren schönste Zeit mit Baldurs Lichtherrschaft zusammentrifft. Dafür spricht zunächst der Name ihres Vaters: Nep (Nepr), Knopf, Knospe [2]; Tochter des Blüthenknopfes ist die Blume. In den Genealogieen von Göttern und Menschen, welche das Eddalied von Hyndla zusammenhäuft, erscheint Nanna, Nöckvis Tochter (Hyndl. 20: Nökkva dôttir), [148] Nöckvi bedeutet aber, wie Nep, einen Knäuel, Ballen [3]. Bei Saxo entbrennt Baldurs Liebe zu Nanna, als er ihre glänzende Schönheit im Bade sieht; die entkleidete, badende Nanna, von Baldur belauscht, ist die dem Licht erschlossene, frischbethaute Blüthe; die Poesie des Alterthums denkt sich den zartesten Blumenglanz nie anders, als vom Thau gebadet. Mit der Abnahme des Lichtes geht auch das reichste, duftendste Blumenleben zu Ende; als Baldurs Leiche zum Scheiterhaufen getragen wird, zerspringt Nanna vor Jammer (Sn. Edd. 66); dieser Ausdruck ist auch sonst für das gebrochene Herz gebräuchlich (Sæm. Edd. 211. [Fornald. S. I, 429]), er eignet sich aber besonders für die zerblätterte Blume. Aus Hels Behausung, wo Nanna mit Baldur weilt, sendet sie den Göttinnen Frigg und Fulla Geschenke, ersterer ein Frauentuch (ripti), letzterer einen goldenen Fingerring (fingrgull); Frigg [4] ist die Göttin, die über der ehlichen Liebe waltet; darum erhält sie das Schleiertuch, das auch sonst als Abzeichen der Hausfrau vorkommt (Rîgsm. 18. 20. 25); Fulla, Friggs Dienerin [149]

[1] Über den Namen s. D. Gramm. II, 512. D. Myth. 198 [202. K.]. Sie kann die Kühne heißen, wie Örvandil hinn frækni und Idun (Hrafn. 6) als forvitin.

[2] Nepr, mit weggefallenem Kehllaut, für hneppr = hnappr, knappr, m. globulus, caput (namentlich vom Blüthenknopfe, D. Gramm. III, 413). Auch das verwandte Adjectiv mit der Bedeutung arctus, knapp, kommt in den Formen knappr, hnappr, hneppr, neppr, nepr (Sn. Edd. 74. Not. 7) vor. In Sn. Edd. 211 a wird Nepr unter den Söhnen Odins genannt.

[3] Gevarus, wie Nannas Vater bei Saxo heißt, ist der altnordische Name Jöfr, Jöfur (Hyndl. 18. Fornald. S. II, 9. Möinichen, Nordiske Folke Overtroe ɪc. Kiöbh. 1800. 161). Jöfur gilt aber in der Dichtersprache auch allgemein für König oder Jarl (Sn. Edd. 191. Sæm. Edd. 178. 182).

[4] Über das Etymologische des Namens s. D. Gramm. I, 327. D. Myth. 191 f. Vgl. noch Hym. 9: minn fri.

und Vertraute, mit den jungfräulich flatternden Haaren (Sn. Edd. 36), ist die vollgewachsene, bräutliche Jungfrau, daher geziemt ihr der Verlobungsring. Schleier und Goldring, welche Nanna noch aus der finsteren Unterwelt zum Gedächtnis heraufschickt, sind wohl nichts Anderes, als Blumen des Spätsommers. Wie man Thiassis Augen und Örvandils Zehe unter die Gestirne versetzte und nach Friggs hausfräulichem Rocken ein Sternbild schwedisch Friggerock benannt ist (Ihre, Gloss. I, 603), so wurden auch Blumen- oder Pflanzennamen der Götterwelt entnommen: Baldurs Braue, Tys Helm, Thórs Hut, Sifs Haar, Friggs Gras[1], denen sich nun Friggs Schleier und Fullas Fingergold anreihen mögen. Das bunte Spiel der norwegischen Wiesenblumen ist berühmt; ein kurzer, doch heißer Sommer läßt sie in seltener Fülle und Manigfaltigkeit erblühen.

Die Liebe Baldurs und Nannas, des Lichtes und der Blüthe, bildet ein Seitenstück zu der Liebe Bragis und Iduns, des Gesanges und der Sommergrüne, und die Ähnlichkeit dieser Mythen ist aufklärend für beide.[2]

[150] Es liegt im Wesen Thórs, daß ihm das Schicksal Baldurs, seines sommerfreundlichen Bruders, nicht gleichgültig bleiben kann. In der Erzählung Saxos (III, 41) kämpft er, zugleich mit Odin und der übrigen Götterschaar, auf Balders Seite gegen Hother. Dem gewaltigen Schwung seiner Keule vermag nichts zu widerstehen und er hätte damit den Sieg für Balder entschieden, wenn nicht Hother, als schon die Seinigen wichen, den Griff der Keule abgehauen (præciso manubrio), dieselbe dadurch unbrauchbar gemacht und so die Götter zur

[1] Über mythologische Pflanzennamen s. Lex. myth. 105 f. [255.] 486 f. 690 f. D. Gramm. III, 374.

[2] Baldurs und Nannas Sohn ist Forseti (Sn. Edd. 31), der Vorsitzer, dessen Saal Glitnir, der Glänzende, mit Gold gestützt und mit Silber gedeckt ist; hier weilt Forseti meisten Tags und beschwichtigt alle Streitsachen (Grimn. 15). Dieser Saal ist, nach Sn. Edd. 31, die beste Urtheilstätte bei Göttern und Menschen. Forseti erscheint hiernach als ein Gott der Dingstätte; der Lichtglanz seiner Wohnung aber, welche hierin derjenigen seines Vaters gleicht, und zugleich seine Abstammung von Baldur und Nanna, erklärt sich damit, daß die Zeit des Lichtsieges und der Blüthe auch für Abhaltung des Gerichtes die geeignetste war, da solches im Freien und nur bei obenstehender Sonne gehegt wurde.

Flucht genöthigt hätte. Nach dem früher angeführten Zwergmythus (Sn. Edd. 131 f.) hatte Thôrs Hammer schon aus der Werkstätte das Gebrechen mitgebracht, daß der Schaft zu kurz war. In der j. Edda erscheint Thôr erst bei Baldurs Leichenfeier, wobei er mit dem Hammer das Riesenweib Hyrrokin bedroht und den Scheiterhaufen weiht. Angesehene Männer auf Schiffen zu verbrennen, [151] zeigt sich auch anderwärts als altnordische Sitte [1]. Da nun Baldurs Tod in den Eintritt der heißesten Jahreszeit fällt, so wird der Vollzug seines Begängnisses einer jötunischen Feuergewalt übertragen. Die Riesin Hyrrokin, die Feuerberauchte, wird aus Jötunheim berufen, um das Schiff mit dem Holzstoße vom Strande zu bringen. Ihr Name, wie ihr ganzes Auftreten, ihr Herritt auf dem schlangengezäumten Wolfe [2], den vier Berserke Odins zu Boden werfen müssen, der Stoß, den sie dem Schiffe gibt, daß Feuer aus den Rollen fährt und alle Lande zittern [3], all Dieses zusammen läßt in ihr ein dem Glutriesen Geirröd ähnliches Wesen erkennen, sie ist der versengende Sommerbrand, der erderschütternde, vulkanische Ungestüm (vgl. Lex. myth. 23). Das Schiff Hringhorni, das Ringhornige, bezeichnet die Bahn des Lichtes, den Sonnenlauf, der jetzt seinen Höhepunkt erreicht und mit Baldurs Tode seinen Stillstand genommen hat, am Strande festsitzt. Der gewaltsame Stoß, womit die Riesin es vortreibt, ist die Wende dieses Laufs. Die Sage meldet, wie ein Schiff mit dem Scheiterhaufen, darauf der todte Seeheld Haki gelegt ist, brennend in das Meer hinausläuft (Yngl. S. C. 27), [152] so fährt nun Hringhorni, flammend in Sommerglut, dahin, aber es trägt nur noch die Leiche seines Gottes. Thôr ist gegen Hyrrokin entrüstet, wie gegen alles Jötunenvolk, und nach dem schon erwähnten Liedesbruchstücke scheint er sie erschlagen zu haben, worüber es vielleicht noch einen besondern Mythus gab.

Sowie Thôr den übrigen Göttinnen der schönen und fruchtbaren Jahreszeit, Freyja, Idun, Sif, befreundet ist und sich ihrer thätig

[1] Belege dafür gibt eine Abhandlung von Werlauff in den Antiqvariske Annaler IV (Kjöbh. 1827), 281 f. [J. Grimm über das Verbrennen der Leichen, Abhandlung, gelesen in der Berliner Akademie 29 Nov. 1849. K.]

[2] [Sæm. 147 a.]

[3] Sn. Edd. 66: „lavnd avll skulfu.“ Das Erdbeben heißt isl. landskiálfti, m. Vgl. Sn. Edd. 70.

annimmt, so muß ihm auch der Tod Nannas, des lieblichsten Schmuckes der von ihm beschützten Erde, nahe gehen und er äußert seinen trotzigen Unmuth, indem er ihr den Zwerg Lit, der ihm vor die Füße läuft, in das Feuer nachwirft. Lit (Litr), die Farbe, der reiche, frische Schmelz des Frühsommers (Lex. myth. 23), muß mit hinab, wann Baldur und Nanna zu Asche werden.

Thôr ist auch nachmals am eifrigsten dabei, als die Âsen, zur Rache des Verraths an Baldur, den Loki fangen und fesseln (Sn. Edd. 70).

Schon die bisher beleuchteten Mythen zeigten den Schirmer der Erde in mehrfacher Anstrengung gegen das Element des Wassers. Er muste den wachsenden Strom durchwaten und brach den Riesentöchtern, die denselben angeschwellt, das Genicke. Auf Hlésey schlug er die wilden Weiber, die sein Schiff losge[153]wunden, ihn selbst mit Eisenkeulen bedroht und Thiâlfi vertrieben hatten. Der treue Diener Thôrs gewann seinerseits dem Meeresgrunde die Insel Gotland ab. Auch in den Spielen bei Ûtgardsloki schien dieses Verhältnis durch, indem Thôr die See zur Ebbe trank und die graue Katze zu lüpfen bemüht war. Mit dem Meere, darin die volle Macht des Elementes gesammelt ist, trifft aber der Gott noch weiter thatkräftig zusammen, im Jahreswechsel mit dem winterlichen, beeisten, und dem sommerlichen, geöffneten, im größeren Weltkampfe mit dem erdzerstörenden, ihm selbst verderblichen. Diese dreierlei Beziehungen sind in den Sagen von Hymir, Ägir und der Midgardsschlange mythisch ausgedrückt.

14. Hymir.

Eddalied von Hymir (Sæm. Edd. 52 bis 58):

Die Âsen wollen bei Ägir Trinkmahl halten und Thôr stellt an ihn dieses Begehren, aber dem Jötun fehlt es an einem Bierkessel. Auf Rache an den Göttern sinnend, bittet er Thôr, ihm einen Kessel zu verschaffen, worin er ihnen Allen brauen möge. Die Götter wissen keinen solchen zu erlangen, bis Tŷ dem Thôr seinen Rath gibt. Im Osten der Elivâgar, an des Himmels Ende, wohne der Jötun Hymir, Tŷs Vater (Stiefvater), der einen geräumigen, eine Rafte tiefen Kessel habe. [154] Rasch fahren die Beiden von Asgard aus den Tag entlang, bis sie zu Hymirs Wohnung kommen. Thôr stellt die Böcke ein und geht mit Tŷ zur Halle, wo Dieser die Großmutter findet, die ihm leidige, mit neunhundert Häuptern. Eine Andre aber geht hervor, allgolden, weißbrauig, und bringt dem Sohne kräftiges Bier.[1] Sie hält für nöthig, die Ankömmlinge unter Kessel zu setzen, weil ihr Liebhaber manchmal unfreundlich gegen Gäste sei. Spät erst kommt Hymir vom Weidwerk heim; Eisberge schallen, als er in den Saal tritt, gefroren ist des Greises Backenwald. Ihm wird gesagt, daß der Sohn gekommen, den sie von weitem Weg erwartet, und mit demselben Hror, der Freund des Menschengeschlechts, Beide sitzen, sich zu wahren, hinter der Säule. Aber die Säule zerspringt vor des Jötuns Blicke und entzweigebrochen ist der Balke; acht Kessel fallen herab und Ein hartgeschmiedeter bleibt ganz. Die Gäste gehen hervor und dem alten Jötun ahnt nichts Gutes, als er Thôr mit Blicken mißt. Er läßt drei Stiere sieden, von denen Thôr allein vor Schlafengehen zwei verzehrt. Der graue Hymir findet darum nöthig, für die Mahlzeit des nächsten Abends durch Fischfang zu sorgen, und Thôr ist bereit, auf das Meer zu rudern, wenn der Jötun ihm Köder gebe. Der Riese heißt ihn solchen in [155] der Heerde suchen, worauf Thôr in den Wald eilt und einem schwarzen Stiere den Kopf abreißt. Er heißt den Jötun immer weiter hinausrudern, wozu Dieser jedoch wenig Lust hat. Hymir zieht an der Angel zwei Wallfische zugleich auf, im Hinterboot aber ködert Thôr mit dem Stierhaupte, nach welchem die den Göttern verhaßte, länderumgürtende Schlange schnappt. Kühn zieht Thôr die Giftglänzende zum Schiffsrand empor und trifft mit dem Hammer ihr häßliches Haupt. Felsen hallen, Klüfte heulen, die alte Erde fährt zusammen, die Schlange sinkt in das Meer. Auf der Rückfahrt ist Hymir misgelaunt und still, dann heißt er seinen Gefährten die Wallfische heimtragen oder das Boot befestigen. Thôr hebt dieses zusammt Schöpfwasser und Schiffsgeräth am Vordertheil auf und trägt es nach Hymirs Hofe. Aber noch will der Jötun ihn nicht für einen starken Mann erkennen, wenn er nicht den Kelch dort zu brechen vermöge. Thôr faßt den Kelch und schlägt sitzend damit den Fels entzwei und Säulen mittendurch, doch bleibt derselbe ganz. Da räth die schöne Freundin, ihn auf des Jötuns harte Hirnschale zu schlagen. Ganz in Asenkraft wirft sich Thôr zu solchem Schlage, heil bleibt des Greises Haupt, aber der Becher ist zerborsten. Hymir bedauert den Verlust, doch steht noch zu erproben, ob die [156] Gäste den Kessel aus dem Saale bringen. Tŷ versucht zweimal vergeblich ihn zu rücken. Thôr aber faßt ihn am Rande, tritt den Estrich des Saales durch und lüpft sich den Kessel auf's Haupt, an die Fersen schlagen ihm die Hebringe. Nicht weit sind sie damit

[1] [Vgl. Fornald. S. II, 377.]

gekommen, als Thôr zurückblickt und von Osten her aus Höhlen vielhauptiges Volk mit Hymir nacheilen sieht. Er hebt sich den Kessel von den Schultern, schwingt den mordlustigen Miölnir und erschlägt Hymirs ganzes Gefolge. Auf dem weiteren Wege stürzt einer von Thôrs Böcken, wobei bekannter Buße dafür gedacht wird. Zuletzt aber bringt er den Kessel, den Hymir hatte, zur Versammlung der Götter, die nun jede Leinernte bei Ägir zechen werden.

In der j. Edda wird Thôrs Fischfang mit Hymir ohne alle Berührung des Abenteuers mit Kessel und Kelch, auch sonst mit eigenthümlichen Zügen, erzählt. Thôr kommt ohne Gespann und Begleitung, als ein junger Gesell, zu dem Jötun, bei dem er übernachtet. Als er in der Frühe demselben auf die Fischjagd folgen will, äußert Hymir anfänglich sein Bedenken, daß der Gast zu jung und klein sei und es ihn im Meere draußen frieren möchte. Der Stier, dem hierauf Thôr den Kopf abreißt, wird Himinbriot genannt. Thôr rudert kräftig mit und nach seinem Verlangen fahren sie über die gewöhnlichen Fischplätze des Riesen [157] hinaus. Hymir hält es so weit außen für gefährlich wegen der Midgardsschlange. Nachdem Thôr dieselbe angeködert und die Angel ihr im Kiefer haftet, zuckt sie so stark, daß er mit beiden Fäusten auf den Schiffsrand geworfen wird. Aber in Zorn und Asenstärke sperrt er sich so fest, daß er mit den Füßen das Schiff durchstößt und sich gegen den Grund stemmt; so zieht er die Schlange an den Bord herauf. Ein furchtbarer Anblick, wie Thôr die Augen auf die Schlange schärft, diese aber von unten ihn anstiert und Gift bläst! Der Jötun Hymir wechselt die Farbe, als er das Ungethüm sieht und die See aus- und einströmt. Als eben Thôr den Hammer emporhebt, schneidet der Jötun das Fischseil ab und die Schlange versinkt in das Meer. Thôr wirft ihr den Hammer nach und man sagt, ihr sei am Grunde das Haupt abgeschlagen worden. Die Wahrheit aber ist, daß die Midgardsschlange noch lebt und im Meere liegt. Sofort schwingt Thôr die Faust und trifft den Riesen so an's Ohr, daß er über Bord stürzt und man seine Fußsohlen sieht. Thôr aber watet an das Land (Sn. Edd. 61 bis 63).

Zahlreiche Bruchstücke von Skaldenliedern (gesammelt und erläutert im Lex. myth. 187 f. 208 ff.) betreffen gleichfalls die Ausfahrt Thôrs mit Hymir und das Abenteuer mit der Schlange. Sie stimmen mit obiger Darstellung der j. Edda und namentlich zeigt sich, daß bei dieser Ulfs Húsdrápa benutzt wurde, mit [158] der jedoch der Erzähler insoweit nicht einverstanden ist, als nach ihr Thôr der Schlange das Haupt abschlägt. Wenn nun gleich das Eddalied von Hymir durch die künstliche Dunkelheit der Sprache sich als eines der späteren zu erkennen gibt [1], so liegt doch hierin kein genügender Grund seinen mythischen Inhalt für verdächtig und die mit den Bruchstücken der Skaldenlieder übereinstimmende Darstellung der prosaischen Edda für die allein echte zu erklären. Es besteht zwischen beiderlei Darstellungen im Wesentlichen kein Widerspruch, nur erscheint in der einen Hymir als Hauptgegenstand, die Begegnung mit der Midgardsschlange aber als Episode, in der andern verhält es sich umgekehrt. Jene nun, die des Eddaliedes, ist hier zunächst zu erörtern.

Der Jötun Hymir, Dämmerer [2], ist mit kenntlichen Zügen gezeichnet. Er wohnt an des Himmels Ende, im Osten der Elivâgar, der urweltlichen Eisströme; als er, vom Waidwerk heimkehrend, in den Saal tritt, schallen die Eisberge und der Bart des Greises ist gefroren; vor seinem Blicke berstet die Säule, es ist die zersprengende Gewalt des Frostes. [159] Hymir verkündet sich als Frost- und Eisriesen ebenso entschieden, als in Geirröd, seinem Gegenstücke, der Glutjötun nicht zu verkennen war. Auch der Name Dämmerer begründet sich nun in der Lichtarmuth des hochnordischen Winters. Man darf nur eine Schilderung der Eiswelt an und in den arktischen Meeren vor sich nehmen, um sich in Hymirs Heimwesen zu versetzen. Dort sind Ströme von Eismassen, dort thürmen sich am Strand, in den Baien, aus den im Sommer dahin abfließenden Schneewassern ungeheure Eisberge, die sich, wenn sie zu solcher Höhe angestiegen, mit furchtbarem Krachen in das sie unterwühlende Meer stürzen; eben dort sind auch die Fischplätze des Wallfischfanges und Hymir warnt, in der j. Edda, seinen Gast nicht umsonst, daß es ihn da draußen frieren werde. Wenn mit der

[1] Die fremdartigen Wörter kalkr (Str. 27. 29) und api (Str. 20) kommen auch in andern Eddaliedern vor, ersteres in Æg. 53, letzteres in Lodfafn. 13, Grimn. 34 (wo es auch wegfallen kann), Fafn. 11 (vgl. Grimm, Lieder d. ält. Edda I, 186).

[2] Lex. isl. hûm, n. crepusculum. at hûmaz, vesperascere. at hýma, dubium hærere, qs. dormiturientem. Vgl. Edd. Havn. I, Gloss. 595. D. Myth. 303 [436. K.].

Rinderheerde des Sturmgebirgriesen Thrym das Gewölke gemeint war, so sind unter derjenigen des Eisriesen Hymir die wandelnden Gletscher zu verstehen und der Stier Himmelbrecher (Himinbriotr) ist solch ein hochgezackter Eisblock. Daß dieser Stier ein schwarzer (alsvartr) genannt wird, steht nicht entgegen, denn das schwimmende Eis erscheint dunkelfarbig. [1]

[160] Von Hymir muß Thôr den Braukessel holen, wenn die Götter sollen bei Ägir zu Gaste sein. Ägir ist das Meer, besonders in Beziehung auf Schiffahrt. Von Natur jötunisch, kann er doch mit den Äsen in Gastfreundschaft kommen, in derjenigen Jahreszeit, in welcher auch er sich zahm und umgänglich anläßt. Er ist bei ihnen in Äsgard zu Gaste gewesen und, durch ihre Bewirthung kirre gemacht, hat er sie über drei Monate zu sich eingeladen (Sn. Edd. 79. 129). Wahrzeichen dieser Gastfreundschaft ist der Braukessel, das Vermissen und die Beischaffung desselben ist bildlicher Ausdruck der bald unwirthlichen, bald wirthlichen Beschaffenheit des Wellenreichs. Auch der Art des Elementes entspricht es, ein Trankgefäß [2] zum Sinnbilde jenes Gastverkehrs zu nehmen; Ägirs Braukessel ist die geöffnete See und die Meilentiefe desselben bezeichnet den Abgrund des Meeres. Solang aber Buchten und Sunde zugefroren sind und sich das Treibeis vom hohen Norden herabschiebt, ist der große Kessel in des winterlichen Hymirs Verschlusse. Daraus muß der Freund des Menschengeschlechts, der sommerkräftige Thôr, als werdender Sommer in Jünglingsgestalt (Sn. Edd. 61) ausziehend, ihn lösen. Dieß gelingt erst, nachdem Thôr mit Äsenstärke den Kelch des Jötuns an dessen hartem Schädel zerschlagen hat, nachdem der feste Eiskrystall gebrochen und zerschellt ist. Aus neueren Reiseberichten ist bekannt, daß die [161] Bewohner des äußersten Nordens, wie sie ihre Hütten aus Schnee erbauen, so auch Becher und andres Geräth aus Eise fertigen; ein solcher Eisbecher ist Hymirs Kelch, dessen Zerschlagung den Bruch des Eises überhaupt vorstellt. Doch mit dem Bruche des Eises ist Ägirs Gebiet noch nicht beruhigt und wirthbar gemacht, vielmehr tobt gerade dann die See am ungestümsten. Darum

[1] Man vgl. hieher überhaupt den Aufsatz: „Über die Eismassen in den nördlichen Meeren," Ausland 1835, Nr. 68, 69, und dann besonders die Stelle: „So lang es (jenes Treibeis) schwimmt, erscheint es fast schwarz."

[2] [Kalevala II, 143 bis 145.]

muß mit der Erlangung des Kessels die Bändigung der Midgardsschlange verbunden sein. In dieser ist, wie weiterhin sich bestätigen wird, der ganze Zorn des Meeres, die zurückgedrängte, aber stets feindselig und zerstörungsgierig anstrebende Urkraft des Elementes verbildlicht, während Ägir das in der geordneten Welt, wenn auch nothdürftig und unwillig, gebundene Flutenreich darstellt. Die Midgardsschlange hat dem gemäß ihren Aufenthalt weit außen im Ocean, dem Ägir dagegen wird eine Insel des Binnenmeers zur Wohnstätte angewiesen (Sn. Edd. 79). Thôr fährt nach jener aus, er ködert sie mit dem abgerissenen Stierhaupte, nach dem sie gierig schnappt, das Meer verzehrt ja die schwimmenden Eistrümmer, wie der eisschmelzende Donnergott selbst am Abend zuvor zwei solche Rinder Hŷmirs aufgezehrt hat; der Schlange versetzt er nun den gewaltigen Hammerschlag, von dem sie in die Tiefe sinkt. Nachdem er so dieselbe geschreckt und den Kessel erworben, ist es den Göttern fortan möglich, bei Ägir [162] Trinkmahl zu halten, doch feiern sie dieses erst zur Zeit der Leinernte, im Spätsommer (vgl. Grimn. 45), wann die dauerndste Meeresstille herrscht.

Dieß der Hauptbestand der Sage. Abgesehen von einzelnen Zügen der Ausführung, ist noch die mythische Bedeutung Tŷs und seiner Verwandtschaft im Eddaliede zu entziffern. Tŷ (Tŷr), den die j. Edda einen Sohn Odins nennt (Sn. Edd. 105), ist vorzugsweise der Kühne unter den Äsen, er allein wagt es, den Wolf Fenrir zu füttern und die Hand in dessen Rachen zu stecken (ebd. 33. 35), welches eben Ausdruck der äußersten Kühnheit ist, da für verloren gilt, was in des Wolfes Rachen geräth[1]. Sein Name kann, in rein nordischer Ableitung: Rüster, Waffner bedeuten[2]; passend für die Personifikation des kecken Entschlusses. Auf Tŷs Rath unternimmt Thôr die gefahrvolle Fahrt zu Hŷmir, er folgt der Eingebung des verwegensten Muthes. Der Besuch der Eismeere muste selbst dem unerschrockenen Sinne der nordischen Seefahrer für das Gewagteste gelten. Schwieriger erklärt sich Tŷs Verwandtschaft in Jötunheim. Ist er Odins Sohn, so kann Hŷmir nur sein Stiefvater sein. Die leidige Großmutter mit neunhundert

[1] J. Grimm, Reinh. Fuchs, XXXVI.

[2] Lex. isl. at týa, instruere, armare; týa-hûs, armamentarium. Das r gehört nicht zur Wurzel, es fällt in der Biegung weg.

Köpfen [163] ist jötunischer Art [1], somit zur Mutter Hymirs geeignet, etwa die vielquellige Ergießung der Schneewasserbäche, die, im Sommer niederströmend, das Strandeis erzeugen. Tŷs Mutter dagegen befindet sich bei Hymir als Kebsweib (frilla, Hym. 29), ihm abhold, denn sie räth zu seinem Schaden. Soferne sie golden, weißbrauig [2] (wie Baldur) geschildert wird, liegt es nahe, in ihr irgend ein sommerliches, jetzt vom Frost- und Dämmerriesen festgehaltnes Lichtwesen zu vermuthen (vgl. Lex. myth. 182*), allein die physische Deutung findet keinen Anhalt in Demjenigen, was sonst von Tŷ bekannt ist. Hat man daher auch hierin die nichtphysische fortzusetzen, so kann die Verwandtschaft Tŷs im äußersten Jötunheim den Sinn haben, daß der Kühne im Lande der Schrecken und Fährlichkeiten heimisch sei. Dann erscheint die lichte Mutter, die dem ankommenden Sohne den Trank der Stärke bringt, als die edle, strebsame Heldennatur, die den kühnen Muth gebar, ihn zum Hause der Gefahren hinzieht, in demselben vertraut macht und kräftigt.

15. Ägir.

Das Eddalied von Ägirs Trinkmahl (Ægis-drecka, Sæm. Edd. 59 bis 68) stellt nun in Gesprächsform dar, [164] wie nach Erwerbung des Kessels Äsen und Älfe bei dem Meeresgotte zu Gaste sind, die Freude dieses Gastgebots aber durch Lokis Schmähungen und Zankworte (wovon das Lied auch Loka-glepsa und Loka-senna benannt ist) getrübt wird [3]. Für den Mythus von Thôr ist Folgendes auszuheben:

Loki kommt vor Ägirs Halle und fragt Eldir, dessen Diener, was die Göttersöhne da innen für Trinkgespräche führen? Eldir antwortet, sie sprechen von ihren Waffen und ihrem Kampfruhme; soviel Äsen und Älfe drinne seien, spreche doch Keiner als Lokis Freund. Dennoch geht Loki hinein, um das Gelag zu sehen, den Göttern Störung zu bringen und ihnen den Meet mit Unheil zu mischen. Als die Versammelten ihn erkennen, verstummen sie alle. Doch wird er zum Mahle zugelassen, auf Geheiß Odins, den er an die einst

[1] Auch Str. 34 sieht Thôr eine vielhauptige Schaar mit Hymir daherfahren. Der gleichfalls von Thôr erschlagene Thrivaldi scheint neun Häupter gehabt zu haben, Sn. Edd. 102. 103 od. Vgl. Skirn. 31.

[2] [Rigsm. 26. Sæm. 145, 26. 28.]

[3] In den alten Handschr. folgt Æg. dr. unmittelbar auf Hym. qv.; Finn Magn., d. ä. Edda II, 283, 3.

geschlossene Blutbrüderschaft erinnert. Vidar muß ihm den Becher reichen. Sogleich aber geräth Loki in Wortwechsel mit Göttern und Göttinnen. Bragi, der ihm den Sitz verwehren wollte, Idun, Gefion, Odin selbst und seine Gemahlin Frigg, Freyja, Niörd, Tŷ, Frey und dessen Diener Beyggvir, Heimdall, Skadi, Sif und Beyla, Beyggvirs Gattin, werden nach [165] einander von dem Trunkenen verhöhnt und schmählicher Dinge bezichtet. Frigg äußert, hätte sie hier in Ägirs Hallen einen Baldur gleichen Sohn, so würde Loki nicht ungestraft bleiben. Dieser rühmt sich hierauf als Urheber von Baldurs Verschwinden. Sif muß von ihm hören, daß sie ihrem Gemahl ungetreu und Loki selbst der Begünstigte gewesen sei. Da zittern alle Berge, Thôr kommt herangefahren und droht, den Lästerer mit dem zerschmetternden Hammer zum Schweigen zu bringen. Aber auch ihn mahnt Loki an den künftigen verderblichen Kampf mit dem Wolfe, und als Thôr ihn ostwärts empor zu werfen droht, daß er nicht mehr gesehen werde, spottet er der Ostfahrten Thôrs, auf denen Dieser sich in den Handschuhdäumling verkrochen und Skrŷmirs Riemen nicht zu lösen vermocht habe. Erst auf die vierte Bedrohung mit dem Hammer spricht Loki: „Ich sang vor Äsen, sang vor Äsensöhnen, wozu der Sinn mich reizte, aber vor dir allein werd' ich hinausgehn, denn ich weiß, daß du zuschlägst." Er schließt mit einer Verwünschung über Ägir, der das Bier zum Gelage bereitet.

Die prosaische Einleitung zu diesem Eddaliede [1] und die Erzählungen der j. Edda (Sn. Edd. 79. 129) [166] geben noch weitere Züge zu dem Mythus von Ägirs Gastgebot. Sowie Odin, als die Äsen Ägir bewirtheten, am Abend blanke Schwerter in den Saal hatte bringen lassen, bei deren Glanze man keines andern Lichtes benöthigt war, so läßt nun Ägir lichtes Gold auf den Estrich seiner Halle tragen, wovon dieselbe, wie durch Feuer, erleuchtet wird, daher das Gold in der Dichtersprache Ägirs Feuer, Ägirs Licht rc. heißt; Bier und andrer Bedarf schafft sich selbst herbei, auch ist dort eine große Friedstätte. Thôr befindet sich beim Beginn des Mahles auf der Ostfahrt, Trölle zu schlagen.

Die Bedeutung des Gastverkehrs der Äsen mit Ägir ist bereits

[1] Bei dieser Einleitung ist ohne Zweifel eine vom Inhalt des Liedes verschiedene Darstellung des Mythus benutzt. Die Erzählung, wie Fimafeng von Loki erschlagen und Letzterer dann von den Äsen verfolgt wird, paßt nicht zum Anfange des Liedes, woselbst Loki, ohne irgend einen Bezug auf jenen Vorgang, neu hinzukommt.

angegeben. Unter den bei ihm Versammelten sind besonders auch sämmtliche Götter des Vanenstammes und die letzterem befreundeten Lichtälfe, denn soll das Meer besänftigt sein, so müssen die milden Luftgeister walten. Freys Diener Beyggvir, Bieger, den Loki als den kleinen, webelnden, feigen verspottet, und dessen Gattin Beyla, Biegung, sind Sommerlüfte, die nur leicht und schmeichelnd Gezweig und Halme biegen. Baldur ist schon aus dem Kreise der Äsen verschwunden, das Gelage findet, wie im [167] vorigen Mythus besagt ist, erst im späteren Theile des Sommers, nach der Sonnenwende, statt. Wie der Saal des kriegerischen Odins von Schwertern erleuchtet war, so ist es Ägirs Halle von blankem Golde, das auf den Estrich getragen worden. Im Grunde des Meeres sind all die Schätze gehäuft, welche die gierige Flut verschlungen hat. Rân, Raub, Ägirs Gemahlin, besitzt ein Netz, womit sie ihre Beute hinabzieht (Sn. Edd. 129). Nach der Saga von Fridthiof zertheilt dieser Held, als der stürmische Ägir ihm und seinen Schiffsgenossen Verderben droht, einen Goldring, denn Gold soll man an den Gästen sehen, die in Râns Säle zur Herberge kommen (Fornald. S. II, 78. 494). Im Leuchten des windstillen Meeres mochte man den Glanz des versunkenen Goldes spielen sehn. Ägirs Diener Eldir, Feurer, ist es wohl, der für solche Beleuchtung zu sorgen hat[1]. Daß bei Ägirs Mahle das Bier sich selbst herbeischafft, damit ist die flutende Bewegung des Meeres bezeichnet (vgl. Edd. Havn. I, 149. Note 3), gemäß obiger Erklärung des Braukessels.

Hat nun aber der Jötun Ägir, nach dem vorhergehenden Mythus, von Anfang an nur übelwillig sich zur Bewirthung der Götter verstanden, so ist [168] auch der Friede seines Mahles ein unsicherer. Sie befinden sich hier in einem ihnen unheimischen Gebiete, wo Loki mit seinen boshaftesten Schmähungen Zugang hat. Schon ist Baldur seiner verderblichen Anstiftung, der er sich rühmt, unterlegen, seine Frechheit wächst und er zweifelt nicht, eine Festlichkeit stören zu können, die zum voraus wenig Gewähr ihres Bestandes hat. In derselben Zeit, da die Götter sich mit Ägir vertragen, hat ja schon die Abnahme des Lichtes begonnen, die in Loki vertreten ist. Auch schien es bereits, als sollten

[1] Vgl. im Räthselliede der Herv. S., Fornald. S. I, 478: Eldis bródir. Lex. myth. 59.

die Sommerwesen der Hülfe Thôrs, ihres getreuen Schirmers, entbehren. Aber noch ist er des Hammers gewaltig und auch dießmal im Augenblicke der Noth unversehens gegenwärtig. Wie er durch Beischaffung des Kessels die Halle Ägirs wirthbar gemacht, so weiß er auch den bedrohten Frieden des Mahles noch kräftig zu behaupten.

16. Midgardsschlange.

Die Weissagung der Vala verkündet in der Schilderung des Weltendes (Vsp. 50. 56. 57. Lex. myth. 859):

Midgardsschlange schwellt die Wogen; Thôr schreitet zum Kampfe mit ihr, zornmüthig erschlägt er sie; alle Männer werden die Heimathstätten räumen; kaum neun Schritte kommt er von ihr. Die Erde sinkt in's Meer.

[169] Die j. Edda (71 bis 73) sagt umschreibend, dann tobe das Meer an die Lande, weil die Midgardsschlange in Jötunzorn sich wende [1] und an das Land hinausstrebe; sie blase soviel Gift, daß sie Luft und Wasser all besprenge; Thôr geb' ihr den Tod und schreite neun Schritte

[1] „firir þvi at þá snýz Midgardzormr í jötunmóð.“ Dieß ist aus Vsp. 50 entnommen, wo es heißt: „snýz Jörmungandr í jötunmódi.“ Auch in Sn. Edd. 32 erscheint Jörmungandr identisch mit der Midgardsschlange: „Jörmungandr, þat er Midgardsormr.“ Ebenso bei dem Skalden Bragi, Sn. Edd. 101 (Lex. myth. 209). Hiemit übereinstimmend wird Jörmungandr unter den Schlangennamen aufgeführt, Sn. Edd. 180, während gandr unter den Benennungen des Wolfes, ebd. 178 f. 222, nicht vorkommt. Dagegen ist nach Rask und Afzelius, in den Registern zu Sn. Edd. 378 und Sæm. Edd. 283, unter Jörmungandr der Wolf Fenrir gemeint. Für diese Ansicht zeugt nicht bloß die einzige Stelle der Eddalieder, welche jenen Namen gibt, die angeführte Str. 50 der Vsp. (Sæm. Edd. 8, auch Sn. Edd. 74), nach ihrem vollständigen Zusammenhange: „Jörmungandr wendet sich (snýz) in Jötunzorne; die Schlange (ormr) drängt die Wogen, aber der Adler schreit.“ Auch sonst wird gandr gleichbedeutend mit úlfr, vargr gebraucht. (Vgl. Hrafn. 10: „gandom rido,“ mit Hyndl. 5, Sn. Edd. 66 und Sæm. Edd. 146, s. auch Landn. 486, Edd. Havn. I, Gl. 511, Lex. isl. I, 268.) Jörmungandr ist: lupus maximus (s. über iörmun D. Gramm. II, 448 f.). Wenn nach Vsp. 56 und Æg. 58 Thôr gegen den Wolf zu kämpfen geht, so ist Dieß ebenso zu nehmen, wie wenn nach Grimn. 23 die Einherien zum Kampfe mit dem Wolf ausziehen; durch den Wolf Fenrir, das furchtbarste der götterfeindlichen Ungeheuer, das zuletzt den Äsenvater Odin selbst verschlingt, wird der große Endeskampf überhaupt bezeichnet.

von da hinweg; dann fall' er todt zur Erde von dem Gifte, das sie auf ihn geblasen.

[170] Im Eddaliede von Hymir (Str. 22) heißt Thôr: der die Geschlechter schirmt, der Schlange Alleintödter.

Die Erde geht nach nordischem Glauben im Wasser unter, während der Himmel vom Feuer zerstört wird. Solche verderbendrohende und zuletzt wirklich vertilgende Gewalt des Wassers ist die Midgardsschlange. Sie ist darum eine der furchtbaren Zeugungen Lokis, des Endigers, mit Angrboda, der Angstbotin. Bekannt mit den unheilkündenden Weissagungen, warf Odin sie in die tiefe See, von der die Erde umgeben ist, und die Schlange wuchs so sehr, daß sie mitten im Meer um alle Lande liegt und sich in den Schwanz beißt (Sn. Edd. 32. Hym. 22). Daher auch ihr Name Midgardsschlange (Midgardzormr), denn Midgard ist eben die bewohnte Erde, die, ihre künftige Beute, von ihr umgürtet wird. Das Bild ist von der riesenhaften Seeschlange hergenommen, die man da und dort im Meere gesehen haben will, der man aber noch niemals habhaft geworden ist. So lange die Welt ihren Gang hat, liegt die Midgardsschlange, wie im Mythus von Hymir, weit außen in der Tiefe des Oceans und ihre Bewegung ist nur aus der Ferne in der stürmischen Brandung des Meeres erkennbar; wann aber einst der Endestag hereinbricht, dann schwellt sie mächtiger die Wogen und strebt ungestüm an das Land herauf.

[171] Thôr, der Sohn Jörds, der Schutzgott Midgards und seiner Bewohner, ist der geborene Gegner jenes Ungeheuers, das der Erde Verderben droht. Bei Ûtgardsloki und auf dem Fischfange mit Hymir versucht Thôr sich an der Schlange; es sind kecke Vorspiele des künftigen, für Beide verderblichen Kampfes [1]. Bei diesem letzten Kampfe werden die Menschen von ihrer Heimathstätte verdrängt und als Thôr, beschäumt vom Gifte der Schlange, niederfällt, da sinkt die Erde in das Meer. Doch ist auch die Schlange tödtlich getroffen und so kann zum andernmal eine frischgrüne Erde aus dem Meer aufsteigen; die Strömungen fallen und der Aar fliegt überhin, der auf dem Gebirge Fische fängt (Vsp. 59).

[1] Darum kann auch die Midgardsschlange auf der Ausfahrt mit Hymir nicht von Thôr erschlagen sein (vgl. Sn. Edd. 63); sie wird nur von ihm geschreckt und bleibt für die letzte Zeit aufgespart.

Die kurzabgebrochenen Zukunftsprüche der Vala von der Wiedergeburt der Welt lassen auch über das Schicksal der Götter manigfachen Zweifel übrig. In Beziehung auf den Mythus von Thôr ist nur anderwärts, im Eddaliede von Vafthrûdnir (Str. 51. Sæm. Edd. 37. Sn. Edd. 76), gesagt, daß Môdi und Magni den Miölnir haben und dem Kampf ein Ende machen werden. Im Untergange der alten Erde ward die ihr beigegebene Gotteskraft entbunden, [172] aber auch die neuaufgetauchte bedarf einer solchen zu ihrem Frieden und Gedeihen; in Thôrs Söhnen vererben und verjüngen sich die Eigenschaften des Vaters, Äsenmuth und Äsenstärke, die in Jenen herausgestellt waren; mit dem Hammer, dem Werkzeug und Sinnbilde seiner schützenden und segnenden Wirksamkeit, geht auch diese in das neue Weltleben über.

So durchmißt Thôr im Kampfe mit den Elementen seine Götterbahn, bis er zuletzt, ein fallender Stern, im Unendlichen wieder verschwindet. Ist aber die Sagendichtung eines Volkes zu allseitiger Ausbildung durchgedrungen, so umschließt sie mit den göttlichen Dingen auch die menschlichen und an die Göttersage reiht sich eine ihr nach Geist und Form entsprechende Heldensage. Die Helden sind Träger der Vorstellungen, die das Volk, welches sie feiert, sich von der Bestimmung und dem Schicksal der Menschheit gebildet hat; in ihren Charakteren, Thaten und Geschicken beleben sich die bei ihm herrschenden Gedanken über das Edle und Tüchtige in der menschlichen Natur und dessen Gegensätze, über die Höhen, die sie ankämpfend erstreben soll, und die Schranken, die ihrem Übermuthe gesetzt sind. Die Sage von den Göttern, den Schöpfern, Erhaltern und Lenkern des Weltalls, wird zwar in diesem auch dem [173] Menschen seine Stellung anweisen und dessen Geschichte in den Grundzügen vorzeichnen. In diesem großen Verbande jedoch kann seine Erscheinung nur eine sehr untergeordnete sein. Darum sucht er sich ein eigenes Feld, wo er seine Neigungen und Leidenschaften, seine Bestrebungen und Kämpfe, sein Lieb und Leid, seinen Glanz und seinen Untergang in vollständiger Darstellung ausbreiten kann, wo er selbst in den Vordergrund tritt, wenn auch abhängig von den waltenden Göttern und eben Das vollziehend und erlebend, wozu er von ihnen berufen ist. Dieses irdische Gebiet der poetischen Weltanschauung, diese kleine, doch näherliegende Welt in der großen, unabsehbaren, ist die Heldensage.

Im nordischen Göttermythus wird die Schöpfung des Menschen erzählt, sein Erdenschicksal angedeutet, sein künftiger Antheil an den Freuden und dem Kampfe der Götter verkündet. Um die gleiche Achse bewegen sich nun auch größere und kleinere Kreise der Heldensage, in denen jene Vorbestimmungen erfüllt, die einstigen, höheren Geschicke vorbereitet werden. Die Götter steigen selbst hernieder oder senden ihre Boten und greifen, je nach ihren Eigenschaften und Zwecken, anregend oder hemmend, hülfreich oder feindselig, in das menschliche Treiben ein. Daß zumeist Odin, der Erwecker alles Geistes und des kriegerischen insbesondere, der Einherien künftiger Führer zum [174] Weltkampf, in den Geschichten der Kriegshelden thätig sei, läßt sich zum voraus erwarten; er steht am Anfang und Ende ihrer Sagen. Aber auch Thôr hat seinen Antheil an der Heldensage. Der eigenste Schirmer der Erde und ihrer Bewohner kann den irdischen und menschlichen Begebnissen nicht fremd sein. Seine Gemeinschaft mit den Menschen ist in der Göttersage durch die Aufnahme Thiâlfis in sein Geleit und seine Kampfgenossenschaft angezeigt und dasselbe Verhältnis ist nun auch, von andrem Standpunkt aus, in der Heldensage aufweisbar. Wenn er gleich in dieser, worin der kriegerische Geist im eigentlichen Sinne vorherrscht, viel seltener auftritt, als Odin, so geschieht es doch eben genug, um die bedeutendsten Beziehungen, in welchen jene beiderlei Gebiete der Sagendichtung sich berühren können, auch seinerseits zur Erscheinung zu bringen. Als ein reines Verhältnis beider kann es nicht betrachtet werden, wenn im Verlaufe der Zeit Götter und Göttergeschichten mehr oder weniger in menschliche Helden und Thaten sich umgewandelt haben, wenn z. B. bei Saxo und vielleicht schon in den ihm vorgelegenen Überlieferungen Balder und Hother als irdische Heerkönige sich bekriegen, Odin und Thôr aber nebst anderen Göttern, als solche, an dem Kampfe Theil nehmen. Mögen auch derartige Umwandlungen, wenn ein neuer Geist in sie eingeht, zu eigenthümlichem Leben erwachsen können, so sind [175] sie doch immer eine Miskennung und Trübung des ursprünglichen Mythengehaltes und rechtfertigen keineswegs die Ansicht, als wäre in dieser menschlichen Gestaltung der Götterfabel das natürliche

Entstehen der Heldensage überhaupt zu suchen. Wo Götter- und Heldenwelt, sich gegenseitig ergänzend und erklärend, zusammenbestehen, da ist offenbar auch der vollere und gesundere Zustand der Sagenpoesie. Vermöge dieses harmonischen Zusammenseins werden die höheren Wesen, wo sie in die Heldensage einschreiten, in dem gleichen Charakter und denselben Ideen handeln, die in den Göttermythen begründet sind. Eine solche Übereinstimmung wird sich, bezüglich auf Thôr, an der Sage von Starkad nachweisen lassen, die auch in andrer Hinsicht einen merkwürdigen Übergang bildet; der Gott wirkt auf das Schicksal dieses Sagenhelden ebenso charakteristisch ein, wie er, nach früher angeführten Beispielen, manchmal noch in historischer Zeit seinem in der Göttersage ausgeprägten Wesen entsprechend den Menschen erschien. Zum vollkommensten Einklange jedoch verbinden sich beiderlei Sagengebiete, wenn dieselbe sinnbildliche Gestaltung, die in der Götterwelt waltet, sich auch der menschlichen Dinge bemächtigt, und in diesem Verhältnisse zu den Göttermythen von Thôr werden sich die schließlich folgenden Sagen von Hâlfdan bewähren, dessen Heldenthum selbst, wie dasjenige des Gottes, ein durchaus bildliches ist.

[176] 17. Starkad.

Veturlidi, ein heidnischer Skalde vom Schlusse des zehnten Jahrhunderts, nennt in dem erhaltenen Bruchstück eines seiner Lieder (Sn. Edd. 103) mehrere von Thôr bezwungene Jötunwesen. Er spricht darin zu Thôr: „Starkad stürztest du (steypdir Starkadi)!“ Ausführlicher gedenkt dieser That die Saga von Hervör im Eingang (Fornald. S. 1, 412 f. vgl. 513 f.):

Ein Mann mit Namen Arngrim, Riese und Bergbewohner (risi ok bergbûi), holte sich aus Ymirs Lande (Ymislandi) dessen Tochter Âma. Sohn dieser Ehe war Hergrim, genannt Halbtröll; er war bald bei Bergriesen (bergrisum), bald bei Menschen, Stärke besaß er gleich Jötunen, war sehr zauberkundig und ein großer Berserk. Er nahm aus Jötunheim Ögn Alfasprengi und hatte von ihr einen Sohn Grim. An den Öl- oder Alafällen (vid Ölfossu, a. Âlufossa) wohnte Starkad, geheißen Alajunge (Storkadr Âludrengr), Abkömmling von Thursen, auch ihnen gleich an Stärke und Art; sein Vater hieß Störkvid. Ögn Alfasprengi war Starkads Verlobte, aber Hergrim raubte sie ihm, als Starkad nördlich über Elivogar gezogen war. Nach seiner Rückkunft forderte er Hergrim zum Holmgang um die Frau. Sie kämpften am obersten [177] Falle[1]. Starkad hatte acht Hände und schlug mit vier Schwertern auf einmal; ihm ward der Sieg und Hergrim fiel. Ögn sah ihrem Zweikampfe zu und als Hergrim gefallen war, durchstach sie sich mit einem Schwert und wollte nicht mit Starkad vermählt sein. Starkad nahm nun alles bewegliche Gut (fé) Hergrims an sich und behielt zugleich dessen Sohn Grim, der bei ihm groß und stark heranwuchs. Eines Herbstes war großes Disenopfer angerichtet bei König Álf, dem König über Álfheim (Álfheimar); so hieß damals das Land zwischen Gautelf und Raumelf. Álfhild, des Königs Tochter, gieng zum Opfer; sie war schön, wie kein andres Weib, und das ganze Volk in Álfheim war schmucker, als jedes andre derselben Zeit. In der Nacht aber, als Álfhild die Heiligthümer bestrich, nahm Starkad Áludreng sie hinweg und mit sich heim. König Álf rief da zu Thór, daß nach Álfhild gesucht werde; nachmals aber erschlug Thór den Starkad und ließ Álfhild zu ihrem Vater ziehen mit Grim, Hergrims Sohne. Als dieser zwölf Winter alt war, zog er auf Heerfahrt und ward der gröste Kriegsmann. Er freite Bauggerd, Álfhilds und Starkads Tochter, nahm seine Wohnstätte auf der Insel Bölm bei [178] Hálogaland und ward nachmals Eygrim Bölm genannt.

Auch die Saga von Gautrek (Fornald. S. III, 15) erzählt, daß Starkad Áludreng, ein sehr kundiger Jötun mit acht Händen, aus Álfheim Álfhild, die Tochter des Königs Álf, geraubt, Dieser aber um ihre Wiederkunft zu Thór gerufen, hierauf Thór den Jötun erschlagen und Álfhild zu ihrem Vater heimgebracht habe. Sie hat hier von Starkad einen Sohn, Störvirk.

Sollen diese Überlieferungen vom Jötun Starkad, wenn nicht in jeder Einzelheit, doch in den Grundzügen aufgehellt werden, so stellt sich vor Allem anschaulich und eigenthümlich heraus, daß Starkad an Wasserfällen wohnt und kämpft; derselbe Strom, Öl oder Ála, nach dem diese Fälle benannt sind[2], gibt auch dem Jötun den Beinamen Áludreng, Álas Junge. Zugleich fällt auf, daß mit dem Namen Starkaðr die Form Störkuðr wechselt (Fornald. S. I, 381. 383 bis 385. III, 17); uðr ist Wallung, Welle (at yða, æstuare), daher Name einer der Töchter Ägirs (Sn. Edd. 185), und steht auch unter den Benennungen der Ströme (Sn. Edd. 218a; vgl. 217b), Störk-uðr

[1] „við enn efsta foss at Eyði."

[2] Lex. myth. 648: „ad Alufossas (cataractem Norvegiæ)."

also Starkwelle, und diese Zusammensetzung bestätigt sich durch den ganz ähnlich gebildeten [179] Namen des Vaters Störk-vidr, Starkwald. Beachtet man noch, daß der Skalde für die Bezwingung Starkads durch Thôr ein Zeitwort (steypa) gebraucht, das einen jähen Sturz ausdrückt (vgl. steypir. m. praecipitium), daß nach einer späteren Stelle der Gautrekssage (Fornald. S. III, 37) Hlôrridi den Jötun vor einem Fels (fyrir hamar nordan) bezwang und daß die acht Riesenhände an so viele Stromarme gemahnen, so erscheint Störkud selbst als der gewaltige Fall der Âla. Von ihr trägt er den Beinamen, während der Name seines Vaters den Urwald dunkeln läßt, aus dem Störkud hervorkommt. Thôr, der Bekämpfer der Jötune, schleudert ihn vom schroffen Fels herab; rücklings, mit gespreizten acht Händen, stürzt der brüllende Wasserriese nieder und noch jeden Augenblick sieht man ihn im grauenvollen Sturze begriffen. Auch in Geirröds Töchtern Giâlp und Greip hat Thôr wilde Gebirgströme bewältigt und bedeutsam nach beiden Seiten verbindet Veturlidi die zwei Mythen im gleichen Stabreim [1]: „Starkad stürztest du, standest über der todten Giâlp (Sn. Edd. 103)!"

Von der Hauptgruppe aus verbreitet sich weiteres Licht. Dreifach erlautet der Name Grim in dem riesenhaften Stamme, mit dem Störkud zusammentrifft: Grims Vater ist Hergrim, der Sohn Arngrims. Nun ist aber Grim oder in Zusammen[180]setzung Fossegrim, noch in heutiger Volkssage, ein Dämon norwegischer Wasserfälle (Lex. myth. 679. Faye 57). Störkuds siegreicher Kampf mit Hergrim [2] ergibt sich damit als die brausende Begegnung zweier Bergströme; der mächtigere von beiden, der achthändige Jötun, wird des andern Meister. Ihr Streit erhob sich am obersten Falle um Störkuds Braut, Ögn Âlfasprengi aus Jötunheim, in der voraus ein gleichartiges Wesen zu vermuthen ist. Ögn, Spreu, Âlfasprengi, Sprenge der Âlfe, Zerstäubung oder Spreng-

[1] [wie auch Lit und Hyrrokin verbunden sind, S. 144.]

[2] In Fornald. S. haben diese Namen langen Vokal: Grîmr, larvatus; einfacher scheint: Grimr, saevus (gewöhnlich: grimmr), altsächs. und angels. grim. [Saxo VII, 124, 3: Grimmo. Vgl. nachher S. 198 [114].] Hergrimr, der Heergrimme, Verheerende; oder statt Hiörgrimr, der Schwertgrimme, wie auch Störkud Schwerter (blinkenden Wellenschlag) führt? Vgl. D. Gramm. II, 460 f. 561. Die beiden „Grîmar" mit den ebenso benannten Trinkhörnern (Fornm. S. III, 138 bis 140, vgl. 190 bis 192) lassen sich gleichfalls auf das mythische Stromgeschlecht zurückführen. [Vgl. S. 66 [40] Ûtgardslokis Trinkhorn.]

regen der Lichtgeister [1], ist ein schimmernder, jungfräulicher Staubbach, der auch aus Jötunheim, dem Gebirge, kommt und um den die beiden Stromriesen, zwischen denen er niedersprüht, sich zu reißen scheinen. Hergrim hat Ögn [181] geraubt, als Störkud nördlich über Elivogar gezogen war, als der Stromlauf im Winterfrost ausblieb; Elivâgar, die mythischen Eisströme, über die Örvandil von Thôr getragen wird, bedeuten die strengste Winterkälte. Bei seiner Rückkehr im Frühjahr, wann die Bergströme im Eisbruch überschwellen, stürmt Störkud mit acht Händen und vier Schwertern gegen den Nebenbuhler an. Ögn sieht dem furchtbaren Kampfe zu und als Hergrim weggerafft ist, sinkt sie mit hinab. Störkud bemächtigt sich nun aller fahrenden Habe Hergrims, seines ganzen beweglichen Wasserreichthums, und nimmt auch dessen Sohn Grim, etwa einen Nebenstrom desselben, zu sich.

In aufsteigender Linie eröffnen sich, bezüglich auf Hergrim und sein Geschlecht, fernere Anschauungen. Er hat den Zunamen Halbtröll [2], was dahin erklärt wird, daß er bald bei Bergriesen, bald bei Menschen gewesen sei; er strömt theils durch Bergwildnis, theils durch bewohntes oder besuchtes Land; ein großer Berserk ist er vermöge seiner tobenden Brandung. Sein Vater Arngrim, Adlergrimm, ganzer Riese und Felsbewohner, führt noch höher auf das Gebirg, von dem er wie ein Aar herniederrauscht. Arngrim hat seinen Sohn Hergrim mit Âma, der Tochter [182] Ymirs, erzeugt; dem Lande dieses Letztern wird zwar in derselben Saga (Fornald. S. II, 411. 511), wie nachher dem Gebiete des Königs Alf, seine geographische Lage angewiesen, man wird aber mit Recht den mythischen Gesichtspunkt festhalten. Ymir, der Urriese, der reifkalte Jötun (Vafþr. 21), von dem alle andre stammen (Hyndl. 32), erscheint auch hier nicht fremdartig; anschaulicher jedoch ergibt sich der Fortschritt in der Gebirgswelt, der bereits bis zur Eisgrenze geführt hat, wenn

[1] Landn. 237: „Þórer þussaspreingr (gigantum disruptor).“ Sn. Edd. 102: „â haussprengi Hrûngnis,“ auf den Schädelbruch, Schädelsprenger Hrûngnirs, Thôr. Lex. isl. at sprengia, dirumpere; sprengr. m. ruptura, diruptio. Ihre, Gloss. II 734: sprenga, conspergere; sprenga, disrumpere. Oder etwa ursprünglich Âlfasprueni? Lex. isl. at sprœna, scaturire; sprœna, f. rivulus.

[2] Hâlftröll ist in Egils S. 1 Beiname eines Mannes. Vgl. ebd. 22: hâlfbergrisi; Fornald. S. I, 411: risar ok hâlfrisar. D. Gramm. II, 633. Geijer, Svearik. häfd. 1, 410.

für „Ymir“ an dieser Stelle Hymir gelesen wird, wie denn auch anderwärts die beiden ähnlich lautenden Namen verwechselt sind [1]. Hymir ist der Eisjötun, der seinen Hauptsitz an und in den arktischen Meeren hat, wo Thôr ihn aufsucht, und dessen Tochter nun im ewigen Eise des Hochgebirgs einen passenden Hausstand findet, als Mutter jötunischer Stromfälle [2].

[183] So erschließt sich in diesen Mythen das Leben der nordischen Bergströme, ihr Stufenfall vom Ursprung an, ihr Lauf durch Wildnis und Anbau, ihr manigfaltiger Charakter, ihre Verzweigung und ihr ringender Zusammenfluß zum letzten, gewaltigsten Sturze. Der Eindruck dieser mächtigen Naturerscheinungen auf das Gemüth der Anwohner ist auch anderwärtig bezeugt. Thôrstein Raudnef, ein Isländer, hielt den Wasserfall, nach dem sein Besitzthum benannt war, heilig und brachte ihm Opferspenden (Landn. 341). Auch der norwegische Fossegrim empfängt zum Opfer ein weißes Böcklein, das in den Fall geworfen wird; dafür lehrt er Geige und andres Saitenspiel, er greift über des Spielmanns rechte Hand und führt sie so lange hin und her, bis das Blut aus jeder Fingerspitze springt; dann hat der Lehrling ausgelernt und kann spielen, daß die Bäume tanzen und die Wasser in ihrem Sturze anhalten.[3] In solche Schule, [184] wo der Wasserfall

[1] Sn. Edd. 61 bis 63 gibt, in der Erzählung von Thôrs Fahrt zu Hymir, den Namen des Jötuns abwechselnd Ymir und Hymir.

[2] Âma wird in Sn. Edd. 210b unter den tröllqvenna heiti aufgeführt; im Lex. isl. findet sich: âma, amphora, und diese Bedeutung des Wortes taugt wohl für die Mutter der Bergwasser. Zugleich aber erinnert dasselbe an jene vielhauptige âma in Hymirs Halle (Hym. 7). Zwar spricht der Zusammenhang dringend dafür, daß dort âma nicht als Eigenname, sondern für amma, Großmutter, genommen sei, doch ist abermals ein Schwanken zwischen ähnlichen Wörtern bemerklich (vgl. Fornald. S. I, 513), während beide Mythen auf ein Wesen, als Urquell der Wasserströme, hinleiten. Sonst ist noch in Æg. 34 von Mädchen (Töchtern) Hymirs die Rede. In Hym. 16 heißt Hymir: „Hrungnirs grauer Redegeselle (spialli)“; Dieß scheint doch mehr als bloße Umschreibung des Wortes Jötun zu sein und mag auf die alte Befreundung des Eises mit dem Felsgebirge hinweisen. Vgl. S. 68, Anm. 4.

[3] Faye 57. D. Myth. 278 [461. 559. K.]. Der zaubermächtige Harfner Quintalin in der Saga von Samson dem Schönen, Cap. 5 ff. (Biorner. Nordiska Kämpa Dater, Stockh. 1737), der Sohn eines Müllers von einem dämonischen Weibe (gydiu), das unter dem Wasserfall der Mühle lag, gehört, seines fremdlautenden Namens unerachtet, der nordischen Vorstellung an. [Fornald. S. II, 241. 243.]

die Saiten rührt und der Sturm die Harfe schlägt (Vsp. 34), giengen auch die Sänger der altnordischen Naturmythen.[1]

Zweifelhafter, als das Bisherige, ist Thôrs Verhältnis zu Âlfhild, die er aus der Gewalt Störkuds befreit; diese wunderschöne Tochter des Königs Âlf aus Âlfheim, dessen Bewohner alle durch Schönheit ausgezeichnet sind, scheint ein mythisches Wesen von dem noch wenig bekannten Geschlechte der Lichtâlfe zu sein und es verhüllt sich hier wohl ein Seitenstück zu den Göttersagen, in welchen Thôr Iduns und Freyjas jötunische Werber straft. Auch die [185] Angaben über Grims weiteres Schicksal und über Störkuds Nachkommenschaft sind dunkel und in ihnen beginnt die Verwirrung des Jötunmythus mit der Heldensage.

Starkad (bei Saxo Starcatherus) heißt nämlich auch ein berühmter nordischer Held, dessen Thaten und Schicksale, auf der Grenze zwischen Sage und Geschichte spielend, sich in Saxos Werke durch mehrere Bücher hinziehen, aber auch durch anderwärtige Denkmäler in altnordischer Sprache ergänzt und erläutert werden. Dieser Starkather, Storverks Sohn, soll, nach Saxo (VI, 102 f.), aus derjenigen Gegend herstammen, welche, östlich von Schweden, nunmehr von Esthen und andern barbarischen Völkern weithin eingenommen sei; worunter, wenn man es in die mythische Weltkunde zurück übersetzt, Jötunheim zu verstehen ist[2]. Saxo selbst fügt als fabelhafte Volksmeinung bei, Starkather

[1] Obige Erklärung des Mythus, wie sie diesem selbst enthoben ist, wird durch folgende Schilderung der norwegischen Wasserfälle und namentlich des Olafoss auch äußerlich bestätigt und veranschaulicht: „Die Namen der Wasserfälle alle zu nennen, wäre eben so ermüdend als unmöglich. Jedes Thal, ja fast jeder Fels hat seinen eigenen, und fast alle sind sie in Form, im Ansehen, in der malerischen Wirkung verschieden. Bald sieht man hier einen donnernd toben, bald schlängelt sich dort einer wie ein silbernes Band, wie ein Netz oder eine Schärpe, die sich vom Gipfel ablöst und in den Lüften flattert; hier bedeckt einer eine ganze Felsenwand, dort rauscht ein anderer mit einem Bogensturz in's Thal hinab, zuweilen vereinigen sich mehrere noch auf der Höhe, und dann gewährt der Herabsturz, wie z. B. beim Olafoss [vid Âlufossa], wo sich hoch in der Wolkenregion die schon breit schäumenden Gewässer auf der nackten röthlichen Felsabdachung zu einem breiten Schaumbette versammeln, einen imposanten Anblick.“ Neigebaur, Neuestes Gemälde von Schweden, Norwegen und Dänemark, Wien 1833 (Schütz Allgemeine Erdkunde, B. 25), S. 276.

[2] Vgl. Müller, krit. Unders. 77 ff.

sei von Riesen entsprossen und diese Abstammung habe sich durch die ungewöhnliche Zahl seiner Hände kund gegeben; der Gott Thôr aber habe ihm die vier überzähligen ausgerissen und damit seine Riesengestalt auf menschliches Maß herabgebracht.

Bestimmter leitet die angeführte Saga von Gautrek den Ursprung des Helden Starkad von dem gleich[186]namigen Jötun ab. Álfhild, welche Dieser entführt hatte, kam, durch Thôr befreit, schwanger zurück und gebar einen Sohn Störvirk (Störvirkr, auch Störverkr), der, schwarz von Haaren, größer und stärker als andre Männer aufwuchs und ein gewaltiger Seeheld (víkingr) wurde. Störvirk raubte Ûn, eine Tochter des Jarls Freli von Hálogaland, und erzeugte mit ihr den Sagenhelden Starkad. Allein so genau diese Erzählung lautet, so steht sie doch mit den derselben Saga einverleibten und dem Helden selbst zugeschriebenen Liederstrophen nicht im Einklange. Darin (Fornald. S. III, 37) sagt Starkad von seinen höhnischen Gegnern, sie glauben an ihm die Jötunlarve mit acht Händen zu sehen, den Hergrimstödter, den Hlôrridi nördlich vor dem Fels der Hände beraubt; die Recken lachen, die ihn sehen, die häßliche Schnauze, den langen Rüssel, das wolfgraue Haar 2c.

Die Prosa drückt Dieß so aus, sie haben ihn einen wiedergeborenen Jötun geheißen. Der einfache Sinn der mythischen Anknüpfung wäre hiernach: der Held Starkad wurde wegen seines riesenhaften und abschreckenden Aussehens als der verjüngte Jötun gleichen oder ähnlichen Namens bezeichnet[1]. Die überzähligen [187] Hände gehören dem Jötun, nicht, wie bei Saxo, dem Helden an. Die genealogische Verbindung Beider aber wird bei solcher Ansicht müßig und beruht auf späterem Misverstehen. Störvirk, der Großwirkende, Thatgroße, und Ûn, Arbeit, mit ihrem Vater Freli, dem Frechen, Kecken, und dessen Söhnen Fiöri und Fŷri, Lebendig und Feurig, bilden eine allegorische Stammtafel des Helden, auf seine Thatkraft, nicht auf seine Gestalt, bezüglich. Die absichtliche, fortlaufende Umsetzung der naturbildlichen Namen in ähnlich lautende, dem Heldenthum angepaßte, ist unverkennbar; aus Ögn, Spreu, ist Ûnn, Arbeit, aus Störkvidr, Starkwald, ist

[1] Nach Sn. Edd. 127 f. kann in der Skaldensprache der Mann auch mit Jötunnamen bezeichnet werden und ist Dieses die ärgste Verhöhnung oder Schmähreede.

Störvirkr, Großwirker, geworden und für Störkudr, Starkwelle, tritt Starkadr [1], der Erstarkte, ein. Ob sich in dem Anklange dieser beiden, ursprünglich ganz verschiedenen Namen der Knoten geschürzt habe, wodurch der Jötunmythus mit der Heldengeschichte, wenn gleich nur äußerlich, verbunden wurde, läßt sich nicht mehr entscheiden, aber die sonst nicht ungewöhnliche Verwandlung einer mythischen Person in eine heroische oder scheinbar geschichtliche, die mit jener im Grunde gleichwohl nur eine ist, kann für den vorliegenden Fall [188] zum voraus nicht angenommen werden, da schon das alte Lied den Jötun und den Helden auseinander hält und die Wiedererscheinung des Erstern im Letztern als einen Spott darstellt.

Eine weitere und bedeutendere Beziehung des Helden Starkad zu den Mythen von Thôr zeigt sich in der Vorbestimmung seines Schicksals. Die Saga von Gautrek (Fornald. S. III, 32 f.) läßt Starkads Geschicke durch die Gunst Odins, der unter dem Namen Hrosshärsgrani sein Erzieher ist, und die Abgunst Thôrs, vor einer richterlichen Versammlung, welche nur die der Äsen sein kann, auf folgende Weise festsetzen:

Thôr, darüber ungehalten, daß Älfhild, die Mutter von Starkads Vater, einst einen Jötun dem Äsathôr vorgezogen, bestimmt ihrem Enkel Starkad, daß er weder Sohn noch Tochter haben und so sein Geschlecht beschließen solle. Odin schafft ihm, daß er drei Menschenalter zu leben habe; Thôr, daß er in jedem derselben ein Nidingswerk, eine Schandthat, vollbringe [2]. Odin verleiht ihm das beste Waffenzeug und Gewand. Thôr versagt ihm Land- und Grundbesitz. Odin gewährt ihm fahrend Gut im Überfluß. Thôr legt auf ihn, [189] daß er niemals genug zu haben glaube. Odin gibt ihm Sieg und Geschicklichkeit zu jedem Kampfe. Thôr, daß er aus jedem eine Knochenwunde davontrage. Odin gibt ihm Dichtergabe, so daß er ebenso fertig dichte, als spreche. Thôr fügt hinzu, daß er vergesse, was er gedichtet. Odin läßt ihn bei den vornehmsten und besten Männern angesehen sein. Thôr spricht, er solle dem gesammten Volke (alþýdu allri) verhaßt werden. Die Richter bestätigen all Dieses durch Urtheilsspruch.

[1] Als Eigenname mit Substantivbiegung (D. Gramm. I, 769) und zwar zweifacher: gen. Starkads (Fornald. S. I, 412. III, 32) und Starkadar (ebd. I, 331. Sn. Edd. 268). Vgl. Anm. 106. [Lex. isl. II, 351 b: svasadr, al. svösudr.]

[2] Solchen Fluches von Thôr erwähnt auch das dem Starkad zugeschriebene Lied Vikarsbálk in derselben Saga (Fornald. S. III, 35).

Mangelhaft und verworren ist die Erwähnung dieser Schicksalsprüche bei Saxo (VI. 103), wo gesagt wird, Odin habe den zuvor schon durch ungewöhnliche Körpergröße ausgezeichneten Starkather nicht bloß mit tapferem Geiste, sondern auch mit Liederkunst begabt, um ihn als williges Werkzeug zum Verderben des norwegischen Königs Wikar zu gebrauchen; auch hab' er demselben darum drei menschliche Lebensalter verliehen, damit Starkather innerhalb dieser ebenso viele fluchwürdige Thaten vollbringe.

Die Vorbestimmungen, wie sie in der Saga vollständiger und in nothwendigem Gegensatz angegeben sind, bewähren sich durchaus, auch bei Saxo, in den Thaten und Geschicken des Helden. Ob und wie weit aber jene erst aus dem Charakter und den Schicksalen Starkads, wie solche sich in der Volkssage bereits darboten, herausgebildet worden oder umgekehrt [190] die Sage sich aus den einmal vorangestellten Verheißungen weiter entwickelt habe, wird kaum noch zu ermitteln sein. Wahrscheinlich hat Beides in der Art stattgefunden, daß die schon vorhandenen Sagen von Starkad auf obige Formeln zurückgeführt und dann diese wieder zur Abrundung und Füllung der um ihn gezogenen Sagenreihe fruchtbar gemacht wurden.

Sah man in Starkad eine Jötunlarve oder einen wiedergeborenen Jötun, oder galt er sonst für einen Abkömmling des Riesengeschlechts, so lag es freilich nahe, in Thôr, dem Bekämpfer der Jötune, auch seinen Gegner und den Urheber seiner Misgeschicke zu finden. Allein diese Anknüpfung wäre doch nur eine äußerliche. Daß, nach Gautrekssaga, Thôr darum gezürnt habe, weil er einst von Âlfhild dem Jötun nachgesetzt worden, erscheint als willkürliche Vermuthung; denn abgesehen von dem gegen die Abstammung des Helden Starkad von jener Âlfhild obwaltenden Bedenken, erzählt die Saga vorher gar nicht, daß Thôr selbst um Âlfhild geworben und Diese statt seiner den Jötun Starkad gewählt habe, sondern nur, daß sie von Letzterem weggeführt und von Thôr, den ihr Vater angerufen, Diesem zurückgebracht worden sei. Eine erschöpfende Erklärung der mishelligen Göttersprüche muß auf den Gegensatz zwischen Odin und Thôr zurückgehen, der früherhin im Harbardsliede nachgewiesen wurde.

[191] Der Günstling des Kriegsgottes ist eben darum dem Schutzgotte des Ackerbaus zuwider. Wenn Thôr ihm Nachkommenschaft und

Grundbesitz versagt, so ist damit das unstäte Leben des Kämpen, gegenüber dem ansäßigen des Feldbauers, bezeichnet. Treffliche Waffen, reiche Beute an fahrendem Gut sind dagegen angemessene Geschenke des Kriegsgottes, welche hinwider Thôr durch die unersättliche Begierde verkümmert. Daß Jener den Helden bei den Großen beliebt, Dieser ihn dem Volke verhaßt macht [1], das beruht auf demselben Grunde, warum, laut des Harbardsliedes, dem Odin die Jarle, dem Thôr die Thräle zufallen.

Noch aus mehr historischer Zeit, vom Ende des zehnten Jahrhunderts, wird in der Erzählung von der dreitägigen Schlacht Styrbiörns mit seinem Vatersbruder, dem Schwedenkönig Eirek (Fornm. S. V, 245 ff.) Folgendes berichtet:

In der Nacht vor dem dritten Kampftage opfert Styrbiörn dem Thôr, auf Antrieb seines Pflegvaters Ûlf und des Volkes; da wird in seinem Lager ein rothbärtiger Mann gesehen, welcher [192] Unheil verkündigt. In derselben Nacht weiht sich Eirek, um den Sieg zu erlangen, dem Odin und erhält von einem großen Manne mit hereinhangendem Hut (so erscheint Odin irdischer Weise) einen Rohrstengel, den er über Styrbiörns Kriegsvolk werfen soll mit den Worten: „Odin hat euch alle!" Mit diesem Wurfe kommt Blindheit über Styrbiörn und sein Heer und ein Bergsturz erschlägt dasselbe.[2]

Auch hier waltet der Gegensatz zwischen Odin und Thôr, doch ohne mehr ersichtliche innere Begründung, wenn nicht etwa in dem Umstande, daß Styrbiörn auf Verlangen des Volkes (wieder alþýdu) dem Thôr opfert, eine solche noch angedeutet ist.

18. Hâlfdan.

Hâlfdan (Hâlfdanr, Hâlfdan, bei Saxo Haldanus) ist ein Name, unter dem viele vorgeschichtliche Könige und Helden des Nordens vorkommen. Von mehreren dieser Hâlfdane sind sagenhafte Züge verzeichnet,

[1] Gautreks S. (Fornald. S. III, 34) bemerkt, daß Starkad wegen der Tödtung Vikars beim Volke (af alþýdu) sehr unbeliebt geworden sei. Bei Saxo (VIII, 152) gedenkt Starkather, wie er von den Schmieden in Thelemarken zerhämmert worden, und fügt bei:

Hic primum didici, quid ferramenta valerent
Incudis, quantumve animi popularibus esset.

[2] Saxo (X, 182) erzählt diesen Krieg nur kurz und ohne Mythisches.

in denen sich ein gemeinsamer Charakter offenbart. Werden solche äußerlich zerstreute Züge in ihrer inneren Einheit aufgefaßt, so ergibt sich in mehrfacher Erscheinung ein Sagenheld Hälfdan, der mit den Mythen von Thôr in genauer Beziehung steht. Nicht [193] bloß Odin hat seine Helden, auch ein Thôrsheld läßt sich in jenen Hälfdanen aufweisen.

Nach dem Eddaliede von Hyndla (Str. 14 bis 16) ward der ruhmreiche Held Hälfdan durch Eymund mächtig, erschlug mit kühler Schneide den Sigtrygg, führte Almveig heim, der Weiber vornehmstes, und zeugte mit ihr achtzehn Söhne; daher stammen Skiöldunge, Skilfinge, Ödlinge, Ynglinge, daher die erlesensten, zu Grundbesitz und Würde gebornen Geschlechter unter Midgard. Auch die j. Edda (190 f.) erzählt mit Andrem, Hälfdan der Alte, aller Könige berühmtester, ein großer Kriegsmann, der weit im Osten umhergezogen, habe dort den König Sigtrygg im Einzelkampf erschlagen, hierauf die kluge Alvig, Tochter des Königs Emund aus Hölmgard zur Frau erhalten und von ihr achtzehn Söhne gehabt. Die Namen der neun ersten, wie sie hier aufgezählt werden, Thengil, Räsir, Gram (Gramr) ꝛc. sind Appellative, womit in der Skaldensprache Könige und Jarle bezeichnet werden; die neun übrigen Namen sind Stammwörter für die patronymischen Benennungen der sagenberühmtesten Königs- und Heldengeschlechter, die zum Theil auch im Hyndlaliede aufgeführt sind und deren Namen in der Dichtersprache zu gleichem Zwecke gebraucht werden können. In der Erzählung vom Anbau Norwegens (Fornald. S. II, 8 f.) ist Hälfdan der Alte ein Sohn des Königs Hring [194] und einer Tochter des Seekönigs Visil; von seinem Kampfe mit Sigtrygg, seiner Ehe mit Eymunds Tochter, die hier Âlfný heißt, und der zahlreichen Nachkommenschaft wird in der Hauptsache übereinstimmend mit der j. Edda berichtet.

Ausführlicher und mit andern Umständen erzählt Saxo (I, 6 bis 8) den Tod Sigtryggs (Sictrugi). Dieser ist ein König in Schweden und verspricht seine Tochter Gro einem Riesen. Als der Dänenkönig Gram, Sohn Skiolds von Avilda (Âlfhild?), Solches erfährt, macht er sich mit seinem Freunde Bessus auf, die Ungethüme zu bekämpfen. In Thierfelle vermummt, eine furchtbare Wucht (gestamen, Keule, vgl. VII, 122) in der Rechten, begegnet er Gro, die mit wenigen Gefährtinnen nach einer Waldquelle zum Bade reitet. Erschrocken läßt sie die Zügel fallen, denn sie meint, ihr riesenhafter Bräutigam sei es, der die Wege verfinstre. Gram bestärkt sie in diesem Glauben, indem er eine grausige Stimme annimmt, zuletzt aber wirft er die Verhüllung ab und zeigt sich in angeborner Schönheit. So gewinnt er die Liebe der Jungfrau und bietet ihr Verlöbnisgeschenke. Er hört jedoch von Wahrsagern, daß Sigtrygg nicht anders als durch Gold überwunden werden könne. Darum befestigt er an seiner hölzernen Keule einen Knoten von Gold, erschlägt damit im Kampfe den König und bemächtigt sich des Reiches und der Braut.

[195] Saxo läßt die Personen dieser Sage durchaus in lateinischen Versen sprechen, was hier, wie an so vielen Stellen seines Werkes, anzeigt, daß er alte einheimische Lieder vor sich hatte. Er bemerkt hier aber auch ausdrücklich, Gro habe beim Anblick des vermeintlichen Riesen sich „in vaterländischem Liede (patrio carmine)“ vernehmen lassen. Einige Unklarheit in der Darstellung läßt noch weiter vermuthen, daß er die alten Verse theilweise misverstanden habe. Eben daher kommt es wohl, daß er den dichterischen Königstitel Gram, der Zornige, Gestrenge, für einen Eigennamen genommen. Doch ist er selbst nicht weit von der richtigen Auffassung, wenn er sagt (I, 6), Gram habe bei den Nachkommen solchen Ruhm erlangt, daß in den ältesten Liedern der Dänen der Königsadel mit seinem Namen bezeichnet werde. Daß aber dieser Gram, von dem Saxo noch mehr Fabelhaftes erzählt, der alte Sagenheld Hälfdan sei [1], ergibt nicht bloß der Name des von ihm erschlagenen Königs Sigtrygg, sondern auch die gleichartige Erscheinung der bei Saxo weiterhin vorkommenden Hälfdane, welche ebenmäßig Befreier der Jungfraun aus Riesenhand und Streiter mit der Keule sind.

[196] Ein solcher Hälfdan, mit dem Beinamen Bierggram, ist derjenige, den Saxo (VII, 121 ff.) als einen Sohn Haralds seinen historisierenden Stammtafeln einreiht. Derselbe überläßt die Verwaltung des dänischen Reiches seinem Bruder und zieht auf Kampffahrten umher. Er besiegt Berserke und riesenhafte Jungfrauräuber. Als Waffe gebraucht er eine ungeheure, mit eisernen Knoten versehene Keule, oder

[1] Diese Identität hat bereits Finn Magnusen, d. ä. Edd. IV, 309 unter: Haldan, dargethan. Daß Gram als Appellativ zu nehmen sei, vermuthet auch Müller, krit. Unders. 20.

eine Eiche, die er im Vorbeigehn aus dem Boden reißt und durch Abstreifen der Äste zur Keule zurichtet; mit einem Hammer von erstaunlicher Größe (S. 124: miræ granditatis malleo) zermalmt er den in Berserkwuth tobenden Riesen Harthben, der Königstöchter zu rauben pflegte.

Aus den Kämpfen dieses Hälfdans mit Erik, dem Enkel des im Kriege mit Ersterem gefallenen Schwedenkönigs, gehört hieher vorzüglich Folgendes (S. 122):

Von Erik überwunden, flüchtet sich Hälfdan nach Helsingland zu einem gewissen Vitolf, der einst seinem Vater gedient und bei dem er Pflege für seine Wunden sucht. Vitolf hat den größern Theil seines Lebens im Heere zugebracht und sich nach dem Tode seines Herrn in die Einsamkeit dieser Gegend zu ländlichem Leben zurückgezogen. An den eigenen vielen Wunden hat er sich nicht geringe Heilkunde erworben. Wenn aber Jemand mit Schmeichelworten seine Hülfe verlangt, den beschädigt [197] er heimlich, statt zu heilen; denn er meint, Wohlthaten werden ehrenvoller durch Drohung begehrt. Als Eriks Kriegsleute sich seiner Wohnung nähern, um Hälfdan zu überfallen, weiß er ihre Augen so zu umnebeln, daß sie das nahe Haus weder zu sehen noch eine Spur dahin zu erforschen im Stande sind. Durch Vitolfs Bemühung hergestellt, beruft Hälfdan einen ausgezeichneten Kämpen Thoro [1] und kündigt dem Erik von Neuem Krieg an. Die Schlacht findet in einem Thalgrunde zwischen hohen Bergen statt. Als Hälfdan die Seinigen vor der schwedischen Überzahl weichen sieht, besteigt er mit Thoro einen felsigen Berg und wälzt von da ausgerissene Steinmassen auf den Feind, dessen Schlachtreihen unter dem Sturze derselben erliegen. So geschieht es, daß er den Sieg, den er mit Waffen verloren, durch Felsen wieder gewinnt. Davon erhält er den Beinamen Bierggram, ein Wort, das aus Bezeichnung der Berge und der Wildheit zusammengefügt erscheint. Bei den Schweden kommt er dadurch in solches Ansehen, daß er für einen Sohn des großen Thôr gehalten, von [198] dem Volke mit göttlichen Ehren begabt und öffentlichen Opfers würdig erachtet wird. [2]

[1] „accito Thorone conspectioris ingenii pugile." Über die dem Justinus entlehnte Phrase conspectioris ingenii siehe Stephanius Noten zu Saxo S. 154.

[2] „Ob cujus facti virtutem Bierggrammi cognomen accepit: quod vocabulum ex montium et feritatis nuncupatione compactum videtur. Igitur apud Sveones tantus haberi cœpit, ut magni Thor filius existimatus divinis a populo honoribus donaretur ac publico dignus libamine censeretur."

Eben dieser Hälfdan gewinnt, nach Saxo (VII, 124), noch im Greisenalter, das er ehelos erreicht hat, die norwegische Königstochter Thorild einem überaus starken Streiter Grimmo im Zweikampf ab, erhält zum Lohne des Sieges ihre Hand und erzeugt mit ihr einen Sohn Asmund, von welchem abzustammen die norwegischen Könige sich rühmen und so ihre glänzende Geschlechtsreihe von Hälfdan ableiten [1]. Damit knüpft sich die Sage wieder an den zuerst angeführten gemeinsamen Stammvater der nordischen Königsgeschlechter, und Saxos Greis (vetulus) Haldan ist kein Andrer, als jener Hälfdan der Alte (gamli) der isländischen Schriftdenkmäler.

Fragt man aber nach Bedeutung und innerem Zusammenhang dieser Sagen, so ergibt sich ein mythischer Haltpunkt in dem Kämpen Thoro, der im Schwedenkriege Hälfdans Helfer ist. Da von genanntem Ereignisse her Hälfdan als ein Sohn des großen [199] Thôr [2] göttlich verehrt wird, so leuchtet schon damit ein, daß Thoro mit diesem großen Thôr, Âsathôr, dieselbe Person sei [3]. Wenn gesagt wird, Hälfdan habe den Thoro herbeigerufen (accito Thorone), so hieß Dieses ursprünglich: er rief, flehte zu Thôr (hêt â Þôr, Fornald. S. I, 413. III, 15). Auch die Art der Hülfleistung Thoros, das Herabwälzen der Felsmassen, entspricht ganz dem Wesen des Donnergottes, bei dessen Herankunft Berge zittern und Felsen brechen und der auch sonst in der Volkssage für den Urheber des Bergsturzes gilt.

Ist nun einmal Hälfdan als ein unter Thôrs besondrem Schutze stehender Held erkannt, so erlangen auch die ihn auszeichnenden Waffen Beziehung auf den Mythus von Thôr. Hälfdan führt die zerschmetternde Keule, die, nach Saxos Erzählung (III, 41), Thôr (Thoro) selbst

[1] „filium ex ea Asmundum sustulit, a quo se Norvagiæ reges originem duxisse magni æstimant, ab Haldano solennem generationis suæ seriem retexentes.“

[2] VII, 122: „magni Thor filius existimatus.“ Auch anderwärts gebraucht Saxo den Eigennamen Thor ohne Biegungsform; VI, 103: Thor deum ꝛc. Thor (gen.) vel Othini dies ꝛc. II, 23: Thor deo excepto ꝛc.

[3] Vgl. Lex. myth. 646**. An einer Stelle, wo Saxo ausdrücklich vom Gotte Thôr redet (III, 41), gebraucht er auch von Diesem zweimal die Nominativform Thoro. Ein regulus Thoro kommt sonst noch bei ihm (VII, 142) vor, doch ohne erkennbare mythische Beziehung.

im Kampfe für Balder schwingt. Sonst ist des Gottes Waffe der malmende Hammer, aber auch von Hálfdan wird ein solcher gegen den [200] Riesen Harthben gebraucht [1]. Sowie Hálfdan mit Thôrs Beistand und mit dessen Waffen kämpft, so sind auch seine Thaten, schon äußerlich, denen seines Schutzgottes gleichgeartet. Thôr erschlägt Jötune zur Rettung Freyjas, Iduns, Álfhilds; Hálfdan bezwingt Riesen und befreit die von ihnen geraubten oder verfolgten Königstöchter. Man kann nach all Diesem nicht umhin, in dem Wirken des Gottes und seines Helden auch eine innere Verwandtschaft anzunehmen. Thôr gründet und schirmt den urbaren Zustand der Erde, er kämpft zu diesem Behufe für die freundlichen Naturwesen und gegen die jötunischen Gewalten; ein Held, der seinen Zwecken dienen soll, muß auf dem Gebiete, welches der menschlichen Thätigkeit angewiesen ist, der gleichen Richtung folgen, er muß ein Held des Anbaus, ein Bezwinger der starren Natur und der wilden Rohheit sein. Diese menschliche Wirksamkeit, der göttlichen zu Geleite gehend, ist in Thiálfi, dem Gefährten und Diener Thôrs, vorgebildet. Hálfdan ist ein Thiálfi der Heldensage. Es ist schwierig, die Sagen von ihm, wie Saxo sie überliefert, im Einzelnen zu erklären, aber Andeutungen ihres ursprünglichen Sinnes machen sich doch vernehmbar. Die Königstochter Gro, die sich in den Waldquellen [201] baden will und durch Gram ihrem riesenhaften Werber entrissen wird, erinnert an jene mythische Gróa, das Wachsthum, das an den Wassern gedeiht. Der Riese Harthben, Hartbein, der von Hálfdan mit dem Hammer zermalmt wird (miræ granditatis malleo contusus), gemahnt durch seinen Namen an einen Steinjötun, denn die Felsen sind aus des Urriesen hartem Gebein erschaffen und gerade so wird Hrúngnir von Thôrs Hammer zerschmettert. Dem Heldenthume Hálfdans, als des Anbauers und Entwilderers, ist es auch gemäß, ihn für den Stammvater der zu Landbesitz und Würde geborenen Geschlechter [2] zu erklären, und in dieser Eigenschaft als Stammvater heißt er dann passend der Alte. Wo sich Völker ansiedeln und zu geselligem Verein ordnen, da herrschen Hálfdans Söhne. Der

[1] Mit Axthämmern (öxarhömrum) wird in Völs. S. (Fornald. S. I, 215) ein Mann erschlagen. Über die Keule vgl. das Sachregist. zu Fornald. S (III, 756) unter Kylfur.

[2] Hynd. 16: þaðan höldborit, þaðan hersborit ɛc.

Name Hälfdan, Halbdäne[1], selbst bezeichnet den Sohn zweier Volksstämme.

[202] Daß man sich hier auf mythischem Boden befinde, dafür zeugt noch besonders was von Hälfdans Aufenthalte bei Vitolf erzählt wird. Vitolf, Vidölf (Vidólfr), ohne Zweifel derselbe, von dem nach dem Hyndlaliede (Str. 32) alle Valen, Weissagerinnen, abstammen, bedeutet wörtlich den Dämon des Waldes, von vidr, Baum, Wald, mit der, wie schon bemerkt, das Ungeheure, Unheimliche ausdrückenden Anhängsylbe -ólfr. Der besiegte und verwundete Hälfdan flüchtet sich zu dem heilkundigen Vidölf, der in einsamer Waldgegend lebt und nur mit Drohung angegangen seine Hülfe reicht; der Held verbirgt sich im Walde und pflegt seine Wunden mit dem Bast der Waldbäume, mit den heilkräftigen Kräutern und Wurzeln des Waldbodens. Die Drohworte scheinen Beschwörungen zu sein, die zum Heilverfahren gehörten, wie Gróa über Thórs Wunde ihre Zauber sang (Sn. Edd. 110: gôl galdra sîna ꝛc.). Eine Art des Runenzaubers waren, nach dem Eddaliede von Brynhild (Sæm. Edd. 195), Zweigrunen zur Wundenheilung, die auf Waldbäume eingeschnitten wurden. In Beziehung auf die Heilkunde, die im alten Norden vorzüglich dem weiblichen Geschlechte eigen war, konnte Vidölf auch Stammvater der Valen heißen; Gróa wird ebenfalls eine Vala genannt (Sn. Edd. 110)[2]. [203] Vidölf weiß die Verfolger Hälfdans so zu blenden, daß sie alle Spur verlieren und das Naheliegende nicht sehen; im Dickicht des Waldes ist der Verfolgte vor jeder Spähe geborgen. Alles geheimnisvolle Waldleben ist in diesem Vidölf persönlich geworden.

Der Charakter Hälfdans, wie solcher im Bisherigen sich heraus-

[1] D. Gramm. II, 633. Man findet Hálfdan (nom.), Hynd. 14, und Hálfdanr, Sn. Edd. 190. Bei Saxo und Sveno Aggesen: Haldanus. Unter den nordischen Namen im Reichenauer Todtenbuche (Mones Anzeig. 1835, Sp. 97 ff.), das, zu Anfang des neunten Jahrhunderts angelegt, bis in das eilfte hinüberreicht (ebd. Sp. 17), kommt wirklich die Verdeutschung Halbtene (Sp. 100) vor, aber auch Halden (Sp. 98) und Haldan (Sp. 99). Auf gleiche Weise ist die gemischte Abkunft in den althochdeutschen Eigennamen Halp-durinc, Halp-walah angezeigt (D. Gramm. a. a. O. [D. Rechtsalth. 397.] Mone, Anz. 1835, Sp. 389 f.). Auch die vorerwähnten hálf-tröll und hálf-risi schlagen hieher ein.

[2] Über heilkundige Valen in Hinsicht auf Vidölf s. Lex. myth. 553.

gestellt, ist bei Saxo (VII, 133 ff.) noch in einem weiteren Helden desselben Namens eingehalten. Haldan, der Sohn Borkars, wirbt um Guritha, die Tochter Alfs und Alvildas, die Letzte des dänischen Königsstammes, und erschlägt zwölf Wächter derselben, die ihn verfolgen, mit einer Eiche, die er sich als Keule zugestutzt. Sein Sohn von Guritha ist Harald Hyldetand, mit dem die historische Zeit Dänemarks aufdämmert. Hinsichtlich dieser Abstammung steht jedoch Saxo sowohl mit andern Quellen, als mit seiner eigenen anderwärtigen Angabe im Widerspruch [1]. Auch in dieses Hälfdans abenteuerlicher Geschichte ahnt man überall das Mythische, wo man es auch nicht mehr aus seiner Verdunklung zu heben vermag [2]. Lesbar jedoch ist die Bildersprache in folgender Sage (VII, 133 ff.):

[204] Gunnar, der Schweden tapferster, verheert die norwegische Landschaft Jather mit Feuer und Schwert. Beute verschmäht er, Das nur ist seine Freude, leichenbesäte und blutbeströmte Pfade zu wandeln. Seine Wildheit fürchtend, unterwerfen sich die Einwohner. Als der hochbejahrte Normannenkönig Regnald von dem Wüterich hört, verschließt er seine Tochter Drotta mit Dienstgefolg und Lebensmitteln in eine unterirdische Höhle. In dieser verbirgt er auch kunstreich geschmiedete Schwerter, damit sie, denen er selbst sich nicht mehr gewachsen fühlt, nicht in die Hände des Feindes fallen. Auf die Schultern seiner Begleiter sich stützend, begibt der alterschwache [205] König sich in die Schlacht, darin er umkommt. Die Feigheit des besiegten Volkes zu strafen, setzt Gunnar

[1] Müller, crit. Unders. 106 f. Saxo selbst macht (VII, 128) den Harald Hyldetand zu einem Sohne Borkars von Gro, der Gefährtin Alvildas.

[2] Die Eltern Gurithas, Alf: „cujus etiam insignem candore cæsariem tantus comæ decor asperserat, ut argenteo crine nitere putaretur“ (VII, 127), und Alvilda, Álfhild, ein Name, den auch die vom Jötun Störkud geraubte und durch Thôrs Hülfe befreite Tochter des Königs Álf in Álfheim trägt, sowie die ganze Erzählung Saxos (a. a. O.) von Álfs Werbung um Alvilda, haben das Gepräge eines Mythus von Lichtälfen. Ihre Tochter Guritha und die Verwechslung derselben mit Gro (S. 128) erinnert daran, daß Örvandils Gattin, die in Sn. Edda Groa genannt ist, bei Saxo (III, 49) Gerutha heißt, worunter oben ein verwandtes Wort vermuthet wurde. Gram wirbt um Gro, der sagenhaft identische Haldan, Borkars Sohn, gleichfalls unter fabelhaften Umständen, um Guritha; ist nun nicht auch diese gleichartig mit Gro, Groa, Gerutha? Auch daß Haldan nachmals wegen Gurithas Unfruchtbarkeit sich nach Upsala wendet (VII, 137), (woselbst Frey, der Geber fruchtbarer Witterung, verehrt wird, vgl. III, 42. Sn. Edd. 28) greift hier bestärkend ein.

demselben einen Hund zum Gebieter und legt ihm jährlich zweimalige Schatzung auf. Der verborgenen Königstochter spürt er eifrig nach und entdeckt, durch unterirdisches Geräusch aufmerksam gemacht, ihren Aufenthalt. Ihre Diener, die den Zugang der Höhle vertheidigen, erschlägt er, ihr selbst thut er Gewalt an und erzeugt mit ihr einen Sohn Hildiger. Dieser eifert ganz dem Vater in Mordgier und unersättlichem Blutdurste nach und bringt sein ganzes Leben in den Waffen und auf grausamen Kriegszügen hin. Inzwischen hat der Däne Borkar von Drottas Schicksalen gehört. Er tödtet Gunnar und Drotta willigt nicht ungern ein, sich dem Rächer ihres Vaters zu vermählen. Sie gebiert ihm einen Sohn, Haldan, der in seiner ersten Jugend für stumpfsinnig gehalten wird, nachmals aber durch die glänzendsten Thaten zu hohem Ruhme gelangt. Wie er, als Werber um Guritha, zwölf Kämpen mit der Eichenkeule erlegt, ist bereits erwähnt worden. Um noch Größeres zu vollbringen, empfängt er von seiner Mutter die durch ihre Sorgfalt vor Gunnar verborgen gebliebenen Schwerter des Ahns, die ihres Glanzes wegen Lissing und Hwitting genannt sind. Auf die Nachricht von einem [206] Kriege des Schwedenkönigs Alver gegen die Russen eilt er nach Rußland und bietet den Einwohnern seine Hülfe an. Im schwedischen Heere befindet sich Hildiger, Gunnars Sohn. Er fordert die russischen Kämpen heraus; als ihm aber Haldan entgegengestellt wird und er in Diesem seinen Bruder erkennt, meidet er anfänglich den Kampf und gibt vor, daß er, der durch Sieg über siebenzig Kämpen berühmt sei, nicht mit einem wenig angesehenen Manne sich messen wolle. Dieser solle sich erst an geringeren Dingen versuchen und dann anstreben, was seinen Kräften gemäß sei. Haldan verlangt nun einen andern Gegner und erlegt den ihm dargebotenen. Am folgenden Tage streckt er deren zwei darnieder, am dritten drei und endlich eilfe zugleich. Da sieht Hildiger seinen eigenen Thatenruhm erreicht und erträgt es nicht länger, den Kampf zu verweigern. Von Haldans Schwerte, das mit Tuchstücken umwunden ist, wird ihm eine tödtliche Wunde geschlagen. Mit weggeworfenen Waffen am Boden liegend, redet er den Bruder an. Saxo läßt hier eine Reihe lateinischer Verse folgen, denen gewiss altdänische zu Grunde lagen. Darin vergleicht Hildiger das Loos beider Brüder, er selbst sei dem Tode verfallen, während den Andern in längerem, thatenreichem Leben Ruhm und Preis [207] erwarte. Diesem habe Dänemark, ihm Schweden den Ursprung gegeben, Drot habe Beiden die Mutterbrust gereicht. Zu seinem, des Sterbenden, Haupte stehe der schwedische Schild, mit manigfachem Bildwerke geschmückt. Auf den kunstreichen Getäfeln sehe man in bunten Farben die von ihm bezwungenen Fürsten und Kämpfer, seine Kriege und Heldenwerke; auf dem Mittelfelde das Bild seines Sohnes, dem er mit eigener Hand das Leben abgeschnitten. Sein einziger Erbe sei es gewesen, des Vaters eine Sorge, der

Mutter Trost. Aber unabwendbar walte der Nornen Vorausbestimmung (Parcarum præscius ordo). Noch entschuldigt er sich gegen Haldans Vorwurf über das allzu späte Eingeständnis der Blutsverwandtschaft und damit verscheidet er.

Die sprechenden Namen Gunnar, Streiter, und Hildiger (Hildigeirr), Kampfspeer, zusammengehalten mit der in den stärksten Zügen geschilderten Streitlust und Blutgier der Namenträger, machen es klar, daß in Diesen eben die verderbliche Kriegswut allegorisch dargestellt sei. Der rednerische Nachdruck, welchen Saxo in jene Schilderung legt, muß seinen Anlaß in der Sage selbst gehabt haben, wenn auch diese zumeist durch Bild und Handlung sprach. Das Mittelbild auf Hildigers Schilde zeigt seinen einzigen Sohn, den er mit eigener Hand erschlagen; dieser Kampf des Va[208]ters mit dem Sohne, dieses unnatürliche Wühlen im eigenen Eingeweide, dieses Vertilgen der selbstgepflanzten Zukunft, ist in der Sagendichtung mehrerer Völker das Äußerste der tragischen Geschicke, die im Gefolge des Krieges gehen. Tritt in Gunnar und Hildiger die zerstörende Kriegswut so bestimmt zu Tage, so ist damit auch der Fingerzeig gegeben, in ihren Gegensätzen Borkar und Hälfdan ein milderes, wohlthätiges Heldenthum zu suchen, und hier kommt nun zutreffend entgegen, was über Hälfdan als einen Thóröhelden, einen Helden des Anbaus und der Entwilderung, gesagt worden. Der Name seines Vaters Borkar (Börkar, Burkar), der Rindenschäler, bezeichnet zunächst ein ländliches Geschäft, dessen besonders als einer Arbeit der Thräle gedacht wird, die Beischaffung der Baumrinde und des Reisichs [1], und dann wohl in ausgedehnterem Sinne das Ausreuten des Waldes; damit arbeitet Borkar dem Sohne vor, welcher den Boden urbar macht. Bei Hälfdan selbst mag jenes Waldausreuten angezeigt sein, wenn er Eichen aus dem Boden reißt, die er sich zur Waffe [209] zurichtet. Ist auf die ethnographischen Angaben hier überhaupt Werth zu legen, so erscheint Hälfdan, von dem Dänen Borkar mit der norwegischen Erb-

[1] Vgl. Rigsm. 9: „bast at binda ꝛc.“ Gautreks S. (Fornald. S. III, 30) erzählt von dem in der Jugend, wie Hälfdan, wenig versprechenden Ref, er sei in der Küche gelegen und habe Reis und Rinde (hris ok börk) von Bäumen geschnitten. Die Holzart (vidaröx, Fornald. S. II, 343) hieß auch bastöx; mit einer solchen haut Orvar-Odd sich die Keule im Walde (Fornald. S. II, 177. 213).

tochter erzeugt, wirklich als Halbdäne, als Vermittler der Einwanderung mit der neuen Heimath. Die Königstochter, die erst von Gunnar gewaltsam, dann von Borkar zwanglos erfreit wird, heißt aber Drotta, Drött[1], was noch jetzt im Isländischen Volk bedeutet. Drött ist das Volk, dessen sich Kriegsgewalt und Friedenswerk nacheinander bemächtigen. Dem Gunnar hingegeben, gebiert Drött den Hildiger, in dem das blutige Toben seinen Gipfel erreicht und sich selbst aufreibt; mit Borkar vermählt, wird sie die Mutter Hálfdans, der des Vaters nützliche Arbeit vollendet. Hildiger ist dem Tode verfallen, während Hálfdan zu stets ehrenvollerem Werke vorschreitet; die Überwältigung Gunnars durch Borkar, Hildigers durch Hálfdan stellt den Sieg der Cultur über die Wildheit dar. Die Schwerter, deren sich Hálfdan zu seinen Heldenthaten bedient, Liusing (Lýsíng), das Leuchtende, und Hwitting (Hvítíngr)[2], das Weißglänzende, stammen von seinem Ahn Regnald her; Dieser hat sie mit seiner Tochter in der [210] Höhle versteckt und auch Drött hat dieselben vor Gunnar zu bergen und ihrem zweiten Sohne zu bewahren gewußt. Regnald, Rögnvald, der Rathwaltende[3], der Vater des Volkes, der greise König, der mit dem Einbruche der rohen Gewalt dahinsinkt, scheint die Herrschaft des weiseren, bedachtsamen Sinnes zu bezeichnen. Er hinterläßt in jenen wohlgeborgenen Schwertern ein Vermächtnis, das in der Hand seines Enkels Hálfdan das Reich des besseren Rathes herstellt. Unter denselben mögen, dem sonstigen Wesen Hálfdans gemäß, Werkzeuge des Anbaus, etwa Holzaxt und Pflugschaar[4], zu verstehen sein.

Wenn nun gleich in dieser Sagengruppe von Borkar und Gunnar, Haldan und Hildiger, der Ase Thór nicht selbst hervortritt, so gehört sie doch zum Bereiche seines Mythus, nicht bloß weil Hálfdan sonst als Schützling Thórs bekannt ist, sondern auch weil derselbe Gedankenkreis

[1] In der prosaischen Erzählung hat Saxo Drotta, im Verse (S. 136) Drot. Das isländ. Appellativ drött ist auch fem.

[2] Hvítíngr findet sich unter den Schwertnamen in Sn. Edd. 215, auch als solcher in Kormaks S. 80 ꝛc.

[3] Der Name Rögnvaldr kommt mehrfach in den altnordischen Sagen vor, s. das Namenregist. Fornald. S. III, 710. Die vordere Sylbe wird dem Stamme: ragin, auctoritas, consilium (D. Gramm. II, 473) angehören.

[4] [oder Sichel und Sense.]

hier im Leben des Helden, wie anderwärts in dem des Gottes, sich erkennen läßt. Abermals erscheint jener Gegensatz der dem Harbardsliede zu Grunde liegt, und der Kriegsdämon Hildolf [1], in dessen Dienste dort Odin sich befindet, als er dem Thôr die Überfahrt verweigert, ist, selbst [211] in der Bedeutung des Namens, gleicher Natur mit dem furchtbaren Hildiger, der von Hâlfdan bezwungen wird.

Die isländische Saga von Âsmund dem Kämpentödter (Kappabani, Fornald. S. II, 463 ff.) ist, in breiterer Ausführung und mit eigenem Nebenwerk, doch in der Grundlage die gleiche Fabel mit der zuletzt betrachteten von Hâlfdan. Die Namen sind durchaus andre: Budli für Regnald, Hild (Hildr) für Drotta, Helgi für Gunnar, Hildibrand für Hildiger, Âki für Borkar, Âsmund für Haldan. An die Stelle der bedeutsamen Namen bei Saxo sind willkürliche, zum Theil der deutschen oder deutschnordischen Heldensage entnommene getreten [2] und so [212] ergibt denn auch der Sache nach die Vergleichung der Saga mit der Überlieferung bei Saxo, daß in dieser der ursprüngliche Sinn sich reiner und vollständiger erhalten hat.

[1] [Bouterweks Gloss. 169: hildevulf.]

[2] Doch zeigt sich noch die Spur eines der älteren Namen. In den letzten Worten Hildibrands an seinen Bruder lautet eine Halbstrophe (Fornald. S. II, 485):

> Þik drótt of bar af Danmörku,
> en mik sidlfan á (Var. af) Sviþiodu.

Bei Saxo (S. 136):

> Danica te tellus, me Sveticus edidit orbis
> Drot tibi maternum quondam distenderat uber,
> Hac genitrice tibi pariter collacteus exto.

Of bar (wie zwei Zeilen früher: ofborinn) bezeichnet physisches Gebären, vgl. Æg. 23. 33. Hynd. 35, daher wird auch drótt im altnordischen Verse ursprünglich eine Person bezeichnet haben und es ist bei Saxo, der zuvor schon ausführlicher von Drotta erzählt, nicht so leicht ein Misverständnis anzunehmen, als in dem Texte der isländischen Halbstrophe, der wohl eben dadurch unklar geworden ist, daß die Saga an Dróts Stelle Hild eintreten ließ. Diese würde, wenn auch bei ihr noch Bedeutung im Namen zu suchen wäre, den Mythus ganz auf das Kriegerische beschränken, der Kampf der Brüder wäre dann aber nur schwächere Wiederholung Dessen, was mit der Tödtung des Sohnes gesagt ist. Da überdem die weiteren Namen, außer Hildibrand, keinen entsprechenden Sinn darbieten, so ist überhaupt bei jener Änderung keine tiefere Absicht anzunehmen.

Auf Hildibrand den Hünenkämpen (Húnakappi), der statt Hildigers eingetreten ist, hat vielleicht schon vor der jetzigen Fassung der Saga ein kaum verkennbarer Anklang an den Inhalt des deutschen Liedes vom Kampfe Hildebrands, „des alten Hünen," mit seinem Sohne geführt [1]. Die Verse, die in der Saga der sterbende Bruder spricht, stimmen zum Theil wörtlich mit den lateinischen bei Saxo. „Mir zu Haupte steht, sagt Hildebrand (Fornald. S. II, 485), der zerbrochene Schild; aufgezählt sind dort die achtzig Männer, denen ich zum Tode ward; dort liegt zuoberst der süße Sohn; dem Erben, den ich gezeugt, versagt' ich nichtwollend das Alter." Die [213] Saga schickt voraus, daß Hildibrand, in Berserkwut über den Fall seiner Kämpen, auf dem Weg zum Zweikampfe mit Ásmund seinen Sohn gesehen und sogleich erschlagen habe. Diese kurze Meldung sieht ganz darnach aus, als wäre sie erst rückwärts aus dem Vers entstanden, dem sie zur Erklärung dienen soll, wie auch bei Saxo nur in den Versen dieser That erwähnt wird, von der es früher eine besondre, dem deutschen Hildebrandslied in dessen vormaliger, muthmaßlich ebenfalls tragischer Gestalt [2] verwandte Dichtung geben mochte.

Hälfdan ist bei dem von Saxo nach Rußland versetzten Kampfe den Einwohnern (incolis [3]), dem Landvolke zu Hülfe gekommen. Diesem gehören auch er und sein Vater ihrem Ursprung und Wesen nach an. Dafür zeugt schon Borkars Name, nach obiger Erklärung desselben. Der Sohn Hälfdan ist in seiner Jugend als stumpfsinnig (S. 134: „stoliditatis opinione") verachtet und als er um Guritha freit, wirft ihm diese sein nichtebenbürtiges Herkommen und häßlich zugerichtetes Antlitz vor [4]. Letzteres hat Bezug auf ein unbestreitbar sinnbildliches

[1] Hildebr. L. (Lachmanns Ausg.) 37. Vgl. 34. Die genealogisch verbundenen Namen Heribrant, Hiltibrant, Hadubrant, sämmtlich verwandter Bedeutung (Heerklinge, Kampfschwert), weisen nicht minder auf sinnbildlichen Charakter des Liedes, als Gunnar und Hiltigeir bei Saxo so zu nehmen sind.

[2] Dieß soll an andrem Orte, unter Vergleichung der persischen, irischen und russischen Sage, ausgeführt werden. [Schriften 1, 164. 169 ff. Pfeiffers Germania 10, 338. K.]

[3] [búandum.]

[4] S. 135: „generis obscuritatem — quod sanguine parum niteret ꝛc." Ferner: „oris deformitatem — quod rimosi oris jacturam inexpleta cicatrice præferret."

Ereignis, das Saxo (VII, 134 f.) den Geschichten Borkars und [214] Haldans eingewoben hat und welches Demjenigen, was bisher über diese Beiden gesagt worden, schließlich zur Bestätigung dient:

Rotho, ein russischer Seeräuber, bedrängt Dänemark mit Raub und grausamer Gewaltthat. Er ist so unbarmherzig, daß er die Gefangenen selbst der letzten Hülle beraubt. Daher pflegt man noch große und unmenschliche Beraubungen Rotheran zu benennen. Manchmal märtert er auch die Leute auf die Weise, daß er ihren rechten Fuß an der Erde befestigt, den linken an einen herabgebogenen Ast bindet, dessen Zurückschnellen den Körper mitten entzweireißt. Borkar, der das Drangsal seiner Landsleute nicht länger mitansehen will, stellt sich dem Rotho entgegen, der Kampf wird Beiden zum Untergang. In derselben Schlacht soll (fama est) Hälfdan schwer verletzt worden sein und einige Zeit an den erhaltenen Wunden gekrankt haben. Eine derselben, die besonders auffallend den Mund betroffen, bleibt offen stehn, nachdem die übrigen ausgeheilt sind. Die aufgerissene Lippe vernarbt nicht mehr. Dieß zieht ihm einen schimpflichen Beinamen zu, während sonst Wunden, die man vorn empfängt, eher Ruhm als Schande bringen.

Mit dieser Sage ist die Entstehung der Unfreiheit aus Krieg und Eroberung ausgedrückt. Der See[215]räuber (pirata) Rotho vertritt das Übermaß jener im alten Norden an sich nicht für unrühmlich erachteten Freibeuterei, die auch den südlichen Küstenländern in den Einfällen der Normannen furchtbar wurde. Kriegerische Seefahrer, Vikinge, oft von Söhnen hoher Geschlechter, Seekönigen, die großes Gefolg und kein Land hatten (Yngl. S. C. 34), angeführt, überfielen die Strandgegend, verheerten und raubten sie aus und schleppten die Bewohner als Leibeigene hinweg. Es erscheint bereits als eine mildernde Bestimmung in den Satzungen dieser Vikinge, daß Frauen und Kinder nicht in Gefangenschaft abgeführt werden sollen (Fornald. S. II, 37. 53 f. [194]). Rodi (Rodi), die nordische Form für Saxos Rotho, wird in der j. Edda (209) unter den Benennungen der Seekönige aufgeführt; Rodis Wegstrecke (Roda röst, Sn. Edd. 160. Fornm. S. I, 173) wird im Skaldengesange das Meer genannt, Rodis Dach (Roda ræfr, Sn. Edd. 134. 161) der Schild, denn: „Seekönig schien Einer mit Fug zu heißen, der niemals unter rußigem Balken [1] schlief und nie an Heerdesecke trank" (Yngl. S. C. 34), also der einzig den Schild zum Dache hatte;

[1] [Schweizer Burg. II. 361]

so ist nun auch Rodis Raub (Röda rán, Saxos Rotheran) der Raub des schonungslosen Vikings. Der Name Rodi selbst scheint Abhäuter zu bedeuten, einen Plünderer, vor dem sogar die Haut nicht sicher ist, und darauf weist [216] auch der Zusammenhang bei Saxo hin [1]. Rotho begnügt sich überhaupt nicht, seine Gefangenen ihrer Habe zu entblößen, er zerreißt sie selbst, indem er ihnen den einen Fuß emporschnellt, während der andre am Boden haftet. Damit ist wohl eben das grausame Hinwegreißen von der Heimatherde [2] und [217] noch näher die gewaltsame Trennung der Familie, die als Ein Leib gedacht wird [3], verbildlicht. Vorkar und Hálfdan, die Männer des Anbaus,

[1] Sn. Edd. schreibt Rodi und Ródi, Stephanius Rötho, Rötheran; doch gibt weder er, noch Müller, crit. Unders. 105, eine etymologische Ableitung. Lex. isl. II, 211 hat: „rod, n. cutis piscium, at renna úr rodi, macescere, macrescere;“ hierauf gründet sich obige Erklärung. Die zustimmende Stelle bei Saxo (S. 134 f.) lautet: „cujus (Rothonis) tam insignis atrocitas erat, ut cæteris extremæ captorum nuditati parcentibus, hic etiam secretiores corporum partes tegminibus spoliare deforme non duceret; unde graves adhuc immanesque rapinas Rotheran cognominare solemus.“ Schon früher wird bei demselben Schriftsteller (VI, 119) Rotho in einem versificierten Anrufe Starkathers genannt:

Dic Rotho, perpetue timidorum irrisor, an ullos
Frothonem satis esse putas, qui funera septem
Vindictæ unius impendimus?

Starkather, der selbst sich auf Vikingsfahrten umtrieb (VI, 104), war eben damit ein Anhänger Rodis und konnte füglich Diesen als rechten Würdiger einer kühnen und blutigen That anrufen. Der König Röde oder Rödirge-König, der in den Antiq. Annal. II, Kjöbh. 1815, S. 222 ff. hieher bezogen wird gehört, in die Klasse der Könige Dan, Nor ꝛc., der Distrikt Röddinge auf Möen hat ihm rückwärts den Namen gegeben.

[2] Will man auch den Kampf Rothos mit Hano, den Saxo in die vorliegende Sage einflicht, lediglich als eine Misdeutung des Sprichworts betrachten, daß der Hahn daheim am meisten gelte (Stephan. nott. S. 61. Müller, crit. Unders. 105), so muß doch die Beiziehung des Sprichworts irgend einen Anlaß haben, der dann am nächsten im Gegensatze des Heimathlebens und der Trennung von diesem zu suchen ist.

[3] Als Haldan (Sax. VII, 123) Anstand nimmt, mit Syvald und dessen sieben Söhnen zugleich den Holmgang zu bestehen, erwidert Syvald, die Kinder seien nicht vom Vater verschieden, „ita se ac filios unius hominis loco censendos esse, quibus veluti unum corpus a natura tributum videatur.“ Vgl. Hamd. 14. Sn. Edd. 144 [Vitich S. 648.]

sind Rothos natürliche Gegner. Die nichtheilende Lippenwunde, welche Hälfdan aus dem Kriege mit ihm davonträgt, ist das Zeichen der Knechtschaft. Häßliches Angesicht (Rigsm. 8: „fúlligt andlit“) galt überhaupt für Merkmal unfreier Abkunft. Eine Stelle des schonischen Gesetzes besagt aber noch besonders, geschlitzte Nase sei Knechtes Zeichen (trels merk, D. Rechtsalth. 339) und daß nun auch Hälfdans geschlitzte Lippe nicht anders zu nehmen sei, erhellt aus einer Erzählung in Svarfdäla Saga. Hier gibt der Isländer Liotólf seinem Thräl Skidi zum Lohn der Treue die Freiheit und bestimmt seine frühere Geliebte Ingöld demselben zur Ehe; Ingöld willigt unter der Bedingung ein, daß sie binnen fünf Winter die Scharte in Skidis Lippe für wohl ausgefüllt ansehen könne. Wie sie Dieß verstanden, zeigt sich nachher, als sie ihn durch die Äußerung, die Lippenscharte werde sich sonst langsam füllen, zum Unfrieden und zur Gewalt[218]that an einem ihrer Feinde aufreizt[1]. Der schimpfliche Beiname (plenum contumeliæ cognomen), den Hälfdan von jener Wunde erhält, ist eben der Name Thräl. Aber Rotho selbst fällt im Kampfe gegen Borkar, wie nachmals Hildiger von Hälfdans Hand, und dieser für stumpfsinnig gehaltene Jüngling mit dem Knechtszeichen strebt mächtig zu Freiheit und Ehre heran; ihm ist von der Königstochter, um die er wirbt, wie dem Thräl Skidi von Ingöld, die gespaltene Lippe aufgerückt worden und er rastet nicht, bis er durch Thatenruhm die Scharte getilgt hat[2].

Wenn es auffallen mag, daß derselbe Hälfdan, der dem Bauernstand entsprossen, ja durch die Schmach der Knechtschaft hindurchgegangen ist, zugleich Stammvater der Könige sein soll, so berechtigt Dieß doch keineswegs, den Zusammenhang der Sage aufzulösen und durch Spaltung des einen Helden in mehrere den scheinbaren Widerspruch zu beseitigen. Vielmehr gibt sich hier die einfache Vorstellung kund, daß derjenige Stand, der zuerst der spröden Natur die Möglichkeit menschlicher Ansiedlung abgerungen und der im Norden stets eine [219] achtbare

[1] Islendinga Sögur, II (Kaupm. 1830), 169 bis 175. Vgl. D. Rechtsalth. 708.

[2] S. 135: „Haldanus geminum ab ea sibi vitium objectari subjunxit: unum quod sanguine parum niteret, alterum quod rimosi oris jacturam inexpleta cicatrice præferret; ideoque non prius se postulandæ ejus gratia rediturum, quam utramque notam parta armis claritate tersisset.“

Stellung behauptet hat, die Grundlage des gesellschaftlichen Vereins und so auch der Stamm der über diesen Verein waltenden Geschlechter sei. Dem ackerbauenden, seßhaften Stande gegenüber, wenn auch aus ihm hervorgegangen, erhebt sich aber mehr und mehr ein kriegerischer, erobernder, der jenen ausbeutet und niederdrückt, und so wird Hálfdan geknechtet. Doch ihm ist ja sonst ein Gott zur Seite gestanden, der große Erdanbauer Thôr, und Diesem gehört, nach dem Harbardsliede, der Thräle Geschlecht. Sein Schützling kämpft sich auch aus der Knechtschaft ruhmreich wieder empor. So lag in der Hálfdanssage der Stolz und die Ehre des freien Bauers und selbst für den elenden Knecht die tröstliche Verheißung, daß auch er, kein Gottverlassener, einst noch zur angestammten Freiheit auftauchen werde.

Es bleibt noch übrig, die manigfaltigen Erscheinungen Thôrs, die sich in einer langen, durch Götter- und Heldensage fortlaufenden Mythenreihe dargelegt haben, zur Gesammtanschauung seines Wesens zusammenzufassen. Mit der Kraftäußerung Thôrs als Donnerers, vermöge welcher er Steinriesen zermalmt, dem Reiche der Sturm- und Eisriesen ein Ende macht, ist seine Wirksamkeit keineswegs abgeschlossen; er wirkt ja nicht bloß im Donner, oder als Sommerkraft über[220]haupt; auch in der strengsten Winterzeit, wann ihm der Hammer gestohlen ist, rafft er sich auf und trägt Örvandil über die Eisströme. Es genügt gleich wenig, sein Wesen etwas allgemeiner, als Wärme, Feuer, aufzufassen, denn er dämpft, in Geirröd und Hyrrokin, auch die Sommerriesen, die Dämone der verderblichen Hitze, er ist mit jötunischen Naturgewalten jeder Art im Streite begriffen. Sein eigenstes Geschäft, die Bekämpfung der Midgardsschlange, seine Gemeinschaft mit Thiálfi und Hálfdan, der Gegensatz, in dem er mit Odin und dessen Günstlingen erscheint, gehen über so eng gezogene Grenzen hinaus. Er ist nicht selbst Element oder Elementarkraft, er wirkt in den Elementen, durch und gegen sie. Je ausgedehnter und vielseitiger sein Wirken sich äußert, um so tiefer wird der Mittelpunkt desselben in den Grund des Weltlebens gerückt und um so einleuchtender findet man sich auf die umfassenderen Bezeichnungen seines Wesens und Waltens verwiesen. Er heißt der Heiliger

Midgards, Freund und Schirmer der Menschenstämme. In diesem weiten, aber bestimmten Berufe Thôrs, als Schutzherrn der Erde und ihrer Bewohner, treffen alle besondre Eigenschaften, alle verschiedenartige Thätigkeiten desselben zusammen und die Bedeutung jedes einzelnen Mythus hat ebendahin geleitet. Aber nicht in irgend einer blinden Naturkraft, nur in einem göttlichen Willen und Gedanken kann der Ursprung [221] und die fortwährende Belebung eines solchen Waltens gesucht werden.

Thôr ist der Sohn Odins, mit Jörd erzeugt; er stellt, wie gleich Anfangs bemerkt wurde, die Beziehung des göttlichen Geistes zur Erde dar und verfällt damit der in Odin, dem gemeinsamen Asenvater, ruhenden Einheit des nordischen Götterkreises. So wenig aber das Wesen Thôrs mit seiner Eigenschaft als Herr des Donners erschöpft ist, so annehmbar ist doch, daß von dieser sinnlichen Erscheinung der Thôrsglaube ausgieng, von ihr aus sich mehr und mehr erweiterte und vertiefte. Der Donner in seiner Erhabenheit, das Gewitter mit seinen Schrecknissen und Segnungen, verkündigte das Dasein eines Gottes und der niederschießende Blitz zündete ihm sein Opferfeuer an. Wie alsdann auch der Begriff von diesem Gotte sich ausgedehnter und inhaltreicher entwickelte, so blieb doch stets der Donnerhammer sein äußeres Wahrzeichen und jeder einzelne Gesang des großen Thôrshymnus schließt mit dem Kehrreim, wie der flammende Keil auf das Haupt der Jötune herabfährt. Selbst in der weitesten Auffassung seines Wesens und in der Anknüpfung an Odin liegt zugleich wieder die Begrenzung desselben. In Odin offenbart sich der schöpferische Geist, in Thôr die schirmende Kraft, Odin sinnt und forscht, er wirkt die dichterische und kriegerische Begeisterung, Thôr arbeitet unverdrossen [222] und ermuntert den tüchtigen Fleiß. In Folge dieser gemessenen Richtung auf das Gemeinnützliche und der nahen Befreundung, in die er dadurch mit dem Volke tritt, das einen faßlichen Gott verlangt, hat auch Thôr unter allen nordischen Götterwesen die ausgeprägteste Persönlichkeit. Er ist der menschlichste, volksthümlichste, leutseligste der Asen, der „geliebte Freund" seiner Verehrer. Mit seinem Namen war pathenartig ein großer Theil der persönlichen Eigennamen in Norwegen und Island zusammengesetzt. Er begünstigt in der Politik des alten Nordens das demokratische Element und von den zwei abweichenden Entwicklungen des germanischen Gesellschaftslebens die seßhafte Volksgemeinde und das Alod gegenüber der Gefolgschaft und dem Lehenswesen. Während Odin in den königlichen Heldengeschlechtern waltet, während er die Jarle hat, verkehrt Thôr mit allem Volk und verschmäht auch die Thräle nicht. Während Odins Erscheinung stets einen finstern, grauenhaften Hintergrund durchblicken läßt, haben die Sagen von Thôr, selbst in Liedern höheren Stils, eine Beigabe arglosen Scherzes. Seinem herablassenden Wesen kommt auch die ganze Vertraulichkeit des Volkes entgegen; wie er mit diesem das Feld bestellt, dient er ihm auch zur guten Unterhaltung, und wenn es bei munterer Laune ist, zupft es ihn gelegentlich am rothen Barte. Dieses schadet aber der Liebe nicht, [223] man ist ihm nur um so herzlicher zugethan. Noch in der Zeit der Bekehrung zum Christenthum zeigen sich die Spuren dieser Anhänglichkeit; der Isländer Helgi glaubt an Christ und benennt seinen Hof nach ihm, ruft aber doch zu allen wichtigern Unternehmungen Thôrs Beistand an; Andern, die sich von den alten Göttern abwenden, erscheint Thôr im Traume mit Vorwurf und Drohung oder mit der beweglichen Bitte, sein Bild aus dem nicht mehr sicheren Gotteshaus in die Tiefe des Waldes zu versetzen; noch heutzutage geht in Dänemark das Sprichwort vom ersten Frühlingsmonat, Thôr mit seinem langen Bart locke die Kinder an die Wand heraus [1]. Jenes trauliche Verhältnis hat auch unläugbar sein Erhabenes; derselbe Thôr, der den Menschen so nahe tritt, ist der Bändiger aller tobenden Elemente, dem mit dem schwellenden Strom auch die Äsenstärke himmelhoch anwächst, und ein Volk zeigt rüstigen Sinn, das im Donnerhalle die Nähe seines Freundes erkennt.

[1] Ísalend. S. II, 197. Sag. Bibl. I, 310. Fornm. S. II, 162. Bugge, äldgamle danske Bonderegler, Kjöbenh. 1816. S. 15. Lex. myth. 685.

[Von neuerer Litteratur über die Thôrsage mögen hier noch die Schriften von F. W. Bergmann in Straßburg erwähnt werden: Les aventures de Thor dans l'enceinte-extérieure, Colmar 1853, und La fascination de Gulfi (Gylfa ginning), Straßburg 1861. K.]

II.

Odin.

Vom Morgen der Zeiten bis zur Götterdämmerung zieht sich durch die gesammte nordische Mythenwelt der Gegensatz des Jötunen- und des Asengeschlechts. Schon im ersten Ursprunge gesondert, von Anbeginn sich bekämpfend, zum Bestande des Weltganzen nothdürftig vermittelt, bleiben die beiden Stämme doch stets unversöhnt und treten sich endlich zu wechselseitiger Vertilgung entgegen. In den Jötunen erscheint die Materie, das Elementarische, die Naturgewalt, in den Asen offenbart sich der bildende, beseelende, ordnende Geist. Dieser Gegensatz ist bereits im Mythus von Thôr dargelegt worden, jedoch waltete dort vorzüglich die nach außen ankämpfende Asenkraft; der Gott selbst, in diesem beständigen Kampfe sich bewegend und für solchen mit der Gewalt des Elements, mit dem zerschmetternden Donnerkeil, ausgestattet, artete in das Ungestüm seiner Gegner und indem sie wider ihn von allen Enden ihre angestrengteste Kraft aufboten, diente der Thôremythus dazu, die Natur der Jötune in das Licht zu stellen. Soll nun auch andrerseits das innere Wesen des Asengeschlechts sich aufschließen, so muß die Forschung sich zu den Mythen von Odin [1] wenden, in dessen Person der Glaube des heidnischen Nordens den Mittelpunkt und die Einheit des Asenthums, die Tiefe und Fülle, die erregteste und umfassendste Macht des göttlichen Geistes gelegt hat.

Die Betrachtung Thôrs nahm einen sichern Anhalt an dessen sinnlichem Erscheinen als Herr des Donners. Odin hat wohl auch seine Kennzeichen und Zugehörden, mit denen er bei Göttern oder Menschen auftritt; aber jene sind vornherein dermaßen sinnbildlich, seine Verwandlungen sind, gemäß seiner vielseitigen Wirksamkeit, so manigfach,

[1] Die vollständigsten Zusammenstellungen über Odin sind die von Finn Magnusen im Lex. myth. (1828) 261 ff. und Ferd. Wachter in der Ersch-Gruberschen Encyklopadie, Sect. III, Th. VII, (1836) S. 288 ff. im Art. Othin.

seine Erscheinung ist, nach Geistesart, so ungreifbar und flüchtig, daß hier nicht von einer einzelnen Äußerlichkeit erfolgreich ausgegangen werden kann; im Gegentheil wird die Untersuchung über Odin mittelst der allgemeineren Zeugnisse einzuleiten sein, die ihn in der angegebenen Eigenschaft als Haupt der Äsen und Träger des lebendigen Geistes beurkunden.

Bör, der Sohn Buris, den die Kuh Audhumla aus den Salzsteinen hervorgeleckt (Sn. Edd. 7), hat mit Bestla, Tochter des Jötuns Bölthorn, drei Söhne gezeugt: Odin, Vili und Vei (ebd. 1. KOn. 3. Æg. 26. Hyndl. 29); diese bilden aus dem Körper des von ihnen erschlagenen Urriesen Himmel und Erde (Sn. Edd. 8 bis 10. Vsp. 3 ff. vgl. Vafpr. 21. Grîmn. 40 f.), sowie nachher Odin, in Gemeinschaft mit Hänir und Lodur aus Eiche und Ulme das erste Menschenpaar erschafft (Sn. Edd. 10. Vsp. 17 f.). Odin, der erste der drei Brüder (Sn. Edd. 7), Börs Erbe (Hyndl. 29: Burs arfpegi), heißt nun in den Eddaliedern der Äsen oberster (Grîmn. 44), Allvater (Alfödr, Grîmn. 46. Hrafn. 1. Sæm. Edd. 154, 38: Alfödur) und Altervater (Aldafödr, Vafpr. 4. 53; vgl. Aldagautr, Vegt. 6. 18), Vater der Zeiten oder Geschlechter [1]. Folgende Äsen sind gleichfalls in den Liedern als Söhne Odins namhaft gemacht: Baldur, von seiner Gemahlin Frigg, Fiörgins Tochter (Vsp. 36. Æg. 26 f. Vegt. 13 f. Hyndl. 29), Thôr von Jörd, Vali von Rind (Hyndl. 28. Vegt. 16), Vidar (Vsp. 55. Grîmn. 17), Höd (Vsp. 37. vgl. 62. Vegt. 16); neben diesen werden in der j. Edda als solche genannt: Meili (vgl. Haustl. in Sn. Edd. 120), Heimdall, Tŷ, Bragi, Hermöd. Unter dem Götterfürsten (fólkvald goda) und Fiölnirs Geschlecht im Liede der Vala (Vsp. 61) sind ohne Zweifel Odin und seine Abkömmlinge, die Äsen, zu verstehen; der Skalde Hallfred nennt die heidnischen Götter Odins Geschlecht (Odins ætt, Fornm. S. II, 54). Wenn nun gleich Odin beim Schöpfungswerke göttliche Gehülfen hat und auch sonst in wichtigen Angelegenheiten alle Äsen zur Berathung versammelt sind, so

[1] Umschreibend sagt die j. Edda, S. 23: „Odin ist der Äsen oberster und ältester; er waltet über alle Dinge, und wie auch die andern Götter mächtig sind, so dienen ihm doch alle, wie Kinder ihrem Vater." S. 11 (vgl. 24): „Und darum kann er Allvater heißen, weil er Vater aller Götter und Menschen ist und alles dessen, was von ihm und seiner Kraft geschaffen (fullgert) ist."

ist doch er, der sie hiezu beruft (Vegt. 5), schon nach den angeführten Stellen als Leiter und Vorstand derselben anzusehen: geht man aber in das Innere der Mythen ein, so tritt gegen die Manigfaltigkeit und Bedeutsamkeit seines Wirkens und Waltens dasjenige der andern Götter, einzig die Thaten seines kräftigsten Sohns Thôr ausgenommen, völlig in den Hintergrund.

Ewig ist Odin der Männer weisester (Vafþr. 55) und so ist er auch Geber des Verstandes (Hyndl. 3). Von seinem Hochsitze Hlidskialf, Thürbank[1], überschaut er alle Welten, sieht und erkennt Alles, was vorgeht (Sæm. Edd. 39. vgl. 81. Sn. Edd. 10. 21. 39. 69); dort sitzend, forscht er auch in die Tiefe der Erde hinab (Hrafn. 10). Jeden Tag läßt er zwei Raben über die Welt ausfliegen, die sich dann auf seine Achseln setzen und ihm alles Neue, was sie gesehen oder gehört, in das Ohr sagen (Grîmn. 20. vgl. Hrafn. 3. Sn. Edd. 42); sie heißen Huginn und Muninn, Denkkraft und Erinnerung (Grîmn. 20. vgl. Hrafn. 3. Sn. Edd. 42). So ist Odin, selbst wenn er zu ruhen scheint, doch stets mit Umschau und Gedanken auf weitem Wege. Ihm steht auch der Rosse trefflichstes, der graue achtfüßige Sleipnir, Gleiter, zu Gebot, von dem er durch die Lüfte und über das Meer, sowie zu Hels Behausung hinab getragen wird (Grîmn. 44. Vegt. 6 ff. Sn. Edd. 18. 47. 65. 67. 107. Sax. I, 12. Fornald. S. I, 486); daß der Ritt auf diesem schwebenden, dem Wechsel der Winde entsprossenen Pferde wieder den raschen, allwärts ungehemmten Flug des Geistes bedeute, ist im Mythus von Thôr (I, 111 [S. 64]) erörtert worden. Zur Schlange verwandelt, kriecht Odin durch den Fels und mit Adlersgefieder schwingt er sich auf (Sn. Edd. 86). Am häufigsten zieht er unscheinbar als Wanderer aus und führt dann entsprechende Namen: Vegtam, Weggewohnt, Gängräd, Gangwalzend, Gest, Gast, Fremdling ꝛc. Auch nach den Verhüllungen, die er auf solcher Wanderschaft annimmt, ist er benannt: Grim, Grimnir, Verlarvter, Sidhött, Tiefhut ꝛc. Die große Zahl seiner Namen zeugt überhaupt von seiner vielgestaltigen und ebenso vielsinnigen Erscheinung, indem er je für die einzelne Ausfahrt auch einen besondern Namen zu führen pflegt; er selbst sagt in dem

[1] D. Myth. 98 [124]. In der j. Edda ist das Wort mitunter wie ein Appellativ mit dem bestimmten Artikel gebraucht: hlidskialfin, or hlidskialfinnu (Sn. Edd. 21. 69).

Liede, in welchem er selbst, als Grimnir, eine lange Namenreihe, zum Theil mit den Anlässen, bei welchen er so geheißen ward, aufzählt: „mit éinem Namen hieß man mich niemals, seit ich unter Völkern fuhr;“ und am Schlusse dieser Namen fügt er bei, daß doch sie alle von ihm, dem einen, ausgegangen seien (Grimn. 48. 54. vgl. Sn. Edd. 25). Aber auch Zweck und Erfolg seiner Reisen und Wandlungen spricht er anderwärts, als Gângrâd, aus: „Viel fuhr ich, Vieles versucht' ich, viel erprüft' ich waltende Mächte“ (Vafthr. 3. 44 ff.).

Die Ableitung des Namens Odin (Odinn) von dem altnordischen Zeitworte vada, gehen, durchschreiten, ist nicht nur sprachlich und in der Eigenschaft des Geistes, als des alldurchdringenden, wohl begründet [1], sondern es bezeugen auch schon die vorstehenden Andeutungen,

[1] D. Myth. 94 [120. K.]: „Unzweifelhaft ist wohl die unmittelbare Abkunft dieses Wortes [althd. Wuotan, nord. Odinn] aus dem Verbum ahd. watan, wuot, altn. vada, ôd, welches buchstäblich dem lat. vadere entspricht, und meare, transmeare bedeutet, cum impetu ferri. Ebendaher stammt das Substantiv wuot, das, wie μένος und animus, eigentlich mens, ingenium, dann Ungestüm und Wildheit ausdrückt; im altn. ôdr haftet noch ganz die Bedeutung mens oder sensus. Hiernach scheint Wuotan, Odinn das allmächtige, alldurchdringende Wesen, qui omnia permeat; die geistige Gottheit.“ Über das Wegfallen des Anlauts v vor gewissen Vocalen im Altnordischen s. D. Gramm. I, 310 f. Der Zusammenhang des Namens mit ôdr, m. mens, ist schon im Lex. myth. 364 bemerkt; außerdem kommt ôdr, adj. mente captus, insanus, furens in Betracht (vgl. Wachter S 288); diese beiden Wörter von völlig entgegengesetzter Bedeutung vermitteln sich im allgemeinen Sinne des Stammwortes vada, welches einerseits dem beweglichen Geiste die Bezeichnung gibt, andrerseits von dem heftigen Gange des Tobenden gebraucht wird (Sæm. Edd. 262, 94. S. af Hâlfdani Eysteinss. bei Biörner S. 6 [p. m. 462: ôdu þeir svâ grimmlega fram u. s. w.]. Ob der Name des Gottes kurzen Hauptvokal, o, habe (wie im præs. ind. ved, inf. vada, part. præt. vodinn), oder langen, ô (gleich dem præt. ôd, subst. und adj. ôdr), darüber ist verschiedene Meinung. Die rastischen Texte der Edda gebrauchen kurzen, die neueren Ausgaben der Sagan langen Selbstlauter. J. Grimm schrieb früher Ôdinn, D. Gramm. I, 290. II, 171; neuerlich, in der Mythologie, hat er sich für Odinn entschieden. Der Reimgebrauch der Skalden gibt kein sicheres Zeugnis, da selbst im vollen Binnenreime (adalhendíng) der gedehnte Vokal mitunter auch mit dem betonten kurzen gebunden ist (z. B. blôd: rôda, Sn. Edd. 231). So findet man die Reime: Odins: liodum, Odins: roda (Fornm. S. II, 52. 54), frôdr: Odins (Sn. Edd. 104).

daß die nordische Mythologie in ihrem Odin eben diese nach allen Richtungen ausgehende und eindringende Bewegung des Geistes vornehmlich aufgefaßt habe. Zur vollen Anschauung aber kann sich dieses nur dann herausstellen, wenn man dem Gotte auf allen seinen Pfaden und in allen seinen Verwandlungen, soweit davon noch Spur und Gedächtnis vorhanden ist, nachgeht. Manche Sagen von ihm, deren beiläufig Erwähnung geschieht, sind zwar ihrem inneren Bestande nach verloren, gleichwohl ist Zahl und Umfang der noch erhaltenen beträchtlich. Für die geordnete Folge derselben ist eine Haupteintheilung nothwendig, je nachdem nemlich in ihnen die Thätigkeit des geistigen Gottes auf die Natur oder auf das Geistesleben selbst in Götter- und Menschenwelt gerichtet ist.

Das Wirken Odins in der Natur beginnt mit der Schöpfungsgeschichte. Er selbst hat bereits seine Ahnen aufzuweisen. Nach einer Seite nennen die Eddalieder nur seinen Vater Bör oder Bur (Vsp. 4: Börs synir. Hyndl. 29: Burs arfþegi); dieser Name bedeutet Sohn und nach der j. Edda ist Bör (Börr) der Sohn des von der Kuh Audhumla aus den salzigen Reifsteinen in drei Tagen hervorgeleckten Buri (Sn. Edd. 7. vgl. 98). Mutterhalb ist Odins Ahn der Jötun Bölthorn, dessen Tochter Bestla [1] dem Bör die drei Söhne geboren hat, deren erster Odin ist (Sn. Edd. 7). Von dem klugen Bölthorn, Bestlas Vater, hat Odin neun gewaltige Lieder gelernt (Rûn. 3)[2]. Bei so dürftigen Angaben über diese urweltlichen Wesen hilft es wenig, daß ein Theil ihrer Namen dem Worte nach erklärbar ist. Es ist nur so viel gegeben, daß es der Entwicklung durch mehrere Stufen bedurfte, bis in Börs Söhnen die schöpferische Kraft gezeitigt war, und daß hiezu die Verbindung zwischen Buris Stamme und den Jötunen mitwirken

[1] Eine andre Lesart der j. Edda ist Besla; allein die obige wird durch den Reim in einem Skaldenliede bestätigt: flestr vidson Bestlu (Sn. Edd. 98).

[2] Wörtlich: „von dem klugen Sohne Bölthorn (af inom fróda syni Bölþorni)“; aber wessen Sohne? der Name des Vaters dürfte hier offenbar nicht fehlen. Aber wahrscheinlich ist hier entweder irrig fódur in syni, oder richtig syni in fódur corrigiert worden und dann durch Nachlässigkeit oder Misverständnis beides zusammen in den Text gekommen. [Vgl. Lünings Edda S. 289. K.]

muste. Bölthorns Abkunft ist zwar nicht namentlich angezeigt, aber als Jötun gehört er zu Ymirs, des Urriesen, Geschlechte. Wenn er klug, kundig, genannt wird und wenn Odin von ihm Lieder erlernen konnte, so beruht dieß darin, daß auch die Jötune ihre besondre Weisheit, ihre eigenen Runen (Vafþr. 42 f. Rûn. 6) haben. Schon Örgelmir, der Uralte, wie Ymir auch genannt ist, hat das gleiche Beiwort wie Bölthorn: „der kundige (frôdi) Jötun," und ebenso dessen Enkel Bergelmir, der Bergalte, Steinalte (Vafþr. 30. 33. 35); „vielwissend (hundvîss)" ist eine Bezeichnung des Eisriesen Hymir und andrer Jötune (Hym. 5. Sæm. Edd. 145, 25. Sn. Edd. 113. Fornald. S. III, 15. 32. vgl. D. Myth. 304). Grund und Gegenstand dieser Wissenschaft lassen sich wohl ermitteln. Der chaotische Ymir war vorhanden, ehe noch Buri hervorkam: „unzählige Winter, bevor die Erde geschaffen war, da war Bergelmir geboren; Thrûdgelmir war dessen Vater, aber Örgelmir der Ahn" (Vafþr. 29. 35. vgl. Vsp. 3); daher war die Kenntnis des Urstoffs, der ältesten, vorweltlichen Dinge, des Wesens und Lebens der Elemente, den Jötunen angestammt und bei ihnen zu holen. „Ich gedenke der Jötune, der frühe geborenen, welche mich vormals gelehrt hatten," singt die mythische Seherin (Vsp. 2) und so kann sie von Ymirs Urzeit anheben. Odin, der selbst vom Jötun Bölthorn stammt und ihm mächtige Lieder abgelernt hat, mag eben auch dieser Seite seiner Abkunft und diesem Unterricht die Erkundung und Bewältigung des Stoffes mit verdanken, den er zum Schöpfungswerke verarbeitet.

Frühe der Zeiten war, da Ymir hauste, nicht Sand war, noch See, noch kühle Wogen, Erde fand sich nicht, noch oben Himmel, gähnender Schlund war, Gras nirgends; bis Börs Söhne die Kreise[1] erhoben, die, welche Midgard, das vielbekannte, schufen; Sonne schien südher auf kühle (svala, a. salar) Steine, da ward der Grund bewachsen mit grünem Lauche (Vsp. 3. 4).

Aus Ymirs Fleische ward Erde geschaffen, aber aus dem Blute See; aus den Gebeinen Bergfels, Baum aus dem Haare, Himmel aus der Hirnschale des reifkalten Jötuns; aus seinen Brauen machten freund-

[1] biödum (a. biödum) ypdo, Vsp. 4; biodr, m. orbis, discus; wahrscheinlich Erd- und Himmelsscheibe, jörd und upphimin, die in der vorhergehenden Strophe vermißt wurden. Unter den Benennungen der Erde, Sn. Edd. 220, findet sich biöd; Lex. isl: biód, f. terra, hemisphærium inferius.

liche Mächte Midgard den Menschensöhnen; aus seinem Hirne wurden die mismuthigen Wolken alle geschaffen (Vafþr. 21. Grimn. 40 f.). Die j. Edda führt diese Liederstellen weiter aus und sagt ausdrücklich, daß Börs Söhne den Jötun Ymir erschlagen haben (Sn. Edd. 8). Im ferneren Verlaufe des großen Werkes begeben sich die heiligen Götter alle auf ihre Rathstühle und ordnen, da die Gestirne noch gänzlich irre sind, den Mondwechsel, die Tageszeiten und damit auch die Jahrzählung; gleichermaßen verständigen sie sich, wer das Zwergevolk schaffen solle aus Brimirs, auch des Urriesen, Fleisch und schwärzlichen Beinen (Vsp. 5 f. 9. vgl. Sn. Edd. 9. 15); zur Belebung des ersten Menschenpaars gehen hernach wieder Drei von der Götterschaar aus, starke und liebende Äsen, Odin, Hänir und Lodur (Vsp. 17 f. Sn. Edd. 10).

Schaffen (at skapa, skepia) bedeutet in der nordischen Schöpfungssage nicht ein Hervorrufen aus nichts; der Stoff, aus und in dem die Äsen schaffen, ist ohne ihr Zuthun bereits geworden, er ist in Ymir sogar schon als belebt und zeugend dargestellt. Aber ihre Wirksamkeit besteht darum doch nicht im bloßen Scheiden, Ordnen und Umgestalten der vorhandenen Masse, sie ist in dem Sinne wahrhaft schöpferisch, daß sie ihren Bildungen eine neue Triebkraft, ein neues Gesetz des Daseins einpflanzt. Die Gestirne, nach der j. Edda Funken aus Muspellsheim, der Feuerwelt (Sn. Edd. 9), erschienen am Himmel: „aber Sonne wuste nicht, wo sie Säle hatte, Sterne wusten das nicht, wo sie Stätten hatten, Mond wuste das nicht, was für Macht er hatte" (Vsp. 5); erst aus der Berathung der Äsen kommt in die Stellung und Bewegung dieser Lichtwesen der leitende Gedanke; die Erde ist bereits vom Himmel geschieden, aber damit das Werk der Götter an ihr noch nicht vollbracht; wieder im Rathe der Äsen wird die Erschaffung der Zwerge beschlossen, jener stillarbeitenden Kräfte, die den Erzeugnissen der Erde den Stempel sinnreichster Kunst aufdrücken; vor Allem aber erweisen sich die Äsen nicht bloß als Urheber und Ausspender weltbildender Gedanken, sondern auch als Geber vollen, selbständigen Geisteslebens, indem sie dieses den Menschen einhauchen, von deren Erschaffung, sowie von Odins besondrem Antheile daran, weiterhin ausführlicher zu handeln ist.

Während Völuspá nur im Allgemeinen „Börs Söhne" als Weltschöpfer bezeichnet, sind dieselben in der j. Edda einzeln benannt: Odin, Vili und Ve (Sn. Edd. 7. vgl. Yngl. S. C. 3). Auch in einem andern

Eddaliede (Æg. 26) stehen Vei und Vili zusammen und ein Skaldenlied nennt den Odin Bruder Vilis (Sn. Edd. 97). Über diese beiden Brüder Odins wird auch durch das Verhältnis, in welches sie nachher zu der Göttin Frigg treten, wenig Licht verbreitet; doch bestätigen die Namen Vei und Vili [1], in ihrer Beziehung auf vê, n. pl. Heiligthum, vilia, wollen, vili, m. Wille, daß auch diese Theilnehmer am Schöpfungswerke ursprünglich der geistigen Ordnung des Götterreichs angehören.

In der geschaffenen Welt ist Odin fortwährend auch nach der Naturseite wirksam, theils unmittelbar, theils mittelst der Verbindungen, die er eingeht, und der Sprößlinge aus solchen. Daß in seiner Verbindung mit Jörd die Beziehung des göttlichen Geistes zur Erde ausgedrückt und daß durch die Abkunft von besagtem Elternpaare Thôr zum Schutzherrn der Erde und ihrer Bewohner berufen sei, ist im Mythus von diesem Gotte dargelegt worden. Aber mit der Bestellung dieses Schutzes ist Odin selbst der Sorge für die Erhaltung und das Heil der Erde nicht gänzlich enthoben. So rastlos und siegreich Thôr die gewaltsamen Anfälle der Jötune abwehrt, so gibt es doch Zeitpunkte, wo das Leben der Welt im Innersten angegriffen, das geordnete Ganze einer durchgreifenden Störung zu unterliegen scheint; dann ist es an Odin, den Grund des Übels zu erforschen, den wankenden Bau wieder in seine Fugen zu rücken, durch neues Schaffen und Zeugen die alternde Schöpfung aufzufrischen. Diese verschiedenartige Thätigkeit beider Äsen im gleichen Gebiete hat sich bereits in der zweifachen Auffassung des Naturmythus von Iduns Verschwinden, über welchem die Götter selbst grauhaarig und runzlig werden, herausgestellt (I, 114 [66] ff.): nach der einen ist Idun von dem Sturmriesen Thiassi geraubt und die Geschichte ihrer Wiederkehr schließt damit, daß Thôr den übermüthigen Jötun erschlägt; nach der andern ist die Göttin unter den Stamm der Esche hinabgesunken und nun läßt Odin seinen Raben, das Sinnbild seines Gedankens, um Rettung ausfliegen, er sendet seine Boten zu ihr, sie um die Geschicke der ängstlich bedrohten Welt zu befragen, und lauscht selber

[1] Vêa ok Vilja, acc. (Æg. 26) setzt die Nominativform Vei, Vili oder Vilji voraus, dagegen verlangt der gen. Vilis, im Liede Egils, Sn. Edd. 97, den nom. Vilir, wie der Name in Yngl. S. C. 3 lautet. In Fornald. S. II, 4 kommen zwei sagenhafte Könige Vee und Vei vor.

auf Hlidskiálf in die Tiefe hinab. Denselben Unterschied ergibt die Sage vom Tode Geirröds nach ihrer doppelten Gestaltung, derjenigen, worin Thôr als Held auftrat, und einer andern, in welcher Odin das Wort nehmen wird.

Odins Ehefrau ist Frigg, Fiörgins Tochter (Æg. 26). Sie theilt mit ihm den Hochsitz Hlidskiálf (Sæm. Edd. 39) und kommt mit ihm zum Göttermahle (ebd. 59. Hrafn. 23). Ihr sendet Nanna noch aus Hels Behausung ein Frauentuch (ripti, Sn. Edd. 68), nach dem Eddaliede von Rig ein Abzeichen der Hausfrau (Rîgsm. 18. 20. 25). Friggerock, Friggs Spinnrocken, ist schwedisch ein Sternbild benannt (Ihre, Gloss. I, 603) und Friggs Gras (Friggiargras, sonst auch hionagras, herba conjugalis), isländisch ein Kraut, das zum Liebeszauber dient (Lex. myth. 105 f. vgl. Fornald. S. III, 576. D. Myth. 192). Der König Rerir, einer der Ahnherrn des Volsungenstammes, und seine Frau bitten die Götter um Nachkommenschaft; Frigg erhört ihre Bitte und sendet ihnen einen befruchtenden Apfel (Fornald. S. I, 117 f.)[1].

In Friggs Gefolge geht Fulla, eine Jungfrau noch, mit losem Haar und Goldband um das Haupt; ihr schickt Nanna einen goldenen Fingerring; sie trägt Friggs Lade und verwahrt ihre Fußbekleidung, auch weiß sie um heimlichen Rath mit derselben (Sæm. Edd. 39. Sn. Edd. 36 f. 68. 79. 133). An sie reihen sich andre weibliche Gottheiten: Siöfn, welche sehr darauf bedacht ist, den Sinn der Weiber und Männer zur Liebe zu wenden; Lofn, die so mild und gut anzurufen ist, daß sie Erlaubnis von Allvater oder Frigg zur Verbindung von Weibern und Männern erlangt, wenn auch solche zuvor verboten oder verweigert war; Vör, die auf Eide der Menschen und auf Verabredungen zwischen Frauen und Männern horcht und an den Wortbrüchigen Rache nimmt; Syn, welche die Thür der Halle hütet und vor denen verschließt, die nicht eingehen sollen (Sn. Edd. 37 f.).

Diese einzelnen Angaben lassen sich leicht zur Einheit verknüpfen: Frigg ist Beschützerin und Stifterin des ehlichen, häuslichen Lebens. Mit Schleiertuch und Spinnrocken erscheint sie selbst als Hausfrau; noch ganz in dieser Eigenschaft hat ein isländischer Schwank aus dem Mittel-

[1] Daß auch Gebärende sie anrufen, wäre an sich dem Wesen dieser Göttin nicht fremd, folgt aber nicht aus Sæm. Edd. 240, 8.

alter sie aufgefaßt: einem Manne mit Namen Ekidi träumt es, er sei nach Valhöll gekommen und habe Frigg um Butter gebeten, aber sie hat fast keine mehr übrig und muß welche kaufen lassen [1]. Ehegenossin des Äsenvaters, segnet sie auch irdische Ehen mit Liebespfändern. Ihr Name wird formgerecht und sachgemäß von der Wurzel abgeleitet, die noch im gothischen Zeitworte frijôn, lieben [2], im deutschen freien, hervorsteht; so liegt es auch nahe, den Namen ihres Vaters, Fiörginn, auf das nordische fiör, n. Leben, Lebenskraft, zu beziehen [3]. Nach Frigg ist noch der sechste Wochentag, der Tag der Venus, Friadagr [4] benannt. Entsprechend in Namen und Beruf, schließen sich dann um Frigg die fünf vorbemeldten Untergöttinnen. Fulla, die noch Jungfrau

[1] Über das Gedicht Skida-Rîma, das ins 13te bis 14te Jahrhundert gesetzt wird, sind Nachrichten zerstreut bei Suhm, Om Odin (Kiöbh. 1771), S. 251. 124 und im Lex. myth. 105. 523.

[2] D. Myth. 191 f. Hym. 9: minn fri, amasius, maritus, dominus. Vgl. Maßmann, Glossar. goth. 133. Schmeller, Bayr. Wörterb. I, 610.

[3] Der männliche Eigenname kommt nur im gen. vor: Sæm. Edd. 63, 26: Fiörgins. Sn. Edd. 10: Fiörgvins. 118: Fiörgyns. Daneben besteht ein weiblicher Name Fiörgyn, gen. Fiörgynjar (Sæm. Edd. 9, 57. 80, 54. Sn. Edd. 220), ein Synonymon von Jörd; über dessen Verwandtschaft s. D. Gramm. II, 175. 453. D. Myth. 116 f. Bedenkt man, daß fiörgyn. Bergland, keine Anknüpfung an das Wesen Friggs darbietet, daß die Ähnlichkeit der Laute leicht zu völliger Ausgleichung derselben führen und hiebei die als Mutter Thôrs öfter genannte Fiörgyn die Oberhand gewinnen mochte, daß die schwankende Schreibung des männlichen Namens auf Entstellung desselben hinweist, daß die mit fiör identischen Wörter verwandter Sprachen sämmtlich in den Kehllaut auslaufen (angels. feorh, althochd. ferah, mittelhochd. verch), und hiedurch die Einmischung des g veranlaßt sein konnte, daß auch eine andre Namenbildung aus fiör in dem gleichfalls allegorischen Fiöri, Fiörvi (ob. I, 187 [107. A.]. Fornald. S. III, 16), vorhanden ist und daß sich auf ähnliche Weise ein Fiörinn, Fiörvinn (vgl. D. Gramm. I, 312) bilden, unter vorbemerkten Umständen aber zu Fiörgvinn, Fiörginn, Fiörgynn entstellt werden konnte, so wird die für den inneren Zusammenhang sich empfehlende Ableitung von fiör nicht unausführbar erscheinen.

[4] Lex. isl. I, 248, auch Lex. myth. 84 setzen bei: Freyjudagr; dieß scheint aber nur erklärende Bemerkung zu sein, in Folge der Ansicht, nach welcher Freyja die nordische Venus ist; für Frigg stimmt die Benennung des Tages in den verwandten Sprachen und Mundarten, D. Myth. 88 bis 90. 191. Wäre Freyjudagr wirklich im Isländischen zugleich gebräuchlich, so würde das zu den nachher zu besprechenden Schwankungen zwischen Freyja und Frigg gehören.

ist, die vollgewachsene Jungfrau mit losem Haar und goldnem Kopfbande, dem Schmucke des Mädchenstandes [1], ist Friggs Dienerin und Vertraute; auf was aber die vertrauliche Berathung sich beziehe, deutet noch besonders der goldene Fingerring an, den Nanna ihr zuschickt (I, 148 f. Sn. Edd. 68). Sie ist die Jungfräulichkeit in ihrer vollen, bräutlich erschlossenen Blüthe, und so gesellen sich ihr die vier andern Wesen, die schon durch den offenen Wortsinn ihrer Namen als persönlich gestaltete Abstufungen und Gegensätze der Liebeswerbung kenntlich sind, Siöfn, Sehnsucht, welche die Gemüther zur Liebe wendet, Lofn, Gestattung, und Syn, Verweigerung, die zwei entgegengesetzten Erfolge der Werbung, Vör, Vertrag, verbürgte Zusage [2]; die Vollendung und Mitte des Ganzen aber ist in Frigg, die, nach dem ernsten Sinne des Nordens, über Liebe und Ehe zugleich waltet.

[1] In schwedischen Volksliedern geht die Braut mit Goldkrone und ausgeschlagenem Haar zur Kirche:

med guldkronan röd och utslagit hår,

und es ist schwere Beschimpfung, wenn man sie das Haar aufbinden heißt:

stolts Inga, stolts Inga, du bind upp ditt hår!

Arwidsson I, 279 f. 275. Afzelius II, 142.

[2] Lex. isl. fullr, plenus; fullaldra, fullordinn, fulltida, fullvaxinn, majorennis, maturus, adultus. Zu Siöfn: siöfn, f. sponsa, siafni, m. procus, amasius, zunächst aber das dänische savne, vermissen, sich sehnen, verlangen. At losa, permittere; at synia, renuere, negare, syn, f. abnegatio. Zu Vör s. Þrym. 32; wara, althochd. fœdus, pactum, J. Grimm in den Altdeutschen Blättern von Haupt und Hoffmann I, 371. Sn. Edd. 37 f. gibt selbst Etymologieen, doch in umgekehrter Richtung, so daß die Appellative von den Eigennamen abstammen: von Siöfn sei ein Liebender siafni genannt; von Lofn komme lof, hier im Sinne von Lob genommen, was auf das angegebene Amt der Göttin nicht paßt, welches die andre Bedeutung von lof, Erlaubnis, fordert. Syn wird noch besonders auf das Verneinen (neita) vor Gericht bezogen. Von Var heißen die Verabredungen zwischen Weibern und Männern varar; es werden nemlich hier (sowie Sn. Edd. 212 a oben) zweierlei Wesen aufgezählt: Var, in oben angegebener Eigenschaft als Versteherin der Verträge und Gelöbnisse, und Vör im Sinne von Wahrsamkeit, Aufmerksamkeit; allein nach Rasks Bemerkung wäre a in einem (einsilbigen) weiblichen Namen gegen die Natur der Sprache, er nimmt daher nur den einen Namen Vör und, noch aus andern Gründen, auch nur eine Person an (Sn. Edd. 37. Anm. 6). Varar, gen. in Þrym. 32, setzt die erstere Bedeutung voraus, lautet aber ganz richtig vom nom. Vör um. (Vgl. noch Fornald. S. I, 14 f.)

Die j. Edda nennt zwar jene fünf weibliche Wesen in einer Aufzählung der Åsinnen überhaupt, unter denen namentlich Odins Gemahlin den ersten Rang einnimmt; daß aber jene einer eigenthümlichen Gruppe angehören, in deren Mittelpunkt Frigg nicht bloß äußerlich zu stellen ist, beruht theils auf ausdrücklichen Zeugnissen,. theils im einleuchtenden Zusammenhange. Das nahe Verhältnis Fullas zu Frigg ist bestimmt ausgesprochen; auch von Lofn wird namentlich gesagt, daß sie mit Frigg im Vernehmen stehe, Syn aber ist von Lofn unzertrennlicher Gegensatz; Siöfn und Vör endlich bewegen sich so ganz auf demselben Gebiete mit den Vorigen, sind so gleichmäßig mit ihnen aus der Sprache in die Allegorie gebildet, daß auch sie nicht abgelöst werden können, und stehen einander selbst in der Art gegenüber, daß Siöfn die erste Regung der Liebe, Vör aber den festgeschlossenen Bund derselben, das Verlöbnis, darstellt[1].

Diese Gruppe gehört allerdings zu den streng allegorischen, auch ist dafür keine Quelle angegeben. Doch begegnet man sämmtlichen Namen in den Denkversen (Sn. Edd. 212a), deren Inhalt im Ganzen aus der Skaldendichtung geschöpft ist. Belebter und selbständiger, als die vier übrigen, erscheint Fulla; auch ist sie anderwärts besser bezeugt, der Mythus von Baldurs Tode gedenkt ihrer und in der Einleitung zum Eddaliede Grimnismál hat sie eine Botschaft ihrer Gebieterin auszurichten (Sæm. Edd. 39); ein Skaldenvers umschreibt, auf ihr goldenes Haarband anspielend, das Gold als Sonne von Fullas Stirne (Sn. Edd. 133). Aber auch Vör ist in einem Mythenliede beiläufig genannt, Thrym, Herr der Thurse, heißt den Thórshammer auf die Kniee seiner Braut legen: „weihet uns zwei zusammen mit Vörs Hand (Varar hendi,

[1] Unter den Åsinnen, welche Sn. Edd. 36 ff. aufzählt, sind noch zwei ausdrücklich an Frigg gebunden, Hlín und Gná. Von ersterer heißt es: „sie ist zur Obhut über diejenigen Leute gesetzt, welche Frigg vor irgend einer Gefahr bewahren will.“ Allein die von Hlín handelnde Stelle der Liederedda (Vsp. 54) läßt, wie an seinem Orte gezeigt werden soll, kaum eine andre Erklärung zu, als daß unter diesem Namen Frigg selbst verstanden sei. Gná wird von Frigg in ihren Geschäften in verschiedene Welten gesandt, sie hat ein Pferd, Hôfvarpnir, Hufwerfer, das durch Luft und über Wasser rennt, und es werden hiezu die im Mythus von Frey ausgehobenen Verse angeführt, aus denen jedoch über die Bedeutung dieser Göttin nichts Näheres erhellt.

þrym. 32)!" Syn, den Eingang der Halle wehrend, ist in anschauliche Handlung gesetzt.

Noch ist hier der Umstand zu erwägen, daß in der j. Edda nicht Frigg, sondern Freyja, als Göttin der Liebe bezeichnet wird; der Freyja sei Liebesgesang angenehm, und es sei nützlich, sie in Liebessachen anzurufen (Sn. Edd. 29); eine Handschrift der Skálda nennt sie geradezu Liebesgöttin (ástaguð, Sn. Edd. 113. Anm. 3). Demgemäß ist auch in der mehrangeführten Aufzählung der Äsinnen Freyja unmittelbar vor den auf Liebesverhältnisse sich beziehenden Gottheiten Siöfn, Lofn, Vör und Syn eingeschoben, Frigg aber von denselben der Reihenfolge nach ferne gehalten. Allein eben hierin zeigt sich Widerspruch und Misverständnis, indem gleichwohl der innere Zusammenhang dieser allegorischen Wesen mit Frigg unverwischt geblieben ist. Wenn Lofn bei ihr die Verbindung der Liebenden auswirkt, so ist dann auch glaublich, daß Frigg es sei, die dem Gesang und Gebete Liebender ein williges Ohr leihe. Bedeutsam ist für diese Ansicht, daß weder die vorhandenen Mythenlieder, noch der Skaldensang, noch die Sagan von der Eigenschaft Freyjas als Göttin der Liebe Zeugnis geben. Wenn bei Ägirs Trinkmahle Loki ihr vorwirft, von den hier anwesenden Äsen und Alfen sei Jeder ihr Buhle gewesen, so mochte dieß wohl jener Meinung zur Stütze dienen; es ist aber damit die Gemeinsamkeit des Luftelements auf ähnliche Weise bezeichnet, wie durch die Namen ihres Saales Fölkvang, Volksfeld, und ihres Schiffes Sesrymnir, das Sitzräumige. Die Verwechslung Friggs mit Freyja, von der schon früher, in Betreff des Falkengefieders, ein Beispiel sich ergeben hat (1, 139 [80]; vgl. D. Myth. 190 ff.), kann zunächst durch die Lautverwandtschaft der Namen, wie sie vorzüglich im Stabreime anklingt (Sæm. Edd. 240, 8), in Verbindung mit dem Umstande veranlaßt sein, daß die Wortbedeutung von Freyja, Frau, besonders in der geläufigen Zusammensetzung húsfreyja, Hausfrau, sich dem Wesen und Bilde Friggs genau aneignet. Die j. Edda selbst leitet rückwärts von der Göttin Freyja den weiblichen Ehrennamen freyjor, Frauen, ab (Sn. Edd. 29; vgl. Yngl. S. C. 13).

Hat nun die j. Edda diese beiden Göttinnen einmal in der Grundansicht verwechselt, so ist man aufgefordert, auch einzelnes Beiwerk, wenn es mit dem anderwärts erhobenen Wesen der einen oder andern nicht übereinstimmt, zu prüfen und nach Befund zurechtzustellen. Das

Falkengewand mußte von Frigg gänzlich auf die Luftgöttin Freyja übertragen werden; umgekehrt wird es gestattet sein, die zwei Katzen, welche nach der j. Edda den Wagen Freyjas ziehen (Sn. Edd. 28 f. 66. 119), dieser Göttin abspännig zu machen und unter Friggs Leitung zu stellen, nicht etwa wegen Gefallens am Liebesgesange, sondern weil die Hauskatzen sich am besten zum Gespann der Hausfrau [1] schicken; während Freyja schon beschwingt und beritten ist (Sæm. Edd. 113), würde Frigg ohne die Katzen jeder anständigen Auffahrt entbehren [2].

Dem göttlichen Vorbilde der Hausfrauen steht übel an, was Loki in Ägirs Halle behauptet, Frigg sei stets mannlüstern gewesen, sie habe, Odins Ehefrau, Vei und Vili beide in ihren Schoß genommen (Æg. 26) [3]. Ähnliche Vorwürfe macht aber Loki allen andern dort anwesenden Göttinnen und der sittliche Maßstab ist überhaupt auf Verhältnisse nicht anwendbar, die ganz sinnbildlicher Natur sind, wie dieß kaum zuvor in Beziehung auf Freyja und schon beim Harbardsliede mit Sif (I, 90) bemerklich gemacht wurde. Indem Frigg mit Vei und Vili verkehrt, die sonst nur als Theilnehmer am Schöpfungswerke bekannt sind, wird

[1] Vgl. Lex. isl. I, 413 u. d. W.: Húsa-snorta. Vgl. Fornald. S. II, 210.

[2] Sn. Edd. 66 berichtet in der Erzählung von Baldurs Leichenbrande, mit Odin seien zu solchem Frigg und die Valkyrien und seine Raben gekommen, Freyja sei mit ihren Katzen herangefahren; diesem Berichte liegt ohne Zweifel das Skaldenlied Húsdrápa zu Grunde, gedichtet von Ulf, Uggis Sohn, auf die Bilder aus der Göttersage, mit denen der Isländer Olaf Pá sein Haus schmücken ließ (s. I, 143 f.) und unter den noch vorhandenen Bruchstücken des Liedes finden sich zwei Halbstrophen, in welchen Odins Aufzug zur Leichenfeier mit Valkyrien und Raben beschrieben ist (Sn. Edd. 96), aber Friggs ist darin nicht gedacht. Es ist nun anzunehmen, daß die leidtragende Mutter Baldurs doch nicht fehlte, vielmehr daß ihr, gleichwie in weiteren Bruchstücken der Auffahrt Heimdalls und Freys (Sn. Edd. 97. 104. Friggs Sorge um Baldur Sæm. 93, 3 f.), eine besondre Schilderung gewidmet war, und es fragt sich, ob nicht hiebei, zugleich mit dem Katzengespann, Fulla, Söfn und ihre Gespielen, jene Gruppe, wofür oben der Beleg vermißt wurde, im Geleite Friggs, als Seitenstück zu den Valkyrien in Odins Gefolge, einhertraten, und ob nicht der Erzähler in der j. Edda, nach seiner vorgefaßten Meinung, Alles zusammen auf Freyja wandte.

[3] Snorri historisiert dieses Abenteuer in Yngl. S. C. 3. Auch Saxo erzählt von Friggas Untreue (I, 13), jedoch unter Umständen, die auch hier eine Verwechslung mit Freyja oder eine Vermischung beiderseitiger Mythen errathen lassen (Lex. myth. 307. D. Myth. 192).

sie selbst in ein weites Gebiete hinausgerückt. Odin und Frigg walten beide in menschlichen Kreisen, er als Erreger jeden Geistes und des kriegerischen insbesondre, sie als Spenderin des Ehesegens und als Schutzgöttin der Liebe überhaupt; aber wie Odin, der alldurchdringende Geist, zugleich Schöpfer und Erhalter des Weltganzen ist, so erscheint auch seine Gattin Frigg, die Tochter des Lebens, als Mutter im Sinne kosmischer Zeugung und sorgt an seiner Seite für den großen Haushalt des Alls. Der Sohn dieser Götterehe ist Baldur, mit dessen Mythus derjenige von Bali in genauem Zusammenhange steht.

1. Sageninhalt.

Odins Meth (Sn. 98).

Die ausführliche Erzählung vom Dichtertranke steht in der j. Edda (Sn. Edd. 83 bis 87)[1]; Bragi, der Skalde unter den Äsen, berichtet auf die Frage nach dem Ursprung der Dichtkunst Folgendes:

Die Götter hatten Zwist mit dem Volke der Vanen, es ward jedoch eine Zusammenkunft anberaumt und auf die Weise Friede geschlossen, daß sie beiderseits an ein Gefäß traten und darein ihren Auswurf spuckten. Beim Scheiden wollten die Götter dieses Friedenszeichen nicht verloren sein lassen und schufen daraus einen Mann, der Kvâsir heißt. Er ist so verständig, daß er über Alles, darum er befragt wird, Bescheid weiß, und er zog weit durch die Welt, um die Menschen Wissenschaft zu lehren. Als er nun zu den Zwergen Fialar und Galar zu Gaste kam, beriefen ihn diese zu heimlicher Besprechung und erschlugen ihn; sein Blut ließen sie in zwei Gefäße und einen Kessel rinnen. Dieser heißt Ôdrörir, die Gefäße heißen Sôn und Bodn. Unter das Blut mischten sie Honig und daraus ward der Meth, durch den Jeder, der davon trinkt, zum Dichter oder Weisen wird. Die Zwerge sagten den Äsen, Kvâsir sei im Witz erstickt, weil Niemand seine Weisheit auszufragen verstanden habe. Nun luden die Zwerge den Jötun Gilling und sein Weib zu sich und boten ihm an, mit ihnen in die See zu rudern; als sie aber vor das Land hinausgefahren, ruderten sie auf eine Bank und das Schiff schlug um. Gilling, der nicht schwimmen

[1] Ich beziehe mich für die Edden auf die Ausgaben von Rask und Afzelius, um mit den meisten Bearbeitern dieses Fachs in Übereinstimmung zu bleiben, benütze aber zugleich die neuesten Ausgaben von Munch, Egilsson und der arnamagnäischen Anstalt.

konnte, kam um, die Zwerge richteten ihr Schiff auf und ruderten zum Lande. Sie meldeten seiner Frau den Vorfall, worüber sie betrübt war und lautauf weinte. Da fragte Fialar sie, ob es sie erleichtern möchte, wenn sie hinaussähe auf die See, wo Gilling umgekommen. Sie wollte das. Nun besprach er mit Galar, seinem Bruder, dieser solle hinausgehn über die Thür, zu der sie hinaustrete, und ihr einen Mühlstein auf den Kopf fallen lassen; ihr Geschrei, sagte er, sei ihm zum Überdruß. So that Galar. Als darauf Suttüng, Gillings Sohn, dies erfuhr, kam er herbei, ergriff die beiden Zwerge, schaffte sie auf die See hinaus und setzte sie dort auf eine Fluthschere. Sie baten Suttüng um Schonung ihres Lebens und boten ihm als Vaterbuße den kostbaren Meth; damit kam es unter ihnen zur Sühne. Suttüng führte den Meth nach Hause und verwahrte ihn an dem Orte, der Hnitbiörg heißt; zur Obhut bestellte er seine Tochter Gunnlöd. Von daher nennen wir die Dichtkunst Kwásis Blut, Getränk der Zwerge, Füllung oder irgend welches Naß von Odrörir, Bodn oder Són, Fahrgeld der Zwerge, weil dieser Meth ihnen Lebenslösung von der Schere brachte, Suttüngs Meth, Naß der Hnitberge.

Weiterhin berichtet Bragi, wie die Äsen zu Suttüngs Methe kamen:

Odin zog aus und kam dahin, wo neun Knechte Heu mähten. Er fragt, ob sie wollen, daß er ihre Sensen wetze, was sie bejahen. Da nimmt er einen Schleifstein vom Gürtel und wetzt. Sie fanden, daß die Sensen nun viel besser schnitten, und feilschten um den Wetzstein. Er forderte mäßigen Preis, worauf Alle sich willig erklärten und um Übergabe baten. Er aber warf den Stein in die Luft empor, und als sie alle darnach haschten, ward der Handel so, daß Einer dem Andern die Sense auf den Hals schwang. Odin suchte Nachtherberge bei dem Jötun Baugi, Suttüngs Bruder. Baugi beklagte die Noth seines Haushalts, seine neun Knechte haben einander erschlagen und er wisse nicht, woher Arbeiter bekommen. Odin, sich Bölverk nennend, erbot sich, Arbeit von neun Männern für Baugi zu übernehmen, bedingte sich aber zum Lohn einen Trunk vom Suttüngmethe. Baugi versicherte, keine Gewalt über den Meth zu haben, den Suttüng allein behalten wolle; doch werd' er mit Bölverk hingehn, um zu versuchen, ob sie den Meth erlangen. Bölverk verrichtete den Sommer über neun Männer Arbeit für Baugi und verlangte gegen den Winter seinen Lohn. Sie zogen nun zusammen aus. Baugi meldete seinem Bruder den Vertrag mit Bölverk, Suttüng aber verweigerte hartnäckig jeden Tropfen vom Methe. Da sprach Bölverk zu Baugi, sie sollten versuchen, den Meth durch List zu erlangen. Baugi ließ sich das gefallen. Darauf zog Bölverk den Bohrer hervor, der Rati heißt, und sprach: „Baugi wird den Berg bohren, wenn der Bohrer beißt.“ Baugi that so und sagte dann, der Fels sei durchbohrt. Aber Bölverk blies in das Bohrloch und die Späne sprangen gegen ihn; so fand er, daß Baugi ihn betrügen wollte, und befahl ihm durchzubohren. Baugi bohrte weiter, und als Bölverk zum andernmal blies, flogen die Splitter einwärts. Nun verwandelte sich Bölverk in Schlangengestalt und kroch in das Bohrloch. Baugi stach mit dem Bohrer ihm nach, traf ihn aber nicht. Bölverk gieng dahin, wo Gunnlöd war, und lag drei Nächte bei ihr; dann erlaubte sie ihm, von dem Meth drei Trünke zu thun. Auf den ersten Zug trank er Ôdrörir völlig aus, auf den zweiten Bodn, auf den dritten Sôn, und hatte damit den ganzen Meth. Verwandelt in Adlergestalt flog er hastig davon. Suttûng sah den Flug des Adlers, nahm auch Adlerhaut und flog ihm nach. Als die Äsen sahen, daß Odin heranflog, stellten sie ihre Gefäße in den Hof hinaus, und sobald Odin über Asgard hereingekommen war, spie er den Meth in dieselben aus. Schon war er in solcher Noth, von Suttûng erreicht zu werden, daß er etwas vom Meth nach hinten entsandte; des ward nicht geachtet; wer wollte, nahm es, und wir nennen das der Dichterlinge Theil. Suttûngs Meth aber gab Odin den Äsen, sowie den Menschen, welche dichten können. Darum nennen wir die Dichtkunst Odins Fang, Fund, Trunk, Gabe, auch Trunk der Äsen.

Diese und die vorhergegangenen Bezeichnungen der Dichtkunst werden noch anderwärts in der j. Edda (Sn. 95. 98 bis 101. Arn. 1, 232. 214 bis 252) mit ähnlichen, demselben Mythus entnommenen vermehrt und zum Beleg ist eine Reihe von Stellen aus den Kunstgesängen namhafter Skalden beigebracht [1], worin die Umschreibung noch verwickelter wird. Aber auch ein Lied der ä. Edda, Hâvamâl, Sprüche des Hohen, bietet Darstellungen zu der Sage vom Dichtertrank. Odin selbst nemlich, der Hohe, der hier redend gedacht ist, erläutert einige Lehrsprüche aus seinen mythischen Erlebnissen bei Erwerbung dieses Tranks; so die Warnungen vor Trunkenheit mit Folgendem (Sæm., Ausg. v. Munch S. 9, Str. 12 f.):

Reiher des Vergessens heißt der über Trunknen rauscht, er stiehlt der Männer Sinn; mit dieses Vogels Federn war ich gefesselt im Hofe der Gunnlöd. Trunken ward ich, ward übertrunken bei dem klugen Fialar; am Trunk ist das Beste, daß der Mann zur Besinnung wieder gelange.

Weiterhin, um den Werth gewandter Rede hervorzustellen, erzählt Odin (Hâvamâl, bei Munch S. 16, Str. 101 ff.):

[1] Lex. myth. 274 f.

Den alten Jötun sucht' ich heim, nun bin ich wiederkommen, nichts erlangt' ich schweigend dort; mit vielen Worten sprach ich mir zum Frommen in Suttûngs Sälen. Gunnlöd gab mir auf goldnem Stuhl einen Trunk des kostbaren Meths; übeln Entgelt ließ ich sie empfangen ihres treuen Sinns, ihrer ernsten Liebe. Ratis Mund ließ ich Raum gewinnen und Gestein durchnagen; über und unter mir lagen der Riesen Wege[1], so wagt' ich das Haupt daran. Wohl ertauschter Gestalt hab' ich wohl genossen, Weniges ist Klugen versagt; denn nun ist Ôdrörir heraufgekommen zum Heiligthum irdischer Geschlechter. Zweifel hab' ich, daß ich wiedergekommen wär' aus der Riesen Umhegung, hätte nicht Gunnlöd mir gefrommt, das gute Weib, über das ich den Arm legte. Nächsten Tags giengen Reifriesen, des Hohen Rath zu erkunden in seiner Halle; nach Bölverk fragten sie, ob er zu den Göttern gekommen oder Suttûng ihn vertilgt. Einen Ringeid, denk ich, schwur Odin; darf man seinem Treuwort trauen? um den Trank betrogen ließ er Suttûng zurück und Gunnlöd in Trauer.

Auch in dem mit Hâvamâl zusammenhängenden Runenspruch ist Ôdrörir genannt[2]. Ohne ausdrückliche Bezugnahme auf den Trank ist des Friedensschlusses zwischen Âsen und Vanen noch mehrmals in den Edden gedacht. In der jüngern wird von Niörd gesagt (Sn. 27. Arn. I, 92):

Er war auferzogen in den Vanaheimen, die Vanen aber vergeiselten ihn den Göttern und erhielten dagegen als Geisel der Âsen den, der Hönir heißt; so ward er zur Sühne zwischen Göttern und Vanen.

In Vafthrûdnismâl wird gefragt, woher Niörd, der nicht von Âsen erzeugte, zu den Âsensöhnen gekommen sei, und die Antwort lautet (Sæm. 25, 38 f.):

In Vanaheim schufen ihn weise Mächte und gaben ihn zum Geisel den Göttern; in der Weltdämmrung wird er heimkehren zu weisen Vanen.

Auch in Ögisdrekka ist davon die Rede, daß Niörd aus fernem Osten den Göttern als Geisel zugeschickt sei (Sæm. 43, 34 f.). Als ein Seitenstück zu seiner endlichen Heimkehr kann es betrachtet werden,

[1] Grimms Grammatik 4, 40.

[2] Sæm. nach Munch 19, 141: „ok ek drykk of gat ens dýra miadar ausinn Ódrœri." Sonstige Anspielungen auf diesen Mythus in Eddaliedern Sæm. 175, 2: Ódhrœris skyldi Urdr geyma." 70, 36 und 136, 21: „Sônar dreyra". Sæm. 3, 14 (Vsp.): „i Dvalins lidi" (Lex. poet. 113 a).

daß in der verjüngten Welt, nach Völuspâ, auch Hönir wieder zu seinem Loose kommt (Sæm. 7, 6; vgl. Müllenhoff, Runen 37). Einen näher eingehenden Bericht von der mythischen Geiselbestellung gibt endlich Snorris Heimskringla, in der freilich Äsen und Vanen als östliche Völkerschaften und die Götter als eine königliche Priesterschaft aufgefaßt sind. Dort wird erzählt (Yngl. S. C. 4):

Odin führte sein Heer wider die Vanen, diese vertheidigten aber rüstig ihr Land und der Sieg wechselte. Sie verheerten und schädigten einander gegenseitig das Land. Als nun beide Theile dessen überdrüssig waren, setzten sie eine Zusammenkunft zum Vergleich an, schlossen Frieden und es wurden Geisel gestellt. Die Vanen gaben ihre trefflichsten Männer, Niörd den Reichen und dessen Sohn Frey; die Äsen hiergegen einen mit Namen Hönir, den sie als bestens zum Häuptling geeignet rühmten. Er war ein großer und sehr schöner Mann. Mit ihm sandten die Äsen ihren kundigsten Mann, Mimir, die Vanen gaben dagegen den Klügsten in ihrer Schaar, Kvâsir. Als Hönir nach Vanaheim kam, ward er sogleich zum Häuptling erhoben; Mimir gab ihm jeden Rath ein. Wenn aber Hönir auf Dingstätten oder in andern Versammlungen sich befand, wobei Mimir nicht zugegen war, und kam dann irgend ein schwieriger Handel vor ihn, so war sein Bescheid immer der nämliche; „Rathen Andre!“ sprach Hönir. Da faßten die Vanen Verdacht, daß die Äsen sie im Austausch der Männer betrogen haben möchten; sie ergriffen den Mimir und enthaupteten ihn, das Haupt sandten sie den Äsen. Odin nahm dasselbe, bestrich es mit Kräutern, die es nicht verwesen ließen, und sang Zauberlieder darüber; hiedurch gab er dem Haupte das Vermögen, daß es mit ihm sprach und ihm viele verborgene Dinge sagte. Niörd und Frey bestellte Odin zu Opferpriestern und sie waren göttliche Genossen der Äsen (dîar med Âsum).

Dichterischen Reiz haben diese mythischen Erzählungen nicht, sie sind eine Aufgabe für die Forschung. Ihr hartes und verstecktes Wesen darf auch nicht zu dem Schlusse verleiten, daß sie erst in später Zeit und auf gelehrtem Wege ausgesonnen seien. Die Darstellung belebt sich doch merklich in den Strophen aus Hâvamâl und der mythische Inhalt ist unzertrennlich mit dem Ganzen der altnordischen Götterfabel verwachsen. Den Zeugnissen, die bereits aus anerkannt altechten Eddaliedern beigebracht sind, können insbesondre noch drei gangbare Namen Odins hinzugesellt werden, Bölverk, Svafnir und Ofnir, letztere zwei anderwärts Bezeichnungen der Schlange und für Odin offenbar auf dessen Verwandlung in Hnitbiörg bezüglich [1]. Die Reihe der Skalden, die sich dieser Sage zum Redeschmuck bedienen, beginnt schon vorn im 10ten Jahrhundert. Nach andrer Seite war jenes scherzhafte „Rathen Andre! sprach Hönir“ ohne Zweifel sprichwörtlicher Ausdruck [2] und zeugt damit für einen Grad volksmäßiger Verbreitung der Sage.

2. Die Vanen.

Um das Verständnis dieser geheimnisvollen Bilderschrift anzubahnen, ist es nöthig, die bedeutendern mythischen Wesen, die hier in Handlung versetzt sind, soweit sie hieher noch der Aufhellung bedürfen, nacheinander durchzuprüfen. Vornherein machen die Vanen (Vanir), nach ihrer eigenen Natur und in ihrer Stellung zu den Äsen, gemeinsam und in den hervortretenden Einzelgestalten, ein näheres Eingehen erforderlich. Die nordische Mythologie unterscheidet hauptsächlich fünf Wesenclassen außer den Menschen, nemlich Äsen, Vanen, Lichtälfe, Riesen und Zwerge [3]. Von diesen allen sind nur die Äsen im Besitze der vollen Göttlichkeit, Äsen und Götter sind gleichbedeutend [4] und bei den in Odin zur Einheit verbundenen Äsen steht die weltregierende Macht. Nach der Weise eines irdischen Herrscherthums gehen sie, in der Zwölfzahl, täglich zu ihren Gerichtstühlen unter der Weltesche, um über die großen Angelegenheiten der Weltleitung zu berathen und zu beschließen [5].

[1] Bölverkr: Sæm. 32, 47; vgl. 177, 19. Ofnir ok Svafnir: 32, 53; vgl. 195 b; als Schlangennamen 30, 34. Sn. 180. Svafnir auch in einem Liede Thiodölfs von Hvin, eines Skalden bei Harald Schönhaar, Fagrsk. 9. Ari und Arnhöfdi Lex. myth. 349 b. Suttungr, Suttungi zur Bezeichnung eines Jötuns überhaupt Sæm. bei Munch 35, 35: „(öl) kalla sumbl Suttungs synir“; vgl. 16, 110: „Suttung svikinn hann lèt sumbli frá.“ 61, 34: „synir Suttunga.“ Sn. 211 b: „Suttungr.“ Über Fialarr und Galarr nachher besonders.

[2] Vgl. Sæm. 20, 161. 169, 6; hiezu Reinhart Fuchs S. 54, V. 801 bis 3. Volkslieder 52, 8. Germania 6, 95 ff.

[3] Sæm. 49, 10 ff. 83, 17 f. (88, 1). 196, 19. 8, 53. 71, 7 f. 82, 7. 188, 13. Myth. 412. 22 f. 1192. Ausg. I, Anh. CXXVII.

[4] Zu Alvissm. Sæm. 49 ff. abwechselnd med ásom und med goðom.

[5] Sæm. 1, 6. 9 und 5, 29: „Þá gèngu regin öll á rökstóla, ginnheilög goð, ok um þat gættusk.“ 8, 53: „æsir 'ro á þingi. (93, 1). 44, 30 (vgl. 29): þeim ríða æsir dóm dag hvern er þeir dæma fara at aski Yggdrasils.“ Sn. 17 f. 131: „Þá settust æsirnir á dómstóla“ (Vgl.

Diese Herrschaft der Asen über das All beruht auch gänzlich darin, daß sie die Geistesmächtigen auf höchster Stufe sind, während in den andern Classen, neben dem Menschen, dem Geschöpf der Äsen, die Naturkräfte persönlich werden, in den Riesen die rohen Stoffe und ungestümen, zerstörenden Gewalten, Steinmassen, Meerflut, reißende Ströme, versengende Gluten, in den Zwergen die im Innern der Erde zum Wachsthum der Pflanzen und Erze geheimnisvoll wirkenden Kräfte, in den Älfen die zarteren Wesen, deren Element das Licht ist, in den Vanen, deren einige unter die Äsen aufgenommen sind, die milden und wohlthätigen Stimmungen der Luft und des Wetters. Von den Äsen werden diese viererlei mythischen Wesen, je nach ihrer Eigenart, bekämpft und gebändigt, gepflegt und beschützt, erforscht und verwendet. Daß nun wirklich das heimatliche Gebiet der Vanen, Vanaheimr (Sæm. 36, 39; vgl. Sn. 27), der Luftraum sei, ist in ihrem mythischen Erscheinen ausreichend angezeigt. Von dem Vater Niörd sagt die j. Edda mit klaren Worten, er gebiete über den Gang des Windes und stille See und Feuer (Sn. 27); auch der Mythus von seinem zwiespältigen Eheleben mit der Tochter des als Sturmriese wohlbeglaubigten Thiassi läßt keinen Zweifel, in welchen Gebieten sich hier Alles bewege [1]. Wenn ihm seine Wohnstätte in Nóatún, der Schiffstätte, angewiesen ist und wenn man ihn zu Seefahrten und Fischfängen anrufen soll (Sn. 27), so ist er darum noch kein Meergott, sondern er gibt den guten Wind für die Schiffahrt, das rechte Wetter für die Fischerei [2]. Loki verhöhnt ihn (Sæm. 64, 34), daß er von Hymis Mädchen häßlich begossen worden; diese Töchter Hymis, eines Meerriesen, sind Wolken, die mit jötunischen Regengüssen Niörds Luftgebiet überströmen [3]. Nicht minder

Sn. 123: „á dæmistóli.") 23: „Hverir eru æsir þeir er mönnum er skylt at trûa á? Tólf eru æsir gudkunnigir." Vgl. 211 b, 2. Rechtsalt. 763, 16. 797 f. 217 (Brunnen, vgl. Sn. 17 f.). 777.

[1] Vgl. Myth. v. Thôr 114 ff. [oben S. 66]

[2] Sn. 27: „á hann skal heita til særara oc til veida (Arn. 93: „de itineribus maritimis et piscatu."). Veidi f. für Fischerbeute Sæm. 180. Fornald. S. 2, 111; Zerstörung des Fischfangs (veidifángi m.) durch Unwetter von Riesenweibern erregt, die „Thiassis Töchter" gescholten werden, ebd. 2, 144. Jagdgöttin im Gebirge war gegensätzlich zu Niörd seine Gattin Skadi, Tochter Thiassis, Sn. 28.

[3] Vgl. Geirröds Töchter Sn. 114 f. Thôr 134 ff.

deutlich spricht die j. Edda von Niörds Sohne Frey, er walte über Regen und Sonnenschein und damit (þar međ) über die Frucht der Erde (Sn. 28). Dem Herrn des Sonnenscheins geziemen die Beiwörter: der leuchtende, klare (Sæm. 9, 54: „biartr"; 45, 43: „skîrom Frey"; 81: Skîrnir hêt skôsveinn Freys; doch auch Skadi, Sæm. 41, 11: „skîr brûdr goda"; Sæm. 32, 12: „inn skîra dag"; 50, 17. Sn.177: „alskîr [Sôl]"), und ihm zu eigen gegeben ist Âlfheim, die himmlische Heimat der Lichtälfe, die glänzender als die Sonne sind (Sæm. 40, 5: „Âlfheim Frey gâfu î ârdaga tîvar at tannfê"; Sn. 21, Arn. 78: „sâ er einn stađr þar [at himnum] er kallat er Âlfheimr, þar byggvir fôlk þat er Liosâlfar heita. Liosâlfar eru fegri en sôl sýnum." Ebend. 22, Arn. 80: „en hinn þriþi himinn . . . heitir Vîdblâinn . . . en Liosâlfar einir hyggjum ver at nû byggvi þâ stadi." Vgl. Sn. 177. 222. Liosâlfar ist pleonastisch, aber herbeigeführt durch die Ausdehnung des Namens Âlfar). Âlfheimar heißt auch in sagenhaften Erzählungen vom Anbau des Nordens das Land zwischen Gautelf und Raumelf (Fornald. S. II, 7. Sn. 361: „frâ Gautelfi ok nordr til Raumelfar, þat voru þâ kalladir Âlfheimar", Fornald. S. I, 366: „land . . . milli elfa tveggja, Gautelfar ok Raumelfar, þat voru ok þâ kalladir Âlfheimar." I, 413: „Âlfheimar hêtu þâ â milli Gautelfar ok Raumelfar." III, 6: „hann [Raumr] âtti Âlfheima, ok svâ vîtt rîki, sem âr þær falla, er þar spretta upp"; vgl. Munch, nord. german. Völk. 101 f.), und die sprachlich nicht unbegründete Anschließung von âlfr m., Lichtgeist, an elf f., Fluß, und âlft f., Schwan (Myth. 413), hat in den Stammbaum der ältesten norwegischen Könige das Âlfengeschlecht mit Namen und mythischen Zusammenhängen hereingebracht, welche dem blendenden Ganzen dieses Lichtvolks wenigstens einige Gliederung und Anschaulichkeit abgewinnen lassen. Dag, der Sohn Dellings, hatte von Sôl, der Tochter Mundilsaris, eine Tochter Svanhild, genannt Goldfeder; mit dieser vermählte sich Âlf, geheißen Finnâlf, König der Âlfheime, des Stromlands, und zeugte mit ihr einen Sohn Svan den Rothen, Vater des Sâfari (Fornald. S. II, 7. Sn. 362); das Volk in diesem Reiche war aber von Âlfengeschlecht und schöner, als andre der gleichen Zeit (Fornald. S. I, 413: „Âlfr hêt konûngr, er rêd fyrir Âlfheimum; Âlfhildr hêt dôttir hans. Âlfheimar hêtu þâ â milli Gautelfar ok

Raumelfar ... hûn [Âlfhildr] var hvörri konu fegri, ok allt fôlk î Âlfheimum var frîdara at siâ, enn annat fôlk þvî samtîda.“ II, 384: „þat voru kalladir Âlfheimar, er Âlfr konûngr rêd fyrir, en þat fôlk er allt âlfakyns, er af honum er kommit; voru þat frîdari menn enn adrar þiódir næst risafôlki“)[1]. In dieser Stammreihe sind Dag und Sôl, sammt den Namen ihrer Väter, bekannte Wesen des nordischen Götterhimmels (Sæm. 34, 23. 25. 32, 12. 45, 37 bis 39. Sn. 11 f. 39. 126); neu ist hier die Verbindung Beider (vgl. Sæm. 45, 39: „brûdi himins“), woraus die Tochter stammt, die in die Sippe von Älfheim übergeht. Ihr Name Svanhild, noch mehr ihr Beiname Goldfeder (Gullfiödr), der ihres Gemahls Finn-älfr (gleich Fidr-âlfr[2]), der Sohn Svan der rothe, goldrothe (Svanr hinn raudi), und selbst noch der Enkel, der an der Grenze geschichtlich lautender Namen steht (vgl. Sæm. 114 f., 12. Fornald. S. III, 193), Säfari, was etwa noch den schwimmenden Vogel meinen kann, diese ganze Namenfolge verkündet die älfischen Lichtgeister, die Kinder des Tags und der Sonne, als ein in den Lüften schwebendes Geschlecht, das unter dem Bilde lichtbeschwingter, im Sonnengolde glänzender Schwäne gedacht war. Wie Licht und Luft, Älfe und Vanen, sich im gleichen Gebiete bewegen, so hat Frey, der Vanengott, auch Älfheim zum Eigenthum erhalten; auch seine Fahrt ist eine luftgetragene, er hat ein Roß, das überirdisch hineilt[3], und ein Schiff, das stets mit günstigem Winde segelt („byr“, Sn. 48. 132. Vgl. Sæm. 50, 19: vindflot, Wolke); sein Eber rennt durch Luft und

[1] Mit dem Namen Alf ist auch bei Saxo 8, 126 f. die Schönheit und der Lichtglanz verbunden: „Alf cæteris animo formaque præstantior u. s. w., cujus etiam insignem candore cæsariem tantus comæ decor asperserat, ut argenteo crine nitere puteretur.“

[2] Vgl. Gr. 1 (1), 306 f. 3, 410. Fornald. S. 3, 540. 549: „Fidr Finnakonûngr.“ Sæm. 133: „synir Finnakonûngs u. s. w. Slagfidr u. s. w. Völundr.“ 135, 10: „Âlfa liodi“; ebd. 13 und 138, 30: „vîsi Âlfa“ (Völ.), Sn. 189: „vîsi“; 212b, 4: „liodr.“

[3] Sein Diener Skirnir, dem er es geliehen, fährt damit „ûrig fiöll yfir, þyrja þiod yfir“ (Sæm. 82, 10); erst als er ans Ziel gekommen, erbebt die Erde und läßt er es festen Fuß fassen (83, 15: „lætr iô til iardar taka“, was doch kaum „grasen“ bedeutet; von neugebornen Kindern heißt es Sæm. 240, 7: „knâtti mær ok mögr moldveg sporna“, die Erde betreten, Sprachg. 729 u.). Der Name des Rosses ist Blôdughôfi (Sn. 180).

Meer [1], und das Licht, das von dessen Goldborsten ausgeht, erhellt selbst die dunkelste Nacht (Sn. 132). Eine isländische Saga, die von Begebnissen des 10ten Jahrhunderts handelt, läßt in wenigen Worten den milden Frey mit Sonnenkraft und Thauluft deutlich und anmuthend nahe treten; der Isländer Thorgrim hatte eben zu Winters Anfang Gastgebot und Opfer für Frey angerichtet, als er meuchlerisch ermordet ward; weil dann aber an seinem Grabhügel auf der Südseite kein Schnee liegen blieb und es auch niemals zufror, muthmaßten die Leute, er müsse dem Frey um der Opfer willen so lieb gewesen sein, daß der Gott es zwischen Beiden nicht frieren lassen wolle [2]. Freys schöne Schwester Freyja (Sæm. 71, 14: „fagra Freyju"), die den kostbaren Halsschmuck trägt und deren Thränen Gold sind [3], ist Besitzerin eines rauschenden Federkleids (Sæm. 70, 5: „fiadrhamr dundi"), eines Falkengefieders (Sn. 81: „valshams"), das sie mehrmals zu weiten Flügen herleiht und das namentlich im Mythus von der Zurückholung Iduns, einer Göttin der schönen Jahreszeit, Gegensatz bildet zum Adlergefieder (ebd.: „arnarham") des verfolgenden Sturmriesen [4].

---

[1] Sn. 132: „renna lopt ok lög"; vgl. Sæm. 142b und 159b: „hon var Valkyrja ok reid lopt ok lög." Sn. 38 vom Rosse der Gná: „er renn lopt ok lög."

[2] Sagan af Gisla Sûrssyni C. 15 (Ausg. von Biörn Marcuss. S. 146) [bei Gislason S. 27. K.]: „þorgrimr hefr nû vetrnâtta bod at fagna vetri ok blôta Frey." C. 18 (S. 150) [Gislason S. 32. K.]: „vard ok sâ hlutr einn, er at nýnæmum þokti gânga, at aldri festi snio ûtan ok sunnan â haugi þorgrims, ok eigi fraus, gâtu menn þvî til, at hann mundi Frey svâ kærr verid hafa fyri blôtin, at hann mundi ei vilja at frŷsi â millum þeirra." (Fornald. S. 2, 132: „hann [Framarr] blôtadi Ârhaug, þar festi eigi snio â"; vgl. 132 u. Faye 130 u.)

[3] Sn. 37, Arn. 114: „Odr fôr î braut lângar leidir, en Freyja grætr eptir, en târ hennar er gull rautt." Sn. 119: „it grâtfagra god." 133 u. 134, Arn. 348: „Ods [Ôds] bedvinu Roda [Rôda]". (Sn. 161, Arn. 424; vgl. Heimskr. 1, 156: „Ôds kvânar"). Gr. 1, 318: „der Eigenname Ôttarr, angels. Ohtere."

[4] Sn. 81 f. Myth. v. Thôr 114 ff. Die zwei andern Mythen, worin dieses Fluggewand vorkommt: Sæm. 70, 3 bis 5. 71, 10; Sn. 113. An letzterem Orte heißt es zwar „med valsham Friggiar" und demgemäß wird Frigg bezeichnet (Sn. 119. Arn. 304) „drotning (a. eiganda) valshams"; allein es scheint dies zu den öfteren Verwechslungen der beiden Göttinnen zu gehören.

Der Wanderfalke galt dem alten Norden für ein Zeichen des Frühjahrs, zu welcher Zeit er auch am höchsten fliegt [1], laut der altisländischen Sicherungsformel: „so weit als der Falke fliegt den frühlingslangen Tag und ihm günstiger Wind (byrr), unter beiden Schwingen steht" [2]; ein neuer wichtiger Beleg für die Auffassung der Freyja als sommerlicher Luftgöttin (Myth. v. Thôr 99). Darum ist auch, als sie dem Riesengeschlechte, den Wintermächten, hingegeben war, die ganze Luft verderbt (Sæm. 5, 29: „lopt alt læviblandit." Sn. 46: „at spilla loptinu ok himninum", und der Mythus, auf den sich dieß bezieht, wie Freyja zugleich mit Sonne und Mond an einen Eisriesen verrathen ist (Sn. 45 ff.), zeigt sie durchaus im Gegensatze der heitern und milden Jahreszeit zu der trüben und frostigen (Myth. v. Thôr 105 ff.).

Dem Walten dieser Gottheiten in und über den Wolken widerspricht es nicht, daß der ihnen gewidmete Dienst an den handgreiflichsten Erdengütern haftet. Niörd und Frey sind Inhaber und Geber alles Reichthums; sie sind es aber dadurch, daß von der Witterung, über die sie gebieten, die Ausbeute der Schifffahrt und des Fischfangs, der Segen des Feldbaus und der Weiden abhängt [3]. Im ältesten Zustande

In allen drei Mythen ist der Entlehner des Gefieders Loki und von diesen Luftfahrten kann gar wohl sein Name Loptr (Biörn 2, 41: „aereus, per aera volans." Gr. 3, 389) hergenommen sein.

[1] Oken 7, 130 f.: „er fliegt äußerst schnell mit raschen Flügelschlägen meist niedrig über die Erde hin, um die Vögel aufzuscheuchen, schwingt sich aber auch, besonders im Frühjahr, zu einer unermeßlichen Höhe."

[2] Trygdamál (Grágás, Havn. 1829, 2, 170. Grimms Mythol. 600. Rechtsalt. 39. 938): „svá vída sem valr flýgr várlángan dag, ok standi byrr undir báda vængi." Grettis S. C. 26 (Marcuss. S. 146): „sem vijdast ꝛc. valur flijgur vorlaanganñ daginñ, og stande honum beinñ byr under baada vænge". Sag. Bibl. 1, 48.

[3] Sn. 27, Arn. 92: „Hann [Niördr] er svá audigr ok fésæll, at hann má gefa þeim aud landa edr lausafiár, er á hann heita til þess." Sn. 103, Arn. 260: „gefjanda gud (a. fégiafa gud). Sn. 28, Arn. 96: „hann [Freyr] rædr fyrir regni ok skíni sólar, ok þar med ávexti iardar, ok á hann er gott at heita til árs ok fridar; hann rædr ok fésælu manna." Sn. 104, Arn. 262: „árgud ok fégiafa," wozu die Strophe: „þvíat Griótbiörn of-gæddan hefir Freyr ok Niördr at fiárafli" (nam Griotbiörnem Freyerus et Niördus opum abundantia ditaverunt). Yngl. S. C. 7: „Niörd hin audga". C. 11: „á hans (Niörds) dögum var fridr allgodr, ok allskonnar ár svá mikit, at Svíar trúdu því, at Niördr rédi fyrir ári, ok

der Völker ist der hauptsächlichste Reichthum die Herde, und der Viehstand hat zur Bezeichnung der fahrenden Habe, des Vermögens überhaupt, das Wort geliehen [1]. Leicht begreiflich also, daß die nutzbarsten Thiere unter den besondern Schutz Freys (der, wie sein Vater „at fiárafli", „fyrir fêsælu" thätig ist) gestellt sind. Man geht viel zu weit, wenn man jedes Thier, das mythisch oder sinnbildlich mit einer Gottheit im Zusammenhange steht, alsbald für ein derselben geheiligtes ansieht und dann auch, wo ein solches Thier in irgend einem Märchen oder altem Bildwerke vorkommt, den Gott im Hintergrunde finden will. In Beziehung auf Frey kann aber die Thierweihe wirklich nachgewiesen werden. Geschichtsagen, die, wenn auch mit christlicher Färbung, doch unzweifelhafte Züge des nordischen Heidenthums überliefert haben, legen Zeugnis ab, wie das edelste Stück des Herdebesitzes, das Pferd, einfach oder in Mehrzahl, dem Gotte zu eigen gegeben war; Freyfaxi hieß eines, in dessen Eigenthum sich ein Verehrer Freys mit diesem getheilt hatte [2].

fyrir fêsælu manna." C. 12: „hann [Freyr] var vinsæll ok ársæll sem fadir hans ꝛc. á hans dögum hófz Fróda fridr; þá var ok ár um öll lönd: kendu Svíar þat Frey. Var hann því meir dyrkadr enn önnur godin, sem á hans dögum vard land fólkit audgara enn fyrr, at fridinum ok ári." C. 13: „köludu hann veraldar god, blótadu hann mest til árs ok fridar alla æfi sidan." Grimms Mythol. 623: „Freyr veitti oss ár ok frid."

[1] Rechtsalt. 565: „weil in vieh hauptsächlich der reichthum der vorzeit bestand, wird auch dieser ausdruck für geld und fahrende habe insgemein gebraucht: quorum verborum frequens usus non mirum si ex pecoribus pendet. Cum apud antiquos opes et patrimonia ex his præcipue constiterint, ut adhuc etiam pecunias et peculia dicimus. Festus s. v. abgregare; pecus buchstäblich das goth. faihu, ahd. vihu. Die bilder zum Sachsenspiegel bezeichnen fahrendes gut durch vieh oder durch frucht und vieh." Sprachg. 28. Der Stier heißt dichterisch audr (Sn. 221a), Reichthum, und daran streift auch die milchreiche Kuh Audhumla (Sn. 7; vgl. 221b). (Schmell. 2, 197: „Der Hummel ꝛc. der Zuchtstier.") Ein auserlesenes Thier wird häufig grip n., Kleinod, genannt.

[2] S. af Hrafnkeli Freysgoda ꝛc. Kiöbh. 1847, S. 5: Hrafnkell átti þann grip í eigu sinni, er hánum þótti betri enn annar. Þat var hestr, brúnmóálottr at lit, er hann kalladi Freyfaxa. Hann gaf Frey, vin sinum, þann hest hálfan. Á þessum hesti hafdi hann svá mikla elsku, at hann strengdi þess heit, at hann skyldi þeim manni at bana verda, er hánum ridi án hans vilja (vgl. 7 f. 23 f.) Vatnsd. S. 140 f. Myth. 621 bis 623.

Auch vom Ochsen[1], wohl dem schönsten des Weidgangs[2], ist durch den dichterischen Namen Freyr (Sn. 221[b]) Ähnliches angezeigt und im Hyndlaliede rühmt Freyja, daß ihre Opferstätte mit junger Rinder Blute bestrichen ward (Sæm. 114, 10); wenn ferner, nach der Saga von Ragnar Lodbrók, der Schwedenkönig Eysteinn zu Upsala, ein großer Opfermann, mit seinem Volk auf eine geweihte Kuh vertraute, die er selbst in die Schlacht mitnahm[3], so ergibt sich auch hierin eine Spur des Freydienstes, der eben in Upsala seinen Hauptsitz hatte[4]. Mythisch belangreicher ist jedoch die Widmung des Ebers. In Hervörsaga wird von einem Verehrer Freys der gröste Eber, den er besitzt, dem Gotte gegeben und am Julabend werden mit Handlegung auf die Borsten dieses heiligen, zum Opfer bestimmten Ebers Gelübde beschworen[5]. Wenn nun auch diese Saga keine geschichtliche ist, wenn nicht

[1] Stieropfer für Frey, Vigaglumssaga C. 9.

[2] Etwa so schmuck wie der in Fornald. S. 3, 30 f. beschriebene: „Rennir bôndi [vorher: fiârorkumadr mikill] âtti einn þann grip, er hann hafdi meiri mætr â enn ödrum sînum fiârhlutum; þat var einn uxi; hann var bædi mikill ok skrautligr fyrir horna sakir; ristin voru horn â honum ok rent gulli î stiklana, ok svâ af silfri, var festr medal horna (â) uxanum, ok þar â þrîr gullhringar. þessi uxi bar lângt af ödrum uxum, þeim sem î landinu voru, sakir vaxtar ok alls kostar umbûdar; var Rennir bôndi svâ vandlâtr um hann, at hann skyldi aldrei geymslulaus vera.“

[3] S. Ragn. Lodbr. C. 8 (Fornald. S. 1, 254 f.): „Eysteinn hefir konûngr heitit, er rêd fyrir Svîþiodu ꝛc. hann hafdi atsetu at Uppsölum; hann var blôtmadr mikill, ok at Uppsölum voru blôt svâ mikil î þann tîma, at hvergi hafa verit meiri â Nordrlöndum. þeir höfdu âtrûnad [Myth. 631] mikinn â einni kû, ok kölludu þeir hana Sîbilju; hûn var svâ miök blôtin, at menn máttu eigi standast lât hennar, ok þvî var konûngr vanr, þâ er hers var vân, at þessi kŷr en sama var fyrir fylkîngum, ok svâ mikill diöfuls kraptr fylgdi henni.“ Ögvalds Kuh, Myth. 631.

[4] Ynglingas. C. 12. Saxo 3, 42. Davon nachher Mehreres.

[5] Fornald. S. 1, 531 f. (Petersens Ausg. der Herv. S. 31): „Heidrekr konûngr blôtadi Frey; þann gölt, er mestan fêck, skyldi hann gefa Frey; kölludu þeir hann svâ helgan, at yfir hans burst skyldi sverja um öll stôr mâl, ok skyldi þeim gelti blôta at sônarblôti; jôlaaptan skyldi leida sônargöltinn î höll fyrir konûng; lögdu menn þâ hendr yfir burst hans, ok strengja heit.“ Die größere Fassung der Saga gedenkt Freys nicht und berichtet so (Fornald. S. 1, 463): „Heidrekr konûngr lêt ala gölt einn; hann var svâ mikill, sem hinn stœrsti öldûngr, en svâ fagr, at hvört hâr þôtti

in allen Fassungen derselben Frey genannt wird und sonstige Nachrichten von Julgelübden mit oder ohne Sühneber („sônargöltr") des Gottes gar nicht gedenken [1], so erscheint darum die ausdrückliche Beziehung dieses altheidnischen Gebrauches („Þat var sidvenja") auf den Freysdienst keineswegs als unglaubwürdig, sie ist vielmehr von andern Seiten hinreichend unterstützt. Heißt doch der Eber skaldisch vanîngi (Sn. 222[b]), gerade wie der Vanengott selbst in einem Eddaliede genannt wird (Sæm. 86, 39: „Vanîngi"); ein Seitenstück zur vorbemerkten Bezeichnung des Stiers (freyr) [2]. Laut des Skaldensangs Hûsdrâpa, aus dem 10ten Jahrhundert (Köppen 85), reitet Frey zu Baldrs Leichenbrand auf goldborstigem Eber [3]; die Erzählung der j. Edda läßt ihn dort in einem Wagen fahren mit dem Eber, der Gullinbursti heißt [4]. Des nachterhellenden Goldglanzes der Eberborsten ist schon gedacht worden und auch der Sühneber der Hervararsaga ist, nach einer Lesung derselben, so glänzend, daß jedes Haar aus Golde zu sein

ur gulli vera. Konûngr lagdi hönd sîna â höfud geltinum, en adra â burst, ok strengdi Þess heit ꝛc. Ausg. von Verel., ebd. Anm. 1: „Hann blôtadi Freyu, ok tignadi hana mest af öllum sînum godum. Þat var sidvenja, at taka einn gölt, Þann stœrstan fêck, ok skyldi ala hann, ok gefa Freyu til ârbôtar î uphafi mânadar Þess, er februarius heitir; Þâ skyldi blôt hafa til farsældar. Konûngr sagdi, at Þessi göltr væri svâ heilagr, at menn skyldu fyri Þetta offr kunna at dœma um öll stôrmâl. Jôlaaptan skyldi leida Þenna sama gölt til konûngs; lögdu menn Þâ hendr yfir burst hans, ok strengdu heit."

[1] Sæm. 146a. Hervar. S. selbst an andrer Stelle: Fornald. S. 1, 417 f. 515 f.; andre Sagan daselbst 3, 633. 640. 661; vgl. noch 1, 87 f. 98. 105. 345. 2, 125. 403. 3, 230. 600.

[2] Ălfr als Stiername Sn. 180, 12. Vgl. Arn. 485, 16. Lex. poet. S. 9a. Fällt hieher auch ein Name der schönen Freyja, Sŷr (Sn. 37, Arn. 1, 114; vgl. 2, 274. Myth. 281 u.)? Altn. sŷr n. sus, scrofa (Biörn 2, 303b. Gr. 3, 328. Sprachgesch. 37).

[3] Sn. 104, Arn. 264: „ridr â börg ꝛc. gulli byrstum" (vgl. Sn. 222a, 4: „börgr"; vgl. Gr. 3, 326. Sprachg. 36).

[4] Sn. 66, Arn. 176: „en Freyr ôk î kerru med gelti Þeim, er Gullinbursti heitir (vgl. Sn. 104, Arn. 262: „er Gullinbursti heitir") eda Slîdrugtanni." Die Gedichte haben keinen Eigennamen Gullinbursti, sondern entweder starkes Adj. Hûsdr., Sn. 104: gulli byrstum (Dativ von gulli byrstr, auro setosus, vgl. Gr. 2, 621 f.) oder schwaches Adjectiv mit Adjectiv, goltr gullinbursti (Sæm. 114, 7), der goldenborstige (vgl. jedoch Gr. 2, 647. 692 u.).

scheint[1]. Überall ist es ein Eber der zahmen, hellfarbigen Gattung[2], (Oken 7, 1133) und zur Weihe für den segnenden Gott, den Geber des Reichthums, wird ebenso mit ländlichem Stolze, wie bei Pferden und Rindern, das stattlichste und schmuckste Musterthier ausgewählt und groß-genährt. Neben allem dem bietet der Gegenstand eine zweite, der eigentlichen Vanenheimat zugewandte Seite. Die Luftfahrt eines geschmiedeten Ebers ist selbst im Reiche der Mythen wunderbar. Dieses lebendige Schmiedwerk ist, nach Erzählung der j. Edda, aus der Esse der kunstreichen Zwerge Brock und Sindri hervorgegangen; eine Schweinshaut war hinein gelegt und ein Eber mit goldenen Borsten kam heraus. Derselbe ist eines der sechs von Zwergen verfertigten Götterkleinode, nemlich der Sif Goldhaar, Freys Schiff, Odins Speer und Goldring, Thôrs Hammer[3] und so auch der Eber; also dieser allein ein lebendes Geschöpf, die fünf andern Stücke Schmucksachen und sonstiges Geräth, insbesondre Waffen. Bekannt sind die den Rachen und eigenthümlichen Gesichtsformen schrecklicher Thiere nachgebildeten, mit geflügeltem Gipfel emporragenden Reiterhelme der Kimbern[4]. Solche Thierbilder, früher

[1] Fornald. S. 1, 463: „svâ fagr, at hvört hâr þötti ur gulli vera."

[2] Entsprechend dem „goldferch" beim Lauterbacher „Säugericht" (Weisth. 369 f. vgl. 1, 436; Myth. 45. 1201); König Heidrek hat zwölf Urtheilsprecher zu seinem goldhaarigen Eber bestellt, auf dessen Borsten in allen wichtigen Rechtssachen geschworen werden sollte. Fornald. S. 1, 462 f.: „valdi hann [Heidrekr] til 12 menn, hina vitrustu, at dœma um þau mâl, er stôrsökum gegndu î hans rîki ꝛc. ok skyldu þeir 12 gæta galtarins ꝛc." 1, 531: „î konûngs hird voru þeir 7 (12) menn, er dœma skyldu öll mâl manna þar î landi ꝛc. kölludu þeir hann [gölt] svâ helgan, at yfir hans burst skyldi sverja um öll stôr mâl ꝛc." 1. 463, 1: „konûngr sagdi, at þessi göltr væri svâ heilagr, at menn skyldu fyri þetta offr kunna at dœma um öll stôrmâl.

[3] Die ganze Schmiedsage Sn. 130 ff., Arn. 340 ff. (2, 356 ff.), vom Eber insbesondre: „þâ lagdi Sindri svînskinn î aflinn ꝛc. þar til er smidrinn tôk or aflinum, ok var þat göltr, ok var burstin or gulli ꝛc. en Frey gaf hann göltinn, ok sagdi, at hann mätti renna lopt ok lög, nôtt ok dag, meira en hverr hestr, ok aldri vard svâ myrkt af nôtt eda î myrkheimum, at eigi væri ærit liost þar er hann fôr, svâ lŷsti af burstinni."

[4] Plutarch Mar. C. 23: *Κράνη μὲν εἰκασμένα θηρίων φοβερῶν χάσμασι καὶ προτομαῖς ἰδιομόρφοις* u. s. w. *λόφοις πτερωτοῖς* u. s. w. Zeuß, die Deutschen S. 142. Mas. 1, 13; vgl. Andr. 92. Sprachg. 636 f.

vielleicht wirkliche Abzüge von Thieren, mögen auch der altnordischen Helmbezeichnung grîma, Larve, ahd. krîma, zu Grunde liegen.[1] Es gab einen Adlerhelm und noch gangbarer einen Eberhelm[2]; in einer Sage von Hrólf Kraki kommen die Helmnamen Hildisvin und Hildigöltr, Kriegseber, vor und beide werden überhaupt als dichterische Bezeichnungen des Helmes gebraucht[3]; dieser heißt auch, weil der sagenberühmte Hildisvin dem norwegischen König Âli angehört hatte, skaldisch Âlis Eber (Âlagöltr)[4]. Die Helmbilder waren aber zum künstlichen Schmiedwerk, an den Helmen der Gebietenden zum goldenen Schmucke geworden. Odin selbst reitet mit dem Goldhelm (Sn. 72: „med gullhialm") zum letzten Kampfe voran und im Hákonsliede lösen sich die Ausdrücke ab: der König „stand unter dem Goldhelme," „stand unter dem Adlerhelme"[5]. Mit dem goldnen Eber hat besonders auch die angelsächsische Dichtersprache zu schaffen und zwar so, daß er ihr, nicht immer genau unterscheidbar, bald ein Zeichen an oder auf dem Helme, bald den Helm selbst, den „grîmhelm", bedeutet; er muß, wenn er dem Ganzen den Namen geben konnte, jedenfalls ein beträchtliches Helmstück

1 Sn. 217 a (hialms heiti): „grîma." Myth. 217 f.

2 Fagrsk. 22 (Heimskr. 1, 165): „und arhialmi". Gr. 2, 422. Ahd Mannsnamen: Arnhelm, Eburhelm, Wolfhelm, Graff 4, 845; Bernhelm? Grimhelm?

3 Sn. 152, Arn. 394: „hialminn Hildisvîn", „hialmrinn Hildigöltr." Sn. 217 a, Arn. 573 (hialms heiti): „hildigöltr." Sæm. 114, 7: „hildisvîni."

4 In der Liedesstelle Fagrsk. 24, vgl. 188, Heimskr. 1, 162: „âla galtar êldraugr" setze ich statt âla (a. óla, was dasselbe ist): Âla; nach Skálda kann der Mann durch masculinische Namen der Bäume mit Hinzufügung eines Gegenstandes seiner Beschäftigung, darunter Waffen, bezeichnet werden, Sn. 127. 158 f. Arn. 334. 412 ff.; hier nun ist er Baum des Helmes, wörtlich: Sturm- (d. h. Schlacht-) fichte des Ebers Alis; êl n. nimbus Biörn 1, 178; vgl. Fornald. S. 1, 308: „î odda êli"; Sn. 163: „orrosta er köllut Hiadnînga vedr eda êl" [draugr, Heimskr. 1, 226; Dietr. 239 b]; zur Vergleichung Sn. 158: „Hârs-drîfu-askr". Arn. 415: „Fraxinus nimbi Odinii".

5 Hákonarmâl Str. 3: „stód und arhialmi"; Str. 4: „stod und gullhialmi" (Fagrsk. 22 f., Dietr. 31, Heimsk. 1, 165); dazu Fagrsk. 22: „konûngr ꝛc. setti gyltan hialm â höfud ser" und Heimskr. 1, 161: „lŷsti ok af hialminom, er sólin skein â ꝛc. hvar er nû gullhialmrinn?" Unter den hialms heiti Sn. 216 b: „gullfâinn" (goldgeschliffen; vgl. Gr. 2, 592); Beowulf 5618: „goldfâhne helm."

gewesen sein und wird ausdrücklich als eine durch die Schmiedarbeit den Schutz des Hauptes verstärkende Vorrichtung gerühmt [1]. Beides, der Helmname Hildesvin und das glänzende Eberbild, erscheint nun merkwürdig auch an einem Helme der Göttin Freyja. In dem eddischen Hyndlaliede wird ihr aufgerückt, daß ihr Günstling Óttar, der einem Gerichtskampf entgegengeht, sich auf dem Todeswege befinde; sie bestreitet aber die Todesgefahr, da, wo der goldborstige Eber auf dem Helme („hildisvîni") funkle, den ihr zwei kunstreiche Zwerge, Dáinn und Nabbi, verfertigt haben [2]. Hat nun Freyja einen solchen Eberhelm,

[1] Die angelsächsischen Gedichtstellen sind von J. Grimm gesammelt und erläutert Andr. XXVIII f. 92 f. Myth. 194 f. Körperlichen Schutz bezeichnen Beov. 605 ff.: „eoforlic scionon ofer hleor beran gebroden golde, fâh and fýrheard ferhvearde heold (apri formam videbantur supra genas gerere auro comptam, quae varia igneque durata vitam tuebatur)"; ebd. 2216 ff.: „svîn ealgylden, eofor irenheard (sus aureus, aper instar ferri durus)"; ebd. 2895 ff.: „se hvîta helm &c. befongen freáurâsnum, svâ hine fyrndagum vorhte væpna smid, besette svînlîcum, þät hine sidþan nô brond ne beadomêcas bîtan ne meahton d. h. galea ornata Frobonis (kann auch Appellativ sein) signis, sicut eam olim fabricaverat armorum faber, circumdederat eam apri formis, ne gladius ensesve lædere eam possent. Ettmüller S. 155: „vrâsen (vræsn) f., catena, vinculum." „vræsnan, torquere." Bosworth S. 97: „freáwrasn f., a royal chain." Graff 2, 543: „reisanum, nodis," „reisan, nodos." El. 76: „eoforcumble beþeaht (apri signo tectus)" kann ebensowohl „galea tectus" meinen, da Constantinus im Heere schlief (70: „þær he on cordre sväf"), vgl. Caedm. 1984: „helmum þeahte". 2989: „lyfthelme beþeaht". Cod. exon. 362, 31: „heolodhelme biþeaht". Sn. 217 a: „herkumbl." [Vgl. Schriften 3, 147 f. K.]

[2] Sæm. 114, 6 f. Die Anlage des Liedes (über dessen Alter Zeitschr. f. d. Alt. 7, 317 f.), soweit sie hier in Betracht kommt, verstehe ich so: der junge Óttar, Innsteins Sohn, und Angantýr sind im Streit um den Erbgang (Str. 9: „skylt er at veita, svâ at skali enn ungi födurleifd hafi eptir frændr sîna"; vgl. Dietr. 284: „veita at mâlum" beistehen vor Gericht), sie werden am dritten Morgen vor Gericht treten, wo sie ihre Stammreihen aufzuführen haben (Str. 42: „â þridja morni, þâ er þeir Angantýr ættir rekja"; Björn 2, 200: „rekia, retexere; rekia ætt sîna til einhvers, genus referre ad aliquem"; Dietr. 270; vgl. Str. 11), sie haben aber auch zum Schwerte gewettet, d. h. sich, wenn nöthig, zum Gerichtskampfe verbürgt (Str. 8: „þeir hafa vedjat vala mâlmi, Óttarr ungi ok Angantýr"; mâlmr m. æs, ist eine Benennung des Schwertes, Sn. 214 a, vala-mâlmr (æs strangium) das Kampfschwert; zu vedjat vgl. Lex Alam. 84: „tunc spondeant

so wird es um so glaublicher, daß auch ihres Bruders goldborstiger, leuchtender, von Zwergen geschmiedeter Eber in ursprünglicher Bedeutung

inter se pugnam duorum"; Lex Bajuv. 17, 2: „tunc spondeant pugnam duorum et ad dei pertineat judicium"; Cædm. 2063 f.: „Abraham sealde vîg tô vedde"; Majer, Ordal. 233: „Kampfwedde", sogar über eine allgemeine Gesetzesfrage in Erbschaftssachen wurde unter Otto I durch Gerichtskampf entschieden, Widuk. 2, 10). Ottar ist ein besondrer Verehrer der Göttin Freyja, er hat ihr eine Weihestätte von Steinen aufgerichtet und mit junger Rinder Blute bestrichen, stets hat er auf Åsinnen vertraut (Str. 10; wenn die Ausdrücke Str. 6 f. „vër Þinn", „vër minn" nicht bloß von einer Verdächtigung, die sich Hyndla gestattet, ausgehen, so kann vërr [Gr. 3, 319. 1, 3te Ausg., 430, 2] hier nicht füglich andern Sinn haben, als sonst vinr, in: Freys vinr, Þórs vinr, Sæm. 219, 24. Myth. 82. 192. 622, denn Freyjas Gemahl, was vërr auch bedeutet, kann der junge Mann nicht sein, der ihr ein Heiligthum baut und opfert und dessen menschliche Stammreihen aufgezählt werden, wenn sie auch zuletzt an Götter anknüpfen). Dem treuen Diener zu helfen (Str. 9: „skylt er at veita &c."), bringt Freyja ihn zu der alter Dinge kundigen Hyndla, einem Riesenweibe, das in einer Steinhöhle wohnt (Str. 1: „er î helli býr"; vgl. Str. 4: „vid iötuns brûdir", Str. 47: „brûdr iötuns") und weckt sie in der Nacht zu gemeinsamem Ritte nach Valhöll; dort soll der Heldenvater („bidjum Herjaföðr"), Odin, um seine Gunst gebeten werden, der Spender manigfacher Gaben, als da sind: Sieg, Reichthum, Schwert und andre Waffen, Beredsamkeit, Verstand, Mannlichkeit (Str. 2 f.); all dieß wünschenswerth für einen Mann, der um Erbgut vor Gerichte sprechen und kämpfen soll. Thôr soll angerufen werden, daß er, ein Feind der Jötunweiber, gegen Hyndla nicht auffahre. Diese soll einen Wolf zäumen (zu Str. 5: „med rûna mâlom"; vgl. Landst. 69, 17: „gylte mile"; 84, 5: „forgylte mile"), Freyja will ihr kostbares Pferd [„mar", Gr. 3, 325] besteigen (sollen die Worte Str. 5: „göltr Þinn" auf Freyja bezogen werden, so kommt man auf schwierige Vertheilungen der Wechselrede, vermuthlich aber ist göltr durch Misverständnis aus Str. 7 herübergenommen, statt gildr oder gyldir, Benennungen des Wolfs, Sn. 222, Arn. 591). Hyndla argwöhnt eine List hinter dieser Hinweisung nach Valhöll, während, wie sie sagt, Freyjas Günstling sich auf dem Wege zum Kampftod befinde (Str. 6: „ër Þû hefir vër Þinn î valsinni" [zu Þannig Gr. 3, 174 ob., zu ër Gr. 3, 22. 164, c. 283, 9]; zu valsinni vgl. Str. 8: valamâlini; Dietr. 282b; valamengi, valaript; Gr. 2, 519: ags. vîgsid m., expeditio bellica; Cædm. 2088), läßt sich aber doch herbei, den jungen Ottar über alle Stammreihen seiner Abkunft zu belehren. Auf jene Äußerung nun, als ob Ottar dem Tod entgegengehe, versetzt Freyja: „Irre bist du, Hyndla, und redest im Traume, daß mein Freund auf dem Todeswege sei, dort wo der Eber glüht, der goldborstige, auf dem Helme, den mir zwei kunstreiche Zwerge fertigten, Dáinn und Nabbi" (Str. 7: „dulin ertu, Hyndla! draums ætlig

ein Helm mit dem Eberbilde gewesen sei, womit sich dann dem Speer Odins und dem Hammer Thörs der Helm Freys gleichartig anreiht. Hiernach erscheint der glänzende Helm als gemeinsame Auszeichnung des göttlichen Geschwisterpaars vom Vanenstamme. Das Gebiet aber, in welchem diese hellen, freundlichen Götter walten, die Heimath der Lichtälfe, die Werkstätte für Regen und Sonnenschein, der Flugweg des Falken im Frühling, also der Luftkreis, der überwölbende, Tags mit Sonnenglanz, Nachts mit schimmernden Gestirnen geschmückte Himmel heißt in der nordischen Dichtersprache nicht bloß allgemein der Weitumfangende, Lichtfahrende, Stralende [1], sondern er ist noch eigens unter dem Bilde des Helmes [2] aufgefaßt: so des Windhelms Brücke, der geröthete Luftsteig, auf dem die Einherjen Morgens nach Valhöll zurückreiten, dann die Bezeichnungen des Himmels als Helm des Vestri, Austri, Sudri, Nordri, der mythischen Zwerge, die an den vier Windecken unter denselben gesetzt sind, als „Helm der Luft, der Erde, der Sonne“ [3]. Auf welchem Wege die weit auseinander liegenden Vor-

þer, er þû kvedr vër minn î valsinni, þar er göltr glôar gullinbursti hildisvîni (hildisvîn als dichterische Benennung des Helmes, nach dem oder gleich dem in der Hrôlfssage; zu glôar Sæm. 107, 5: „gardar glôa mer þikkja of gullna sali“), ër mer hagir gördu dvergar tveir, Dáinn ok Nabbi.“ J. Grimm übersetzt wortgenau, obgleich damit Myth. 1007 nicht stimmt, Andr. XXIX: „in via cædis, ubi verres micat aureis setis in galea“ und fügt bei: „hier ist das eberzeichen von dem helm unterschieden, auf dem es oben angebracht war, begreiflich aber bezeichnet es andremal den ganzen helm“). Gleichwie Freyja durch das genealogische Wissen des Riesenweibs ihren Liebling für die gerichtliche Streitrede auszurüsten sucht, will sie selbst ihn im Kampfe durch ihren leuchtenden Eberhelm schirmen, sei es, daß sie damit ihm zur Seite steht oder daß sie ihm, dessen Opferdienst ihr gewidmet ist, denselben geliehen hat, wie Odin seinen Speer, auch eines der Götterkleinode („gripir“), Solchen leiht, die ihm opfern oder sich ihm ergeben haben (Sæm. 165: „Dagr Högnason blôtadi Odin til födurhefnda; Odinn lêdi Dag geris sins.“ Fornm. S. 5, 250: „seldi honum reyrsprota“. Myth. 134. Sagabibl. 3, 142.)

[1] Sn. 177, Arn. 470: vidfedmir, hrìofarl, leiptr; vgl. 223 b; ags. heofonbearht, heofontorht, rodorbeorht, Bouterw. Gl. 163. 241. Myth. 662.

[2] Trougem. 2: „mit dem himel was ich bedaht.“ Kinderl. 93: „Der Himmel ist mein Hut“.

[3] Sæm. 168, 36: „rîda rodnar brautir &c. flugstig troda &c. fyr vestan vindhialms brûar.“ Sn. 122, Arn. 314 f.: „Hvernig skal kenna himin?

stellungen sich vermittelt haben mögen, derselbe Gott, dem der stattlichste Eber der Herde geopfert wird, bewährt sich im Vanenreich als Träger des leuchtenden Lufthelms.

Auch als Gattung verläugnen die Vanen nicht, was in den Göttern ihres Stamms zu Tage gekommen ist. Nach Alvîsmâl (Sæm. 48) heißt in ihrer Sprache die Erde Wege (Str. 11: „kalla vega Vanir"), der Himmel Windweber (Str. 13: „vindofni"), die Wolke Windfloß (Str. 19: „vindflot"), die Meeresstille Windruhe (Str. 23: „vindslot"), das Meer Waag, Woge (Str. 25: „vâg"; Gr. 1, 3te Ausg., 456: vâgr, sinus maris), das Feuer Schweifer (Str. 27: „vag". Gr. 1, 3te Ausg., 423: vaga vagari), überall Windeswehen und Bewegung. Aufmerksam sind die Vanen zur Stelle, wenn irgend etwas Ungewöhnliches durch die Lüfte geht. Als Odin zum ersten Kriege den Speer in das Volk hinschleudert, kommen sie kampfweissagend zur Erde [1]; als einmal Gnâ, die Sendbotin der Göttin Frigg auf dem Rosse Hôfvarpnir, Hufaufwerfer,

Svâ, at kalla hann ꝛc. hialm Vestra ok Austra, Sudra, Nordra (vgl. Sæm. 2, 11. Sn. 9. 16) ꝛc. hialmr eda hûs lopts ok iardar ok sôlar." Sn. 123 in der Strophe des christgewordenen Arnor: „sôlar hialms â dæmistôli." Altn., noch mehr ags., wird hialmr, hëlm, entsprechend der Herkunft des Worts von der Wurzel hilan (tegere, Gr. 3, 445), auch sonst in mancherlei Zusammensetzungen und Verbindungen für das Überdeckende, Verhüllende, Schirmende gebraucht: Sæm. 50, 19: „hialm huliz" (Wolke, hulidshialmr, Finsternis, Myth. 432. Gr. 3, 445); Myth. 308 f.; ags. heolod-, häled-helm, altſ. helithhelm, ahd. helothelm (latibulum, Myth. ebd.), nihthelm (Nachtdunkel, Myth. 714, vgl. Sæm. 51, 31: „Nôtt ꝛc. kalla grîmu), lysthelm (nubes, Gr. 2, 466. 499); dann noch die zahlreichen ags. helm mit vorangehendem Genitiv, im Sinne des schützenden Herrn, Gr. 2, 602. Bouterw. Gl. 161 f. Beow. 740: „helm Scyldinga". 907.

[1] Vsp. 28: „Fleygdi Odinn ok î fôlk um skaut, þat var enn fôlkvîg fyrst i heimi; brotinn var bordveggr borgar Âsa, knâttu Vanir vîgspâ völlu sporna;" dieß die Anordnung der Strophe in der Kopenh. Ausg. nach Cod. reg. Havn. und der arnam. Perg.-Hdſ.; zu vig-spâ (pugnam præsagientes): das zweite Wort contrahiert aus spâu, spaku, schw. Adj. acc. pl. masc., wie Vsp. Str. 25: „völu velspâ" acc. sing. fem., vgl. Gr. 1 (2), 742 u. 1 (3), 457 u.; zu völlu sporna (campos calcare) vgl. Sæm. 240, 7: „knâtti mær ok mögr moldveg sporna, börn þau hin blîdu ꝛc." von zwei zur Welt kommenden Kindern, auch das schon erwähnte (Sæm. 83, 15): „id lætr til iardar taka." Sprachg. 729 u. (Vgl. Heimskr. 88 f. Saga Olafs ens helga, Christiania 1853, S. 55. 269.)

die Luft durchrennt, da sehen einige Vanen ihren Ritt und einer spricht: „Was fliegt dort? was fährt dort oder gleitet in der Luft?" Frage und Antwort sind Bruchstücke eines alten Liedes (Sn. 38). Bewohner eines Gebietes, das über alle Dinge ausgebreitet ist und in dem auch die Vorzeichen wichtiger Ereignisse gefunden wurden, leichtbeweglich nach jeder Seite, wo irgend etwas zu erspähen ist [1], sind die Vanen als wißbegierig und vielkundig bezeichnet. In mehreren Eddaliedern wird ihnen das Beiwort die weisen, wissenden gegeben (Sæm. 36, 39 und 196, 19: „með vîsom Vönum"; 83, 17 f.: „vîssa Vana"; 88, 1: „Vanir vita") und eines rühmt von dem Äsen Heimdall, daß er wohl vorauswußte, wie die Vanen (Sæm. 72, 17: „vissi [Gr. 1 (2), 926] hann vel fram sem Vanir aðrir"); Heimdall, der schlaflose Wächter auf den Himmelbergen und an der Götterbrücke (Sæm. 14, 13. 66, 48. 89, 9. Sn. 21. 30; vgl. obiges „vindhialms brûar", Sæm. 168, 36), hat ja dieselbe Umschau aus der Höhe, wie die luftigen Vanen. Ein Wissen, dessen Ausforschung den Äsen selbst angelegen ist, wird noch andern, ihnen nicht ebenbürtigen Wesenarten zugeschrieben. So befragt Thôr den Zwerg Alvîs, dessen Name schon den ganz Kundigen anzeigt und der auch als weiser Gast (Sæm. 49, 8: „vîsi gestr!") angeredet wird, um Wissenswerthes aus allen neun Welten. Diese Form des Alvîsmâl ist dem alterthümlichern Vafthrûdnismâl nachgebildet (Thôr 80), in welchem Odin gleicherweise den Jötun Vafthrûdnir ausfragt; dieser heißt der allkluge (Sæm. 31 ff.: „alsviðr"), und ähnliche Beiwörter (hundvîss, frôðr u. s. w. Myth. 196) werden andern Riesenwesen zugetheilt. Selbst die Vala, die Verkünderin der großen Weltgeschicke, welche gleichfalls von Odin ausgeforscht wird (Sæm. 4, 21 f. vgl. 1, 1), ist von Riesen geboren oder gelehrt (je nachdem man Sæm. 1, 2 fœdda oder frœdda [2] liest), und von der Riesin Hyndla holt, für den besondern Fall, Freyja Bescheid. Beim Riesengeschlecht ist es zumeist das urweltliche Alter, wodurch demselben so reiche Kenntnis zu Gebote steht. Riesen und Riesenweiber heißen „die alten" (Myth. 491. 496) und sie

[1] Mit Freyas Falkengefieder forscht Loki in Thrymheim nach Thôrs verlornem Hammer (Sæm. 70 f.) und mit demselben (wenn Sn. 113 Freyju statt Friggjar zu lesen ist) fliegt er aus Fürwitz („forvitni sakar") nach Geirröds Höfen und sieht zum Fenster in die Halle hinein.

[2] Gr. 1 (2), 319, 2.

berichten, wes sie sich erinnern (Sæm. 1, 2: „ek man". 5, 26: „þat man hon" u. s. w. 35, 34: „hvat þû fyrst um mant eda fremst um veizt"). Eine Riesenzeit ist dem Werden der Götter vorangegangen und in der Erfahrung vom Urhab der Welt wird auch der Schlüssel zum Schicksal und Ende derselben gesucht. Die Natur in ihren Stoffen und Kräften bleibt eigenlebig dem göttlichen Geiste gegenübergestellt und dieser befindet sich, ein Vorbild des menschlichen, in rastloser Bewegung, das Feindliche aus dem Naturgebiete thatkräftig zu bekämpfen und zu bändigen, das Freundliche an sich zu ziehen, Alles aber im Innersten zu erforschen und eben durch die Erkenntnis sich des Ganzen zu bemächtigen. Diese umfassende und fortschreitende Weisheit des Äsengeistes ist erhaben über die bloß erfahrungsmäßige der andern Wesenklassen [1]. Die weisen Vanen insbesondre sind als Volk gar nicht in die Gemeinschaft der Äsen aufgenommen und werden mehrentheils erst nach den Alfen aufgezählt (Sæm. 83, 17 f. 88, 1. 196, 19; anders in Alvîsmâl außer Str. 29): aber auch ihre nach Asgard erhobenen Häupter, Niörd und seine Kinder, sind doch nicht in vollständige Gleichgeltung eingetreten. Loki, selbst kaum im Äsenkreise geduldet, hält dem Vanenvater vor, daß er von Osten her als Geisel zu den Göttern gesandt sei (Sæm. 64, 34: „þegi þû, Niördr! þû vart austr hedan gîsl um sendr at godum), und ein andres Lied kennzeichnet ihn damit, daß er nicht von Äsen stamme, sondern in Vanaheim ihn weise Mächte erschaffen und den Göttern zu Geiselschaft übergeben haben (Sæm. 36, 38: „vardad hann Âsum alinn; î Vanaheimi sköpu hann vîs regin ok seldu at gîslingu godum"); ein Abstand, der auch durch die Hochstellung seines Sohnes Frey (Sæm. 64, 35: „Âsa iadarr". Sn. 28: „Freyr er hinn âgætasti af Âsum") nicht völlig ausgeglichen wird. Die drei vanischen Gottheiten werden noch immer nach diesem ihrem Ursprunge benannt (Niörd: Vananidr, Vanr, Sn. 103; Freyr neben denselben zwei Namen: Vanagud ebd., Vaningi, Sæm. 86, 32; Freyja: Vanadis, Vanagod, Vanabrûdr, Sn. 37. 119. 134), und ein gattungsmäßiger Zusammenhang unter ihnen zeigt sich auch noch in gleicher Eigenschaft und Wirksamkeit, sowie in gemeinsamer Anrufung; insge-

[1] J. Grimm, Myth. 495 f. bezeichnet die Riesen als ein Geschlecht, „dem mehr eine objective und anerschaffne, als selbsterworbne Vernunft beiwohnt."

sammt sind sie holde, gütige Wesen, die Geschwister von gleicher Schönheit (Sn. 28: „hêt sonr Freyr, en dôttir Freyja, þau voru fögr âlitum"); Niörd und Frey schaffen, wie gezeigt ist, beide Jahressegen, Reichthum und Frieden; im Eide, zum Opfertrank, im Hilferuf und selbst in der Absage werden Vater und Sohn neben einander genannt, einmal wird auch Freyja noch angereiht (Myth. 197. 1210 oben. Lex. myth. 254b).

Frey ist, der verschiedenen Abstammung unerachtet, einer der drei Hauptgötter des nordischen Heidenthums, und zwar stellt sich dieß in der Wirklichkeit, in den geschichtlichen Nachrichten vom Götterdienste noch bestimmter heraus, als in den Mythen. Doch nennt eine Verwünschungsformel im Eddaliede von seiner Brautwerbung ihn als den dritten mit Odin und Thôr („Âsabragr", Sæm. 85, 34 [1]), und in der vorgedachten Schmiedsage hat er mit ebendenselben das Urtheil über die Zwergkleinode zu sprechen (Sn. 29). Gerade neben diesen gewaltigen Asen erscheint zwar das weiche Wesen, das er mit seiner Verwandtschaft gemein hat, etwas fremdartig, allein ein ausgestalteter Götterhimmel bedarf starker und milder Mächte. Weniger die Verschiedenheit, als die doppelte Besetzung des gleichen Amtes läßt einen späteren Anschluß Freys vermuthen. Er besorgt das Nemliche, was schon durch Thôr kräftiger versehen ist. Dieser waltet, wie schon sein Name besagt, gleichfalls im Luftraum, aus den Wolken wirft er seinen Hammer, den Donnerkeil, in all seiner Kraft und Schlagfertigkeit ist auch er ein leutseliger Gott, Freund und Schirmer des Menschengeschlechts (Sæm. 53, 11: „vinr verliđa". 55, 22: „sâ er öldum bergir"), er ist, so gut wie Frey, Geber des Jahressegens, indem er die Sturm- und Winterriesen zerschmettert und dem Anbau vorsteht, er öffnet, wie Niörd, das Meer der Schiffahrt, als Bekämpfer des Eisjötuns und der Midgardsschlange, mit Freyja bewegt er sich im gleichen Gebiete, denn ihren Schleier und Halsschmuck nimmt er zur Verkleidung, und wenn sie den Jötunen hingegeben werden soll, ist kein Vanengott, sondern der schlagfertige Thôr ihr Retter (Sæm. 5, 29 f. 71, 9. 13. 15. 74, 33 f.). Nicht er bedurfte der Vanen, sie traten vielmehr unter seinen Schutz ein. Von den drei Göttern der deutschen Abschwörungsformel entsprechen

[1] Grimms Myth. 147. 193.

Thunar und Wôden vollkommen den nordischen Thôr und Odin, Saxnôt am nächsten dem Tŷ (Myth. 184. 196), der ein Kampfgott ist (Sn. 29. 105: „vîgaguđ“) und bei Einritzung der Siegrunen auf das Schwert zweimal genannt werden soll (Sæm. 194, 6); zur Bestätigung dienen die Namen der Wochentage: dies Martis, Mercurii, Jovis, deutsch und zwar am klarsten agſ. Tives, Vôdenes, þunores däg, altnord. Tŷsdagr, Odinsdagr, þôrsdagr (Myth. 112 bis 115). Tŷ ist im nordischen Götterkreise merklich zurückgeschoben und verdunkelt, ein Kriegsgott auf halbem Solde, während es nicht an Spuren fehlt, daß er früher in größerem Ansehen stand, und hiefür schon sein altwurzelhafter Name spricht, der den Gott überhaupt bedeutet, darum auch mehrfach für Odin selbst, selten für Thôr, appellativ in Zusammensetzungen gebraucht wird (Myth. 178; vgl. jedoch 192 f. 198). Eben in Odin, dem alle geistige Erregung und so auch die des Heldengeistes zukam, mochte Tŷs Wirksamkeit großentheils aufgegangen sein und um so leichter konnte er bei Aufnahme der Vanen in Âsgard durch Frey von der dritten Stelle verdrängt werden. In Thôr und Tŷ standen dem geistesmächtigen Lenker des Ganzen zwei waltende Wesen, der Schutzherr des Feldbauers und der des Kriegers, wohlbemessen zur Seite [1], mit Thôr und Frey ist diese gegensätzliche Anordnung aufgehoben. Nicht mindre Störung hat unter den Göttinnen stattgefunden; Odins Gemahlin Frigg wird mit der im Namen anlautenden Freyja schon frühzeitig in mythischen Meldungen verwechselt (vgl. Myth. 279. 1212), und es ist, mit Unrecht, selbst die völlige Gleichstellung versucht worden.

Aber nicht bloß solche Anzeigen, die der innern, mythischen Gestaltung des Götterwesens entnommen sind, weisen darauf, daß die Vanen ursprünglich dem odinischen Kreise fremd waren; deutlicher noch ergeben dieß die vorhandenen Nachrichten vom Freysdienste, durch welche, wenn sie auch selbst noch aus der Sagenzeit stammen, für die äußere Verehrung der Vanengötter eine eigene Heimat in Land und Volk gesichert wird. Saxo gibt dem Namen Frey, in dänischer Form Frö, jedesmal ausdrückliche Beziehung auf Schweden; das Opfer, das diesem

[1] In Hymiskv. (Sæm. 52 ff.) suchen Thôr und Tŷr zusammen den Eisriesen heim; Tŷr ist für Kriegszug und Vikingsfahrt, wie Thôr für den Feldbau, beim Eisbruche betheiligt.

Gotte jährlich mit schwarzen Thieren gebracht wird, nennen die Schweden Fröblôt; Frö selbst, Statthalter der Götter, der unferne von Upsala seinen Sitz genommen, soll statt des alten Opferbrauchs Menschenopfer eingeführt haben; in der Brávallaschlacht sind die tapfersten Schweden Anverwandte des Gottes Frö und besonders die dem König am nächsten stehenden, obenan Ingi, führen den Ursprung ihres Geschlechts auf Frö zurück [1]. Vigaglûmssaga kennt ein Heiligthum Freys zu Upsala (C. 19: „Freyshof". Myth. 197). Die Saga von Ólaf Tryggvason erzählt, wie an Frey um Fahrwind nach Schweden, an Thôr oder Odin heim nach Island Gelübde gerichtet werden, [2] und in einem Zusatze zur Saga von Ólaf dem Heiligen wird bei Aufzählung der Götter verschiedener Volksstämme Frey der Schweden Gott genannt [3].

[1] Saxo 1, 16: [Hadingus] propitiandorum numinum gratia Frö deo rem divinam furvis hostiis fecit; quem litationis morem annuo feriarum circuitu repetitum posteris imitandum reliquit; Fröbloth Sueones vocant." 3, 42: „Frö quoque deorum satrapa sedem haud procul Upsala cepit, ubi veterem litationis morem tot gentibus ac seculis usurpatum tristi infandoque piaculo mutavit; si quidem humani generis hostias mactare aggressus, foeda superis libamenta persolvit." 6, 104: „Starcatherus ꝛc. Sueonum fines ingreditur, ubi cum filiis Frö septennio feriatus ꝛc. apud Upsalum sacrificiorum tempore constitutus ꝛc." 8, 144: „At Sueonum fortissimi hi fuere: Ar ꝛc. e Gyslamarchia; qui quidem Frö dei necessarii erant et fidissimi numinum arbitri. Ingi quoque ꝛc. Ringonis militiam amplectuntur, viri quidem manu prompti, consilio vegeti proximaque Ringonem familiaritate complexi; iidem quoque ad Frö deum generis sui principium referebant." (In der Schlachtbeschreibung Fornald. S. 1, 380 ff. ist Freys nicht gedacht, Ingi heißt hier Yngvi.) Sonst bei Saxo noch 169, 9 ein „rex Suetiæ Frö". Vgl. auch Fornald. S. 1, 303, 10. 3, 237, 1.

[2] S. Ólafs k. Tryggv. C. 154. Fornm. S. 2, 16: „Svâ var heitit stofnat, at þeir skyldi gefa fê ok þriggja sálda öl Frey, ef þeim gæfi [byr at sigla] til Svîþiodar, en Þôr edr Odin ef þâ bæri aptr til Islands." C. 173 (ebd. 2, 76 f.): „þessi blôtgud Svîa, er nû gânga mestar sögur frâ, ok þeir kalla Frey ꝛc."

[3] S. Ólafs k. hins helga, D. 11. Fornm. S. 5, 239: „Ólafr konûngr kristnadi þetta rîki allt: öll blôt braut hann nidr ok öll god, sem Þôr Engilsmannagod, ok Odin Saxagod, ok Skiöld Skânûngagod ok Frey Svîagod ok Godorm Danagod". Myth. 146. Heimskr. 1, 1: „Yngvifreys, þess er Svîar hafa blôtat lengi sîdan: af hans nafni eru Ŷnglîngar kalladir."

Wie nun dieser göttlich verehrte Stammvater des schwedischen Königsgeschlechts, der nach ihm, dem Yngvifrey, benannten Ynglinge, zugleich mit der ganzen Genossenschaft vergötterter Äsen und Vanen in das Land gekommen sei, berichtet Snorri im Eingang der Ynglingasaga, des ersten Abschnitts seiner norwegischen Königsgeschichte. Hiezu war er dadurch veranlaßt, daß die königlichen Beherrscher Norwegens ihre Abstammung eben von jenen schwedischen Ynglingen herleiteten. Nach seiner bekannten Ansicht sind die Äsen Leute aus Asien („Asiamenn") und die Vanen ein Volk von Tanais („Tanakvísl edr Vanakvísl"), Odin aber ist Vorsteher einer königlichen Priestergemeinschaft („hofsgodar, díar, dróttnar". C. 2. Myth. 82), worein auch der zu Geisel gegebene Niörd mit seinen Kindern aufgenommen ist und die erst westwärts, zuletzt nach dem Norden wandernd, ihren Opferdienst dahin einführt (Yngl. S. C. 1 bis 5). Diese an sich unersprießliche Auffassung hebt gleichwohl Umstände hervor, welche auf die geschichtliche und örtliche Entwicklung des nordischen Götterwesens einiges Licht werfen. Von Saxland [1] aus zieht Odin nordwärts zur See und nimmt sich dort Wohnstätte auf einem nach ihm benannten Eiland (Odinsey, Odensee in Fünen [2], auch Odinsvê, Odins Heiligthum; Fornm. S. 11, 266. Myth. 144). Gefjon, die er von da nördlich über den Sund um Länder zu suchen aussendet, kommt zu Gylfi und erhält von ihm ein Pflugland; durch ihre vier mit einem Jötun erzeugte, in Ochsengestalt vor den Pflug gespannte Söhne läßt sie dieses Land in das Meer hinaus und westlich gegen Odinsey ziehen; dasselbe heißt Sälund (Seeland), Meerhain (Myth. 42. 66), wo sie fortan, vermählt mit Odins Sohne Skiöld, in Hleidra wohnt; in Schweden blieb an der Stelle des Landstücks der Lögr, Mälarsee, zurück, dessen Buchten gerade so liegen, wie die Landzungen auf Seeland; als aber Odin von den guten Ländereien bei Gylfi vernommen, fährt er selbst dahin und man verträgt sich mit ihm, weil Gylfi keine Kraft zum Widerstande gegen die Äsen zu haben glaubt; Odin und die Seinigen messen sich mit Gylfi in mancherlei Listen und Blendungen, die Äsen sind aber stets die mächtigern; am See, im alten Sigtún, läßt nun Odin sich nieder, richtet daselbst eine große Opferstätte nach Gewohnheit der

[1] S. 169, Anm. 3: Odin Saxagod.

[2] Ynglingas. C. 5: þá fór hann nordr til siávar, ok tók ser þar bústad í ey einni; þar heitir nú Odinsey í Fióni.

Äsen ein und weist auch seinen Genossen Wohnsitze an, deren Namen freilich den in Grimnismál verzeichneten Götterwohnungen abgeborgt sind, mit der einen Ausnahme, daß Frey, statt nach Álfheim, wieder schwedisch örtlich nach Upsala zu wohnen kommt [1]. Die Sage von der Entstehung Seelands, die, ohne Bezug auf die Wanderung der Äsen, auch in der j. Edda (Sn. 17, allein nicht im Cod. Upsal., vielleicht aus schwedischer Abneigung, vgl. Lex. isl. 113) erzählt wird, ist an beiden Orten mit einer Strophe Bragis des Alten, des Ahnherrn der Skalden, belegt; auch diese spricht nur davon, wie Gefjon, hier sichtlich das Meer [2], dem Gylfi, der überall als König von Schweden erscheint [3], die Mehrung Dänemarks [4], das freundliche Eiland, eben Sälund,

[1] Ynglingas. C. 5: „Odinn tók ser bústad vid Löginn (vgl. Fornald. S. 1, 347) þar sem nú eru kalladar fornu Sigtúnir, ok gerdi þar mikit hof (Myth. 59) ok blôt, eptir sidvenju Âsann. Hann eignadiz þar lönd svá vitt, sem hann lêt heita Sigtúnir; hann gaf bústadi hofgodunum: Niördr bió í Nóatúnum, enn Freyr at Uppsölum, Heimdallr at Himinbiörgum, Þórr á þrúdvangi, Balldr á Breidabliki; öllum fêck hann þeim góda bólstadi.

[2] Vgl. Myth. 219. 287 f. Auch Hymir, der Jötun des breiten Meeres, hat eine Ochsenherde, Sn. 62: „öxnaflokk,“ „hinn mesta uxann, er Himinbriotr hêt.“ Myth. von Thôr 159. (Zu „enni-túngl,“ lunae frontis, vgl. Sn. 203. 204: „innmâni ennis“ (Thôrs Auge, beim Schlagen nach der Midgardsschlange, Lex. myth. 208 b).

[3] In Bragis Str.: „frá Gylfa ꝛc. diuprödul-ödla“. (Arn. 33: „auri munifico“); als Goldspender werden die Vornehmen bezeichnet Sn. 171, vgl. 156. Yngl. S. nennt ihn nicht ausdrücklich König, aber der Zusammenhang ergibt in ihm den Herrn des Landes. König von Schweden heißt er Sn. 1, auch Form. 15, vgl. 77: „í ríki sitt.“ Gylfi ist überhaupt dichterische Benennung des Gebietenden Sæm. 156, 48. 164, 14. Sn. 191 (vgl. Fornald. S. 2, 9. 5. 220). 208. 166 f. (Arn. 441 ff.): „Svâ kvad Þórdr Siáreks son: „Gylfa rastar glaumi (sonipedem terræ Gylvianæ [Schiff]). Hêr er skip kallat ꝛc. ok sær Gylfa land;“ ist Letzteres richtig, so muß hier Gylfi skaldisch den Seekönig bezeichnen, gemäß Sn. 208 a.

[4] Durch „Danmarkar auka“ wird die Beziehung auf das dänische Sälund gesichert, wogegen Munchs Vermuthung Nordmænd. Gudelære 25, daß ein schwedisches Siáland und unter „vineyjar“ die Insel Windö vor dem Ausflusse des Mälarsees gemeint sei, schon bei einem der ältesten Skalden großes Misverständnis voraussetzt und die Bedeutung der Sage verengt; „viney,“ insula grata, amœna, ist zusammengesetzt wie „vingólf“ ꝛc. (Sæm. 90, 17. Sn. 4. 15. 24) und die angels. vinburg, vinsele (Myth. 780. Bouterw. Gl. 303 f.).

weggepflügt; soweit also liegt lediglich ein sinnreicher Mythus von der Gestaltung des dänisch-schwedischen Uferlandes vor. Dieser naturgeschichtlichen Errungenschaft Dänemarks von Schweden fügt aber die Ynglingasaga eine gottesdienstliche hinzu; Gylfi muß den angefahrenen Äsen in seinem Lande selbst Opferstätten einräumen, nachdem er im Wettkampfe der Listen und Blendungen unterlegen ist. Solche Blendungen, mit demselben Worte bezeichnet, sind es auch, die im ersten Theile der j. Edda Gylfis Täuschung (Gylfa ginníng), welchem dieselbe Seelandssage vorgesetzt ist, einem in Frage und Antwort gehaltenen Inbegriff der nordischen Götterlehre zum Rahmen dienen [1]; der zauberkundige Schwedenkönig Gylfi geht in Gestalt eines alten Mannes, unter dem Namen Gängleri [2], nach Ásgard, um die Weisheit der Äsen und den Grund ihrer Macht, ob dieselbe von ihrer eigenen Natur, oder von den Göttern, denen sie opfern, herkomme, zu erforschen; und obgleich sie ihn mit mancherlei Blendwerk täuschen, erfragt er doch von ihnen die ganze Äsenlehre und verkündet nach der Heimkehr in sein Reich, was er gesehen und gehört hat, worauf je einer dem andern diese Sagen mittheilt [3]. In dieser Einkleidung erkennt man leicht den Zuschnitt der alten Lehr- und Fragelieder, und aus Hâvamâl, das auch sonst vorschwebte, ist die erste Strophe mit hereingezogen (Sn. 3: „Gâttir“ u. s. w. Sæm. 11, 1); so beweist auch eine weitere Halbstrophe (Sn. 3: „sattu“ u. s. w.), die anderwärts nicht vorkommt, noch keineswegs, daß über Gylfis Besuch in Ásgard ein eigenes Lied vorhanden war (vgl. Munch, Edda S. VIII). Daraus folgt aber nicht, daß Alles, was außer der Gewinnung Seelands von Gylfi erzählt wird, also seine widerstrebende Stellung zum Äsendienste, wie sie in Ynglingasaga und Gylfaginning sich

[1] Yngl. S. C. 5: „Mart áttuz þeir Odinn við ok Gylfi í brögðum ok sjónhverfingum, ok urðu Æsir jafnan ríkri.“ Sn. 2: [Æsir] gerðu í móti honum sjónhverfingar;“ entsprechend die Überschrift: „Gylfaginning.“

[2] Sn. 2 (Arn. 34): „hann nefndist Gângleri, ok kominn af refilstigum ꝛc.“ Lex. poet. 223a: „Gangleri, qs. ambulando fessus.“ Sonst auch ein Name Odins, selbst in Grímnismâl (Munch 31, 46; vgl. 192. Sæm. 46, 1). Sn. 24 (Arn. 84 f. 2, 265. 472a. 555b).

[3] Sn. 77: „Gengr hann þá leið sína braut, ok kemr í ríki sitt, ok segir þau tíðindi er hann hefir sét ok heyrt, ok eptir honum sagði hverr maðr öðrum þessar sögur.“

erzeigt, jedes alten und echten Sagengrundes entbehre [1]. Dieselbe fällt in den durchgehenden Gegensatz von Dänemark und Schweden, Lethra und Upsala, Äsen und Vanen, Odin und Frey, Skiöldüngen und Ynglingen. Alle Glieder dieses Gegensatzes, in welchem Gylfi der Vertreter Schwedens ist, finden sich in Ynglingasaga; aber ihre Bedeutung ist getrübt und ihre Ordnung verschoben in Folge jener irrigen Grundansicht, welche die Götter zu Priestern und Zauberern macht. Es wird vollkommen deutlich, daß der in Schweden herrschende Glaube von demjenigen der Ankömmlinge aus Dänemark verschieden war, dann aber sich mit diesem vertragen muste; allein zum Glauben und Opferdienste sind auf keiner von beiden Seiten Götter vorhanden, eben weil diese in der vermeintlichen Priesterschaft aufgegangen sind. Vergeblich wird damit nachgeholfen, daß letztere allmählig zu göttlicher Verehrung gelangt [2], denn es erhellt doch nicht, wem sie selbst zuvor geopfert haben soll. Dieselbe Auffassung hat es verschuldet, daß Krieg und Friede der Äsen mit den Vanen der Einwanderung in den Norden vorangestellt ist, während darin doch nur der mythische Ausdruck für dasselbe liegt, was nachher von dem vereinigten Götterdienst in Sigtûn und Upsala berichtet wird. Der Hergang in richtiger Folge wäre hiernach dieser: das Volk, das, vom deutschen Festland kommend, sich auf den dänischen Inseln ansiedelt, gibt der einen, Odinsey, den Namen seines Hauptgottes und gründet auf der andern, Sälund, seinen Königstuhl und seine große Opferstätte zu Lethra [3]; hier nimmt Skiöld, Odins Sohn, seinen Wohnsitz und wird der Stammvater des dänischen Königsgeschlechts, der Skiöldünge [4], nach denen auch die dortige See bei den Dichtern

[1] Die Annahme eines solchen für die Einrahmung von Gylfaginning wird dadurch unterstützt, daß der nächstfolgende Abschnitt der j. Edda, Bragarädur, in seiner Fassung mit anderwärts vollkommen beglaubigten Mythen zusammenhängt; vgl. Sn. 78 ff. mit Sæm. 52. 59 ff. Sn. 129.

[2] Yngl. S. C. 7: „enn Odinn ok þà höfdingja XII. blôtudu menn, ok kölludu god sin, ok trûdu â lengi sidan."

[3] Grottas. 19: „Hleidrar stôli." Sprachg. 735. Dietmar von Merseb. I, 9. Myth. 42. 66.

[4] Yngl. S. C. 5; „er þat land kallat Sælund; þar bygdi hun [Gefjon] sidan. Hennar fêck Skiöldr son Odins; þau biuggu at Hleidru." Sn. 43 (Arn. 374): „Skiöldr hêt sonr Odins, er Skiöldûngar eru frâ komnir, hann hafdi atsetu ok rêd löndum þar sem nû er köllut Danmörk, en þâ

Meer der Skiöldünge (Skiöldûnga-haf, Lex. myth. 114, Skiöldûnga-saga, Yngl. S. C. 23) hieß. Wie die Dänenkönige durch Skiöld von Odin, so leiteten die Beherrscher Schwedens, die Ynglinge, deren Stuhl und Landesopfer zu Upsala war [1], ihren Ursprung von Frey, Ingvifrey, her [2] und das schwedische Volk widmete diesem Gotte seine vorzügliche Verehrung.

Es ist schon gezeigt worden, wie sehr der Freysdienst für eigenthümlich schwedisch angesehen war; der Gegensatz zum dänischen Odinsglauben scheint merkwürdig hindurch, wenn in derselben Schlacht, in welcher die Abkömmlinge Freys dem Upsalakönige zur Seite gehen, der Lethrakönig von Odin, als einem den Dänen bisher gnädigen Gotte, den Sieg erfleht und ihm dafür die Seelen der Erschlagenen zu weihen verheißt [3]. Der Austausch und die Verschmelzung der beiderlei Dienste ist darum nicht weniger beglaubigt, der ganze Mythenkreis hat sich darnach gestaltet und auch anderwärtige Zeugnisse liegen vor. Da der norwegische Königsstamm, der in Harald Schönhaar zur Einherrschaft kam, sich zu den Ynglingen zählte, wie auch Ynglingasaga dessen Reihe von Yngvifrey her und den allmählichen Zug des Geschlechts von Upsal

var kallat Gotland." Vgl. Sn. 193. Form. 14. Fornm. S. 5, 239: „Skiöld Skânûngagod u. s. w. Godorm Danagod u. s. w." Von Godormr ist sonst nichts bekannt, Schonen aber gehörte zu Dänemark in weiterem Sinne, Fornald. S. 3, 659: „Hrîngr konûngr hafdi verit fylkiskonûngr î Danmörku, ok hafdi hann râdit fyrir Skaun (a. Skâney)." Sprachg. 735, 2. Vgl. Myth. 146. 341.

[1] S. Ól. helg. C. 76, Heimskr. 2, 105: î Sviþiod var þat forn sidr, medan heidni var þar, at höfot-blôt skylldi vera at Uppsölum at Góe; skylldi þâ blóta til fridar ok sigurs konûngi sînom, ok skylldo menn þangat sækja um allt Svîavelldi. Skylldi þar þâ ok vera þing allra Svîa u. s. w. þar ero Uppsalir; þar er konûngsstôll, ok þar er Erkibiskops stôll u. s. w. (Rechtsalt. 243 ob.)

[2] Sn. Edd. 193 (Arn. 522, vgl. 2, 343): „þessar eru ok konûnga ættir âgætar: frâ Îngva (a. Yngvari, Yngvifrey) er Înglingar eru frâ komnir; frâ Skildi î Danmörk, er Skiöldûngar eru frâ komnir. Über Yngvi und Yngvifreyr Yngl. S. C. 12. 20. Myth. 192. 320 f. 1218 u.

[3] Saxo 8, 146: „Cui [Othino Haraldus] mox supplicare obnixius cœpit, uti Danis, quibus ante clementer affuerit, supremam quoque victoriam tribuat, complementumque beneficii origini exæquaret, eidem se prostratorum manes muneris loco dedicaturum pollicitus." Vgl. 8, 157: „Othinus Danis, quos paterna semper pietate coluerat u. s. w."

bis Skiringssal im norwegischen Vestfold genau verfolgt [1], so war hiedurch zugleich für die Verehrung Freys und der ihm verwandten Gottheiten der Weg nach Norwegen und von da nach Island gewiesen (vgl. Myth. 197); die eingewanderten Häuptlinge, die den großen Opfern vorstanden, und ihre Skálden, von denen sie als Freys Abkömmlinge gepriesen wurden [2], waren wohl im Stande, dem Dienste der vanischen Götter neue Stätten zu bereiten und auch im Kreise der Mythenlieder ihnen Geltung zu verschaffen. Nicht so heimisch scheinen diese Götter in Dänemark geworden zu sein. Andrerseits gibt Eirek, ein schwedischer König am Ende des 10ten Jahrhunderts, in einer Schlacht bei Upsal das dänische Heer durch Speerwurf dem Odin, in dessen Tempel er selbst sich, um den Sieg zu erlangen, dem Gotte geweiht hatte [3]; hier also hegt der Schwedenkönig gleiches Vertrauen zu Odin, wie in Bravallaschlacht der dänische; sein Gegner, gleichfalls aus schwedischem Königsstamme, hat dem Thór um Sieg geopfert. Diese Göttereinigung

[1] Yngl. S. C. 45 bis 49 (Heimskr. 1, 55 ff.). Munch 2, 74 f.

[2] Thiodólf, dessen Ynglingatal eben der skáldische Stammbaum und das Geschichtlied dieses schwedisch norwegischen Königsgeschlechts ist, hat wohl schon ältere Vorgänger für den Ausdruck „Freys áttúngr“ (Lex. poet. 29 a), wie er noch den Upsalakönig Adils nennt (Heimskr. 1, 42); ebenso bezeichnet Eyvind Skáldaspillir den Jarl Hákon, Griotgards Sohn (ebd. 1, 88). Wenn bei Thiodólf ein andrer Upsalakonúng „Týs áttúngr“ (ebd. 1, 38) und ebenso bei Eyvind der Jarl Hákon Sigurds Sohn geheißen ist (ebd. 1, 178), so wird wenigstens Týr nur den Gott überhaupt bedeuten. Vgl. ob. S. 152 f.

[3] Fornm. S. 5, 245 ff. Myth. v. Thór 191 f. Eifersucht zwischen Freys- und Odinsdienst zeigt sich jedoch in Yngl. S. C. 29 (Heimskr. I, 34): „Eptir þat kom Ún konúngr enn til Uppsala, þá var hann LX. þá gerdi hann blót mikit, ok blét til lánglífis ser, ok gaf Odni son sinn, ok var hönum blótinn u. s. w. þá svarar Odinn hönum, at hann skyldi æ lifa, medan hann gæfi Odni son sinn et tíunda hvert ár; ok þat med, at hann skyldi heiti gefa nokkuru heradi í landi sínu eptir tölu sona sinna, þeira er hann blótadi til Odins u. s. w. þá átti hann einn son eptir, ok vildi hann þá blóta þeim, ok þá vildi hann gefa Odni Uppsali, ok þau herud er þar liggja til, ok láta kalla þat tíundaland. Svíar bönnudu hönum þat, ok vard þá ekki blót.“ Zu Tiundaland Heimskr. 1, 46. 2, 106: „Tiundaland er bezt ok göfgast byggt í Svíþiod; þangat lýtr til allt ríkit; þar ero Uppsalir, þar er konúngsstóll, ok þar er Erkibiskops stóll ok þar er vídkenndr Uppsala audr: svá kalla Svíar eign Svía konúngs, kalla Uppsala aud;“ also recht das ursprüngliche Freysgut, ebd. 1, 15 u.

hat auf schwedischer Seite ihren Träger in Gylfi; er ist der Bekehrte des siegreichen Äsenglaubens; die Eroberung der Äsen in seinem Lande wird in Ynglingasaga nicht als eine kriegerische, sondern als eine durch übermächtigen Zauber bewirkte bezeichnet und in Gylfaginning erhält er vollständigen Unterricht in der bereits die Vanengötter mitumfassenden Äsenlehre, die er dann selbst bei seinem Volke verbreitet.

Bei seinem Eintritt in Åsgards hohe Halle sieht Gylfi drei Hochsitze, je einen über dem andern, von drei Männern besetzt, deren Namen ihm auf Befragen so angegeben werden, daß der auf dem untersten Sitze König sei und Hâr heiße, der nächste Jafnhâr und der oberste Thridi [1], der Hohe, der Gleichhohe, der Dritte; der eigentliche Sprecher bei der Unterweisung ist Hâr, die beiden andern tragen Weniges bei [2]. Stellt man die drei Häuptlinge, wie sie bezeichnet werden, als Bewohner Åsgards in ihre göttliche Würde her, so ergeben sich drei Hauptgötter in ihrer vollzogenen Verbindung, und dieser Erscheinung im Göttersaal entspricht aufhellend noch aus geschichtlicher Zeit die bei Adam von Bremen vorkommende Schilderung des prächtigen Upsalatempels mit den Bildsäulen Thôrs, Odins und Freys [3]. Hier zwar ist Thôr der erstgenannte, als mächtigster in der Mitte sitzende, dieser Götterdreiheit [4], im Mythus dagegen ist durchaus Odin der einheitliche Träger des Glaubensverbandes. Die Namen Hâr, Jafnhâr und Thridi

[1] Sn. 3 (Arn. 36): „Hann sâ 3 hâsæti, ok hvert upp frâ ödru, ok sâtu 3 menn sinn î hverju. Þâ spurdi hann, hvert nafn höfdîngja þeirra væri. Sâ svarar, er hann leiddi inn, at sâ er î enu nedsta hâsæti sat var konûngr, ok heitir Hâr, en þar næst er heitir Jafnhâr, en sâ ofarst er Þridi heitir (v. er heitir Þridi Hâr).“

[2] Sn. 4 u. 5 u. 23 u.

[3] Adam von Bremen C. 233: „nunc de superstitione Sveonum pauca dicemus. Nobilissimum illa gens templum habet, quod Ubsola dicitur, non longe positum a Sictona civitate vel Birka. In hoc templo, quod totum ex auro paratum est, statuas trium deorum veneratur populus, ita ut potentissimus eorum Thor in medio solium habeat triclinio; hinc et inde locum possident Wodan et Fricco.“ (Myth. 102. Lex. myth. 320[b]).

[4] S. die vorige Anm.: „ita ut potentissimus eorum Thor in medio solium habeat triclinio u. s. w.“ Vgl. Landn. 4, 7: „hinn almâtki âs“ (Myth. 197). Sæm. 119, 40 (Munch 71, 40): „öllum meiri;“ Thôrs „âsmegin“ (Sæm. 56, 30. Sn. 26. 51. 114) und „megingiardar (Sn. 26); sein Rangverhältnis zu Odin Myth. 147. 171.

sind unverkennbarer Ausdruck der Gleichgeltung und eine solche kann auch für die im Heiligthum von Upsal vereinigten Götterdienste beabsichtigt gewesen sein; dennoch ist selbst in Gylfaginning Hár als König und Hauptsprecher unter den dreien bevorzugt [1], in Grimnismál aber werden sämmtliche drei als Namen Odins von diesem selbst aufgezählt [2]; Hávamál, die Reden des Hohen [3], sind demgemäß Sprüche Odins, und Thridi findet sich bei Skálden des 10ten Jahrhunderts als Bezeichnung desselben Gottes [4]. Odins Allgewalt sollte durch den erweiterten Götterdienst keinen Eintrag erleiden; das wurde von seinen Verehrern damit ausgedrückt, daß er ihnen nun der Hohe, Gleichhohe und Dritte mitsammen hieß. Die eddische Erzählung von Gylfi und den drei Hohen ist dadurch, daß diese zu zauberkundigen Häuptlingen geworden sind, in seltsame Widersprüche gerathen; während dieselben über alle Äsen- und Vanengötter Bescheid geben, ist ihnen das Bewustsein ihrer eigenen Göttlichkeit gänzlich abhanden gekommen, und indem sie als drei verschiedene Personen im Gespräch begriffen sind, sagt Jafnhár unbedenklich die Strophen aus Grimnismál her, worin sämmtliche drei Namen als dem einen Odin angehörend aufgezählt werden (Sn. 24. Arn. 84).

Das Streben nach Einheit in der Zusammenordnung ursprünglich getrennter Götterkreise hat auf andrem Wege dazu geführt, daß Yngvifrey zu einem Sohne Odins gestempelt wurde, damit durch ihn und durch zwei andre Odinssöhne, Skiöld und Sæming, die vornehmsten schwedischen, dänischen und norwegischen Herrschergeschlechter in dem einen Stammvater Odin zusammenliefen [5]; dem widerspricht jedoch die

[1] Sn. 2 f. (Arn. 34 f.): [Gylfi] „spurdi hverr höllina ætti. Hann svarar, at þat var konúngr þeirra u. s. w. Konúngr, ok heitir Hár u. s. w.“

[2] Sæm. 46, 46. 49; übrigens sind die drei Namen hier nicht unmittelbar, sondern je mit anreimenden zusammengestellt.

[3] Das Verhältnis dieses und der ihm angereihten Spruchlieder zum Rahmen von Gylfaginning wird noch besonders zur Sprache kommen.

[4] Bei Hallfröd, Sn. 96. Arn. 236, der die Erde „bidkván Þridja“ (Thridio ambitam) nennt; bei Eilif in Þórsdrápa, Sn. 115 b. Arn. 292, wo „setr Þridja“, Odins Wohnsitz, zur Bezeichnung Ásgards dient.

[5] Sn. Form. 14 ff. 211: „Burir eru Odins u. s. w. Skiöldr, Yngvifreyr u. s. w. Sæmíngr“. Über den letzten noch Yngl. S. C. 9; vgl. Form. Heimskr. 1, 2. Fornald. S. 3, 519. Afzelius, Sv. Folkets Sago-Häfder

ganze Götterlehre, und auch Ynglingasaga enthält sich der verwandtschaftlichen Anknüpfung Freys an Odin, obgleich ihr dieser vor den Vanen Gewalthaber in Schweden ist.

Das heidnische Götterwesen gestaltet sich überall nach der Art des Volkes und der Beschaffenheit des Landes. Um den Hielmar- und Mälarsee breitet sich eine große Ebene mit dem fruchtbarsten Getraideboden (Geijer 25. Arndt 64. 115 ob.); dort war auch schon in alter Zeit das bestgebaute Land mit Upsala und dem Königsstuhl, es war königliches Eigen und hieß Upsalagut [1]; nach Ynglingasaga ist dieses von Frey selbst zu dem großen Tempel, den er dort erhob, gestiftet worden [2]; auch die Schatzungen, die er, wie schon sein Vater Niörd, auferlegt, und jene, die das Volk noch zu den Fenstern seines Grabhügels, in Gold, Silber und Erz, hineingeboten haben soll [3], zeugen für die Vorstellung von dem Reichthum der über den Tempel und auf dem Herrscherstuhl zugleich waltenden Upsalkönige, deren einer von Thiodólf bezeichnend

1, 43. S. Ol. k. ens helga, Christ. 1853, S. 2: „til Sæmings er sagt er at veri Ingunarfreys son Niardar (sonar).“ Fornm. S. 11, 412 f.: „Til Odins telja margir menn ættir sinar. Hann skipadi sonum sinum til landa, ok gerdi höfdingja. Einn af sonum hans er nefndr Skiöldr, så er land tók ser, þat er nú heitir Danmörk. En þá voru þessi lönd, er Asiamenn bygdu, kölluð Godlönd, en fólkid Godþiod. Þar voru sett endimörk milli Skialdar ok Ingifreyrs, bródur hans, er þat riki bygdi, er nú kalla menn Sviariki.“ Vgl. Fornald. S. 2, 12. Geijer, Schwedische Urgeschichte 395 f. (Tab. II zu S. 378). Mythologie 190. Munch I, 12. 29.

[1] S. Ól. helg. C. 76. Heimskr. 2, 106: „Tiundaland er best ok göfgast byggt i Sviþiod; þangat lýtr til allt rikit; þar ero Uppsalir; þar er konungsstól, ok þar er Erkibiskops stóll ok þar er vidkenndr Uppsala audr: svá kalla Sviar eign Svia konúngs, kalla Uppsala aud.“

[2] Yngl. S. C. 12: „Freyr tók þá vid riki eptir Niörd; var hann kalladr dróttinn yfir Svium, ok tók skattgiafir af þeim; hann var vinsæll ok ársæll sem fadir hans. Freyr reisti at Uppsölum hof mikit, ok setti þar höfutstad sinn; lagdi þar til allar skylldir sinar, lönd ok lausan eyri: þá hófz Uppsala audr, ok hefir halldiz æ sidan.“

[3] Yngl. S. C. 11: „tók hann [Niördr] þá skattgiafir af þeim.“ C. 12: „Freyr tók skattgiafir af þeim u. s. w. Enn er Freyr var daudr, báru þeir hann leyniliga i hauginn u. s. w. Enn skatt öllum hélltu þeir i hauginn, i ein glugg gullinu, enn i annann silfrinu, i hinn þridja eirpenningum.“

Wächter des Weihgestells genannt wird[1]. Es macht sich im Allgemeinen bemerkbar, daß die vanischen Götter, hauptsächlich Frey, vor andern eines reich und manigfach in Tempelbau, Priesterwesen, Umfahrt, Bildern, Opfern, Weihungen, Gelübden, ausgestalteten Dienstes genossen. Freundliche, wohlthätige Mächte luden zu heitrer, dankbarer Feier ein und ihre eigenen Segnungen, die Erträgnisse der unter ihrem besondern Schutze stehenden Gebiete, gaben bereite Mittel zu all diesem heiligen Rüstwerk. Von den lebendigen Wahrzeichen des fetten Weidelandes, den Freysrossen, den geweihten Kühen, Stieren, Gelübdebern, ist bereits gehandelt worden (S. 156 ff.); „Freys godi" und „Fröblot", Freys Priester und Opfer, sind bekannte Ausdrücke[2]; heiliger Stätten gedenken schon die Mythenlieder mit besondrem Bezug auf göttliche Vanen: nach Vafthrúdnismál gebietet Niörd über zahlreiche Tempel- und Opferstätten, eine hochgezimmerte hat er auch nach Grimnismál, im Hyndlaliede rühmt Freyja das steingehäufte, mit Opferblut verglaste Heiligthum, das Ottar gläubig ihr errichtet hat[3]. Dem

[1] Yngl. S. C. 24 (Heimskr. I, 29): „vördr vestalls." Geijer 260. Thôr und Frey sind, wenn auch beiderseits landsegnende Götter, doch nach Charakter und Erscheinung gänzlich verschiedene Wesen; man muß sie getrennt halten, wenn man nicht überhaupt die lebendige Gestaltung in der nordischen Mythologie zerblasen will.

[2] Hrafnkels S. 4: „En þá er Hrafnkell hafdi land numit at Adalbóli, þá efldi hann blót mikit; Hrafnkell lêt göra hof mikit. Hrafnkell elskadi ekki annat god meir enn Frey, ok hánum gaf hann alla hina beztu gripi sina hálfa vid sik. Hrafnkell byggdi allan dalinn, ok gaf mönnum lönd, en vildi þó vera yfirmadr þeirra, ok tók godord yfir þeim. Vid þetta var lengt nafn hans, ok kalladr Freysgodi u. s. w." (Ebd. 5 folgt die Weihung des Rosses Freyfaxis, um das sich gröstentheils die Saga bewegt.) „þordr Freys godi (Landn. 4, 10. Nialss. C. 96), „Freyegydlingar" (Landn. 4, 13), Myth. 197. Sög. af Gisla Súrssyni, Kiöbh. 1849, 27: „þorgrimr ætlade at hafa haustboð at vetrnóttum ok fagna vetri ok blóta Frey" (auch ebd. 111). Saxo I, 16: „[Hadingus] propitiandorum numinum gratia, Frö deo rem divinam furvis hostiis fecit u. s. w. Vgl. oben S. 169, Anm. 1.

[3] Sæm. 36. 38 (Munch 25, 38): „hofum ok hörgum hann [Niördr] rædr hunnmörgum (Gr. 2, 959)." 42, 16 (Munch 29, 16): „Nóatún eru en elliptu, en þar Niördr hefir ser um görva sali: manna þengill enn meinsvani hátimbrudum hörgi rædr." 114, 10 (Munch 68, 10): „Hörg hann mer [Freyju] gerdi hladinn steinum, nú er griot þat at gleri vordit, raud hann í nýju nauta blódi, æ trúdi Óttar á ásynjur."

Freysdienste gewidmete Gotteshäuser finden sich bei den Einwanderern in Island [1]; aber die Mutterkirche, von der dieser Dienst ausgegangen war, der reiche Tempel zu Upsala, galt fortwährend für die bedeutendste und glänzendste Opferstätte in Nordlanden [2] und die Feste wurden dort

[1] Vatnsd. S. (Lex. myth. 97 f.) Viga Glûms S. C. 9 (Marcuss. 199): „aadur Þorkell foor aa brott fraa Þverna, Þa geck hañ til Hofs Freys, og leiddi Þaangad Uxa gamlañ, og mællti svo: Freyr, segir hañ, er leingi hefur Fultrwi miñ verid, og margar Geañr af mier Þeigid, og vel launad: Nu gef eg Þier Uxa Þeñan til Þess, at Gluumur fari ei Ounaudugari af Þveraar-Landi, eñ eg fer nu, og laattu siaa nockrar Jardteiknir, hvört Þu Þiggur edur ei: Eñ Uxanum braa svo vid, ad hañ kvad vid haat og fell nidur daudur, og Þookti vel hafa vid laatid, og var honum nu Hughægra, er hönum Þookti sem Þegid mundi Heitid: Foor sijdañ Nord ur til Mij-Vatns og bioo Þar, og er hañ ur Söguñi.“ Ebd. C. 26, S. 233: „eñ aadur Glwmur reid heimañ, dreymdi hañ, ad margir Meñ væri komnir Þar til Þvenar ad hitta Frey, og Þooktist hañ sena margt Mañn oa Eyrunum vid Aua, en Freyr, sat aa Stooli: Hañ Þooktist spyria hvörier Þar væri komnir? Þeir segia: Þetta eru Frændur Þijnir Frammlidnir, og bidium vier Frey, ad Þu siert ei brott færdur af Þveraar-Landi, og tiaair ecki, og svarar Freyr stutt og Reidulega, og miñist nu aa Veg-Geöf Þorkels ens Haafa: Hañ vaknadi vid Þetta, og lest Glwmur verr vera vid Frey alla Tijma.“ Hrafnk. S. 4: „hof mikit“ u. s. w. (s. ob. S. 179, Anm. 2). 23: „godahûs u. s. w.“ 24: „hofit.“

[2] S. Ragn. Lodbr. C. 8 (Fornald. S. 1, 254): „at Uppsölum voru blôt svâ mikil î Þann tima, at hvergi hafa verit meiri â Nordrlöndum.“ Fornm. S. 4, 154 (Myth. 38): Hauptblôt zu Upsal. Yngl. S. C. 18 (Heimskr. 1, 21): „Þâ efldo Svîar blôt stôr at Uppsölum.“ Ebd. C. 38 (1, 46): „Þar eru Uppsalir; Þar er allra Svîa Þing; voro Þar Þâ blôt mikil u. s. w. Þeir efldu til sveina leiks u. s. w. ok er Þeir lekuz vidr u. s. w.“ Viga Glûms S. C. 19 (Marcuss. 218): „hann [Vijgfws] maatti ei heima vera fyri Helgi Stadarins, og var hañ ad Uppsölum laungum, og ætludu Meñ ad hañ munde i ödrum Fioordungum Landsins, og villdi hañ ei Utañ fara ad Þvi Maale, vard hañ Þa Alsekur, og helldur Glwmur hañ aa Laun; Eñ Þvi skylldu ei seker Meñ Þar vera, ad Freyr leyfdi ei, er Hof Þat aatti er Þar var, foor Þvi fram 6 Vetur.“ Yngl. S. C. 5 (Heimskr. 1, 10): „Odinn tôk ser bûstađ viđ lauginn, Þar sem nû eru kalladar fornar Sigtûnir, ok gerđi Þar mikit hof ok blôt, eptir siđvenju Âsana. Hann eignađiz Þar lönd svâ vîtt, sem hann lêt heita Sigtûnir: hann gaf bûstađi hofgođunum; Niördr biô î Nôatûnum; enn Freyr at Uppsölum u. s. w. Þôr â Þrûđvângi u. s. w. (vgl. C. 12, S. 15: „Freyr reisti at Uppsölum hof mikit u. s. w.) Fornm. S. V, 245 (Styrbiörn, Sagabibl. 2, 142; vgl. Geijer 232).

so üppig begangen, daß der strenge Starkad, nachdem er sieben Jahre bei den Söhnen Frös gerastet hatte, diese verließ, weil ihn zur Zeit der Opfer in Upsala, die weibischen Tänze, die Spiele der Gaukler und die klingelnden Schellen anwiderten [1]. Skiringssal in Vestfold, das Heiligthum und die Gruft der norwegischen Ynglinge, Opferstätte Südnorwegens und altbekannter Seehafen, erscheint als ein Abglanz des Stammtempels in Upsal. Ein solches Einleben der vanischen Gottheiten in Schweden beweist jedoch nicht, daß dieselben auch ursprünglich aus diesem engeren Kreise hervorgegangen seien, wenn auch dort die vollste Ausbildung ihres Dienstes und von da aus die weitere Verbreitung desselben im Norden stattgefunden hat. Zwar schildert schon Tacitus die Suionen als ein mit Schiffen wohl versehenes, auf Reichthum haltendes, unter einheitlicher Königsgewalt stehendes und durch das Meer vor plötzlichen Einfällen befriedetes, darum die Waffen für gewöhnlich unter Verschluß haltendes Volk [2]; aber bei demselben Schriftsteller zeigt sich auf der Schweden gegenüberliegenden Ostseeküste die allerfrüheste Spur eines Freyjacultes; von den Suionen geht er auf das rechte Ufer des suevischen Meeres über und findet dort bei den

Saxo I, 12 f.: „Ea tempestate, cum Othinus quidam Europa toto falso divinitatis titulo censeretur, apud Upsalam tamen crebriorem diversandi usum habebat, eamque sive ob incolarum inertiam, sive locorum amœnitatem, singulari quadam habitationis consuetudine dignabatur.“ 7, 137 f.: „conciliandæ ei [Gurithæ] fœcunditatis gratia Upsalam petit u. s. w. oraculo paruit u. s. w. Othini, cujus oraculo editus videbatur [Haraldus Hyldetand] u. s. w.“

[1] Saxo 6, 104: „Starcatherus u. s. w. Sveonum fines ingreditur. Ubi cum filiis Frö [vgl. 8, 144: „Frö dei necessarii et fidissimi numinum arbitri“] u. s. w. ab his tandem ad Haconem Daniæ tyrannum se contulit: quod apud Upsalam sacrificiorum tempore constitutus, effœminatos corporum motus scenicosque mimorum plausus ac mollia nolarum crepitacula fastidiret.“

[2] Germ. C. 44: „Suionum hinc civitates, ipso in oceano, præter viros armaque classibus valent u. s. w. Est apud illos et opibus honos, eoque unus imperitat u. s. w. Nec arma, ut apud ceteros Germanos, in promiscuo, sed clausa sub custode et quidem servo: quia subitos hostium incursus prohibet oceanus u. s. w. regia utilitas u. s. w.“ Selbst Frey hat sein Schwert hingegeben, allerdings unter andern Umständen, Sæm. 65, 42. 82, 8 f. 84, 23. 25. Sn. 40 f. Vgl. noch Jornandes S. 65 f.

Völkern der Ästier, denen er, wenn auch ihre Sprache der britannischen näher komme, doch suevische Gebräuche beimißt, einen Dienst der Göttermutter, zu dessen Zeichen Eberbilder getragen werden, die statt der Waffen und jedes andern Schutzes dem Verehrer der Göttin auch unter Feinden Sicherheit gewähren. Das erinnert nun lebhaft an den Helmeber, von dem Freyja im Hyndlaliede spricht, und wenn Tacitus weiter bemerkt, daß die Ästier Korn und andere Früchte mit mehr Geduld, als sonst die hierin trägen Germanen, bauen, so ist auch die natürliche Grundlage des Vanendienstes gegeben. Er fügt noch hinzu, sie durchsuchen auch das Meer und sie allein von allen sammeln den Bernstein, den sie (mit deutschem Worte) Glesum nennen, in den Untiefen und am Ufer selbst[1]. Welchen Bezug auf Freyja auch dieses estnische Bernsteinsammeln gestatte, mag einfach die nachfolgende Zusammenstellung ergeben. (Schon bei Plin. 37, 2: Guttones. Zeuß 135. Sprachg. 717. 720 ob., Lucä 87 f. 97.) Zur Zeit der Völkerwanderung sind die Ästen, die den langgestreckten Strand des germanischen Meeres innehaben, dem großen ostgothischen Reiche des Amalers Ermanarich einverleibt und sie werden von Jornandes, der diese Nachricht gibt, ein durchaus friedlicher Menschenschlag genannt[2]; dieser Verband scheint

[1] Germ. C. 45: „Ergo jam dextro suevici maris litore Æstiorum gentes alluuntur, quibus ritus habitusque Suevorum, lingua britannicæ propior. Matrem deum venerantur, insigne superstitionis formas aprorum gestant: id pro armis omniumque tutela securum deæ cultorem etiam inter hostes præstat. Rarus ferri, frequens fustium usus. Frumenta ceterosque fructus patientius quam pro solita Germanorum inertia laborant, sed et mare scrutantur, ac soli omnium succinum, quod ipsi glesum vocant, inter vada atque in litore legunt.“ Die Gründe für das Germanenthum der Ästier zur Römerzeit Sprachg. 717 ff. 724 u.; über glêsum insbesondre ebd. 718 f. Gr. 1 (3) 58*. (Glæsisvellir? Ein Ring Glæsir Fornald. S. 2, 390.)

[2] Jornandes S. 100: „Ermanaricus, nobilissimus Amalorum, in regno successit, qui multas et bellicosissimas arctoi gentes perdomuit suisque parere legibus fecit.“ S. 102 (Zeuß S. 667 f.): „Æstorum quoque similiter nationem, qui longissimam ripam oceani germanici insident, idem ipse prudentiæ virtute subegit omnibusque Scythiæ et Germaniæ nationibus ac si propriis laboribus imperavit.“ S. 70 (Zeuß S. 668): „post quos [Vidivarios] ripam oceani item Æsti tenent, pacatum hominum genus omnino.“ Aschbach 22 f.

noch über hundert Jahre später (Ermanrich starb 376, Theodorich 526) darin nachzuwirken, daß Theoderich, der Ostgothenkönig in Italien, auch vom Amalerstamme, von den fernen Ufern der Ostsee durch eine Gesandtschaft der Äsİen mit einer Sendung herrlichen Bernsteins beschenkt wird, eines Stoffes, dessen zarte Durchsichtigkeit, wechselndes und funkelndes Farbenspiel der gelehrte Verfasser des Dankschreibens rednerisch anrühmt[1]. Von einem reichen Schatze Ermanrichs gibt es zweierlei nördliche Überlieferungen: Saxo, der ihn nach seiner Gewohnheit den dänischen Königen beizählt und selbst über Schweden herrschen läßt, weiß davon, daß derselbe durch Besiegung vieler Völker, worunter, außer den Slaven, auch Sembonen und Cureten, also ästische in Samland und Kurland genannt werden, sich mit großer Beute bereichert und zu Sicherung derselben auf einem hohen Fels ein festes und prächtiges Gebäude mit Thoren nach den vier Himmelsgegenden errichtet und dahin seinen ganzen Schatz gebracht habe[2]; sodann im

[1] Cassiod. var. 5, 2 (S. 262 f.): „Hæstis Theod. rex u. s. w. legatis vestris venientibus, grande vos studium notitiæ nostræ habuisse cognovimus, ut in oceani litoribus constituti, cum nostra mente jungamini u. s. w. indicamus succina, quæ a vobis per harum portitores directa sunt, grato animo fuisse suscepta, quæ ad vos oceani unda descendens, hanc levissimam substantiam, sicut et vestrorum relatio continebat, exportat; sed unde veniat, incognitum vos habere dixerunt, quam ante omnes homines patria vestra offerente suscipitis.“ Folgt Belehrung aus Tacitus, dabei: „fit enim sudatile metallum teneritudo perspicua, modo croceo colore rubens, modo flammeæ claritate pinguescens u. s. w. requirite nos sæpius per vias, quas amor vester aperuit.“ (Zeuß S. 667. Mascou 1, 243 f.)

[2] Saxo VIII, 155: „Jarmericum Suetia potiri contigit. Qui quum duarum gentium imperio fungeretur, auctæ dominationis fiducia Sclavos prælio tentat u. s. w. Inde profectus Sembonum, Curetum compluriumque orientis gentium cladem exercuit.“ 156: „Jarmericus itaque tot gentium manubiis locupletatus, ut tutum prædæ domicilium compararet, in editissima rupe mirifico opere ædem molitur. Aggerem collatis glebis extruit, fundamentum crebris conjicit saxis, ima vallo, triclinia media summa propugnaculis cinxit. Secus undique juges excubias fixit. Quatuor portæ magnitudine præstantes a totidem plagis irrestrictos aditus dabant. In hujus domus magnificentiam omnem opum suarum apparatum congessit.“ 157: „Fulgentes auro cetræ circumpensique clypei supremum ædis ambitum adornabant.“ Plin. hist. nat. 37, XI, 1 (B. V, 400): „Pytheas Guttonibus Germaniæ genti accoli æstuarium Oceani, Mentonomon

angelsächsischen Liede verehrt die Dänenkönigin dem Helden Beowulf einen großen Halsreif, den kostbarsten, seit Hâma (der deutsche Heime) forttrug zur glänzenden Burg den Brustschmuck der Brosinge (Brosinga-mene), mit Kleinoden und Schatzgefäßen, vor Ermanrichs Nachstellungen fliehend [1]. Die Form Brosînga gen. pl. weist auf einen Herren- oder Volksstamm, nach welchem das Hauptkleinod in Ermanrichs Schatze benannt ist, ähnlicher Weise wie altn. hodd (Gr. 3, 452), arfr Niflûnga (Sæm. 247, 28. 245, 11. 248, 29), mhd. „hort der Niblunge“ (Nib. 717, 3), „der Nibelunge hort“ (Reinh. 662. Heldens. 171. 282), „der Ymelunge hort“ = Amelunge h. (Man. 2, 169[b]. 176[b], bei v. d. Hagen 2, 241[a]. 251[b]: „Nibelunge“, jedoch bloße Conjectur laut 3, 703[a], XI. 704[b], 15; vgl. Myth. 933. Zeitschr. 6, 157), „daz Harlunge golt“ (Dietr. Fl. 7835, ebd. 7833: „von golde und von gestein(e)“; vgl. Beow. 2416: „eorclanstánas“, Nib. 93), die zwei letzten Stellen auch auf Ermanrich bezüglich; Brosinge kommen zwar sonst nirgends vor, hingegen ist darüber niemand zweifelhaft, daß „Brosinga mene“ und das altn. „men Brîsînga“, „Brîsînga men“, jener Brustschmuck der Freyja (Sæm. 72, 15. 17. 21, woselbst „ik mikla men Br.“ dem

nomine, spatio stadiorum sex millium: ab hoc diei navigatione insulam abesse Abalum: illuc vere fluctibus advehi (succinum), et esse concreti maris purgamentum: incolas pro ligno ad ignem uti eo, proximisque Teutonis vendere.“ Tac. Germ. 43: „Trans Lygios Gotones regnantur, paulo jam adductius, quam ceteræ Germanorum gentes, nondum tamen supra libertatem u. s. w.“ Über die Guttonen als Gothen s. Zeuß S. 134 ff. Sprachg. 721 f.)

[1] Beowulf 2391 ff.: „healsbeága mæst þára þe ic on foldan (ge)frägen häbbe; nænigne ic under sweg(le) sêlran hŷrde hordmâdmum häleda, syddan Hâma ätwäg tô herebŷrhtan (b)yrig Brôsinga mene; sigle and sincfät; searonîdas fealh [l. fleáh] Eormenrîces; geceás êcne ræd.“ (Vgl. Leos Beow. 89. 101. Ettmüllers Beow. 1209 ff. 2187 ff. Ettmüllers Lexicon 636: „herebyrhtan (l. þære byrhtan).“ Heldens. 17. Bouterw. Gl. 69: „fleón, fugere; præt. sg. 1. fleáh;“ Ettmüllers Lex. 362; vgl. Hildebr. L. 6: „flôh her Ôtachres nîd.“ Ettmüllers Lex. 636: „sigel sol, lunula, monile;“ vgl. Andr. 96, 50. Bout. Gl. 251 u. Ettmüllers Lex. 218: „mene, -es, m. monile, lunula.“ Gr. III, 453 f. Hêl. 52, 7 f.: „helag hals meni,“ n. Ettmüller Lex. 630: „searonid, -es, m. malitia dolosa.“ Bout. Gl. 222: „nid m.; pl. acc. niþas.“ Weitere, deutsche Stellen über Ermenrichs Schatz Heldens. 188, 284. Rein. [B. 1, C. 28; vgl. C. 24, Z. 2139. C. 35, Z. 2934. P.]: „Gy werden dar finden ok de krone, de Emerik drog in synen dagen.“

„healsbeága mæst, Beow. 2391 entspricht, vgl. Sæm. 72, 18: „á briosti breida steina“, Sn. 37. 105 f. 119[1]) zusammengehören, obgleich die Laute sich nicht völlig vertragen wollen (Gr. 3, 453 f. Myth. 283). Der Anspruch in dieser Hinsicht ist weniger streng bei Wörtern, die einer fremden Sprache entliehen sind, und damit wird es zuläßig, die ermittelte slawische Gesammtbenennung des Estenstammes hier beizuziehen, welche Prus, Prusi lautet, dann gleichen Schrittes mit Ros, dem alten Russennamen, im Latein zu Prussi, mhd., nicht lautgenau, zu Priuzen, wie Ros zu Russi unde Riuzen, geworden ist (Wackern. Leseb. 743, S. Elisab.: „Ungere unde Riuzen, Sassen unde Priuzen“), mit räumlicher Beschränkung auf das altpreußische Land (Zeuß S. 670 f. 674); in angelsächsischer und nordischer Dichtung gab es für den fremdartigen Namen kein sicheres Lautgefühl, aber der stammbezeichnenden Ableitung mit -ing wurde Prus unterworfen, Prusi wurden agſ. Brosingas, altn. Brýsingar, wie es auch einfacheren deutschen Volksnamen ergangen ist, so daß z. B. Chauci und Heruli der älteren Geschichtschreiber im agſ. Wanderersliede als Hôcingas und Herelingas wiedergefunden werden (Sprachg. 674. 472)[2].

Ein Schmuck nun, der nach den Bewohnern der estnisch-preußischen Bernsteinküste benannt ist, muß doch wohl von dem Stoffe sein, der allein jenen Volksstamm, dem er eigenthümlich angehört, schon den Griechen, Römern und Gothen merkwürdig gemacht hat, also ein Bernsteinschmuck. Zu Ermanrich und seinem Hort ist die nähere Beziehung eines solchen Schmuckes bereits nachgewiesen, das Beowulfslied bezeichnet auch den großen Halsreif, der mit Ermanrichs Brosingamene verglichen wird, als edle Steine[3]. An Freya bietet sich gleichfalls mehrfache Anknüpfung; neben dem Dienste der Göttermutter bei den Ästiern konnte doch auch in Schweden das glänzende Erzeugnis der Küste gegen-

[1] Sn. 121 a. Arn. 312: „Brisings, goda dísi girdi þiofr.“

[2] Sollte ein ähnliches Schwanken, wie in Brisingar, Priuzen, den Hort der Amelunge gar zu den Brisigavi und in den mons Brisiacus (Bürlenberg) gebracht haben? Sn. 121 a. Arn. 312: „Brisings dísi.“ [Anders Bouterwek in Haupts Zeitschr. 11, 90.]

[3] Beow. 2416: „eorc(l)onstánas.“ Vgl. Ettmüllers Lex. 26 f. Gr. II, 629 f. 164 f. Myth. 1167. (Sæm. 213, 18: „eda væri biartr steinn á band dreginn, iarknasteinn, yfir ödlingum;“ vgl. Sæm. 72, 21 [Hamarsheimt 19. K.]: „bundo þeir Þór þá enn mikla meni Brísinga.“)

über nicht unbekannt sein; vor Allem aber kommen zu dem sprechenden Namen des Freyjaschmuckes sehr bedeutsame mythische Anzeigen: als Braut verkleidet, wird Thôr mit dem großen Halsschmuck der Brisinge gebunden, da läßt man ihm auf die Brust breite Steine fallen (Sæm. 72, 21: „á briosti breida steina“); um Brisingamen streitet sich Heimdall mit Loki, der das Kleinod gestohlen, bei den Klippen Vagasker und Singastein [1] und beide haben sich zu diesem Kampf in Seehunde verwandelt; das Kleinod selbst aber bezeichnet der Skalde, der hievon gesungen, als „glänzende Meerniere“ [2], auch wird Heimdall von daher Durchsucher jener Seeklippen genannt [3]. Durch den Halsschmuck von Bernstein wird aber Freyja noch nicht im eigentlichen Sinne zur Pflegerin dieses Meersteins und seiner Ausbeutung, sie ist eine schöne, geschmückte Göttin, ihre Töchter heißen Hnoß und Gersemi, beides wörtlich Kleinode [4], und wenn sie selbst mit dem glanzvollen Gesteine geziert ist, das in der Zeit und Gegend ihrer Verehrung ein beliebter

[1] Singö, Insel an der Küste unweit Upsala.

[2] Vgl. Myth. 405: die Koralle „marmennils smidi.“ Biörn II, 65a.

[3] Sn. 104: „mensækir Freyju.“ Sn. 105 (Arn. 264): „Heimdallr u. s. w. hann er ok tilsækir Vágaskers ok Singasteins (vgl. Germ. C. 45: „sed et mare scrutantur“): þá deildi hann vid Loka um Brisingamen. Ulfr Uggason kvad í Húsdrápu lánga stund eptir þeirri frásögu; er þess þar getid er þeir voru í sela likjum.“ 106 (Arn. 268): „Hvernig skal kenna Loka? Svá at kalla u. s. w. þiofr u. s. w. Brisingamens u. s. w. þrætu dólgr Heimdalar u. s. w. Svá sem hér segir Ulfr Uggason: u. s. w. at Singasteini u. s. w. hafnýra fógru u. s. w. Arn. 269: „prior potitur [Heimd.] splendido pelagi globulo.“ Oken I, 313: [Bernstein] „stumpfeckige, rundliche Stücke und Körner u. s. w.“ Die gänzlich abweichende Erzählung von Freyjas Goldschmuck in Sörla þáttr (Fornald. S. I, 391 ff., auch Sn. 355 ff.) kann hier unerörtert gelassen werden. Freyjas Goldweinen auch auf den Bernstein zu beziehen, wie nach griechischer Fabel die Thränen der Heliaden oder des Apollon in solchen verwandelt wurden, ist nicht zulässig, da das Thränengold sich nirgends mit dem Brisingschmucke berührt. Vgl. Fischarts Geschichtklitt. 223, unter den Kindergebräuchen: „weinet kein Gold, ließ Nacht vnd Tag werden.“ Sn. Arn. 636, 102: „Rinar róf“ („electrum Rheni“ Gold). Vgl. Kalevala 2, 94 f.

[4] Sn. 37 (Arn. 114; vgl. 2, 274): „dóttir þeirra heitir Hnoss; hon er svá fógr, at af hennar nafni eru hnossir kalladar þat er fagr er ok gersimligt.“ (Hnoss f. cimelium; gersemi f. res pretiosissima.) Yngl. S. C. 13: „dœtr hennar hétu Hnoss ok Gersimi; þær voru fagrar miök: af þeirra nafni eru svá kalladir hinir dýrstu gripir.“ Vgl. Lex. myth. 78*****.

und hochgehaltener Besitz war, so gehört das zu ihrer ganzen leuchtenden Erscheinung, es war damit gewiss auch irgend eine Besonderheit ihres Waltens im Lichte gemeint und die dahin einschlagenden Mythen musten im gleichen Bilde gehalten sein [1].

[1] Ich habe nicht auch die suevische Terra mater, Germ. C. 40, in den Kreis der Vanengötter gezogen. Auf Grund der in den Handschriften vorherrschenden Lesart „Nerthum“ wird in diesem Namen eine weibliche Niörd gefunden, wie neben Freyr eine Freyja steht; Freyr selbst wird seinem Vater Niörd, die Gastfahrt der Priesterin mit der Bildsäule Freys (Fornm. S. 2, 73 ff.) dem festlichen Umzuge der Nerthus gleichgesetzt, auch die ästische Mater deûm mit den Eberbildern auf einen weiblichen Freyr, d. h. auf Freyja bezogen, so daß mittelbar Terra mater und Mater deûm zusammenfallen (Myth. 230 f. 193 f. 197 f. vgl. 199*). Nun gehen aber die Handschriften der Germania nicht über das 15te Jahrhundert hinauf und in vieren aus diesem Jahrhundert (Rb und W auf Pergament, Rf und V Papier) begegnen die Lesarten: Nehertum, Ne hertum, herthum; man kann durch eine Stufenreihe von Varianten verfolgen, wie aus „in commune Herthum“ erst, mit fehlerhaft wiederholtem -ne, „in commune Nehertum,“ dann aus diesem das jetzt angenommene „Nerthum“ geworden ist (s. die Lesarten bei Maßmann 118, der früher selbst diesen Hergang aufgewiesen hat, Anzeig. 3, 216). Dann ist die altrömische Terra Mater, Tellus Mater, entschieden die persönlich gefaßte Erde, darum bei Gelübden zugleich mit den Unterirdischen angerufen und mit Händen berührt (Liv. 8, 6: „diis Manibus matrique Terræ“; 8, 9: „diis Manibus Tellurique“; 10, 28: „Telluri ac diis manibus“; Macrob. Saturnal. 3, 9: „Tellus Mater u. s. w. Cum Tellurem dicit, manibus terram tangit“; ebd. 1, 10: „terram Opem, cujus ope humanæ vitæ alimenta quæruntur. Huic deæ sedentes vota concipiunt, terramque de industria tangunt, demonstrantes, et ipsam matrem esse terram mortalibus appetendam“; vgl. ebd. 1, 12); ihr entsprechen also nicht die Vanengötter, die über Wind und Wetter gebieten, sondern die altn. Jörd, deren Halsschmuck der grüne Rasen ist („Jardar men“, Myth. 609), die ags. Eorđe, die zur Weihe der aus dem Acker geschnittenen Rasenstücke angerufen wird (Myth. 1186: „Eordan ic bidde.“ Erce, Eordan môdor“); ahd. ërda, as. ërtha, daneben ein sinnverwandtes Masc. ahd. hërd, mhd. hërt, ags. heord, schweizerisch Herd: Erdreich, Land, Boden, worüber Graff 4, 1026 f. Benecke 1, 671. Ettmüllers Lex. 461, vgl. 29. Schmeller 2, 236. Stalder 2, 38 f. Gr. 2, 62. 1, 666. 2, 227; vgl. 2, 62. 3, 352. 379. 432. Myth. 229. Sprachg. S. 55). Bei der Freysfahrt wird besonders die während der Gegenwart des Gottes wunderbar freundlich gewordene Witterung als Gewähr eines guten Jahres angesehen („var ok vedrâtta blid, ok allir lutir svâ ârvænir, at engi madr mundi slikt“) und damit ist eben an der Stelle, die ihn mit der Terra mater gleichsetzen soll, sein Walten im Luftgebiete, seine

Nach diesen Bemerkungen über das Wesen der Vanen und ihr Verhältnis zu den Äsen kann der besondern Sage vom Austausch der Geisel nähergerückt werden, welche selbst wieder den Übergang zu derjenigen vom Dichtertranke bildet.

3. Hönir und Mimir.

Wenn es überhaupt sachgemäß erscheint, jeden zur Erklärung vorliegenden Mythus vorzugsweise aus demjenigen Lebens- und Gedankenkreise zu deuten, dem er ausgesprochen oder doch im Allgemeinen erkennbar angehört, so weist eine Fabel, die nach ausdrücklicher Versicherung den Ursprung der Dichtkunst darzulegen bestimmt und von den Dichtern selbst überall in diesem Sinne genommen ist, natürlich darauf, das Verständnis ihrer Sinnbilder in dem Gebiete zu suchen, in welchem es sich um den erregten Geist, um Sprache, Versbau und Gesang handelt. Dieser Kreis ist entschieden der odinische; die Vanen als Naturgötter sind in Mitwirkung gezogen, aber doch nur um dem geistigen Zwecke zu dienen.

Odin, der höchste unter den Äsen, ist es, um den sich das Ganze bewegt, er ist ausgezogen, um Göttern und Menschen den Hort der

Herrschaft über Regen und Sonnenschein kenntlich hervorgekehrt. Wenn endlich die „interpretatione romana“ (Germ. C. 43) gedeuteten germanischen Götter sich niemals völlig mit den römischen ausgleichen, so kann doch der Römer Tacitus nicht auch bei diesen so weit irre gegangen sein, daß er die in Rom alteinheimische Terra Mater mit der erst später aus Phrygien dorthin eingeführten Mater deûm (Liv. 29, 10. 11. 14. 29, 37. 36, 36. Ovid. Fast. 4, 265 ff.) für eine und dieselbe Gottheit angenommen hat; die suevische Mutter Erde und die Göttermutter der Äsier müssen ihm also ebenfalls zwei verschiedene Göttinnen gewesen sein. Die Übereinstimmung der Gebräuche bei den Festen der „Nerthus“ und denen der phrygischen Göttin (Myth. 233) bestimmen ihn nicht, auch jene durch Mater deûm oder Magna mater zu erklären, er verweist nicht von der einen der germanischen Gottheiten auf die andre und gerade die nicht abzulehnenden Beziehungen der äsischen zum Freyjadienste scheiden diese nur um so gewisser von der suevischen ab. Priesterliches Umführen und Reinigen der Götterbilder (das der Mater deûm war ein schwarzer Stein), gefriedete Festzeit und andre gottesdienstliche Gebräuche können bei verschiedenen Völkern gleichmäßig vorkommen, ohne daß daraus eine innere Verwandtschaft des Götterwesens folgt

Dichtkunst zu erwerben. Ihm verdankt auch jeder Einzelne die geistige, besonders dichterische Begabung. Der sagenhafte Held und Skalde Starkadr wird in seiner Jugend von Thôr mit feindlichen, von Odin mit günstigen Geschicken bedacht, dieser verleiht ihm zum tapferen Geiste die Liederkunst, so daß er ebenso fertig dichten als reden könne[1]. Nach dem Hyndlaliede gibt Odin den Männern Beredtheit und Verstand, das Lied den Skalden (Sæm. 67, 3: „gefr hann brag skâldum"). Die Erwerbung und Mittheilung des Dichtertranks ist der Gipfel alles dessen, was Odin von Anbeginn für die geistige Erweckung des Menschengeschlechts gethan hat. Er war es schon, der am Schlusse der Weltschöpfung dem ersten Menschenpaare den lebendigen Geist eingab, und bei diesem schöpferischen Wirken erscheint er zuerst auch in Gemeinschaft mit Hönir. Davon sagt Völuspâ (Sæm. 3, 17 f.):

Drei kamen aus der Schaar, kräftige und liebreiche Äsen, zur Brandung; fanden am Lande, wenig vermögend, Ask und Embla, schicksallose. Geist besaßen sie nicht, Laut hatten sie nicht, Blut noch Gebärde, noch gute Farbe. Geist gab Odin, Laut gab Hönir, Blut gab Lodr und gute Farbe.

Die j. Edda bezeichnet Ask und Embla, die von den drei Äsen am Seestrande gefunden wurden, ausdrücklich als Bäume oder Hölzer (Sn. 10: „trê tvö"); man hat sich vorzustellen, daß sie von der Brandung ans Land getrieben waren, das Lied läßt die Äsen zum Sause (at sǣsi), dem sausenden Meere, gehen. Sind nun beide aus Bäumen belebt worden, so muß dieser gleichartige Ursprung auch in den Namen anschaulich werden und wie der des Mannes von der Esche (askr) genommen ist, auch die Frau nach einem Baume benannt sein; ich vermuthe, daß aus almr (ahd. und ags. elm, Gr. 3, 369. Ettm. 20) Ulmbaum, ein weibliches Elmja gebildet war (wie aus ascr, m. fraxinus, ein fem. eskja Sn. 220ᵇ, 3. Sn. 220ᵇ. Lex. isl. I, 186ᵇ: „eskia, f." Gr. 1, 662. 2, 93. 3, 333. Gr. 1 (3), 469: æskja), was mit der Zeit einem besser zusagenden Worte von andrer Bedeutung,

[1] Gautreks S. C. 7 (Fornald. S. 3, 33): „Odinn mælti: ek gef honum skâldskap, at hann skal eigi seinna yrkja enn mæla." Saxo 6, 103: „Othinus Starcatherum non solum animi fortitudine, sed etiam condendorum carminum peritia illustravit." Von Bragi dem Alten Sn. 175 (Arn. 1, 464 bis 66).

Embla (Var. Emla), die Geschäftige, weichen muste [1], freilich kein Gegenbild mehr zu Askr. Wichtiger ist hier, die Namen der beiden Begleiter Odins zu ergründen und ihren Einklang mit dem Wirken der Namenträger darzuthun. Für Odin selbst ist die Ableitung des Eigennamens vom Zeitwort vada (præt. ôd, meare, vadere) und dessen Verwandtschaft mit ôdr m. (ingenium), dem rastlos wandelnden Geiste, sicher gestellt [2], und dem entsprechend fällt ihm die Beseelung des Menschen zu. Gleichwohl wird im Eddaliede das Wort ôdr für die Gabe des zweiten Äsen, Hönir, gebraucht: Odin gibt önd, was auch, um nicht dasselbe zweimal schenken zu lassen, für Athem, Lebenshauch, genommen werden kann [3], aber, vom Geist unterschieden, den Geber Odin seiner Eigenschaft als Erwecker alles Geisteslebens entkleiden und in dieser Hinsicht hier gegen Hönir zurückstellen würde. Allein ôdr findet sich noch in andrem Sinne, für Dichtkunst, Gedicht [4], und trifft in dieser Bedeutung zusammen mit dem agſ. vôd m., Lied, Beredsamkeit, einem von den Dichtern für ihre Kunst vielgebrauchten Worte, das aber in einigen Stellen „auch einen lauten Schall, clamor, ohne allen Bezug auf ein Lied bezeichnet", woraus dann vermuthet wird, daß ôdr in Völuspâ durch „Rede, Gabe der Rede" zu übersetzen sei [5]. Zum allgemeineren Sinne des Worts stimmt dann auch der Name Hönir. Er setzt ein Zeitwort voraus, das altn. hœna lauten würde und ahd., mhd., auch noch mundartlich im unedeln hônen (ululare) hüenen, heinen,

[1] Lex. isl. 1, 181: „Embla, f. prima mulier, pr. sollicita laboriosa." 1, 29: „ambl, n. labor assiduus, vagus." „ambla, indesinenter laborare." D. Myth. 537: „embla, emla bezeichnet ein geschäftiges Weib, ahd. emila, von amr, ambr, aml, ambl (labor assiduus)".

[2] Myth. 120. 1205, 4.

[3] Über altn. önd f., andi m., ahd. anado, anto m. Lex. isl. 2, 162: „önd, f. anima, vita ꝛc." 1, 31: „andi, m. spiritus, anhelitus, anima." Graff 5, 267 f. Grimm, Wörterb. 1, 193. Gr. 2, 228. Zeitschr. f. d. Alt. 1, 22: „goth. anan spirare."

[4] Sn. 175 f. (Arn. 1, 464 ff.): „Hann [skâldskapr] heitir bragr ok hrôdr, ôdr u. s. w." mit skaldischen Beispielen: „ôds skapmôda" zur Bezeichnung eines Dichters; „ôdr vex skâlds (carmen poetæ crescit)." Lex. isl. 2, 123: „ôdr, m. oda, poema." Daß das Wort in diesem Sinne gleichen Laut hat mit ôdr, ingenium, zeigt der volle Binnenreim (adalhending) der ersten Liederstelle: „ôds: môda."

[5] J. Grimms maßgebende Ausführung Myth. 857 f.

heulen [1], nachweisbar ist, aber auf ein muthmaßliches hanan, praet. huon, zurückführt, gleicher Wurzel mit canere und abgeleitet in ahd. hano m., huon n., pl. huonir, altn. hani m., hœna f., hœns n. pl., (gallus et gallina) [2]. Der Name des Gebers Hönir, gleich dem der Gabe ôdr, bezeichnet allgemeiner einen Schall, wie er den kräftigen Stimmen germanischer Urzeit zukam [3]. Dieses Zurückgehn auf halbvergessene Stammwörter und Wortbedeutungen ist auch für den dritten der menschenbildenden Asen nicht erlassen; Lodr, von dem Gebärde, Blut und Farbe kommt, also das Aussehen, die Gestalt, findet seinen Anhalt im goth. ludja f. (facies), ahd. antlutti n., der goth. Wurzel liudan (pullulare), ahd. liotan (crescere) entsprungen [4]. Es gereicht obigen Erklärungen zu nicht geringer Bestärkung, daß sie, nach Wort und Sache, gerade die für Erschaffung eines menschlichen Wesens nothwendigen Hauptstücke ergeben: Seele, Sprache, Gestalt [5]. Alles zusammen ist so genau und eigenthümlich für die Menschenschöpfung

[1] Graff 5, 753. Ziemann 164b. Schmeller 2, 202. Stalder 2, 60. Schmid 270. Vgl. Wackernagel, Leseb. 1, 766, 23.

[2] Schmeller 2, 198. Gr. 1 (3), 468. 2, 42. 3, 328 f. 332. Sprachg. 400. Myth. 221: „Dieser Hönir gehört zu den schwierigsten Erscheinungen der nordischen Mythologie und er ist bei uns spurlos verschollen.“

[3] Der rasche, weite Schritt der lautschallenden Stimme konnte gemeint sein, wenn Hönir als der schnelle Ás und als Langfuß bezeichnet wurde („svâ at kalla hann hinn skióta ás ok hinn lânga fôt“); Bezeichnungen der Stimme, rödd, sind svipr (vibratio, momentum), svipun (festinatio, impetus, it. momentum), gângr (incessus, gressus, strepitus). Sn. 207; vgl. 289, 12.

[4] Gr. 1 (3) 44: (goth.) „ludja facies.“ 65: „linda pullulo Marc. 4, 27.“ 3, 401. Wörterb. 1, 500 f. Graff 2, 201. Sæm. 3, 18: „Loþur.“ Var. „Lavþur G.“ Munch 3, 18: „Lodurr“, in den Berichtigungen „Lódurr.“ Der Anlaß dieser Verlängerung ist nicht bemerkt; sie wäre dadurch nicht begründet, daß kurzes o wegen des folgenden u in ö umlauten müßte, denn das u ist hier nicht organisch, Gr. 2, 122. (Goth. ludja zu altn. Lodar, Lodr wie goth. gudja zu altn. godi, Myth. 78.) Fagrsk. 7: „vinar Lódurs. Vgl. Nib. 394, 15: „mit guotem gelæze.“

[5] Sn. 10 (Arn. 52) theilt so ein: „gaf hinn fyrsti önd ok lîf, annarr vit ok hrœring, þridi ásiônu, mâlit ok heyrn ok siôn“, eine verwirrende Umschreibung der einfachen Liederworte, die auch keine Beziehung zu den Namen bietet. Vgl. Sn. 207 (Arn. 544): „læti heitir rödd“, dadurch mag für læti der Vsp. in die j. Edda mâlit gekommen sein.

bemessen, daß Hönir und Lodr nicht auch bei dem früheren Schöpfungswerke, der Abgrenzung von Himmel, Meer und Erde[1], mit Odin zusammengegangen sein können, und seine dort helfenden Brüder, in der j. Edda Vili und Ve genannt[2], mit ihm eine Dreiheit von ganz andrer Bedeutung gebildet haben müssen. Nirgends sind Hönir und Lodr als Brüder Odins bezeichnet, und während dieser skaldisch Vilis Bruder genannt wird, heißt er nur Höds oder Lodrs Freund, Redegenosse, Befrager (Sn. 106. Arn. 268). Auf spätern Erdengängen ist Odin von Hönir begleitet, und wenn etwa ursprünglich Lodr auch dann der dritte war, so mochte dieses Gefolge die Erscheinung des Gottes in Menschengestalt und im Verkehr mit den Menschen ausdrücken. Für Lodr ist jedoch Loki eingetreten, und damit derjenige Dreiverein aufgelöst, in welchem Odins beide Gefährten eine Ergänzung seines Waltens und Wirkens waren. Loki, die Schande aller Götter und Menschen (Sn. 32), zwar unter die Äsen aufgenommen, aber ihr geborner Widersacher (goda dólgr, Sn. 106), der ihr Reich verrätherisch untergräbt, kann, seitdem dasselbe sich zum Ende neigt, bei keinem mythischen Vorgang und so auch nicht in der herkömmlichen Dreizahl des odinischen Erdenwandels fehlen[3], er hat aber weder dem Namen noch dem Wesen nach irgend etwas gemein mit Lodr[4], einem der drei kraft- und

[1] Auch diese Dreiheit in Vsp. Str. 3 (Sæm. 1): „vara sandr nê sær nê svalar unnir, iörd fannsk æva, nê upphiminn“ (wie Str. 18: önd, ód, litu). Sæm. 33, 21: iörd, himinn, siór; 45, 40: „iörd, sær, himinn“, hier am meisten in Einzelheiten ausgeführt.

[2] Sæm. 1, 4 nur: „Börs synir“; Sn. 7 (Arn. 46) die drei Himmel und Erde regierenden Söhne Börs von Bestla: „Odinn, Vili, Ve“, denen sodann Welt- und Menschenschöpfung zugeschrieben wird, ohne daß Hönir und Lodr irgend genannt sind; der Mythenschreiber wuste sich die beiderlei Dreiheiten mit verschiedenen Namen nicht zurecht zu legen. Sonst erscheinen Ve und Vili oder Vilji Sæm. 63, 21; Ve und Vilir Yngl. S. C. 3, 2, dann aber im Liede, C. 16: „Vilia brôdur“ (Odins); vgl. C. 16: „Vilia byrdi.“ Sn. 97a (Arn. 238): „brôdur Vilis.“ Sn. 238: „farms Gunnladar arma“. Vgl. Sæm. 63, 26.

[3] Auch mit Thôr fährt er aus, Sæm. 73, 22. Sæm. 49.

[4] Lodr, nach ganz andrer Ansicht für das lodernde Feuer genommen (Finn Magnusen, ældre Edda 1, 59. Lex. myth. 539. Myth. 221), durch Logi mit Loki zu vermitteln, sollte doch schon die anerkannte Stammverschiedenheit dieser beiden Namen (altn. loga, ardere, flammare, und lúka. [Gr. 3te

liebevollen Äsen, die, nicht zerstörend, sondern im freudigen Einklang schaffend, ihr letztes Geschöpf mit den edelsten Gaben ausstatten.

Während Lodr gänzlich aus der Dreiheit wandernder Götter verschwunden ist, geht auch Hönir lediglich noch dem Namen nach mit [1]. Solche Sagen können, da sie nichts zur Aufklärung seines Wesens beitragen, hier bei Seite gelassen werden. Nur im folgenden Fall ist ihm überhaupt etwas zu thun gegeben. Zwei färöische Volkslieder, die sich bis gegen Ende des vorigen Jahrhunderts mündlich gefristet haben, schildern das wechselnde Geschick des Landmanns den feindlichen Naturgewalten gegenüber als ein gewagtes Brettspiel des Bauers (bondi) mit einem Riesen, der unter finstrer, blitzender Regenwolke aus dem Boden aufsteigt. Im ersten Liede gewinnt der Bauer, der mit Sieghandschuhen spielt, und der Riese muß Haupt und Hals damit lösen, daß er Jenem ein prächtiges Haus voll reicher Vorräthe jeder Art über Nacht hinstellt; freudig erblickt der dicke Bauer am Morgen das herrliche Anwesen, das er fortan mit Weib und Kindern wohlhäbig bewohnt, und leicht erkennt man in allem dem den wuchernden Segen eines fruchtbaren Jahres. Das zweite Lied läßt den Bauer verlieren und nun soll er seinen Sohn hingeben, wenn er denselben nicht vor dem Riesen zu bergen vermag. In dieser Noth werden nacheinander Ouvin (Odin), Höner und Loki herbeigerufen. Ouvin läßt in einer Nacht einen Acker heranwachsen, dann heißt er den Knaben mitten im Acker eine Ähre, mitten in der Ähre ein Gerstenkorn sein; als nun der Riese, das schneidende Schwert in der Hand, den Arm voll Getraides rafft, da schlüpft ihm das Gerstenkorn von der Faust heraus und Ouvin bringt den Bauersleuten den Sohn zurück. Höner weist diesen an, als sieben Schwäne über den Sund fliegen und zwei sich niederlassen, mitten

Ausg. 1, 470], claudere, finire) bedenklich machen. Wenn Loki und Logi einerlei sind, wie können sie denn Sn. 54 (vgl. 59 f.) einen Wettstreit mit einander halten? Heimskr. 1, 88: „vinar Lödurs“ (Fugrsk. 7, 188).

[1] Odin, Hönir und Loki in Reisegesellschaft. Sn. 80. 135. Vgl. Höstlöng, Sn. 119: „tiva Þriggja“. 120a: „Hœnis-vinr“ (Loki). 120b: „vinar Hœnis“. 121b: „hug-reynandi Hœnis“. Arn. 315: exploratorem animi Hœneris“, Loki. Fornald. S. 1, 152. Sag. Bibl. 1, 364 (Huldasaga). Daß Hönir mâli Odins, Redegenosse Odins, benannt wird (Sn. 106. Arn. 268), hat nicht eben auf seine besondere Eigenschaft Bezug, sondern bezeichnet ihn nur als Begleiter Odins, vgl. Sn. 113a. 4.

im Nacken des einen eine Feder zu sein; als aber der Riese den Schwan fängt und ihm den Hals abschlägt, fliegt die Feder heraus. Loki, der letzte Helfer, rudert mit dem Knaben zum äußersten Fischfang, angelt drei Flunder und befiehlt dem Schützling, mitten im Rogen des dritten ein Korn zu sein; denselben Fisch erangelt nachher der Riese und zählt jedes Korn im Rogen, aber das rechte schlüpft ihm aus der Faust, und als er dem spurlos über den Sand hinfliehenden Knaben nachwatet, läßt Loki ihn sich in einen zu diesem Zweck erbauten Bootschuppen verrennen und schlägt ihn todt. So ist der Bauernsohn gerettet (Lyngbye, færöiske qvæder 480 ff.).

Die drei Verstecke des Liedes beziehen sich genau auf die drei Nahrungsquellen des nordischen Landbesitzers, Ackerbau, Seevögeljagd und Fischfang, der Bauernsohn aber bedeutet den Gegenstand der Pflege, die Frucht der dreierlei Betriebe, die durch ungestüme Witterung und harte Winter vielfach gefährdet und verkümmert ist, aber durch höheres Walten doch stets in ihren innersten Lebenskeimen gesichert und zu neuem Wachsthum erhalten bleibt. Es waren auch ursprünglich offenbar drei Söhne, von denen der Riese wenigstens einen anzusprechen hatte und die nacheinander, jeder in seinem Bereich, geborgen werden musten; denn der Bauer läßt den herbeigewünschten Nothhelfer jedesmal durch zwei Knaben berufen, während der dritte, an dem die Bergung ist, daheim sein Schicksal erwartet[1]. So gewiss nun in den bäuerlichen Bildern dieser Volkslieder, mit den Götternamen, auch die alte Weise der Mythengestaltung fortwirkt, wie denn die Absingung derselben als heidnischer vormals bei Strafe verboten gewesen sein soll (Lyngb. 480. Indled. 20), so verhält es sich doch mit der Götterdreiheit hier nicht anders, als in den schon bemerkten altnordischen Wanderfabeln. Odin

[1] Zu Anfang des Liedes ist nicht, wie im vorhergehenden, angegeben, um was gespielt wird. Der Riese verlangt Str. 2 auf einmal den Sohn des Bauern, das Verstecken aber geschieht nicht mit unmittelbarem Übergang von einer Verwandlung in die andre, sondern mit jedesmaliger Heimkehr des Geretteten, in drei so getrennten Handlungen, daß der Riese, wenn ihm auch nur Einer verfallen war, doch sichtlich die Probe des Versteckens an Dreien verlangen konnte. Str. 4. 22. 39: „Bondin haitur aa Svajnar tvaa" u. s. w. [zu sweinn Gr. 3, 320]; Simrock Handb. der deutschen Mythol. S. 128 ff. übersetzt geradezu: „Söhnen."

betritt in der Beziehung zum Saatkorn ein Gebiet, in dem sonst Thôr zu walten hat[1], und obgleich er auch anderwärts zur Wahrung des im tieferen Grunde bedrohten Naturlebens thätig ist, so betrifft doch dieses schöpferische Fortwirken den Weltgang im Ganzen und Großen. Will man bei Lokis Fischerei daran denken, daß er für den Erfinder des Netzes angesehen war (Sn. 69. Arn. 182), oder daß er einmal das Netz der Rân gebraucht (Sæm. 180), und ist ihm Erfindung oder Gebrauch dieses Geräthes nicht etwa bloß, was doch glaublicher, als dem Meister aller Hinterlist (bölvasmiðr, Sn. 106. 32) zugewiesen, so berührt dagegen Hönir sich in keinem irgend ersichtlichen Zuge mit der Jagd auf das Seegeflügel. Hier, wie anderwärts, wo die waltenden Äsen herbeigezogen sind, war es natürlich, den Äsenkönig, so wird Odin im zweiten Liede genannt (Ouvin Ása kong), an die Spitze zu stellen; mit seinem Namen waren auch die zwei andern herkömmlich gegeben; das schlau Angelegte, die Falle, die dem Riesen gestellt wurde, kam wie überall, auf Lokis Theil[2].

Hönir[3] ist nur einmal noch, beim Friedensschlusse der Götter mit den Vanen, zu einer zwar nicht glänzenden, aber vom nachwirkenden Verständnis der mythischen Bedeutung, die ihm beim Schöpfungswerke zukam, zeugenden Theilnahme berufen. Der Krieg zwischen Äsen und Vanen wird so kurz abgefertigt, daß man wohl erkennt, wie es

[1] Thôrs Abenteuer mit dem Bauernsohne Thialfi („Þialfi son búanda"), dem personificierten Anbaufleiße, und dem riesenhaften Skrŷmir, Sn. 49 ff., (Arn. 142 ff.), Myth. v. Thôr 27. 52 ff. 61 ff. Im ersten färöischen Liede heißt der Riese Skrujmsli, was dem isländ. skrimsl m. (monstrum, Lex. isl. 2, 281ᵃ, vgl. ebd. 283ᵇ, skrŷmnir) entspricht (Rask, Vejledn. 264); die Verwandtschaft mit Skrŷmir liegt nahe (vgl. Myth. 508), auch soll statt Skrujmsli in früherer Zeit Skrymmer genannt worden sein. Ein Riese Skrimnir noch in der romanhaften Sörla-Saga (Fornald. S. 3, 412).

[2] Das Rennen des Riesen an die Eisenstange des Schuppenfensters vergleicht sich dem Fluge des Jötuns Thiassi in das von den Äsen angezündete Feuer (Sn. 82. Arn. 222), wobei auch schon Loki, wie er sich einmal rühmt, der Erste und Hitzigste zur Tödtung war (Sæm. 66, 50); anderswo mißt Thôr sich bei, den Jötun erschlagen zu haben. So spielt wieder, wie mit Thialfi und Skrŷmir, ein Zug aus altem Thôrsmythus herein. [Ähnliche Verwandlungen Verfolgter in Woycickis Poln. Volksf. 132 f. 113 f. 153. Eyrbyggia S. C. 20 (Katla?).]

[3] Vgl. noch Sæm. 10, 63. Müllenhoff, Runen 37; oben S. 148 f.

weniger auf den Kampf, als auf die Ergebnisse des Friedenswerks abgesehen war. Den verschiedenen Wesenclassen, von denen zwei sich hier begegnen, schreibt Alvîsmâl auch je besondre Redeweise zu. Jede derselben hat für eine Reihe der bekanntesten Gegenstände und Erscheinungen ihren eigenen Ausdruck; die Menschen den gewöhnlichen, die andern einen alterthümlichern uneigentlichen, umschreibenden, bildlichen [1]; es ist schon bemerkt worden, daß in den Ausdrücken der Vanen, ihrer Natur gemäß, meist ein regsames Wehen und Weben sich kund gibt, bei den übrigen Ordnungen ist ein solcher Einklang nur in wenigen Spuren angezeigt und die ganze Aufzählung läßt keinen andern Zweck durchblicken, als daß neben dem gemeinüblichen Worte jedesmal eine Folge dichterischer zur Auswahl gegeben werde, wie es, ohne mythische Einkleidung, auch in den Gedenkreimen der Skâlda (Sn. 208 ff.) geschieht, in welchen die „heiti" des Alvîsmâl sich reichlich wiederfinden. Aber auch zu bloß skâldischem Zwecke konnte die mythische Form des Eddaliedes nicht wohl gebraucht werden, wenn nicht schon die Annahme feststand, daß verschiedenartige Wesen zugleich in der Sprache sich unterscheiden. Jeder Wesenclasse werden ebenso ihre besondern Rûnen zugeschrieben (Sæm. 28, 5 f. 196, 19) und nach Ynglingasaga C. 6 sprach Odin in Reimklängen, auch hießen seine Genossen Liederschmiede, die Rede der Äsen war eine gehobene. Im Bilde kriegführender und friedenschließender Völkerschaften hat man sich hiernach Äsen und Vanen (Sn. 83: „þat folk, er Vanir heita"; vgl. Myth. S. 420) auch als zweierlei Sprachen redende Völker zu denken, und wird nun als Geisel der erstern Derjenige entsandt, der einst dem Menschengeschlechte die Sprache gab und in Odins Verkehr mit den Erschaffenen stets dessen Begleiter ist, so liegt ihm auch jetzt ob, das sprachliche Verständnis der sich einigenden Stämme zu vermitteln. Wie jedoch Hönir in seinem früheren Auftreten stets an der Hand Odins ging, da ohne den durchdringenden Geist alle Rede hohl ist, so wird ihm auch zu dem neuen

[1] Auch das einfache Wort ist hier doch ein seltneres; für iörd Erde sagen die Äsen fold; letzteres bedeutet näher die bewachsene Erde (Biörn 2, 231. Gr. 3, 379) und findet sich besonders in feierlichen Anrufungen gebraucht (Sæm. 194, 4: „heil siâ in fiolnyta fold!" Agf. Segen, Myth. 1187: „hâl ves þû folde fira môdor!"), also in der Äsensprache immerhin der gehobene Ausdruck. Über die Sprache der Götter und Alvîsmâl insbesondre Myth. 307 ff.

Beruf der weise Mimir als beständiger Berather mitgegeben. Weil Hönir, wie es einem Äsen geziemt, ein ansehnlicher Mann ist, erheben ihn die Vanen zu ihrem Häuptling; wenn aber bei öffentlichen Verhandlungen Mimir ihm nicht zur Seite steht, hat er in allen schwierigern Sachen immer nur den wiederkehrenden Bescheid: „Rathen Andre!" Diese Unentschlossenheit und Unselbständigkeit erklärt es, warum er einmal der furchtsamste der Äsen heißt (Fornald. S. 1, 373: „Hœnir, er hræddastr var Àsa") und warum Skálda ihn Lettenkönig (Sn. 106, vgl. Arn. 1, 268 und 2, 525: [Lex. poet. 30a] „aurkonûng") nennt; von Mimis Rathe verlassen, ist er ein Ölgötze [1]. Odin, das Haupt der Äsen, konnte begreiflich nicht in die Geiselschaft mitgehen, sein Vertreter Mimir ist nunmehr näher zu beleuchten.

In Völuspá sagt die Seherin zu Odin, sie wisse wohl, wo er sein eines Auge verborgen, in jenem berühmten Mimisbrunnen; jeden Morgen trinke Mimir Meth von Walvaters Pfande (Sæm. 4, 22) [2]; weiterhin sieht sie von diesem Pfande Walvaters einen Strom mit schäumendem Sturze sich ergießen; das Pfand aber erklärt die j. Edda damit, daß Odin dorthin gekommen und aus Mimis Brunnen, in welchem Weisheit und Verstand verborgen sei, einen Trunk verlangt, diesen aber nicht eher erhalten habe, als bis er sein eines Auge zu Pfande gesetzt (Sn. 17). Noch einmal kommt Völuspá auf Mimir zu sprechen; als Heimdall beim hereinbrechenden Weltuntergange sein Horn bläst, da redet Odin mit Mimis Haupte (Sæm. 8, 47) [3]. Auch ein Eddalied aus

[1] Norg. g. lov. 1, 383: „leirblot gort i mannzliki. af leiri eda af degi." 7) „ædr hamfrær" (vorher: „eta eda stalla"). Vgl. Sn. 109 den Lehmriesen („mann af leiri", leirilötuninn), freilich mit andrer mythischer Beziehung, Myth. v. Thôr 44 f. Gr. 1 (3) 474: „aur argilla". 3, 380: „leir (argilla)". Genesis (Hoffmanns Fundgr. Thl. 2) 13, 31: „uz deme leime einen man". 15, 30: „sinen geist er in in blies." Lex. poet. 165 a: „færa sik hiarta or leiri luteum cor pectori induere, Korm. 21, 1." Was ist „Aurskiolldungur"? Heimskr. ed. Peringsk. 2, 210 (S. Magnusar kongs Berfætta C. 9).

[2] Sæm. 5, 31 (Munch 4, 31): „â sèr hon ausask aurgum fossi af vedi Valfödrs." Hiezu vgl. Sæm. 3, 19 (Munch 3, 19): „hâr badmr ausinn hvîta auri." Lex. poet. 36 unter aurigr, aurr, ausa. Sn. 20.

[3] Die Angabe in Sn. 17, wonach Mimir darum weisheitsvoll ist, weil er mit dem Giallarhorne aus dem Brunnen trinkt, ist in den Worten des Liedes

der Heldensage läßt Mimis Haupt zu Odin sprechen und zwar von Runenkunde (Sæm. 195, 15). In Betreff dieses abgelösten Hauptes tritt eben Ynglingasaga ergänzend ein: durch Hönis Rathlosigkeit werden die Vanen argwöhnisch, im Geiseltausche betrogen zu sein, schlagen dem Mimir das Haupt ab und senden es den Äsen, Odin aber salbt und bespricht dasselbe, so daß es mit ihm reden kann und ihm viele verborgene Dinge sagt.

Nach der jüngeren Edda (Sn. 17) soll der Mimisbrunnen unter derjenigen Wurzel der Weltesche liegen, die sich zu den Reifthursen wendet; in Skálda zählt Mimir unter den Jötunnamen [1], und auch als Inhaber eines Quells, eines stürzenden Wasserstroms, ist er den Naturmächten zugewandt [2]. Von der Weisheit jötunischer Wesen ist schon gehandelt worden; sie besteht vornehmlich im Wissen altvergangener Dinge, daraus dann Rath für die Gegenwart und Aufschluß über die Zukunft gewonnen werden soll. Wenn nun Odin ein Auge um Weisheit in Mimis Brunnen verpfändet hat, so weist dies eben auf die Versenkung seines Gedankens in die Kunden der Urzeit. Mit dem einen Aug' an der Stirne, dem andern im Quellengrund ist Vorschauen und Rückschauen

nicht begründet; ein Misverständnis kann dadurch veranlaßt sein, daß in den beiden Liedesstellen Sæm. 5, 31 und 8, 47 je nach Heimdals Horne von Mimir gesprochen wird; das Horn war unter dem heiligen Baume verborgen, unter dem auch der Brunnen floß.

[1] Sn. 209 b. Zielt dieß etwa auf Sæm. 8, 47: „Leika Mimis synir“, wo damit Söhne des Riesen überhaupt, die nach dem Weitern losbrechenden Jötune, skáldisch gemeint sein können?

[2] Zum Beweise, daß Mimir auch das Meer bezeichne, führt Lex. myth. 239 a an: „in versu antiqvo: strauma-mót oc Mimis [mót n. concursus]“, doch ohne Nachweisung der Stelle; die ebendaselbst aus Thórsdrapa angezogenen „Mimis eckiur“ sind im Liede selbst (Sn. 117, 9): „hrekkmimis eckiur (Arnam. 297: „feminæ giganteæ“)“, hreggmimir aber ist, wie auch vetmimir, eine Bezeichnung des Himmels, Sn. 177 (Arn. 470). 222 (Arn. 592 f.), vgl. Myth. 663. Andre Zusammensetzungen sind: Hodd-mimir (Sæm. 37, 45); Hring-mimir, Vidr-mimir (Lex. myth. 239 a); Söckmimir, den Sæm. 47, 50 þann inn aldna iötun (vgl. Sæm. 189, 29) nennt, mit Andeutung eines auf ihn bezüglichen Odinsmythus. Unter den sverdaheiti Sn. 214 b: holdmimir, Mimüngr (Fornald. S. 3, 475); Schwertklinge als iötunn ebd. 223, 2, wie die Streitaxt als tröllkona oder gýgr ebd. 160. 215 b.

des allumfassenden göttlichen Geistes dargestellt [1]. Ähnlicher Bedeutung ist es, daß Odin jeden Tag zwei Raben, Huginn und Muninn, über die Welt ausfliegen läßt, die ihm dann, auf seinen Achseln sitzend, Alles, was sie gesehen und gehört, ins Ohr sagen (Sæm. 42, 20. 88, 3. Sn. 42; vgl. 322); die Namen dieser Raben drücken Denkkraft und Erinnerung aus [2]. Für Mimir selbst ergibt sich Beziehung zu „agſ. mimor, meomor, gemimor (memoriter notus), mimerian (memoria tenere),“ analog dem lat. memor und gr. *μιμέομαι* [3]. Wie Hönis Rathlosigkeit, so scheint auch Mimis Erfahrenheit sprichwörtlich geworden zu sein;

[1] Anders Myth. 665. 1224 zu 704.

[2] Myth. 637. Vgl. Lex. myth. 183b. 246a. Biörn 1, 406: „buga, cogitare“. 2, 58: „man (mundi, at muna) recordari.“ S. oben S. 165 f., besonders Sæm. 35, 34: „Segdu þat“ u. s. w.; „hvat þû fyrst um mant, eda fremst um veizt; þû ert alsvidr iötunn.“ Vgl. Sn. 206.

[3] Gr. 1 (3), 464: „Mîmi, Mîmir n. pr., vielleicht Mimi? vgl. agſ. meomor (S. 348) und lat. memor, memini, Reduplicationsformen.“ 348: (agſ.) „meomor memor.“ Myth. 353, wo das kurze i neben î durch Ansetzung eines meima, máim, mimum erklärt wird. Sprachg. 865, 2. 904: „man *οἶμαι νομίζω λογίζομαι* verlangt ein altes mina cogito und sagt also aus: ich habe mich bedacht, erinnert; es muß früher miman gelautet haben, und entspricht den Buchstaben, wie dem Begriffe nach völlig dem gr. *μέμονα*, lat. memini, litth. menu und atmenu, primenu; im abgeleiteten ufarmunnôn und im ahd. minnôn sehen wir unorganisches nn, wie in kunnan und brinnan entfaltet, gerade wie aus litth. menu minnéjau und minnimas.“ Vgl. noch Zeitschr. f. d. Alt. 2, 253. In mimameidr, Sæm. 109, 21, könnte auch der gen. plur. von mimir stecken: Baum der Brunnholde? Vgl. Myth. 52 und oben Anm. 2. Vgl. Myth. 404 f. „diu wîse merminne,“ „marmennill“; über man selbst, homo, Wackernagels Wörterb. CCCLXXII: „zu manen minne: denkendes Wesen.“ Gr. 1 (3), 335. Ettmüllers Lex. anglos. 227. Bosworth 115a. 165b. Außer der wichtigen Beziehung zu dem agſ. meomor u. s. w. sprechen noch andre Umstände dafür, daß kurzes i nicht bloß neben dem langen, sondern überall statt desselben zu setzen sei. Durch die Kürze erklärt sich die wechselnde Schreibung des Gen. Mimis mit Mims, nach Art der mhd. Verstummung des i und e auf eine kurze Silbe (Gr. 1, 2te Ausg. 373, vgl. 668). Sodann hat die Handschrift des deutschen Dietleib nicht Meime und Meiming, wie sie bei mhd. î müßte, sondern Myme (gleich Pytrolff, Lymme u. s. w.) und Mimming (139. 171. 178), setzt also älteres Mime und Miminc voraus. Meynung, Heldenſ. 320, kommt kaum in Betracht. Endlich die heutige Aussprache des ahd. Mimilinga, Flüßchen Mimel, wovon nachher besonder. Altnordisch wäre entscheidend, wenn der Name irgendwo als hending aufgefunden würde.

im Gróaliede wünscht die aus dem Grab erweckte Mutter dem Sohne, daß ihm, beim Wortwechsel mit einem zungenfertigen Gegner, der Rede und des Verstandes voller Theil an Mimis Herzen gegeben sei[1]. Obschon den Riesennamen beigeschrieben, ist Mimir nicht bloß nach einem geistigen Vermögen benannt, sondern auch um seiner Weisheit willen in das engste Vertrauen Odins erhoben, welcher hievon dichterisch Mimis Freund heißt[2]. Für diese geheimnisvolle Weisheit nun, die doch

[1] Sæm. 98, 14 (vgl. Munch 170[a]): „Þann [galdr] gel ek þer inn níunda ef þû vid inn naddgöfga ordum skiptir iötun, mâls ok mannvits sê þêr á Mimis hiarta gnôga of gefit.“ Mimis hiarta liest zwar nur eine Handschrift, Rasks Eddubrot, die andern setzen: minnis hiarta, was erläutert, aber nicht gut gefügt und weniger bedeutsam erscheint. (Vom Herzen Mimis kommt geistige Begabung, weil dem Alterthum das Herz auch ein Sitz des Verstandes ist. Sn. 205 f. Arn. 540: „Hiarta skal kenna vid briost eda hug; kalla má ok hûs eda iord eda berg hugarins;“ Sæm. 22, 96. Fornald. S. 1, 101 oben: „hiarta ok hugr“; Sæm. 78, 26 hiarta, scheint es, auch für Muth. Benecke, mittelh. Wörterb. 1, 671 f.) Die Stelle gemahnt an eine des Hyndlalieds, Sæm. 119, 42 (vgl. oben S. 161): „Ber þû minnisöl minum gesti, svá hann öll muni ord at tína þessa rædu.“ Abermals begegnen sich minni n., memoria, und Mimir (s. S. 197 f.), der Begriff und dessen persönliche Gestaltung. Gróas Sohn soll wie Hyndlas Günstling (dem sie auch Sæm. 113, 3: „mælsku ok mannvit“ erfleht, vgl. 194, 4: „mâl ok mannvit“), zum Wortkampfe mit einem redemächtigen Gegner ausgerüstet werden: „vid inn naddgöfga iötun“; iötunn ist feindliche Bezeichnung eines Mannes und naddgöfugr ist zungenfertig (vipera = ense = lingua excellens), denn die Zunge heißt dichterisch Schwert (Sn. 204: „Tûnga er opt köllut sverd mâls eda munns“), das Schwert aber hier, als Stichwaffe, Natter (vgl. Heimskr. 1, 149. 228), wie ihm auch andre Schlangennamen zukommen (Sn. 213a, 4: fafnir, gôinn, gestmôinn, nidhöggr; vgl. Sæm. 44, 34 f. Sn. 160).

[2] Sn. 97 und 100 aus Skáldenliedern: „Mims vinr.“ Man findet die Gen. Mims (Nom. Mimr), Mimis (Nom. Mimir), Mima (Sæm. 109, 25. Nom. Mimi, Myth. 353 oben). Vgl. oben S. 198. [Egilssons Lex. poet. S. 570. K.] Nach Vorschrift der Skálda kann der Mann wohl nach Âsen und Âlfen benannt werden, nach Jötunen nur zu Spott und Schmähung, Sn. 127. (Arn. 334): „Mann er ok rêtt at kenna til allra Âsa heita; kennt er ok vid iötna heiti, ok er þat flest hád eda lastmæli; vel þykkir kennt til álfa“ (vgl. Fornald. S. 3, 36 f.). Darum heißen Könige und Helden geirniördr (Sæm. 266, 8. Myth. 198), sverdálfr (Heimskr. 1, 244; vgl. geirnilûngr, Sæm. 247, 27), und wenn dann auch König Hunding geirmimir bezeichnet wird (Sæm. 151, 14: „ætt geirmimis = Hundings sona“), so muß hier entweder Hunding feindselig, oder mimir nicht als Jötunname angesehen sein.

zugleich am Elemente haftet, ergibt sich eine volksmäßige Grundlage in den Nachrichten über altherkömmliche Verehrung und Befragung strömender Wasser [1], besonders an ihrem Ursprung. Von den Germanen unter Ariovist wird gemeldet, daß sie durch die Weissagungen heiliger Frauen sich lähmen ließen, die, in die Wirbel der Ströme schauend und aus dem Umschwung und Geräusch der Fluten zeichendeutend, erklärten, es dürfe nicht vor dem Scheine des Neumonds geschlagen werden [2]. Auch die Alamannen, bei ihrem ersten Erscheinen, widmen den Strömungen der Flüsse Verehrung und Opfer [3]. Hieran reihen sich zahlreiche Zeugnisse über den Quellendienst der deutschen Völker, und die dawider erlassenen kirchlichen Verbote und Abmahnungen beweisen, daß an Quellen und Flüssen Gebete, Gelübde, Opfergaben dargebracht, bei nächtlicher Wache Fackeln und Lichter angezündet wurden [4]. Noch im 15ten Jahrhundert berichtet Dr Hartlieb von den Gebräuchen der Hydromantie:

„Wann der maister in diser kunst will erfragen diebstal, schätz-graben, oder sunst was er dann haimliches wißen will, so gat er ain suntag vor der

[1] Lex. poet. 193b: fors. Fornald. S. 2, 241.

[2] Plutarchs Cäsar C. 19: „ἔτι δὲ μᾶλλον αὐτοὺς (Γερμανοὺς) ἤμβλυνε τὰ μαντεύματα τῶν ἱερῶν [Dacer. ἰδίων reponit] γυναικῶν, αἳ ποταμῶν δίναις προσβλέπουσαι, καὶ ῥευμάτων ἑλιγμοῖς καὶ ψόφοις τεκμαιρόμεναι προεθέσπιζον, οὐκ ἐῶσαι μάχην τίθεσθαι, πρὶν ἐπιλάμψαι νέαν σελήνην.“ Cäsar bell. gall. 1, 50 sagt nur: „Cum ex captivis quæreret Cæsar, quamobrem Ariovistus prœlio non decertaret, hanc reperiebat causam, quod apud Germanos ea consuetudo esset, ut matres familias sortibus et vaticinationibus declararent, utrum prœlium committi ex usu esset nec ne; eas ita dicere, non esse fas Germanos superare, si ante novam lunam prœlio contendissent.“

[3] Agath. ed. bonn. 28, 4 f.: „δένδρα τε γάρ τινα ἱλάσκονται καὶ ῥεῖθρα ποταμῶν καὶ λόφους καὶ φάραγγας, καὶ τούτοις ὥσπερ ὅσια δρῶντες, ἵππους τε καὶ βόας καὶ ἄλλα ἄττα μυρία καρατομοῦντες ἐπιθειάζουσι.“ Myth. 89. 41.

[4] Hieher überhaupt Myth. 89 f. 549 f. Anh. XXX bis XXXVII. Bezeichnend sind die Ausdrücke: fonticolæ, de oblationibus ad fontes,“ ags. wylveordung. Vgl. auch W. Müllers Gesch. der altd. Rel. 59 bis 62. 371 bis 373. Von einem Wasserfall auf Island, dem Opferspenden gebracht wurden, Landn. 341 (Thór 183). Norg. g. love 2, 308: „trva a landvættir at se j lvndum æda havgum æda forsom.“ Bouterw. Cädm. 3, LXXXIX; wæccan at wylle.“ Lex. poet. 193b, „vera und forsum.“ Jómsvíkingadrápa Biarna biskups 4 (Fornm. S. 11, 164; vgl. 12, 242. Lex. poet. a. a. O.): „Varkat ek firri und forsum, fór ek aldrei at göldrum.“

sunnen ufsgang zu drein fließenden prunnen und schöpft us yeglichem ain wenig in ain lauter puliertz glas und tregt es haim in ainen schönen gemach, da prennt er dan kerzen vor und legt dem wasser ere an sam gott selber." (Myth. 1ste Ausg. Anh. LX.)

Der persönliche Brunnengeist fehlt auch nicht, er findet sich sehr merkenswerth im sagenhaften Leben Hertwards des Sachsen, eines von Wilhelm dem Eroberer geächteten Helden; als der normannische König die von den Sachsen vertheidigte Insel Ely mit Hülfe einer Zauberin einnehmen will, kommt Hertward, der auf Kundschaft ausgezogen, zu dieser Alten und erlauscht, wie sie mitten in der stillen Nacht mit ihrer Wirthin zu den Wasserquellen hinausgeht, die in der Nähe des Gartens gegen Osten abfließen, wo sodann die beiden Weiber mit irgend einem Hüter der Quellen Frage und Antwort wechseln [1]. Wieder anders in Hálfssaga wollen zwei Kriegsleute des norwegischen Königs Hiörleif nachts Wasser an einem Bache holen, der vom Berge fällt, und sehen dort einen Brunnenunhold, den der herbeigerufene König mit einem Speerwurf vom Brunnen in den Berg treibt und, als derselbe vom Berge her ein unheilkündendes Lied singt, ihm den heißgeglühten Spieß ins Auge schießt [2]. Der mythische Name Mimir haftet noch in Emaa-

[1] De gestis Herwardi Saxonis C. 24, bei Fr. Michel, Chron. Anglo-Norm. 2 (Rouen 1836), aus einer Handschrift des 12ten Jahrhunderts, S. 69: „Egressus autem [Herwardus] habitum mutavit, tonso crine et barba, lubricaque veste indutus, et obvio [S. 70] facto figulo, ollas ipsius accepit et figulum se finxit, ad regis curiam apud Brandune tendens. Quo perveniens nocte eadem, forte illo ad domum cujusdam viduæ pernoctatus, ubi illa venefica mulier, de qua superius mentionem fecimus, hospitata est, quæ ad internecionem illorum, qui in insula sunt, fuit adducta. Illuc vero nocte eadem Herwardus etiam illas colloquentes sibi invicem romana lingua audivit, quomodo ad debellandam insulam artem vacare deberent, rusticum illum æstimantes, et inscium locutionis. Porro in medio noctis silentio illas ad fontes aquarum in orientem affluentes juxta ortum domus etam [so die Handschrift] egressas Herwardus percepit. Quas statim secutus est, ubi eas eminus colloquentes audivit, nescio a quo custode fontium responsa et interrogantes et sui expectantes, in reversione denique perimere illas satagebat, sed ejus conanimis diuturna prævenit mora, ut majora semper et plus audiret." (Ilm 1071.) C. 25, S. 75: „illam prædictam phithonissam mulierem."

[2] Saga af Hálfi C. 5, Fornald. S. 2, 28 f.: „Á sunnanverdri Finnmörk í Giardeyjargeima lá Hiörleifr konûngr um nótt, ok höfdu sveinar

land an einem See von unergründlicher Tiefe und dem daraus sich ergießenden Flusse (Mimes sjö, Mimes å), woselbst ein gefährlicher Neck sein Wesen treibt [1].

Mimir heißt auch in der nordischen Dietrichssage ein kunstreicher Schmied, der Lehrmeister Wielands und, an Reigins Stelle, der hier den Fafnir vertritt, Erzieher Siegfrieds, von dem er nachmals todgeschlagen wird (Vilk. S. C. 19. 143 bis 47); das Schwert Mimmung aber, später in Wittichs und Dietrichs Händen sagenberühmt, ist nicht Mimis, sondern Wielands Arbeit (ebd. C. 23), in der Skåldensprache ist mîmûngr eine Schwertbezeichnung (Sn. 214[b], Arn. 566: var mimmûngr; Fornald. S. 3, 475: mimmûng). Auch ein Waldgeist Miming bei Saxo

eld â landi, ok fôru tveir menn at sækja vatn til lækjar, er fêll af biargi fram; þar sâ þeir brunnmîga [a. brunnûnga, brunnauga], ok sögdu Hiörleifi konûngi; sîdan heitir konûngr broddspiót î eldi, ok skaut til hans; konûngr kvad: Gakk þû frâ brunni u. s. w. man ek senda þer sveidanda [a. sverdandi, svîdandi] spiót u. s. w.; þâ tôku þeir vatn; en þussinn skauzt inní biargit; þâ er þeir sâtu vid eld, þâ kvad þussinn af biargi annat lióð u. s. w.; þâ skaut Hiörleifr hinu sama spióti î auga þvî trölli.“ Zu dem unschönen brunnmigi vgl. Maneken-Pis, Wolfs niederländ. Sagen N. 375 bis 378 und Anm. S. 700. Ein âheiti ist fimbulþulr (Sn. 218a. Arn. 577). Vgl. „Rinarmâl“ Lex. myth. 401. 406a. Fornald. S. 1, 482 f.: „hverr æva þegir? u. s. w. þiotandi foss þegir aldregi.“

[1] Arwidssons Svenska Fornsång. 2, 316 bis 319. Myth. 353. D. Sprachg. 656 bezieht auch den alten Namen von Münster in Westfalen Mimigernaford, Mimigardaford, (Graff 2, 728) auf den Mythus eines von dem Halbgotte Mimi durchschrittenen Flusses oder Wassers; dagegen wird Myth. 458 der Name des Flüßchens „Mümling“ im Odenwald, „obwol Urkunden Mimling schreiben,“ aus müemel, Wasserfrau, gedeutet. Wirklich hat Cod. lauresh. 1, 47 (in einer Vergabung Eginhards und Immas von 819): „cellam nostri juris vocabulo Michlenstat sitam in pago Plumgowe, in sylva, quæ dicitur Odenewalt, super fluvium Mimilingum“; 49: „in Mimelingen“, dann 3, 121 (in einer Urkunde anno XXX Karoli regis): „super fluvio Mimelinga.“ Die Schreibung Mimling ist noch jetzt nicht ungebräuchlich (A. L. Grimm, Vorzeit und Gegenwart an der Bergstraße 348 f.) und der Ursprung des Flüßchens im Orte Beerfelden, auf der Scheide des Neckar- und Maingebiets, von einem wasserreichen Brunnen, dessen Abfluß sogleich zum lebendigen Bache wird, konnte wohl die Sage anziehen; Mimiling bezeichnet den Abkömmling von Mimo oder Mimilo, welch letzteres in Urkunden als Mannsname vorkommt (Myth. 352), wenn auch eher mit i gemeint. (S. jedoch oben S. 199.)

(6, 40. Müll. 114: „Mimingo [1], silvarum satyro". Myth. 352) besitzt wunderbares Schmiedwerk, Schwert und Armring. Im deutschen Gedichte von Biterolf ist Mime der alte ein Meister, der, zwanzig Meilen von Toledo gesessen, drei der zwölf trefflichsten Schwerter geschmiedet hat; allein wieder ist Miming, das dreizehnte, nicht von ihm, sondern von Wieland geschlagen (Heldens. 146 f.). Man könnte annehmen, Mimir, Mime, als Schmiedname, bezeichne überhaupt (wie es im Biterolf heißt) „sin unde muot" des wohlerfahrenen Künstlers, treffe also mit dem Namen des Brunnengeists nur in dieser allgemeinsten Bedeutung zusammen, wenn nicht ein näherer Bezug sich darin erschlösse, daß, wie aus der Quelle, so auch aus dem Spiegel des blanken Schwertes geweissagt wurde, und wie mit jener, so mit diesem, ein tiefkundiger Dämon verbunden war. Derselbe Hartlieb, der die Hydromantie seiner Zeit beschrieben, schildert den Schwertaberglauben derselben:

„Auch treibt man die sach in ainem schönen glanzen pulierten swert, und die maister diser kunst mainent etlich, wann man müg wol nach streit oder grümsamen sachen fragen, so sol das [ain] swert sein, das vil leut damit ertöt sein, so komen die gaist dester ee und pelder. Wann man fragen wil nach lust und fräden, kunst erfinden oder schätz zu graben, so sol das swert rain und unvermailigt sein. Ich waiß selbs ain großen fürsten, wer dem pringt ein altes haher swert, der hat in hoch geert" (Myth. 1te Ausg. Anh. LXIV).

Dieses späte Zeugnis knüpft gleichwohl an Älteres an, zunächst an ein Lied Frauenlobs; der Dichter hat in einem Schwert einen Geist, der ihm künden soll, was Fürsten und Herren allermeist an ihren Ehren schade; der kluge Geist, dessen Gunst ihm stets gewärtig war, spricht hierauf und sagt ihm, daß ein zaghaft unfreigebiger Sinn den Schaden und die Schande verursache; wer damit belastet sei, den müssen sie, die Geister, mit Recht zur Hölle tragen [2]. Früher und bedeutsamer singt Meister Sigeher, wie er einen Geist gezwungen, ihn künftige Dinge in einem Schwerte sehen zu lassen; er sieht dann darin kommende Welt-

[1] Grundtvigs Folkevis. 1, 182: Mimicon.

[2] MS. 3, 146 (Ettmüllers Frauenlob 142 f.): „Ich het in einem swerte von âventiure einen geist, daz er solt verkünden, waz vürsten, herren allermeist möht an ir hôhsten êren schaden; der geist was kluoc, er sprach: „ich wil dirz sagen;" sin [MS. din] gunst mich ie gewerte u. s w. unt swer mit den ist überladen, den müezen wir mit reht gên helle tragen; ouch muoz ich schenden sêre ein valschen ungetriuwen rât u. s. w.

geschicke, zumal die schweren Zerwürfnisse der Kirche, und erkennt die Vorboten Antichrists [1], eben wie Odin beim einbrechenden Weltuntergang mit Mimis Haupte spricht (Sæm. 8, 47). In einer Stelle bei Burkhard von Worms, vom Anfang des elften Jahrhunderts, ist als heidnischer Brauch gerügt, wenn ein Mann in der Neujahrsnacht auf dem Dache seines Hauses mit dem Schwert umgürtet sitze, um dort zu sehen und zu vernehmen, was ihm in dem folgenden Jahre begegnen werde [2]; dies gemahnt aber daran, wie, nach einem andern Eddaliede, Odin auf dem Berge steht mit Schwertesschneide und behelmt, und wie dann Mimis Haupt von Rünenkunde weislich zu sprechen anhebt [3]. Ob auch in diesen Fällen das Schwert mit erforscht werde, ist nicht bestimmt ersichtlich; doch liegt die Vermuthung nicht ferne. Da nun, hievon abgesehen, Quellen- und Schwertorakel einander unmiskennbar entsprechen, jenes aber, das im Elemente gesucht wird, für das ältere gelten muß, obgleich auch das andere schon mit der bekannten Verehrung des Schwertes bei Skythen und Germanen zusammenhängen mag, so läßt sich vermuthen, daß der mythische Name des kundegebenden Brunnengeists auch auf den Schwertgeist, für den er sich nicht minder eignet, übergegangen sei [4] und erst in weiterem Verlauf unter die Namen der sagenhaften Waffenschmiede sich verirrt habe.

Das forschende und rathsuchende Besprechen mit Mimis Haupt ist durch die angezogenen Liederstellen, die eine aus der alten Völuspá, beurkundet und Ynglingasaga führt aus, wie Mimir um sein Haupt

[1] MS. 2, 362ᵃ (Man. 2, 221; vgl. MS. 4, 663b): „Ich twang einen geist, unz er mich werte künftic dinc von kunst ze sehene in einem swerte: ich sach darinne u. s. w. diz sach ich künftig, unt höre ouch wise meister jehen: Antikristes boten sint gesehen u. s. w.“

[2] Burchard. Wormat. decr. 19, 5 (Myth. 1te Ausg. Anh. XXXVI): „observasti calendas januarias ritu paganorum, ut supra tectum domus tuæ sederes ense tuo circumsignatus, ut ibi videres et intelligeres, quid tibi in sequenti anno futurum esset, prædicta nocte.“

[3] Sæm. 195, 14: „á biargi stóð [Hroptr] með brimis eggjar, hafði ser á höfði hiálm; þá mælti Mím(i)s höfuð frôðlikt ið fyrsta orð ok sagði sanna stafi.“ Vgl. 248, 32. Schwert Birting, mit dem gesprochen wird, Landstad Norske Folkevis. 239 ff., vgl. Arvidsson Sv. Forns. 2, 77 f.

[4] Die Gemeinschaft setzt sich fort in Mímâugr, Miminc, den Schwertnamen, neben Mimiling, dem Flußnamen.

gekommen. Dennoch darf nicht unbeachtet bleiben, daß für denselben Augenblick der nahenden Götterdämmerung, in welchem die Vala Odin mit Mimis Haupte reden läßt, die Prosa der jüngern Edda (Sn. 72, Arn. 190) nur besagt:

„Da reitet Odin zu Mimis Brunnen und holt Rath von Mimir für sich und die Seinigen."

Dieß zusammen deutet an, daß sehr frühe schon ein bildlicher Ausdruck sich zur Fabel gestaltet habe und das Haupt ursprünglich nichts andres sei, als eben die Quelle. In deutschen Ortsnamen steht diese Verwendung des Wortes Haupt noch mehrfach zu Tage [1].

Mimis Brunnen ist nicht der einzige Wissensquell im nordischen Götterreich. Am Brunnen der Urd („Urdar brunni") unter der immergrünen Weltesche wohnen die vielwissenden, Gesetz und Schicksal sprechenden Jungfraun, die drei Nornen Urd, Verdandi und Skuld, deren Namen Vergangenheit, Gegenwart und Zukunft bedeuten (Myth. 376 f.) und ebendort sitzen auch die Götter zu Gericht [2]; ist nun dieser heilige Brunnen gerade nach derjenigen Norn benannt, welcher das Gewordene zugetheilt ist, so scheint auch hiebei der Gedanke einer Quellbefragung über die Satzungen der Urzeit zu unterliegen [3]. Deutlicher noch ist der Bezug auf die Kenntnis des Vergangenen bei einer andern Götterstätte, Sökqvabeckr, sinkender Bach (Myth. 863), darüber kühle Wellen rauschen

[1] Graff 4, 757: Brunhoubitum, Ortsn. Brunnehoubiton, Mones Zeitschrift 9, 224. Bronnhaupten, Hof im wirtembergischen Amt Balingen. Schmeller 2, 223: „Schamhäupten (am Ursprung der Schamb-ach); Seehäupten (am obern Ende des Würmsees); (cfr. Rinaha-houbit [Myth. 2, 498] Trad. fuld. 570); vielleicht auch Bachhäupten (MB. X, 402. Pachaupt, vulgo Bahappen) am Ursprung des Affalterbachs [Bachhoubiton (in Schwaben, Mones Zeitschr. 9, 202)]; Salhaupt (Sallehoupt, Ried 384) bei Abach, wenn anders das dortige Bächlein Sal heißt." Bornhovede, Helmold 1, 91.

[2] Sæm. 4, 19: „standr [askr] æ yfir grœnn Urdar brunni;" 20: „þadan koma meyjar margs vitandi þriar or þeim sal [a. sæ] er und þolli stendr: Urd hêtu eina, adra Verdandi, skâru â skidi Skuld ena þridju: þær lög lögdu, þær lif kuru alda börnum, orlög seggja." Sn. 17 f. (Arn. 70): „þridja rôt asksins stendr â himni, ok undir þeirri rôt er brunnr sâ, er miök er heilagr, er heitir Urdarbrunnr; þar eigu godin dômstad sinn." Sn. 20 (Arn. 76): „Nornir þær, er byggja vid Urdar brunn."

[3] Gerichtsstätten an Brunnen Rechtsalt. 217: „dreizehen sitzen um den brunnen und laßen sich recht lehren. Fw. 108;" ebd. 799.

und wo Odin und Saga jeden Tag fröhlich aus goldenen Gefäßen trinken [1]; Saga, die Bewohnerin Sökqvabecks, ist die Göttin der geschichtlichen Überlieferung, und der Trank, den sie mit Odin, auch hier dem Forschenden und Weckenden, theilt, ist voraussetzlich aus dem Strome geschöpft, der über ihre Wohnstätte hinrauscht. Wie der Schatz des Wissens als im Brunnen oder Strome verborgen (Sn. 17. Arn. 68: „er spekđ ok mannvit er î fôlgit"), so wird die Gewinnung desselben, Erkenntnis und Erinnerung, als ein Trinken aus der heiligen Flut, oder auch aus geweihtem Meth- oder Ålbecher dargestellt. Es gibt einen Gedächtnistrank und, entgegengesetzt, einen Trank des Vergessens; jener, der Minnetrank, hängt zusammen mit dem Becher Bragis (Braga-, Bragar-full), des Skåldengottes, von dem weiterhin besonders zu handeln ist [2]. Bei Gastgelagen war es Sitte, zu zweien, je ein Mann und eine Frau, mitsammen zu trinken; so trat die schwedische Königstochter Hildigunn vor den Gast ihres Vaters, den Ylfing Hiörvard, mit gefülltem Silberkelch, sprach: „Heil allen Ylfingen zu Rölf Krakis Gedächtnis!" trank halb aus und bracht' es ihm, worauf sie zusammen saßen und tranken, Vieles den Abend über besprechend [3]; Rölf Kraki ist der gepriesenste dänische Sagenheld und derselbe Brauch des Zweitrunkes und der Zwiesprache, wie er hier geschildert ist, erscheint auf mythischer Höhe darin, wie Odin und Saga fröhlich aus goldnen Schalen trinken. Auch der Gedächtnistrank (minnisveig), den Sigrdrifa

[1] Sæm. 41, 7 (Arn. 28, 7): „Sökkvabekkr heitir enn fiordi [bœr], en þar svalar knegu unnir yfir glymja: þar þau Odinn ok Saga drekka um alla daga glöd or gullnum kerum." Sn. 36 (Arn. 114): „önnur [Åsynja] er Saga, hon býr á Sökkvabekk, ok er þat mikill stadr."

[2] Myth. 52 f. 55. 215 f. 1055. Sæm. 119, 42. 120, 47. 245, 10.

[3] Yngl. S. C. 41: „um kveldit er full skyldi drecka, var þat sidvenja konûnga þeirra er at löndum sâtu eda veizlum, er þeir lêtu göra, at drecka skyldi â kveidum tvîmenning, hvâr ser karlmadr ok kona, svâ sem inniz, enn þeir ser, er fleiri væri, saman u. s. w. þâ tôk hun [Hildigunn] silfur-kalk einn ok fyllti, ok gêck fyrir Hiörvard konûng ok mælti: „heilir allir Ylfingar at Rôlfs minni Kraka!" ok drack af til hâlfs ok seldi Hiörvardi konûngi u. s. w. þâ settiz Hildigudr hiâ hönum, ok drucku þau bædi saman, ok töludu mart um kveldit." Frauer, Walkyr. 45 bis 48. Sæm. 151, 16 f. (vgl. Sæm. 104, 29: „drukku ok dœmdu." 216, 2. Lex. poet. 99a). Korm. S. 25: „Kormakr drakk tvîmenning â Steingerdi (Lex. poet. 105b)." Vgl. Weinhold, d. Frauen S. 99. Egilss. C. 48.

dem Sigurd bringt, enthält eine Fülle der schätzbarsten Kunden [1]. Um einen Trunk aus Mimis Weisheitsbrunnen [2] hat nun Odin sein Auge verpfändet (Sn. 17) und hinwider trinkt Mimir selbst jeden Morgen Meth von diesem göttlichen Pfande (Sæm. 4, 22), ein Austausch geistiger Mittheilung und Erweckung. Wenn auch in den angeführten Mythen dem Schöpfen und Rathholen aus der Quelle, dem Zusammentrinken aus goldenen Schalen, dem Tranke des Gedenkens und des Vergessens, wirkliche Gebräuche und gangbare Aberglauben vom weissagenden Brunnengeiste, von Zaubertränken u. dgl., zum Anhalt dienen, so wird doch die ganze Zusammenstellung außer Zweifel setzen, daß jene Gebräuche und Aberglauben hier nicht unmittelbar gemeint, sondern zum mythischen Gesammtbilde des odinischen Geisteswirkens verwendet sind. Der Mythus vom Mimisbrunnen insbesondere läßt sich als einfacheres Vorspiel der weit ausgesponnenen Sage vom Dichtertranke betrachten und es wird sich damit eine fernere Gewähr seiner rein sinnbildlichen Bedeutung ergeben.

Die Erzählung vom Geiseltausch, auf welche schließlich wieder einzulenken ist, ladet den Vanen auf, daß sie den ansehnlichen Hönir, der doch ohne Mimis Beistand rathlos ist, zum Häuptling nehmen, den hochverständigen Mimir aber, nachdem sie über Hönir enttäuscht sind, enthaupten; damit bestätigt sich, daß diese Wesenclasse, obgleich Manches wissend, doch für die höhere Weisheit, die Odin selbst noch von Mimis Haupt erforscht, kein Verständnis hat. Hönis Geiselschaft ist oben als Sprachvermittlung zwischen den zwei friedenschließenden Stämmen gedeutet worden; dem kommt Kvâsir, der von Seite der Vanen als Geisel hingegeben wird, ergänzend entgegen; wie der Name Hönir vom Schall entnommen ist, so besagt Kvâsir den lauten Athem [3], wohlgeeignet für die Sprache der windrauschenden Vanen. Von ihm wird bei diesem Anlaß nur noch gemeldet, daß er der klügste (spakastr) in ihrer Schaar gewesen sei; Weiteres und Andres weiß von seinen Geschicken die Eddasage, an deren Beginn sein Name tritt.

[1] Sæm. 193: „hon tôk þâ horn fult miadar ok gaf hânum minnisveig.“ 194, 5: „Bior fœri ek þer u. s. w. magni blandinn ok megintiri; fullr er hann lioda ok liknstafa, gôdra galdra ok gamanrûna.“

[2] Wieder nähern sich minni und Mimir. [Vgl. S. 200. K.]

[3] Biörn 2, 180 a: „qvâsa anhelare.“ „Qvâsir, m. anhelitus.“ Anders Lex. myth. 467. Myth. 296: „vgl. slav. kvas, convivium, potus.“

4. Kvâsir. Odhrörir.

Bei Ägis Gastmahl erzählt Bragi die Märe vom Dichtertrank in zwei Abschnitten, welche je eine Frage des Meergottes beantworten. Die erste dieser Fragen erkundet, woher die Dichtkunst ihren Ursprung genommen (Sn. 83, Arn. 216); die andere, wie die Äsen zu derselben gelangt seien (Sn. 85, Arn. 218). Es waltet hiebei eine, schon in bisher besprochenen Mythen bemerkbare Anschauungsweise, wonach Wissen und Können erst für sich, gegenständlich, vorhanden und in solcher Eigenschaft durch Naturgeister oder begriffliche Wesen vertreten ist, aus dieser Verschlossenheit aber durch die höhere Äsenkraft, besonders den gewaltigen Wissensdurst Odins, entbunden und in das göttliche Bewustsein gehoben wird. So verbildlicht denn der erste Abschnitt der Sage, der von der Entstehung des Meths bis zu dessen Bergung in Suttungs Felshöhle geht, das Wesen der Dichtkunst mit all den verschiedenen Kräften, Mitteln und Thätigkeiten, welche zu ihrer Vollgestaltung zusammengewirkt haben. Zuerst wird, wie in Yngl. S., auch nur in Kürze der Vanenkrieg berührt und sogleich zum Friedensschluß übergegangen, dessen Verlauf aber so angegeben, daß beide Theile, Äsen und Vanen, in ein Gefäß spucken und aus diesem Friedenszeichen dann die Götter einen Mann mit Namen Kvâsir schaffen, der so verständig ist, daß er auf alle Fragen Lösung weiß, und der nun weit in der Welt umherzieht, um die Menschen Wissenschaft zu lehren. Hier also ist Kvâsir nicht ein Vane, den Äsen zum Geisel bestellt, sondern eine aus dem Verein der beiden Stämme hervorgehende Schöpfung. Die altnordische Verbrüderung (fôstbrœdralag) wurde durch Mischung des Blutes, das man in die Fußspur rinnen ließ, bekräftigt (Rechtsalt. 118 f. Sprachg. 136 ff.), und wenn Loki den Odin daran erinnert, wie sie beide in der Frühzeit Blut zusammen mischten (Sæm. 60, 9), so erscheint dies als Bezeichnung der mehrgedachten Aufnahme Lokis, des Riesensohns, in die Genossenschaft der Äsen. Von der Mischung des Speichels zu gleichem Zwecke findet sich anderwärts kein Beispiel [1]

[1] In Hälfs S. C. 1 (Fornald. S. 2, 25 f.) wetteifern zwei Frauen, welche das beste Bier zu Stande bringe; von der einen wird Freyja, von der andern Odin angerufen, eine Vanin und ein Äse; Letzterer gibt seinen Speichel (hrâka) als Gähre und damit siegt seine Verehrerin (vgl. Myth. 1212 zu

und der Anlaß zu diesem veränderten Zeichen der Einigung wird eher im besondern Gegenstande der vorliegenden Sinnbilddichtung zu suchen sein. War uns Kvâsir als Vanengeisel der Naturlaut des wehenden Elements gegenüber von Hönir, dem Träger der Äsensprache, so fällt jetzt dieser Gegensatz hinweg, und während Kvâsis Bedeutung sich erweitert hat, ist Hönir überflüssig geworden. Dem Munde des einen wie des andern Theils entsprungen, vereinigt Kvâsir in sich die Stimme der Vanen und die Sprache der Äsen, den rauschenden Wohllaut und das begeistigte Wort. In Völuspâ schlägt Egdir, der Sturmriese, die Harfe (Sæm. 6, 34; vgl. 149, 1: „arar gullo". 142, 6); warum sollte nicht Kvâsir, von Vanenseite, der Gesanglaut sein? Die Weisheit dagegen kommt ihm von den Äsen, er lehrt dieselbe auf seinen weiten Umfahrten, und sie wird so beschrieben, daß niemand ihn über Dinge befragen konnte, die er nicht zu lösen gewust hätte, und daß nachmals seine Mörder aussagten, er sei in ihr erstickt, eben weil niemand verständig genug war, sie ihm abzufragen [1]. Nun kennt aber das Alterthum keine andere Wissenschaft, als die im Liede spricht, namentlich in Liedern der Beschwörung, der Wett- und Räthselfrage, darin besonders weitgereiste Wanderer, prüfend und selbstgeprüft, verkehren [2]. So ist zuerst in dem lebenden Kvâsir der allgemeine Begriff, der sinnliche und geistige Grundbestand der ältesten Skäldschaft aufgestellt, die bildliche Handlung schreitet jedoch weiter auch zu den Formen der Dichtkunst und

S. 278); bei Odin in Valhöll trinken die Einherjen Bier und ebendort erscheint, nach dem Mythus von Hrüngnir, Freyja als Schenkin des Äsenbiers (Sn. 107 f. Arn. 270 f.: „Freyja fór þá at skenkja honum, ok drekka lézt hann munu allt âsa-öl u. s. w. hví Freyja skal skenkja honum, sem at gildi Âsa." Vgl. auch Sæm. 120, 46 f. Fornald. S. 3, 223). Für die vorliegende Sage ergiebt sich jedoch in allem dem kein näherer Bezug. Unsicher ist auch die Stelle in Landstads Norske Folkevis. 328, 28: „så spyter hon skire hjarteblodið úti kong Eiriks lóve."

[1] Sn. 83 (Arn. 216): „Hann er svá vitr, at engi spyrr hann þeirra luta er eigi kann hann orlausn; ok hann fór víða um heim at kenna mönnum frœdi." 84 (Arn. ebd.): Dvergarnir sögðu Âsum, at Kvásir hefði kafnat (a. drucknat) í mannviti, fyrir því at engi var þar svá fróðr, at spyrja kynni hann fróðleiks." Dieses Ertrinken im Witz ist ein Seitenstück aus dem Geistesleben zum Versinken Fiölnis in der irdischen Fülle des Meths.

[2] Das ist die Form der Eddalieder Vafþrúdnismâl, Vegtamskvida u. s. w. von „getspeki" in Hervararsaga.

läßt in die Fassung derselben jenen ursprünglichen Gehält sich ergießen. Auf seinem Weltgange kehrt Kvâsir bei den Zwergen Fialar und Galar ein, die ihn zu vertrautem Gespräche berufen, dann aber erschlagen, sein Blut in den Kessel Odhrörir und die zwei Gefäße Sôn und Bodn rinnen lassen und mit Honig vermischen, woraus der Meth wird, der jeden davon Trinkenden zum Dichter oder Weisen macht. Die altherkömmliche Form derjenigen Gedichtgattung, welche nach Obigem zunächst in Kvâsis Bereich fällt, ist Liodahâttr (Liederweise); den Bau derselben bilden zwei kurze oder Halbzeilen, je von wenigstens zwei Hebungen, welche nothwendig durch zwei, meist durch drei Reimstäbe unter sich gebunden sind, und nach ihnen eine dritte Zeile mit wenigstens drei Hebungen und zwei Stäben. Solcher dreizeiligen Sätze sind gewöhnlich zwei, manchmal mehrere, zu einer Strophe verbunden, es kann aber auch einer allein stehen, und dies ist, da jeder in sich hinreichende Gliederung hat, zwei aber sich nicht verketten, sondern nur wiederholen, für das Ursprüngliche anzusehen [1]. Aus diesem Versbau versuche ich die beiden Zwerge und die drei Gefäße zu erklären. Fialar heißt ein mythischer Hahn, der bei den Riesen im Vogelbaume kräht (Sæm. 6, 34: „göl u. s. w."), der Name bedeutet den auf der Latte stehenden Hahn (Biörn 1, 215: „fiöl f. asser; vgl. Gr. 1 (3), 450), wie Galar eben den krähenden, singenden (gala, canere, pr. gôl); zwei Hähnen, die auf der Hochwacht stehen und lauten Rufs einander antworten, vergleichen sich durch die Namen der beiden Zwerge [2] die gewiss auch im

[1] Sn. 269 (Arn. 714 f.). Dietrich, über Liodahâttr in der Zeitschr. f. d. Alt. 3, 94 ff., wo auch die Abarten sorgfältig erörtert und die in genannter Weise gedichteten Lieder (S. 99 ff.) bezeichnet sind. Hier der einfache Satz aus einer den Dichtermeth betreffenden Strophe, Sæm. 28, 3 [Hâvam. 141. K.]:

„ok ek drykk of gat
ens dýra miadar
ausinn Ódræri."

Eyvind Skâldaspillir dichtet 963 in dieser Weise auch sein Hâkonslied (Heimskr. 1, 164 ff. Fagrsk. 26), wie andres in Fornyrdalag (Fagrsk. 30) und in künstlichern Formen.

[2] J. Grimm erklärt, wie überhaupt die altnordischen Mannsnamenendungen auf -ar, Zeitschr. f. d. Alt. 3, 142 f., so auch die von Fialar und Galar durch Abkürzung aus -hari, heri, Myth. 855. In der Zwergliste der Völuspâ, Sæm. 3, 16, steht Fialar allein, beide dagegen unter den iötnaheiti, Sn. 209b,

Gesange stark betonten Liedesstäbe; das gleiche Zeitwort gala wird vom Krähen des Hahns und vom Singen der Beschwörung gebraucht [1], welche eben darnach galdr heißt. Zwei Stäbe sind, wie schon erwähnt ist, für jeden der beiden Reimverbände des Liodahâttr ausreichend; die Zweizahl genügt aber auch, um überhaupt den Gleichklang der Anlaute seinem Wesen nach zu bezeichnen. Wenn die beiden Zwerge weiterhin, nach altnordischem Strafbrauch, auf eine Flutscheere (flœdarsker), d. h. eine Klippe, die zur Flutzeit mit Überschwemmung bedroht ist, ausgesetzt werden [2], so kommt etwa zu bemerken, daß im Liodahâttr häufig und eigenthümlich die beiden Stäbe der dritten, gewichtigsten Zeile auf die zwei letzten Worte und Tonsilben hinausgedrängt sind [3]. Die Reimstäbe sind Leiter der Gesätzbildung; Fialar und Galar bereiten die drei Gefässe, in welche Kvâsis Blut eingelassen wird. Der nahen Beziehung Galars zu galdr tritt hinzu, daß es eine Art des Liodahâttr gibt, welche

und in diesem Sinne werden die Riesen Suttûng, Sæm. 12, 15, und Skrymir, Sæm. 78, 26, fialar genannt, sei es weil der Hahn Fialar in Vspâ, Sæm. 6, 34, über dem harfespielenden Egdir, als Wecker der Riesenwelt singt, oder weil dämonische Wesenclassen in einander überspielen konnten (vgl. Heldens. 389). Fornald. S. 2, 220 der Mannsname Fialarr.

[1] Sæm. 6, 34: „Gôl î gaglvidi fagrraudr hani. Sæm. 97, 5 ff.: „Galdra þû mer gal; þann gel ek þer fyrstan“. 99, 15: „medan ek þer galdra gôl.“ Sn. 110: „hon gôl galdra sîna yfir þôr“. Sæm. 89, 10. Galdr m., Zaubersang, stammt von diesem gala, Myth. 987. Lauchert, Mundart von Rottweil S. 9: „guller (der Hahn), von mhd. gille, gal, gullen, gegollen = schreien.“

[2] Sn. 84 (Arn. 218): „Suttûngr tôk dvergana ok flytr â sæ ût, ok setr þâ î flœdarsker (scopulo maris inundationi exposito imposuit)“. Die Anwendung dieser Strafe kommt in den Geschichten Olafs Tryggvason vor, der den Zaubrer Eyvind Kelda und dessen Gefolg auf solche Weise umkommen läßt, S. Ôl. kon. Tryggv. C. 198, Fornm. S. 2, 142: „En med þvî at Eyvindr ok hans fêlagar neittu þvî þverliga [an den wahren Gott zu glauben], þâ lêt konûngr byrgja þâ alla î einu hûsi, en annan dag eptir voro þeir fluttir î eitt flœdisker at konûngs râdi skamt frâ eyjunni [Ögvaldsnesi] blindir ok bundnir; lêtu þeir Eyvindr þar allir lîf sitt, ok er þat sîdan kallat Scrattasker.“ S. af Ol. Tr. C. 70, Heimskr. 1, 276 f.: „vôro þat allt seidmenn ok annat fiölkyngis folk u. s. w. gerdi Eyvindr þeim huliz hialm ok tôko myrkr u. s. w. S. 277: Sîdan lêt konûngr taka þâ alla, ok flytja î flœdisker, ok binda þar. Lêt Eyvindr svâ lîf sitt, ok allir þeir. Er þat sîdan kallat Skrattasker.“ (Vgl. Myth. 447 f.)

[3] Z. B. das vorangeführte (Sæm. 99, 15): „medan ek þer galdra gôl.“ Das Gespräch mit dem Riesenweibe Sæm. bei Munch S. 79, 12 ff.

galdralag benannt ist, Tonweise der Beschwörungen [1]. Die Namen der zwei kleineren Gefässe Són und Bodn, Sühne und Angebot (Biörn 2, 312: „son f. pr. reconciliatio". 1, 91: „bodn f. oblatio"), können immerhin davon hergeleitet werden, daß der Meth, wenn auch später erst, zu einer Mordsühne [2] verwendet wurde [3], denn es ist nicht nöthig, daß sie gleich Anfangs so hießen (vgl. Myth. 857); Odhrörir, der Kessel, ist deutlich: Rührer, Erreger des Liedes [4]. Daß zwei kurze Zeilen und eine längere als Gefässe eines so reichen Inhalts dargestellt sein sollen, wird nicht befremden, wenn man bedenkt, daß in diese an sich zwar engbemessene, aber vervielfacht zu Gesängen jeden Umfangs anschwellende Dreiform die ganze Fülle der bezeichneten Liederweisheit niedergelegt war. Die Handlung setzt sich fort, indem die Zwerge, die überall, wo etwas Kunstreiches geschaffen werden soll, an ihrer Stelle sind, nunmehr mit Jötunen in Zusammenstoß kommen.

[1] „Galdra-lag" ist in einer Handschrift von Snorris Háttatal (Sn. 269. Arn. 714 f.) eine Strophe überschrieben, die in den andern unbezeichnet sich zu liodahättr einreiht („söttak fremd, sötta ek fund konûngs söttak ltran iarl: þá er ek reist, þá er ek renna gat kaldan straum kili, kaldan sià kili"); sie hat in dritter und sechster Zeile die im liodahàttr nöthigen Stäbe und Tonsilben doppelt. Da lag zunächst die Singweise bedeutet (Biörn 2, 2: „Lag n. tenor, melodia in cantu"), so konnte im Gesang jede dritte Zeile jenes hàttr sich mit denselben oder mit andern, besonders in Laut oder Sinn nahekommenden, dann auch in die Schrift aufzunehmenden, wiederholen; es findet sich ja dergleichen mitten unter Strophen des gewöhnlichen liodahàttr, so im Hávamál Sæm. 23, 107: „Gunnlöd mer um gaf gullnum stôli á drykk ins dýra miadar; ill idgiöld lêt ek hana eptir hafa sins ins heila hugar, sins ins svára sevа." Galdralag lautet auch alterthümlicher als liodahàttr und war vielleicht früher der allgemeine Name für diese Liedesform. Über galdralag s. Classen 52 f. Rask, Verslehre (von Mohnike 50). Den Ausdruck liodahàttr gebraucht Classen 59 f. nicht und in Háttatal scheint derselbe nach Arn. 714, Anm. 1 erst durch Rask eingeführt zu sein. Sæm. 24, 1 [Hávam. 111. K.]: „þularstôli at, Urdar brunni at."

[2] Heimskr. 1, 24: „geck hann þá til sonar blôts, til fréttar u. s. w."

[3] Vgl. Sn. 98 (Arn. 244): „födurgiöld iötna," Sn. 99 (Arn. 248): „Gillings giöldum," Bezeichnungen der Dichtkunst, des Gedichts.

[4] Verbum hrœra, rühren, bewegen; über ódr s. oben S. 190. Myth. 858: „Odhrœrir scheint deutlich poesin ciens, dulcem artem excitans." Vgl. Sæm. 30, 23: „þat [liod] kann ek it fimtánda, er gôl þiodrœrir [a. þiodreyrir; sc. dvergr] fyr Dellings durum."

Gleich den Zwergen aber sind auch die Riesen dieser Sage nicht persönlich gestaltete Naturkräfte, sondern das Riesenhafte ist hier, wie in andern das Geistesleben betreffenden Mythen, auf eine weitere Stufe des sinnbildlichen Ausdrucks vorgerückt und dient zur Bezeichnung alles Ungethümlichen, das bemeistert werden muß, wenn die aufkeimende Dichtkunst zu ihrer vollen Entfaltung gelangen soll. Fialar und Galar begehen neue Gewaltthat, indem sie den blinden Jötun Gilling, den sie mit seinem Weibe eingeladen, auf die See hinaus rudern und mit dem Schiffe so auffahren, daß es umschlägt und der Gast ertrinkt; seinem jammernden Weibe lassen sie einen Mühlstein auf den Kopf fallen. Gillingr [1], von gella, gellen (wie skillingr von skëlla), ist ein Mann des lauten Schalles, des Geschreis, ein geschärfter Galar, wie auch die Gedenkverse der Skálda den rauschenden Strom gilling nennen [2], und des Riesen Weib wird zutod geworfen, weil ihr gewaltiges Schreien über den Verlust ihres Mannes den Zwergen verdrießlich ist (Sn. 84, Arn. 218: „hon kunni illa ok grêt hátt u. s. w. Fiallarr u. s. w., taldi ser leidast óp hennar"); die Beiden, die den Ton des Liedes ordnen, wenden sich, wenn in solcher Dunkelheit noch gerathen werden darf, hassend und unterdrückend gegen den rohen Volksgang des fahrenden Blinden und seiner Genossin, des Spielweibs (vgl. Sn. 1, Arn. 30: „einni farandi konu at launum skemtunar sinnar"). Der angelsächsische Skilling, der Schallende, der mit seinem Genossen Vidsid, dem Weitgewanderten, laut zur Harfe sang [3], erscheint als edleres Seitenstück des ungeschlachten Gilling. In alterthümlich märchenhaften Zügen bewegt sich hier die eddische Erzählung: Fialar beredet das Weib, auf die See hinaus nach der Stelle zu sehen, wo ihr Mann umgekommen, heißt aber dann seinen Bruder Galar auf die Thür steigen, zu der sie hinausgeht, und ihr den Mühlstein auf den Kopf werfen; diese kunstlose List, die Aufmerksamkeit dessen, den man überfallen oder dem man

[1] Fornm. S. 3, 95: „Nidûngr Giallandason" als erdichteter Name eines wandernden Sängers.

[2] Gillingr als Mannsname s. Fornald. S. 3, 7 ff. Arn. 2, 494: „Gillingr lykill hennar [Heljar]", der Todesgöttin klingender Schlüssel.

[3] Cod. Exon. 324, 31 ff. (Ettm. Scôpes vîds. 103 ff.): „þonne vit Scilling sciran reorde u. s. w. song âhôfon, hlûde bi hëarpan hlëôdor svinsade." Über das Bedeutsame beider Sängernamen s. Müllenhoff, Run. 54.

entfliehen will, auf irgend einen Gegenstand zu lenken, kommt mehrfach in alten Dichtungen vor [1] und die vollzogene oder versuchte Tödtung durch den übergeworfenen Mühlstein ist aus deutschen Märchen bekannt [2]. Daran schließt sich sofort die noch geschichtlich aufgewiesene Strafe der Aussetzung auf die Flutscheere, wodurch Gillings Sohn oder Bruderssohn Suttûng den Tod desselben rächen will. Er hat auch die beiden Zwerge bereits auf die Klippe hinausgebracht, versöhnt sich aber mit ihnen, als sie ihm den kostbaren Meth zum Lösegeld anbieten. Mit dem Übergang in Suttûngs Gewalt beginnt für den Skâldentrank eine neue Wandlung; Kvâsis Weisheit lebt in seinem Blute fort, sie hat ihre äußere Form und Fassung erlangt und ist vor gemeinem, kunstlosem Treiben sicher gestellt, aber es droht jetzt der entgegengesetzte Übelstand, daß sie, in undurchdringliches Geheimnis eingehüllt, Göttern und Menschen für immer verschlossen bleibe. Suttûng, der Schlürfer [3], ist schon

[1] In S. Oswalds Leben, Ettm. 707 ff. spricht der Rabe, der den Meerfrauen entrinnen will:

„sich hin umbe an dirre stunt!
waz hebet sich wunders an des meres grunt?"

und als sie begierig hinschauen, erschwingt er sein Gefieder. Im dänischen Liede, Udvalgte danske Viser 1, 213, sagt der todte Aage zu Elsen:

„19. du gräd nu aldrig mere
for Fästemand din.
20. See dig op til Himlen
alt til de Stierner smaa!"

und als sie aufsieht, schwindet er in die Erde. Motherwell, Minstrelsy (Glasgow 1827) S. 69 (May Colvin):

„O turn you about, thou false Sir John,
and look to the leaf o' the tree!
for it never became a gentleman
a naked woman to see."
He's turned himself straight round about,
to look to the leaf o' the tree;
she's twined her arms about his waist,
and thrown him into the sea.

Vgl. Percy, reliq. London 1840. 176ᵃ.

[2] Br. Grimm, Kinderm. 6te Ausg. 1, 275 f. 279. 2, 30. 2te Ausg. 3, 81. 165. Rechtsalterth. 695. Vgl. Buch der Richter 9, 53; 2 Sam. 11, 21. (Volksl. 508, 35.)

[3] Suttûngr, assimiliert aus Suptûngr (vgl. Gr. 1 (2) 318, eine Handschrift hat wirklich Swptûngr), von sûpa, sorbere; ähnlich mit iötunn von

dem Namen nach der gierige Alleinbesitzer des edeln Getränks, von dem er, wie weiterhin gesagt wird, jeden Tropfen streng verweigert (Sn. 86: „synjar þverliga hvers dropa af miðinum“), er bringt dasselbe sogleich in eine unzugängliche Felskluft, Hnitbiörg [1], wo er es verwahrt und noch besonders seine Tochter zur Wache setzt. Der Name derselben, Gunnlöd, Kampfladung [2], weist schon merklich darauf, daß mit der Bergung des geistigen Horts jenes in Runen und Räthsel versteckte Wissen gemeint sei, das im Wettkampfe der mythischen Gesprächlieder ausgeholt und namentlich in Vafthrúdnismál einem trotzigen Riesen von Odin abgefragt wird; die volleren Belege des angedeuteten Sinnes bietet jedoch erst der zweite Theil von Bragis Berichte.

Der Erörterung dieses zweiten Abschnitts kommt zu Statten, nicht bloß, daß erst für ihn die gleichgehenden Stellen aus Hávamál zutreffen, sondern hauptsächlich, daß seine Aufgabe viel einheitlicher begrenzt ist, als die des ersten; er beschäftigt sich ebenso ausschließlich als vollständig mit den Versuchen, Hindernissen und endlich siegreichen Anstrengungen, welche Odin durchzumachen hat, um den verschlossenen Dichtermeth heraufzubringen. Auf seiner Ausfahrt nach diesem Ziele kommt er zuerst zu den neun Mähdern [3], die nach dem Wetzstein, den er emporwirft, so hastig greifen, daß sie einander mit den Sensen die Hälse abschneiden. Wieder ein alter Sagenzug, wie schon Kadmos und Jason die aus der Saat der Drachenzähne gewachsenen Krieger durch einen Steinwurf in ihre Mitte zu wechselseitigem Morde bringen [4]; Odin, auf dem Wege

ets, Myth. 486. Biörn 2, 360: „Suptûngr, m. nom. pr. libax.“ Lex. isl. 466. Myth. 489. Man findet für den Genitiv Sæm. 86, 35: „Suttûnga synir“; dagegen ebd. 51, 35: „Suttûngs synir“, beidemal für Riesengeschlecht; wie auch die Gen. Mimis und Mima, Surta statt Surts, vorkommen.

[1] Biörn 1, 74: „biarg, n. saxum, rupes“; pl. biörg. Hnit ist nicht aufgeklärt; vgl. Biörn 1, 376: „Hnytbiarg, n. saxum præruptum.“ Lex. poet. 367 b: hnit, n. collisio, conflictus; hnita allidi, illidi, infligi; hnitbjörg, n. pl. qs. montes collisionum s. resonantes. Fornald. S. 1, 316: „Hnitudr, hnitadr.“

[2] Biörn 2, 42: „löd (ð), f. invitatio, v. ladan. Hinc Gunnlöð.“ Vgl. Gr. 2, 457: „gunn-hvati (excitator pugnæ).“ Gunnlöd auch sonst als Frauenname.

[3] Grimms Rechtsalterth. S. 108.

[4] Apollodor. l. 3, c. 4, § 1: „*Φερεκύδης δὲ φησιν, ὅτι Κάδμος, ἰδὼν ἐκ γῆς ἀναφυομένους ἄνδρας ἐνόπλους, ἐπ' αὐτοὺς ἔβαλε λίθους· οἱ δὲ, ὑπ'*

der Räthselforschung, begegnet zuerst den mancherlei ungeschickten Versuchen des Errathens und läßt sie in ihrer Hast und Verwirrung einander selbst aufreiben. Dafür zeugt der weitere Verlauf, das Bohren des Gesteins, worin die gesuchte Kunde verschlossen liegt, aber auch dies nicht sogleich gelingend, da erst die Späne auswärts stäuben, bis zuletzt der Bohrer Rati, der Durchbringer, sich gänzlich durch den Fels genagt hat [1]. Bis dahin geht Alles noch außerhalb des Verschlusses vor, aber der stetige Zusammenhang wird schon dadurch vermittelt, daß der Herr der heuenden Knechte, der Jötun Baugi (Sn. 85: „til iötuns þess er Baugi hêt"), Suttüngs Bruder ist und sich hiemit als demselben Gedankenkreis angehörig kundgibt. Suttüng hat auch ihn nicht zu dem theuren Methe zugelassen; jener hat im Innern das Wissen, der Bruder außerhalb das Rathen, und erst als der strebsame Odin sich in seinen Dienst begibt und ihn mit Rati unablässig durchzubohren drängt, wird das Gewahrsam erschlossen. Der Name Baugi, der Gebogene (beygja, flectere, incurvare; baugr m. annulus), läßt sich als Gegensatz von Rati, dem Durchdringenden, auffassen; auch Bölverkr, Übelarbeiter, wie sich Odin bei Baugi nennt, deutet auf das unnütze Tagewerk in solchem Dienste [2]. Daß Bölwerk jetzt in Gestalt einer Schlange durch die erbohrte Steinritze hineinkriecht, ist ganz die

ἀλλήλων νομίζοντες βάλλεσθαι, εἰς μάχην κατέστησαν. Περιεσώθησαν δὲ πέντε." (Vgl. Ovid. Metam. 3, 115 ff.) Apollon. Rhod. Argonaut. 3, 1057: „λάθρη λᾶαν ἀφες στιβαρώτερον." 1365 ff. Ovid. Metam. 7, 139 ff.:

„Ille [Jason] gravem medios silicem jaculatus in hostes,
a se depulsum Martem convertit in ipsos.
Terrigenæ pereunt per mutua vulnera fratres."

Vgl. noch Faust (Myth. 856) und Eulenspiegel, 9te Hist.

[1] Biörn 2, 152: „rata, incuriosus ferri, per varios casus elabi, vulgo: viam callere." Myth. 856: „rata permeare, terebrare, gothisch vratôn." Maßmann, Skeir. 178 b: „vratôn, πορεύειν, ire." Dietr. 270 b: „rata (2) leicht überhin, einschlüpfen, den Weg leicht finden B. H.; bloß reisen Hâv. s. rati m. der Schlüpfer, Eindringer Hâv. 107." Sæm. 11, 5: „Vits er þörf þeim er vida ratar." 23, 108: „Rata munn lêtumk rûms um fâ ok um griot gnaga."

[2] Biörn 1, 99: „böl, n. calamitas, ærumna." Gr. 2, 449 f. 1 (3), 440: „böl malum." Biörn 2, 427: „at verka, operari, efficere (verkr, m. dolor.)" Vgl. Sn. 209 b: Fiölverkr, Stôrverkr. Fornald. S. 3, 682 (Mannanöfn): „Bölverkr". 714: „Stôrverkr Starkadarson."

der Sachlage angemessene Form der Verwandlung. In der jüngern Edda folgt sofort, daß er drei Nächte bei Gunnlöd lag und sie ihm drei Methtrünke gestattete. Dagegen erzählt in Hâvamâl Odin selbst eben zur Empfehlung der Redefertigkeit, wie er in Suttûngs Sälen nur durch Wortreichthum in Vortheil gekommen sei [1]; es sind damit Überredungskünste gemeint, die er anwendet, um zum Methe zu gelangen [2]; wenn dann aber fortgefahren wird, daß Gunnlöd ihm auf goldenem Stuhl einen Trunk des theuren Methes gegeben, so erinnert dies noch weiter daran, daß zum Wettgespräch oder zur Rûnenrede gewöhnlich der Stuhl angeboten oder der Einnahme desselben besonders erwähnt wird [3], und es veranschaulicht sich damit der im Namen Gunnlöd gefundene Wortsinn der Aufforderung zum Redekampf. Von der Fülle des bei Gunnlöd genossenen Meths wird, gleichfalls nach Hâvamâl, Odin trunken und übertrunken und der bildliche Ausdruck dafür ist: des Vergessens Reiher (Häher), der über Trunknen rauscht, der Männer Besinnung stiehlt und mit dessen Gefieder nun auch Odin in Gunnlöds Gehege gefesselt war [4]; die Sinnbetäubung der Trunkenheit fällt darum unter

[1] Sæm. 23, 106: „Enn aldna iötun sôttak u. s. w. fâtt gat ek þegiandi þar; mörgum ordum mælta ek (î) minn frama Suttûnga sölum.“ Vgl. Sæm. 32, 11 ff.: „alls þû â gôlfi vill þins um freista frama“ (dein Glück, deinen Frommen versuchen).

[2] Dahin mag auch der Eid zu rechnen sein, dessen Bruch nachher dem Odin vorgeworfen wird, Sæm. 24, 112, und die nachfolgenden Worte: „Suttûng svikinn hann lêt sumbli frâ ok grætta Gunnlödu“ beweisen nicht, daß Odin mit Suttûng selbst verkehrte; er betrog diesen um den Trank, indem er Gunnlöd für sich gewann.

[3] Hâvam. 107 (Sæm. 23): „Gunnlöd mer um gaf gullnom stôli â drykk ins dýra miadar.“ Loddfafnismâl 1 (Sæm. 24, 1): „Mâl er at þylja þulur lângar þularstôli at u. s. w.“ Vafþr. 9 (Sæm. 32, 9): „Hvî þû þâ, Gângrâdr, mælisk af gôlfi fyr? fardu î sess î sal! þâ skal freista, hvârr fleira viti, gestr edr inn gamli þulr.“ 19 (ebd. 33): „Frôdr ertu nû, gestr, far þû â bekk iötuns, ok mælumk î sessi saman.“ Fornald. S. 1, 465 (vor Heidreks Räthseln): „voru þâ teknir tveir stôlar, ok settust þeir þar â.“ 532: „Var sidan stôll setr undir Gestumblinda, ok hugdu menn gott til, at heyra þar vitrlig ord. Sn. 3: „sitja skal sâ er segir.“

[4] Sæm. 12, 14: „Ôminnis hegri heitir sâ er yfir öldrum þrumir, hann stelr gedi guma; þess fugls fiödrum ek fiötradr vark î gardi Gunnladar.“ Biörn 1, 340: „hegri, m. ardea.“ Über ôminni s. oben.

das Bild dieses Vogels, weil derselbe für besonders thöricht gilt, in dem Maße, daß er vor seinem eigenen Schatten erschrickt [1]. Das findet Odin am Rausche noch gut, daß doch der Mann stets seine Besinnung wieder gewinne [2]. So rafft er selbst sich auf und fliegt, nach der jüngern Edda, in Adlersgestalt eiligst mit dem gesammten Methe davon, in derselben Verwandlung rennt Suttûng ihm nach; der Einschleichende kommt als Schlange, der Enteilende und der Verfolger schwingen sich, wie anderwärts, als Vögel hin [3], von der Räthselwette mit Heidrek entfliegt Odin auch als Falke (Fornald. S. I, 487 f.). Keine von beiden Darstellungen macht deutlich, wie es mit Ôdhrörir und den andern

[1] Oken, Naturgesch. 531 f. (vom gemeinen Reiher): „Ihr Aufenthalt ist in Wäldern wasserreicher Gegenden, wo sie traurig auf Bäumen sitzen, scheu vor dem Jäger davon fliegen und sogar bei einem Donnerschlag erschrecken." Poëme du vœu du héron (Sainte-Palaye, Mémoires sur l'ancienne chevalerie, Paris 1781. 3, 122):

„Le plus couart oysel ay prinst, ce m'est avis,
qui soit de tous les autres, de che soit chescuns fis,
car li hairons est tels, de nature, toudis,
si tost qu'il voit son umbre, il est tous estordis:
tant fort s'escrie et bruit, com s'il fut à mort mis."

Seinen Fang läßt er sich vom Storch wegstehlen, Volksl. 37: „Guot Reiger, guot Reiger der fischt auf breiter heide, da kam der Stork, da kam der Stork und stal im seine weide." In einem schwankhaften Meistersange von Hans Sachs fragt ein Schwabe seinen welschen Wirth, ob der ihm vorgesetzte Wein im Paradies wachse. „Der wirt gedacht im wol: du hast ein ungesalzen häher." Göz, Hans Sachs 2, 105. Vgl. Schmeller 3, 524. Sonst begegnet der Häher auch als ein spöttischer Vogel. Hans Sachs, Ged. 2 (Ausgabe von 1558), 426: „Des kundt die Agelaster kittern Spotweiß thet jr der Heher slitern." Berlin. Bibl., Liederhdschr. Z. 8016: „Der margolff ist eyn spotlicher vogel, er spot der fogel alle gemeyne." Ziemann 239[b]: „markolf heher, graculus" (Fr. 1, 641[c]). Wolframs Wilh. 407, 10 f.: „iwer iegeslichen hât diu heher an geschriet ime walde." Titurel 1477. 102[a], 7. Graff 4, 799: „Heigir, Heiger, Heher, ardea. Cf. Hehara picus." Benecke 1, 650[a]: „Heiger stm. reiher." Kolocz. Cod. 130, 44 bis 65.

[2] Sæm. 12, 15: „Þvî er öldr baztr, at aptr of heimtir hverr sitt geđ gumi."

[3] Sn. 81 f. (Arn. 212) fliegt Loki mit Falkengefieder, Thiassi verfolgt als Adler, Idunn ist, nach einer Lesart, zur Schwalbe geworden; übrigens haben dort die Verwandlungen je ihren besondern Grund in der Art der mythischen Wesen und dem Sinne der Fabel, vgl. Thôr 117 f. 122 f.

Gefässen ergangen. In Hâvamâl gibt Gunnlöd dem Odin einfach einen Trunk des theuern Meths und von Suttûng wird gesagt, daß er um den Meth betrogen ward, nun aber sei Ôdhrörir heraufgekommen zu bewohnten Stätten [1]. Bragi dagegen erzählt, Gunnlöd habe dem Odin drei Trünke gestattet, mit deren erstem er Alles aus Ôdhrörir, mit dem zweiten aus Bodn, mit dem dritten aus Sôn getrunken und so den ganzen Meth gehabt; dann bei seinem Heranfliegen nach Âsgard setzen die Âsen ihre Gefässe in den Hof und er speit den Meth nun in diese, die somit an die Stelle der früheren, nicht mitgenommenen zu kommen scheinen. Man darf jedoch in solcher Bildersprache keine Folgerichtigkeit bis ins Einzelnste suchen. Ôdhrörir, Bodn und Sôn haben als Dreiheit in der Entwicklung der Sage bereits das Ihrige geleistet; fortan ist, außer wo es sich bloß um skâldische Redensart handelt, nur der bedeutsame Name Ôdhrörir in mythischem Gebrauch und bezeichnet noch immer das Gefäß des Dichtertranks [2], die Überlieferung in Gesang und Liedesform, wodurch die Fülle dessen, was in dem persönlichen Kvâsir, seinem Wissen und Können, vorbildlich zusammengedrängt war, an alle Lernbegierigen und Befähigten ausgespendet wird. Suttûngs Meth gab Odin, wie Bragi am Schlusse sagt, den Âsen und den Menschen, die dichten können; Kvâsir schon zog aus, um Wissenschaft zu lehren, sein Wesen und Wirken lebt unerschöpflich in seinem Blute fort. Die Dichtkunst hieß Trank der Âsen (Sn. 87: „dryck Âsanna“), den Göttern war der Dichtermeth gewöhnlicher Trank, wie sie auch im Liedesklange sprachen (s. oben S. 196).

In dem Theile der j. Edda, welcher Aufsätze gelehrter Isländer des 12ten und 13ten Jahrhunderts über Lautlehre enthält, finden sich Stellen, die verschiedenen Arten des Lautes betreffend, wobei vom Laute der leblosen Dinge, dem Rauschen des Windes oder des Wassers, zu der Stimme belebter Wesen und hier wieder von den Weisen des Vogel-

[1] Sæm. 23, 109 (Munch 16, 107): „Þvíat Ôdrœrir er nû upp kominn â aldaves iardar“ (ad viventium asyli prædia). Zu ve vgl. Gr. 3, 428. Myth. 58. 539[b] f.; zu aldir Sæm. 37, 45).

[2] In Eddaliedern ist Ôdhrœrir in solchem Sinne genannt: Sæm. 23, 109. 28, 3. 88, 2. Sônar-dreyri (vgl. Sn. 98: „Kvâsis dreyra) findet sich 118, 36. 234, 21, beidemal wohl nur dichterisch für Meth, Honigtrank; Bodn bleibt aus. Dagegen aus Skâldenliedern Belege für alle drei Namen in Anwendung auf Dichtkunst Sn. 29 f.

sangs bis zu dem menschlichen Stimmvermögen aufgestiegen wird, in welchem Laut, Stimme, Rede vereinigt sind; auch in der Stimme der Lebendigen wird die Wirkung der Luft auf die Stimmwerkzeuge hervorgehoben, zugleich aber dem Selbstwillen, überhaupt den geistigen Eigenschaften, die erst das Wesen der Menschenrede vollenden, die gebührende Bedeutung zuerkannt [1]. Diese Untersuchungen sind freilich ohne allen Bezug auf Hönir und Kvâsir angestellt, vielmehr der Hauptsache nach lateinischen Grammatikern, von denen Priscian namentlich angeführt wird, entnommen [2]; dennoch ist in den Mythenbildern und

[1] Sn. 289 f. (Arn. 2, 46 f. 2, 364): „renn ok rödd upp fyrir hverju ordi. þarf ok med ordi hverju; þriár þessar greinir: minni ok vit ok skilníng u. s. w. Nû hafa þessir lutir hliod, sumir rödd ok sumir mâl u. s. w. Sû er ein grein hliods, er þûtr vedr eda vötn, edr siór u. s. w. þetta eru vitlaus hliod u. s. w. Önnur hliodsgrein er sû, er fuglar hafa, þat heitir rödd u. s. w. fuglar sýngja eda gialla edr klaka u. s. w. þridja hliodsgrein er miklu merkiligust, er menn hafa, þat er hliod ok rödd ok mâl u. s. w. Ef madr getr mikla mâlsnild, þâ þarf þartil vit ok ordfœri ok fyrir ætlun ok alhægt tûngubragd.“ Sn. 297 ff. (Arn. 2, 64 f.): „Af rœriligum lutum verdr hliod, sem af höfudskepnum: eldi, vindum, vötnum u. s. w. Hliod þat, er verdr af liflausum lutum, er sumt ûgreinligt, sem vinda gnýr eda vatna þytr eda reidarþrumur u. s. w. Rödd er hliod, framfœrt af kvikendis munni, formerat af níu nâttûruligum tólum: lûngum, barka, tûngu ok treim vörrum ok tönnum fiorum. En Priscianus kallar rödd vera hid greiniligsta loptsins högg ok eiginliga skiljanligt [ictum aeris distinctissimum et auribus proprie intelligibilem] u. s. w. merkilig rödd af setning [vox consilio significabilis] er sû, er framfœrist af sialfvilja manns.“ Vgl. Genesis (Hoffmanns Fundgr. 2) 13, 45 von der Erschaffung des Menschen: „Swenne si [diu zunge] den wint fahit unt in den munt zuhet, an den zanen si scefphet daz wort daz si sprichet.“

[1] Priscian. lib. 1 (Putsch, grammaticæ lat. auctores antiqui, Hannover 1605, S. 538): „Philosophi definiunt vocem esse aerem tenuissimum ictum, vel suum sensibile aurium, id est, quod proprie auribus accidit u. s. w. Aliæ vero sunt [voces], quæ quamvis scribantur, tamen inarticulatæ dicantur, cum nihil significent, ut coax, cra. Hæ enim voces, quanquam intelligimus, de qua sint volucre profectæ, tamen inarticulatæ dicuntur, quia vox, ut superius dixi, inarticulata est, quæ a nullo affectu mentis proficiscitur. Aliæ sunt inarticulatæ et illiteratæ, quæ nec scribi possunt, nec intelligi, ut strepitus, mugitus, et his similia.“ Donati ars grammatica, lib. 1, segm. 1 (Corpus Grammaticorum latinor. veter. collegit Frid. Lindemannus. Leipzig 1831. B. 1, S. 5): Vox est aer ictus, sensibilis auditu, quantum in ipso est. Omnis vox aut articulata est, aut

in den Lehrsätzen dieselbe Verwandtschaft des Windesrauschens und der Menschenstimme geltend gemacht, die gleiche Beobachtung ausgedrückt, daß zu Rede und Gesang die bewegte Luft [1] und der erregte Geist, das Element der Vanen und das der Äsen, zusammenwirken, Wahrnehmungen, die sich füglich auch dem aufmerksamen Sinne des Ungelehrten ergeben konnten. Selbst volksmäßigere Dichtungen, als die abgehandelten Mythen, haben sich, in ihrer Weise, mit ähnlichen Aufgaben befaßt, wie die finnischen Runen, die, gleich dem Ursprung des Feuers, des Eisens und andrer Gegenstände, auch den der Harfe darstellen [2], oder die estischen Volkssagen von der Entstehung des Gesangs, dessen göttlicher Urheber selbst das Rauschen seines Gewandes auf Wald und Bach, die grellsten Töne auf den Wind, die zarteren auf die Singvögel, den vollen und tiefen Wohllaut aber auf das Menschengeschlecht überträgt, dann vom Kochen der Sprachen, die, zusammt den Namen der sie redenden Völker, aus den Angsttönen und dem Schaum des in einem Kessel siedenden Wassers hervorgehn, wobei den Esten allein die Sprache des kochenden Gottes zufällt [3]. Auch an

confusa. Articulata est, quæ litteris conprehendi potest; confusa, quæ scribi non potest.“ Maximi Victorini de re grammatica liber (ebd. B. 1, S. 272): „De Voce. 7. Vox est aer ictus sensibilis, qui auditur quantum in ipso est. Vocis vero species sunt duæ; articulata, et confusa. Articulata, quæ hominum tantum est, unde articulata dicta est, quod articulo scribentis comprehendi possit. Confusa, quæ scribi non potest, veluti ovium balatus, equi hinnitus, bovis mugitus, et aliæ nonnullæ voces sunt. Sonos quoque omnes appellamus voces, ut fluctus qui a litore audiuntur.“ Isidori Hispalens. episc. etymologiar. libri XX, lib. 1, cap. XIV (Corp. Gramm. Lindem. B. III. Leipzig 1823, S. 28): „De voce. Vox est aer ictus, sensibilis auditu, quantum in ipso est“ u. s. w. Ars grammatica Marii Victorini [andrer als Maxim. Vict.] de orthographia et ratione metrorum (Putsch S. 2451): „De voce. Vox est aer ictus auditu percipibilis, quantum in ipso est. Græci qualiter? ἀὴρ πεπληγμένος αἰσθητὸς ἀκοῇ ὅσον ἐφ' ἑαυτῷ ἐστιν.“ Diomedis de oratione libri III, lib. II, Putsch S. 413: „De voce. Vox est, ut Stoicis videtur, spiritus tenuis, auditu sensibilis, quantum in ipso est.“

1 Sn. 299 (Arn. 66): „rödd er lopt eda af lopti formerat ꝛc.“ Vgl. Oken, Naturgesch. 4, 93. 246 f.

2 Kalevala overs. af Castrén 2, 86 ff. Schröter, Finn. Runen (1834) 69. Wendunmuth 1, 380 (CCXLII): „Wie die Böhemische Sprach auffkommen.“

3 Verhandl. der gel. esthn. Gesellsch. zu Dorpat B. 1, H. 1, S. 42 bis 47.

Odins Aufenthalt bei Gunnlöd gemahnen spät noch Volkslieder aus Schweden und Dänemark vom Ritter Tinne (Tynne, Tönne), den der allbezaubernde Runenschlag einer harfespielenden Zwergtochter in den Berg lockt, wo man ihm Meth einschenkt und er auf goldnem Stuhl entschläft, dann durch hervorgetragene Runenbücher vom Zauber entbunden und mit heilkräftigen Segen für Streit, Reise und Seefahrt, sowie mit der Gabe, treffliche Worte zu sprechen, entlassen wird [1].

Die Entstehung Kvâsis durch Ausspucken ist oben (S. 209 f.) gänzlich aus dem innern Zusammenhang des vorliegenden Mythus gedeutet worden. Diese seltsame Vorstellung steht gleichwohl nicht so vereinzelt, daß nicht der versuchten Erklärung auch von außen, und zwar aus griechischer Sage, merkwürdige Zeugnisse zu statten kämen. Das eine findet sich bei Apollodor: Glaukos, Sohn des Königs von Kreta Minos (eines Gesetzgebers und Ordners wie Fridfrodi, vgl. Saxo 5, 85 f. 95), fiel, ein Knabe noch, in ein Honigfaß und starb; Minos aber, nach dem Verschwundenen forschend, wurde von den Kureten beschieden, derjenige, der das Aussehen einer dreifarbigen Kuh in seiner Herde am besten zu vergleichen wisse, werde auch den Knaben wieder ins Leben schaffen; im Kreise der Wahrsager verglich Polyidos, Sohn des Koiranos, die Farbe der Kuh mit der Frucht des Brombeerstrauchs, worauf ihm geboten wurde, den Knaben zu suchen und den gefundenen Todten wiederzubeleben; auch letzteres gelang ihm durch Beobachtung einer getödteten Schlange, die von einer andern mittelst eines aufgelegten Krautes zum Leben gebracht wurde, und durch Anwendung desselben Krautes auf die Leiche des Königsohns; gleichwohl ließ Minos den Retter seines Sohnes nicht nach Argos zurückkehren, bis er diesen noch die Wahrsagung gelehrt hätte; gezwungen that es Polyidos, vor der Einschiffung aber hieß er den Glaukos ihm in den Mund spucken, und nachdem dieß geschehen, vergaß Glaukos die Wahrsagekunst [2]. So

[1] Svenska Folkvis. 1, 32 ff. 127 ff. Arwidss. 2, 298 f. (Geijer, Svea Rik. Häfd. 1, 171 findet in dem Namen der Zwergtochter Ulfva [auch sie und ihre Mutter Olle, dän. Ulfhild] das alte Völva, Vala). Nyerup 1, 281 ff. Diese Lieder berühren sich mit den deutschen vom Ritter Tanhäuser, in der Mitte steht das niederländische von „heer Danielken“ Hor. belg. 2, 131 ff.

[2] Apollodori Atheniens. Biblioth. l. III, c. 3 (hg. Chr. G. Heyne, Göttingen 1782, S. 182 f.): „Γλαῦκος δὲ, ἔτι νήπιος ὑπάρχων, μῦν διώκων

begegnet frühe schon im griechischen, wie nachher im nordischen Alterthum die ursprünglich abergläubische, dann aber auch mythisch verwendete Vorstellung, daß verborgene Wissenschaft, wohl eigentlich die dazu gehörende formelhafte Rede, mittelst des Speichels, der die Zunge netzt, übertragen werden könne. Wie Polyidos, wörtlich der Vielwissende, seine Kunst dem Schüler beigebracht habe, wird nicht gesagt; er nimmt sie aber aus dem Munde desselben stofflich in den seinigen zurück[1]; gleichmäßig belebt sich, was Äsen und Vanen von der Zunge sprüht, zu dem weisheitvollen Kvâsir. Auch die Art des Wissens ist auf beiden Seiten die ähnliche, dasselbe beruht bei Polyidos, wie bei seinem Ahn, dem berühmten Wahrsager Melampus, auf dem scharfen, spähsamen Bemerken der feinsten und leisesten Züge an allem Erscheinenden, wie es sich in der Auffindung eines Gegenbilds zu der schillernden Hautfarbe des Rindes und in der Beobachtung des stillen Treibens der

εἰς μέλιτος πίθον πεσὼν ἀπέθανεν. Ἀφανοῦς δὲ ὄντος αὐτοῦ, Μίνως πολλὴν ζήτησιν ποιησάμενος, περὶ τῆς εὑρήσεως ἐμαντεύετο. Κούρητες δὲ εἶπον αὐτῷ, τριχρώματον ἐν ταῖς ἀγέλαις ἔχειν βοῦν, τὸν δὲ τὴν ταύτης θέαν ἄριστα εἰκάσαι δυνηθέντα καὶ ζῶντα τὸν παῖδα ἀποδώσειν. Συγκληθέντων δὲ τῶν μάντεων, Πολύϊδος, ὁ Κοιρανοῦ, τὴν χρόαν τῆς βοὸς εἴκασε βάτου καρπῷ. καὶ ζητεῖν τὸν παῖδα ἀναγκασθεὶς διά τινος μαντείας ἀνεῦρε. Λέγοντος δὲ Μίνωος, ὅτι δεῖ καὶ ζῶντα ἀπολαβεῖν αὐτὸν, ἀπεκλείσθη σὺν τῷ νεκρῷ. Ἐν ἀμηχανίᾳ δὲ πολλῇ τυγχάνων, εἶδε δράκοντα ἐπὶ τὸν νεκρὸν ἰόντα. τοῦτον βαλὼν λίθῳ ἀπέκτεινε, δείσας μὴ ἂν αὐτὸς τελευτήσῃ, εἰ τούτῳ συμπάθοι. ἔρχεται δὲ ἕτερος δράκων καὶ θεασάμενος νεκρὸν τὸν πρῶτον, ἄπεισιν· εἶτα ὑποστρέφει ποίαν κομίζων, καὶ ταύτην ἐπιτίθησιν ἐπὶ πᾶν τὸ τοῦ ἑτέρου σῶμα. ἐπιτεθείσης δὲ τῆς ποίας, ἀνέστη. Θεασάμενος δὲ Πολύϊδος καὶ θαυμάσας, τὴν αὐτὴν πόαν προσενεγκὼν τῷ τοῦ Γλαύκου σώματι, ἀνέστησεν. Ἀπολαβὼν δὲ Μίνως τὸν παῖδα, οὐδ' οὕτως εἰς Ἄργος ἀπιέναι τὸν Πολύϊδον εἴα, πρὶν ἢ τὴν μαντείαν διδάξαι τὸν Γλαῦκον. Ἀναγκασθεὶς δὲ ὁ Πολύϊδος διδάσκει. καὶ ἐπεὶ δὴ ἀπέπλει, κελεύει τὸν Γλαῦκον εἰς τὸ στόμα ἐπιπτύσαι· καὶ τοῦτο ποιήσας Γλαῦκος τὴν μαντείαν ἐπελάθετο." (Ebd. l. III, c. 1, S. 176: „Μίνως δὲ, Κρήτην κατοικῶν, ἔγραφε νόμους." Vgl. Saxo, 5, 85 f.)

[1] Plinius (Histor. natur. 28, 7) führt unter den mancherlei Heilkräften des nüchternen Speichels an: „Despuimus comitiales morbos, hoc est, contagia regerimus. Simili modo et fascinationes repercutimus." Wird hier die eingedrungene Wirkung des Zauberspruchs im Speichel wieder ausgestoßen? Ebd. 28, 5: „Alius saliva post aurem digito relata, sollicitudinem animi propitiat."

heilfertigen Schlange bewährt; entsprechend wird von Kvâsir erzählt, daß er, als die Äsen den wegen Baldrs Tödtung flüchtigen Loki verfolgten, als der kundigste von allen („er allra var vitrastr,“ πολύϊδος), in der Asche die Spur des von Loki erfundenen und verbrannten Fischernetzes erkannt habe[1]; er ist hiebei eben nur darum gegenwärtig, weil es den Scharfsinn des Errathens gilt, vermöge dessen auch ihm keine Frage und Aufgabe ungelöst bleibt[2].

5. Runen.

Es ist jetzt näher zu untersuchen, was der mühsam errungene Meth im Geiste der Genießenden wirke, welcher Art die dichterische Begabung sei, die er denselben verschafft. Die jüngere Edda bemerkt am Schluß der Sage, Odin habe Suttungs Meth den Menschen gegeben, welche dichten (yrkja) können (Sn. 87), d. h. diese können es eben durch die Mittheilung des Methes; an andern Stellen wird dieser Meth sammt allen seinen Bezeichnungen für gleichbedeutend mit Dichtkunst (skáldskapr) erklärt (Sn. 85. 98). Eingehender läßt sich der Sprecher im Rúnatal (Sæm. 28, 3 ff.) vernehmen:

„Einen Trunk gewann ich des kostbaren Methes, genetzt aus Ôdhrörir; da begann ich zu gedeihen und weise zu sein, zu wachsen und mich wohl zu gehaben, Wort suchte mir Wort vom Worte, Werk suchte mir Werk vom Werke;“

Die erlangte Weisheit aber besteht in Runenkunde und Beschwörungsliedern (rûnar, liod, galdr). Alles, was hier in Betracht kommt, kann auch unter dem einen, vielumfassenden Worte Runen begriffen werden. Rûn f., zum Stamme des ahd. rûnen, agſ. rûnian, raunen, gehörend (Myth. 1174 ff.), bedeutet zunächst Geflüster, geheime Rede, dann

[1] Sn. 69 (Arn. 182). Solche Proben des Spürvermögens gibt auch Amleth bei Saxo 3, 52 f. („cujus industriam rex perinde ac divinum aliquod ingenium veneratus“); er ist zugleich Erfinder eines tückischen Garnes (ebd.: matri tacite jubet, textilibus aulam nodis instruat“).

[2] S. ob. S. 210, Anm. 1; auch der wandernde Kvâsir unterrichtet in seiner Wissenschaft: „hann fór vída um heim at kenna mönnum frœdi“ (ebd.). In Erwägung kommt hieher noch Lex. myth. 271*: „Mythi qvidam Indici dicunt Superbaniam sive Carticejam Deum matris sputo productum et summa sapientia præditum esse (Wagner, Ideen S. 172).“ Myth. XXXIV: Orion (Ovid. Fast. 5, 495 bis 535. Hygin 195).

Geheimnis überhaupt, in Lehre, Zauberei, Lied, Sinnbild, Buchstaben. Für den ursprünglichen Sinn zeugen auch die persönlichen rûni m. (collocutor, socius, familiaris; vgl. Sprachg. 131, 3: altn. rûnar?) rûna und rûn f. (collocutrix socia); unter den skaldischen Bezeichnungen des Mannes läuft rûni, als Redegenosse, Begleiter, in gleicher Reihe mit andern das vertraute Gespräch anzeigenden Wörtern. (Sn. 199: „vinr ok radunautr, râdgiafi, mâli, rûni, spialli," ebd. 173. 213. Sn. 101: „Sifiar rûni" Thôrr); ebenso ist die Frau Redegenossin und rûn ihres Mannes (Sn. 202: „mâla, rûn bûanda sins"; vgl. Sæm. 214, 20: „mîns mâlvinar," Sn. 321: „mâlvinu minnar"), vertrauter noch seine eyrarûna (Sæm. 7, 45. 24, 6), die ins Ohr raunt (vgl. ahd. ôrrûno, Myth. 1174. Graff 1, 458: „ôrrûn, ôrkirûn". 2, 525); und wie überhaupt die auf -rûn ausgehenden Frauennamen hieherfallen, bietet insbesondre Ölrûn Beziehung auf das heimliche Zusammenflüstern beim Zweitrinken [1]. Die sachliche rûn läßt sich, wie schon berührt, in manigfacher Bedeutung durch das Gebiet des altnordischen Mythen- und Liederwesens verfolgen; gemeinsam aber ist durchaus der Begriff des in Bildern, Zeichen, Formeln versteckten, auf die Götterlehre bezüglichen Geheimnisses.

Bragi erzählt bei Ögis Gastmahl zwei Göttersagen, die eine, wie Idunn vom Jötun Thiassi geraubt wird, die andre vom Dichtermeth; beide gehen den Erzähler selbst näher an, denn Idunn ist seine Gattin und er selbst ist der Skalde unter den Äsen. Beim Schlusse der ersten Sage fragt Ögir noch, welches Geschlechts der gewaltige Thiassi gewesen sei, und in der Antwort hierauf gedenkt Bragi, wie die Brüder Thiassi, Idi und Gângr, nach dem Tod ihres Vaters Ölvaldi das Gold desselben auf die Weise getheilt haben, daß Jeder davon gleich oft seinen Mund voll nahm, mit dem Beifügen: „die Redensart (ordtak) haben wir jetzt unter uns, das Gold die Mundzählung dieser Riesen zu nennen, und in Rûnen oder in Skaldschaft verbergen wir das so, daß wir es Rede, Wort, Gespräch derselben nennen;" worauf

[1] S. oben S. 207; vgl. Biarkamâl (Fornald. S. 1, 110): „vekjat ek ydr at vîni nê at vîfs rûnum." Sæm. 151, 17. 101, 11: „rœddu ok rŷndu." Tristan (Maßm.) 436, 20 ff.: „se enphie der küele brunne, der gein ir ougen schône entsprane und schôner in ir ôren klanc und rûnende allez gegen in gie und si mit sîner rûne enphie: er rûnete suoze den gelieben ze gruoze."

Ögir bemerkt: „Das bedünkt mich wohl in Rûnen verborgen“ [1]. Die Stelle gewinnt dadurch an Belang, daß nun unmittelbar Ögir weiter nach dem Ursprung eben dieser Kunst fragt, welche sie (die Äsen) Skâldschaft nennen, worauf Bragi die Sage vom Dichtertrank erzählt, die auch wieder hauptsächlich dazu dient, jene skâldischen Umschreibungen der Dichtkunst zu begründen, in denen der Meergott gleichwohl einige Dunkelheit finden will [2]. Skâldschaft und Rûnen sind hiemit insoferne gleichgestellt, als die Kunstdichtung der Skâlden sich durchaus und wesentlich in uneigentlichen und umschreibenden Bezeichnungen, den heiti und kenníngar [3], bewegt, welche großentheils der weitschichtigen Göttersage entnommen und darum für die in letzterer nicht genau Bewanderten dunkel und geheimnisvoll sind. Das Verständnis dieser Art von Rûnen braucht nicht in die Tiefe zu gehen, nicht den innern Sinn der Mythen zu ergründen, es setzt nur diejenige Bekanntschaft mit dem äußeren Bestande der Fabeln voraus, die in den Erzählungen der jüngern Edda den Lehrlingen des dichterischen Stiles dargeboten wird.

In Biarkamâl, Bruchstücken eines Liedes von sonst noch einfacheren Formen, weckt der Sänger die Helden zum Kampfe für ihren freigebigen König, dessen reiche Spende, das Gold, sofort in einer Reihe auf Götter- und Heldensage beruhender Benennungen verherrlicht wird,

[1] Sn. 83 (Arn. 214 f.): „En þat höfum vær ordtak nû med oss, at kalla gullit munntal þessa iötna, en vêr felum î rûnum eda î skâldskap svâ, at vêr köllum þat mâl eda tal þessa iötna. (Var. „ef vêr fiavllom î rûnom eþa skâldscap, svâ cavllom vêr þat mæli, ord eda tal þeirra.) þâ mælti Ægir: þat þykki mêr vera vel fôlgit î rûnum.“

[2] Sn. 85 (Arn. 218): „þâ mælti Ægir: myrkt þykki mêr þat mælt, at kalla skâldskap med þessum heitum.“ Vgl. Sn. 88 (Arn. 224): „þat, er hulit er kvedit.“

[3] Heiti n. erscheint als das allgemeinere (wie nöfn Sn. 176 ff. abwechselnd mit heiti), theilt sich aber in kennt heiti (Sn. 94. Arn. 231: „appellationem cicumscriptam) oder kenníng (ebd. „denominatio“?) und in ûkend heiti (Sn. 174. Arn. 464: „appellationes simplices“) oder auch einfach heiti, was aber vermöge seiner Allgemeinheit selbst für kenníng gebraucht wird. Dieselben Ausdrücke für Gold, von denen es (Sn. 83) hieß: „ver felum î rûnum,“ stehen weiterhin in Antwort auf die Frage: „hvernig skal kenna gull?“ (Sn. 128. Arn. 337: „denominandum est“; vgl. Sn. 134); ganz entsprechende sind aber auch als „gulls heiti“ (Sn. 154. Arn. 401: „auri appellationes“) aufgeführt.

zu denen insgesammt die auf heiti und kenningar des Goldes bezüglichen Sagenstücke der jüngern Edda den Schlüssel geben; darunter: Idis Prunkrede und Thiassis Rechtschlichtung [1], also dasselbe, was Bragi in Rúnen verborgen nannte; und abermals besteht das Geheimnis lediglich im verblümten Dichterausdruck. Die Skáldenlieder wimmeln von Namen der Götter und Halbgötter, von Anspielungen auf vorhandene oder auch verschollene Mythen, aber diese mythische Wesen und Geschichten werden nicht um ihrer selbst willen genannt und angezogen, sie sind ein Theil des gesammten Redeschmucks, der in Verbindung mit dem verwickelten Satz- und Versbau dem skáldischen Kunstgesang sein eigenthümliches gelehrtes Gepräge gibt. Auch wo die Göttersage den Gegenstand solcher Gedichte ausmacht, ist es hauptsächlich darauf abgesehen, dasjenige, was ältere Mythenlieder in schlichterer Weise behandelt hatten, nun im schmuckreichen Kunststil erglänzen zu lassen [2], wie er probehaltigen Erzeugnissen zukam, die für angesehene Gönner nach gestellter Aufgabe oder zum Zeichen des Dankes bestimmt waren [3]. Wenn dann auch der Skálde sich noch rühmt, mit Odins Gabe, dem göttlichen Naß, grüßen und wecken zu können [4], so hat er

[1] Fornald. S. 1, 111: „Gramr hinn giöllasti gœddi hird sina u. s. w. Idja glismálum u. s. w. Þiassa þingskilum u. s. w.“ Vgl. Sn. 154 f. (Arn. 403): „splendidos Idii sermones,“ „Thjassii disceptationibus.“

[2] Dazu konnten kenningar aus andern Mythen auch wieder ganz äußerlich verwendet werden, z. B. in Höstlöng heißt Loki Dieb des Brísingbandes (Sn. 121a. Arn. 312: „Brísings girdi-þiofr“), nicht etwa, weil die Entführung Iduns, von der das Lied geht, mit dem Diebstahl an Freyja zusammengestellt werden sollte, sondern einzig nach Zunftgebrauch; Verzierungen des einen Mythus aus dem andern. Ähnliches begegnet selbst in Eddaliedern.

[3] Eilif Gudrúnssohn scheint in Thórsdrápa einen kriegerischen Fürsten anzureden (Sn. 116b, 8. Arn. 297. Sn. 118a, 16. Arn. 300). Thiodolf von Hvin, dem Haustlöng zugeschrieben wird, dankt darin dem edeln Thorleif für einen mit Bildern aus der Göttersage gezierten Schild, deren Gegenstände das Lied besingt (Sn. 112b, 2. 119a. 121b. Arn. 284. 306 oben. 314. Vgl. Saxo 7, 136. Fornald. S. 2, 485). Auf ähnliche Sagenbilder, mit denen der reiche Isländer Olaf Pá sein neugebautes Haus geziert, hat der Skálde Ulf, Uggis Sohn seine Húsdrápa gedichtet (Laxd. S. C. 29, S. 112 ff. Thór S. 143 [oben S. 82] f.) und dem Herrn des Hauses gewidmet.

[4] Die Halbstrophe Ulfs Sn. 100. Arn. 250 nimmt Finn Magnusen glaubwürdig für den Eingang der Húsdrápa; auch andre auf den Dichtermeth bezügliche Verse im nemlichen Capitel der Skálda sind solche Liederanfänge.

doch nur Rünen des Stils von der Oberfläche geschöpft. Diese rein äußerlich gewordene Handhabung der Götternamen und Sagenbezüge hat es auch möglich gemacht, daß die Skåldensprache mitsammt diesen in christlicher Zeit fortwährend in Übung bleiben und das Lehrbuch für die mittelalterlichen Jünger der Dichtkunst auf die Grundlage einer umfassenden Sammlung heidnischer Göttersagen gebaut sein konnte [1]. Bei allem dem ist nicht zu glauben, daß einer so lang und emsig gepflogenen Übung die tiefer greifende Wurzel gefehlt habe. Was seit unvordenklicher Zeit von Göttern und Helden gesungen war, was im Glauben und Gedächtnis der Dichtenden fortlebte, das durfte, auch wenn der Gesang in neuen Formen auf Männer und Ereignisse der bewegten Gegenwart sich geworfen hatte, doch nicht gänzlich aus dem Liede verschwinden, die altehrwürdigen Erinnerungen wurden fort und fort angeklungen, nicht bloß, weil sie dem Ausdruck Glanz und Würde liehen, sondern auch, weil sie, nach forterbendem Gefühl, dem Zweck und Gegenstand des Gedichtes eine innere Weihe gaben.

Zu näherer Verständigung kann ein Lied dienen, dessen erhaltene Bruchstücke in den Übergang der einfacheren zu der künstlichen Dichtweise fallen, die alten Biarkamál, worin bereits die von der jüngern Edda als Rünen bezeichneten Umschreibungen des Goldes aufgewiesen wurden. Dieses sagenhaft berühmte Lied ist ein Aufruf an die Dienstmänner des Dänenkönigs Hrólf Kraki, um sie zu dem androhenden Kampfe zu wecken, in dem er mit ihnen untergeht. Hrólf Kraki ist derjenige Held der nordischen Sagenzeit, in welchem der dichterische Königsname Mildingr [2] (der Freigebige) zur leuchtendsten Erscheinung kommt [3]. Er ist der Milding der Mildinge, seine Sage ist die der Königsmilde. Von ihm sagte man, daß er sich nie zweimal um etwas bitten ließ [4]; das eroberte Gold theilt er an seine Kämpen

[1] Wie man das den Schülern zurechtsetzte, s. Sn. 88 (Arn. 224 f.).

[2] Sn. 190. Fornald. S. 3, 477. 492. Vgl. Sn. 156: „briotr gullzins."

[3] Sn. 150 (Arn. 392): „Konûngr einn í Danmörk er nefndr Hrólfr Kraki, hann er ágætastr fornkonûnga, fyrst af mildi ok frœknleik ok lítillæti." (Vgl. Fornald. S. 1, 101, 1 u.)

[4] Saxo 2, 30: „Ferunt autem illum quicquid præstare posceretur, primæ supplicationi prompta liberalitate tribuere solitum, nec unquam ad secundam petentis vocem distulisse rogatum."

aus [1]; die Goldringe, die er an ihren Arm gestreift, machen ihren Schwertschlag gewichtiger im Kampfe für ihn [2]; um von ihnen die Übermacht verfolgender Feinde abzuwenden, streut er eine Fülle Goldes auf den Weg, daß weithin das Feld erglüht, und davon heißt das Gold in der Dichtersprache Krakis Saat [3]. Leuchtet in solcher Art die ganze Heldenbahn dieses Königs von ausgestreutem Golde, so ist es auch angemessen, daß im Weckesang zum Kampfe für den rückhaltlosen Spender das Gold in allen dichterischen Namen spielt: als Glasis (des Asenhaines) Goldlaub, Sifs Haupthaar, Freyjas Zähren, Jdis und Thiassis Rede, Fenjas Arbeit, Fafnis Lager, Granis schmucke Bürde, des Rheines Rotherz, der Niflünge Hader u. s. f. [4] Diese dichtgebrängten Mah-

[1] Ebd. 35: „Cepit opes, inter dignos partitus amicos u. s. w.
Cui nil tam pulchrum fuit, ut non funderet illud,
Aut charum, quod non sociis daret, æra favillis
Assimilans.

[2] Ebd. 36: „. . . . totosque auro densate lacertos,
Armillas dextræ excipiant, quo fortius ictus
Collibrare queant et amarum figere vulnus.“
Ebd. 37 f.:
„Ut videat quisquis congesta cadavera lustrat,
Qualiter acceptum domino pensavimus aurum.“

[3] Sn. 153 (Arn. 396 f.): „Þeir hliopu á hesta sína, ok ríđa ofan á Fýrisvöllu; þá sá þeir, at Adils konûngr reiđ eptir þeim međ her sinn alvápnađan, ok vill drepa þá. Þá tók Hrólfr Kraki hœgri hendi gullit ofan í hornit, ok söri allt um götuna; en er Svíar siá þat, hlaupa þeir or söđlunum, ok tók hverr slíkt er fékk u. s. w. Af þessi sök er gull kallat sád Kraka eđa Fýrisvalla.“ In den folgenden Liederstellen: „Fýrisvalla-fræ (vgl. Sn. 128. Arn. 336) u. s. w. liosu Kraka-barri (lucida Krakii segete)“. Fornald. S. 1, 92: „hann sáir nú gullinu víđa í götuna, þar sem þeir ríđa um alla Fýrisvöllu, svá at göturnar glóa sem gull.“ Saxo 2, 35: „Qui Sirtvallinos auro conseverat agros.“ Vgl. ebd. 30.

[4] Sn. 154 (Arn. 400 f.). Fornald. S. 1, 111 f. Die drei Strophen, deren Inhalt diese Goldnamen bilden, sind zwar nirgends, als in Skálda, erhalten (vgl. Fornald. S. 1, XII); es heißt aber dort ausdrücklich: „Í Biarkamálum enum fornum eru töđ mörg gulls heiti; svá segir þar u. s. w. (nur in der Upsal. Hdschr., Arn. 2, 432, fehlt „enum fornum“). Bei Saxo, der 2, 38 bemerkt: „Hanc maxime exhortationum seriem idcirco metrica ratione compegerim, quod earundem sententiarum intellectus danici cujusdam carminis compendio digestus, a compluribus antiquitatis peritis memoriter usurpatur,“ schimmert von den „gullsheiti“ nichts hindurch, obgleich die

nungen an so Vieles aus der Götter- und Heldenwelt geben aber dem Liede nicht bloß einen reichen Redeschmuck, sondern auch eine feierliche, beschwörungsartige Wirkung. Mit demselben hat dann noch im Jahr 1030 der Skälde Thormód das Heer eines andern freigebigen Königs, Olafs des Heiligen, auch zur letzten Schlacht bei Stiklastad, lautsingend geweckt und es bedünkte die Männer wohl gewählt zu sein [1].

In den bisher besprochenen Rünen des skäldischen Ausdrucks wird das Mythische, wenn auch nicht ohne Ahnung seiner Bedeutsamkeit, doch nur obenhin angestreift; viel innkräftiger wirkt dasselbe auf einer andern, in höheres Alterthum reichenden Stufe seiner Verwendung, in den eigentlichen Beschwörungs- oder Zauberliedern, den Galdern. Der Sprecher des Rúnatal rühmt sich, nachdem er einen Trunk aus Ódhrörir gethan, die Lieder zu wissen, die nicht Herrschersfrau noch Mannessohn könne, und er zählt sie, je mit Angabe ihrer Wirkung, nach einander

Beweise der Freigebigkeit und Goldverachtung Hrólfs nicht fehlen. Heimskr. 2, 584 f. nennt auch „Biarkamál en forno," gibt aber nicht die „gullsheiti," sondern zwei andre Strophen, die jedoch nur als Anfang (upphaf) des Liedes bezeichnet sind (werden darin zuerst die Schweden geweckt: „Adils of sinnar", Var. „Svíar"? Vgl. Fornald. S. 1, 110. Steph. Not. 82). Saxos „danicum carmen" muß in einer großen Wechselrede zwischen (Bödvar) Biarki und Hialti bestanden haben, erinnernd an das letzte Schlachtgespräch Rolands und Olivers, von denen dann bei Hastings gesungen wurde, wie Biarkamál bei Sticklestad. Die heiti, zumal in dieser Fülle, können Ausschmückung eines älteren, einfacheren Liedes sein, sind dann aber um so bezeichnender für die Entwicklung des skäldischen Stils.

[1] S. Olafs hins helga C. 220 (Heimskr. 2, 384. Vgl. S. Ol. h. helg. Christ. 1853, 207 f. Ol. S. h. helg. udg. af Keyser og Unger, Christ. 1849, 66): „enn er hann [Olaf] vaknar, þá rann dagr upp. Konúngi þótti heldr snemt at vekja herinn. þá spurđi hann hvar þórmóđr skáld væri u. s. w. Konúngr segir: tel þú oss kvæđi nockot; þórmóđr settiz upp ok kvad hátt miök, svá at heyrđi um allan herinn, hóf upp Biarkamál en forno, ok er þetta upphaf u. s. w. þá vaknađi liđit, enn er lokit var kvæđino, þá þöckuđo menn hönom kvæđit, ok fannz mönnom mikit um, ok þótti vel tilfundit (Biörn 2, 379: „tilfundinn, electus"), ok köllođo kvæđit húskarla-hvöt (vgl. Sn. 172: „hird-menn ok húskarla höfdingja"); konúngr þackađi hönom skemtan sína, ok tók gullhring, er stóđ hálfa mörk, ok gaf hönom. þórmóđr þackađi konúngi giöf sína, ok mælti: góđan eigom ver konúng."

auf, achtzehn an der Zahl[1]. Während dem ersten, Hilfe (hialp) genannt, die umfassende Kraft beigemessen wird, in allen Anliegen, Kümmernissen und Schmerzen zu helfen, vermögen die übrigen im Besondern, ärztlich zu heilen, Feindeswaffen stumpf zu machen, Fesseln zu sprengen, Geschoß im Fluge zu hemmen, Flamme zu löschen, Haß unter Männern zu versöhnen, Wind und Woge zu sänftigen, Krieger frisch und heil zur und aus der Schlacht zu führen, Frauenneigung zu gewinnen u. a. m. Daß hier unter Liedern gesungene Zauber, Galder, verstanden sind, ist bei einem derselben ausdrücklich, bei andern durch den Gebrauch des Zeitworts gala bezeugt[2]. Durchgehends aber wird galdr und gala von den neun Zaubersegen gebraucht, die in einem andern Eddaliede, „Grôu-galdr," eine aus dem Todesschlaf geweckte Mutter ihrem Sohne singt: gegen gefährlichen Stromfall, wider weglagernde Feinde und zur Besänftigung derselben, zur Sprengung der Fesseln, zur Stillung der hochgehenden See, gegen Frost auf hohem Gebirge, gegen Spuk des todten Christenweibs, zur Gewandtheit in Wechselrede u. s. f.[3] Während Rûnatal nur die bezweckte Wirkung der Gesänge angibt, wird von Grôa je die kurze Formel selbst ausgesprochen, doch nicht in der Absicht, daß der Unterwiesene, wie es im Rûnatal gemeint ist, mit diesen Formeln in künftigen Fällen selbst Beschwörung übe, sondern in einer Reihe feierlicher Wünsche, die ihm, dem Sohne von der Mutter, ein für allemal als Reisesegen auf seinen Lebensweg mitgegeben werden; das Lied vermittelt auch den Übergang zwischen Zaubersang und Lehre, galdr und mâl, deren Formverwandtschaft näher zur Sprache kommen wird. Nicht bloß das Zaubersingen überhaupt stammt aus altheidnischer Zeit, auch einzelne der aufgezählten

[1] Sæm. 28, 9 ff. Andrer neun von einem urweltlichen Riesen, Odins Oheim von Mutterseite, erlernter Hauptlieder (fimbulliod, ebd. 3; vgl. über fimbul Myth. 785) wird vorher erwähnt ohne Bezeichnung ihrer Art und Wirksamkeit.

[2] Sæm. 29, 15: „Þat [liod] kann ek it siöunda u. s. w. Þann kann ek galdr at gala." 29, 12: „svâ ek gel." 29, 18: „undir randir ek gel." 30, 23: „gôl u. s. w. gôl hann."

[3] Sæm. 97 ff. Darin die Ausdrücke 97, 5 f.: „Galdra þû mer gal u. s. w. „Þann gel ek þer fyrstan" und so durch alle neun; 99, 15: „međan ek þer galdra gôl." Über Grôugaldr und dessen Verhältnis zu Rûnatal vgl. Simrock, Edda 387. Hieher gehören auch die gleichartigen Rûnenzauber in Rigsmâl 33. 40 ff.

Galder berühren sich mit merkwürdigen Gebräuchen des germanischen Heidenthums. Von seinem eilften Liede sagt der Sprecher im Rûnatal: „Wenn ich zur Schlacht die Freunde führen soll, sing' ich laut unter die Schilde (Sæm. 29, 19: „undir randir ek gel"), sie aber fahren mit Siegesmacht heil zum Kampfe, heil aus dem Kampfe, kommen heil wo irgend her"; damit vergleicht sich der altgermanische Schlachtgesang unter die vorgehaltenen Schilde, dessen weissagender Klang auch galderhaft ermuthigend oder schreckend wirkt [1]. Das dreizehnte Lied war ein festmachender Segen zur heidnischen Taufe [2]; mit dem achten, durch welches, wo Feindschaft unter Männern erwächst, diese schnell ausgesöhnt wird, mag ein Vorbild der stabgereimten Sühn- und Sicherheitsformeln (trygđamâl) gemeint sein, die als Gegenstand einer besondern Kenntnis angesehen und in denen feierliche Verwünschungen des Friedebrechers galderartig ausgesprochen waren [3]. Nach andrer Seite hat sich bei allen germanischen Völkern aus der heidnischen Zeit in die christliche, noch jetzt nicht völlig außer Übung, eine große Zahl von meist gereimten, selbst noch manche Spur des Stabreims aufweisenden Segensprüchen

[1] Tac. Germ. 3: „Sunt illis hæc quoque carmina, quorum relatu, quem baritum [a. barditum] vocant, accendunt animos futuræque pugnæ fortunam ipso cantu augurantur. terrent enim trepidantve, prout sonuit acies; nec tam voces illæ quam virtutis concentus videntur. affectatur præcipue asperitas soni et fractum murmur objectis ad os scutis, quo plenior et gravior vox repercussu intumescat." Die Stelle des Rûnatal stimmt nun auch für die Lesung barditum, Schildgesang; vgl. Sn. 216 unter den skiöldsheiti: „hlæbarđr, barđi" (Wackernagel, Geschichte der deutschen Litteratur S. 9. Grimm, d. Wörterb. 1, 1121; für baritum Ammian. 31, 7). Über die Art des altnord. herôp (Fornald. S. 1, 382. 2, 191) erhellt nicht Näheres. (Zu „lângvini" vgl. Gr. 2, 636. Tac. Germ. 7: non casus nec fortuita conglobatio turmam aut cuneum facit, sed familiæ et propinquitates.")

[2] Sæm. 30, 21: „ef ek skal þegn ûngan verpa vatni â." Vgl. Fornald. S. 1, 148: „vatni ausinn međ Sigurđar nafni." 1, 251: „ok var sveinninn vatni ausinn ok nafn gefit." 1, 430: „var hun sîđan vatni ausin, ok köllud Hervör." 2, 162: „vatni ausinn ok nafn gefit." Münter 154 f. Myth. 559. [Vgl. 3, 244 ff. K.]

[3] Grâgâs, Havn. 1829. Th. 2, S. 170 (Trigþa-mâl, formulæ fidem et fœdus constituendi). Heidarviga S. (Sagabibl. 1, 46 bis 48). Grettis S. C. 26 (Marcuss. S. 146): „Hafur het Madur u. s. w. Orda-Madur mikill: Thesse sagde fyri Gridum med mikilli Röksemi." (Vgl. Rûnatal Str. 9.) Niala S. C. 50: „lâta dynja stefnu." Rechtsalt. 39. 54.

fortgepflanzt [1], die in den Gegenständen, worauf sie gerichtet sind (Feuer-, Waffen-, Wundsegen, solche wider Krankheiten, Zauber u. A.), mit den altnordischen Galdern mehrfach zusammentreffen und, da sie nach Form und Inhalt zum Theil noch leidlich erhalten sind, auch über die Beschaffenheit jener näheren Aufschluß geben können. Sie sollen hiezu soweit benützt werden, als es sich um die Kennzeichnung des durch Odins Gabe geweckten Dichtergeistes handelt. Indem die Beschwörung Kräfte in Anspruch nimmt, welche außerhalb des menschlichen Vermögens liegen, knüpft sie je mit denjenigen göttlichen oder dämonischen Wesen Verbindung an, von denen der bezweckte wohlthätige oder verderbliche Einfluß erwartet wird. Es geschieht dieß theils durch unmittelbaren Anruf, mehrentheils aber durch Ausheben einer verwandtschaftlichen Beziehung des gegebenen Falles zum Erscheinen und Wirken jener übermenschlichen Mächte.

Vielfach werden in deutschen Segen Tageslicht und Sonnenschein als heilkräftig angerufen oder zur Beschwörung beigezogen [2]. „Grüß' dich Gott, vielheiliger Tag!" beginnt ein Fiebersegen; der Tag wird angerufen, daß er dem Kranken all sein Weh abnehme. In den Schluß eines Viehsegens sind diese Formeln gerathen: „Ich beschwör' euch heut, alle böse Ding', bei dem heiligen Tag und bei dem heiligen himmlischen Heer und bei dem heiligen Sonnenschein und bei der heiligen Erden." Der Wurm (Beingeschwür) wird so beschworen: „Wurm, ich beschwör' dich bei dem heiligen Tagschein, ich beschwör' dich bei dem heiligen Sonnenschein;" oder: „Ich tödt' dich, Wurm, bei dem Aufgang der heiligen Sonnen." Anderwärts wird das kranke Geschöpf angeredet: „Auch segne ich dich mit der Sonnen und dem Mond, die am Himmel umhergehn." Bedeutsam ist folgendes Gebet zur Heilung eines abzehrenden Kindes: „Grüß' dich Gott, du heiliger Sonntag! ich seh' dich dort herkommen reiten; jetzund steh' ich da mit meinem Kind und thu dich bitten, du wollest ihm nehmen seinen Geist (vgl. Ps. 51, 12 f.) und wollest ihm wiedergeben Blut und Fleisch." Dabei die Vorschrift: „Das thu drei Sonntag einandernach vor der Sonnen Aufgang und

[1] Besonders ergiebig sind Mones Sammlungen deutscher Segen im Anzeiger 3, 277 ff. und 6, 459 ff. Eine lehrreiche Zusammenstellung solcher Formeln von den angelsächsischen an bis in die neuere Zeit, mit Inbegriff schwedischer und dänischer, Myth. 1ste Ausg. Anh. CXXVI ff.

[2] [Vgl. B. 3, S. 245 f. K.]

steh mit ihm unter eine Thür oder Laden gegen der Sonnen Aufgang, leg' dem Kinde den Kopf auf den linken Arm und setz' ihm den rechten Daumenfinger ins Herzgrüblein, weil du es segnest, und segne es dreimal aufeinander!" Diesen Bezug des aufsteigenden Tages zur Krankenheilung, zur Bekleidung des Geistes mit einem neuen, kräftigern Leibe, erläutert noch besonders ein andrer Segen gegen die Schwindsucht, der auch an drei Morgen und zwar beim neuen Monde gebetet werden soll: „Geh auf, Blut und Fleisch, Mark und Bein! blüh' und gedeihe, wachs und geh auf, wie die heilige Sonn' und der Mond aufgeht an dem Himmel!" oder auch: „So wahr die Sonne heut an dem heiligen Freitag aufgeht" [1]. Es stellt sich klar heraus, daß die Heilung und Wiedergeburt, die von der aufgehenden Sonne, vom zunehmenden Monde kommen soll, eine sympathetische ist; keine Wissenschaft des Heilens war ausgebildet, das Übel war eine dunkle, feindliche Gewalt, man sprach zum Leidenden: „Ich weiß nit, was dir ist und gebrist" (Anz. 6, 471. Nr. 29 f.), der Hilfbedürftige fand sich an unerforschte Naturkräfte verwiesen, in denen er ein göttliches Walten ahnte und die ihm ein Verhältnis zu seinem Anliegen darboten; Sonne und Mond in Aufgang und Zunahme waren ihm nicht bloße Gleichnisbilder der Erneuung und des Gedeihens, ihr Einfluß auf irdisches Wachsthum war erkannt, die erfrischende Wirkung des Morgenlichts und der Morgenluft, die Beschwichtigung, die damit auch dem Kranken zugeht, war empfunden, durch den Anruf aus dem Innersten suchte man mit den wohlthätigen Gestirnen in Berührung zu kommen und den Gegenstand, den man ihnen empfahl oder mit ihnen segnete, ihrer eigenen Verjüngung und ihrem sicheren Fortschritt anzuknüpfen; in solcher Hoffnung hielt die Mutter ihr krankes Kind dem aufleuchtenden Tag, dem ersten Sonnenstral entgegen, der das bleiche Antlitz röthete. Das rege Naturgefühl äußert sich hier noch im sichtlichen Zusammenhang mit dem heidnischen Glauben an eine in diesen hilfreichen Himmelslichtern lebendige Persönlichkeit; der vielheilige Tag wird gegrüßt und angefleht,

[1] Die bis hieher benützten Segen sind aus Handschriften vom Ende des 16ten und Anfang des 17ten Jahrhunderts abgedruckt im Anzeiger 3, 282, Nr. 16. 6, 467, Nr. 18. 462, Nr. 9. 472, Nr. 31 (hier dem Heiland selbst in den Mund gelegt). 471, Nr. 28. 459, Nr. 1 (vgl. 3, 287, Nr. 31). 461 f., Nr. 6. 7.

wie Sigurdrifas Spruch, als sie dem Sigurd das Methhorn reicht, mit Gruß und Gebet zu Dagr und Dags Söhnen anhebt (Sæm. 194, 3: „heill Dagr, heilir Dags synir!“); und den heiligen Sonntag, d. h. sonnenhellen Tag, sieht der Grüßende heranreiten, wie nach Vafthrúdnismál Skinfaxi, das Ross mit ewig leuchtender Mähne, den klaren Dagr, Dellings Sohn, über die Erdensöhne hinführt (Sæm. 32, 11 f. 34, 24 f. Sn. 11), auch Sól, die stralende Göttin („Sólu, skínanda godi“), ihr Gespann hat (Sæm. 45, 37 f., vgl. 34, 22 f. Sn. 12)[1].

Die Sympathie der Segen erstreckt sich aber auch über den unmittelbaren Anruf hinaus in das mythische Gebiet auf die Weise, daß ein vorbildliches Begebnis aus der Götterwelt, christlich umgestaltet aus der heiligen Geschichte, aufgestellt wird, bei welchem ein höheres Wesen Worte der Segnung oder Beschwörung ausspricht; die Formel aus geweihtem Munde oder auch nur die feierliche Erinnerung an einen solchen Vorgang gilt dann als fortwirkend auf jeden ähnlich gearteten Fall des täglichen Lebens. Obenan tritt hier der altthüringische Segen wider Verrenkung: „Phol und Wôdan fuhren zu Holze, da ward dem Fohlen Balders sein Fuß verrenkt; da beschwur[2] ihn Sinthgunt und Sunna, ihre Schwester; da beschwur ihn Fria und Volla, ihre Schwester; da beschwur ihn Wôdan, wie er wohl konnte, so die Beinrenke, wie die Blutrenke, wie die Gliedrenke: Bein zu Beine! Blut zu Blute! Glied zu Gliedern, als ob sie geleimt seien!“[3] Die wenn auch verkümmerte Fortdauer dieser Beschwörung ist für Schweden mit den Götternamen Oden und Frygge, für Norwegen und Schottland als auf einen Ritt des Heilands bezüglich aufgewiesen[4]. Das merkwürdige alte Stück führt in einen Kreis von Gottheiten, welche zum bedeutendern Theil auch dem nordischen Götterhimmel angehören, und berührt sich insbesondre mit dem Eddamythus von Baldr. Beim Leichenbrande dieses

[1] Nach Fornald. S. 2, 7 waren Dagr, Dellings Sohn, und Sól, Mundilfaris Tochter, ein Ehepaar.

[2] „Biguol,“ das altn. gala.

[3] J. Grimm, Über zwei entd. Ged. u. s. w. Berlin 1842. Myth. 1181. Haupts Zeitschr. 2, 189. Frûa oder Fria, vgl. Wackern. Leseb. 1, Vorr. X. Voli, ein bösartiger Zauberer, Fornald. S. 2, 365 ff. 375: „med göldrum“, „galdrarumr.“ Sn. 211 a, 3: „Voli.“ Arn. 554 ob.: „Vali.“

[4] Myth. 1181 f.

Gottes wurde sein Ross mit allem Reitzeug auf den Scheiterhaufen geführt (Sn. 67, vgl. 18. Arn. 178). Dem Tode des allgeliebten Odinssohnes waren schlimme Anzeigen vorangegangen, zumal seine eigenen schweren Träume, worüber alle Äsen und Asynjen, vor allen seine Mutter Frigg, bestürzt sind und deren Bedeutung zu erkunden Odin selbst in die Unterwelt hinabritt und dort eine todte Vala mit Beschwörungssang weckte (Sæm. 93 f., bes. 94, 9: „nam hann vittugri valgaldr kveda“, vgl. Sn. 64. Sæm. 6, 36); nun ist auch das Strauchelн des Rosses ein Unglückszeichen [1], noch mehr wenn das Thier gelähmt wird; überhaupt soll die Fahrt Balders, des Lichtgotts, nicht gehemmt sein; hier ist also die Sorge der Himmlischen dringend angesprochen (Myth. 205). In der Reihenfolge der Beschwörenden zeigt sich eine Steigerung, voran die Frauen, denen überhaupt ja geheime Kunde zukommt, unter ihnen erst Sinthgunt und Sunna, als Schwestern und durch wörtliche Stammverwandtschaft (Graff 6, 234: „sindôn, ire, proficisci.“ 231: „sind, m. Weg, iter.“ Vgl. Myth. 285. 667) gleichartig, wandelnde Himmelslichter, beide vielleicht die Sonne [2] nur auf verschiedenem Stand, also mehr noch göttliche Naturmächte, dann auf höherer Stufe Fria und Volla, hier Schwestern, altnordisch Frigg, Odins Gemahlin und Baldrs Mutter, mit Fulla, ihrer jungfräulichen Dienerin und Vertrauten („eskimey“ Sæm. 39. Sn. 36 f. Thôr 148 f.); den Ausschlag gibt endlich Wôdan, „wie er wohl konnte“ [3], der „große Galdervater,“ wie Odin auf seinem Beschwörungsritt nach Niflhel genannt wird [4]. Daß Sunna im Geleit ihrer Schwester darum mitthätig

[1] Volksl. Nr. 114, 1 f. Myth. 1067. Die nordische Überlieferung gedenkt dieses Vorzeichens nicht, der Mythus von Baldrs Tod ist aber in der prosaischen Edda umständlich berichtet und diese selbst gibt die vereinzelte Strophe eines nicht mehr vorhandenen Liedes im liodahâttr (Sn. 68. Arn. 180). Sie antwortet auf eine Frage in Vegtamskv. (Sæm. 95, 17. Vgl. Simrock, Edda 359). Sæm. 185, 24: „Þat er fâr mikit, ef þû fœti drepr, þars þû at vîgi vedr.“

[2] Altn. sôl; sunna mehr dichterisch. Sæm. 49, 16 zwar: „hvê sunna heitir?“ darauf aber 17: „sôl heitir med mönnom, en sunna med godom“. Sn. 177. 223a: „sôl ok sunna.“

[3] „Thu biguolen uuodan so he uuola conda.“ J. Grimm, Üb. zwei entd. Ged. 17 stellt hiezu Sæm. 138, 26: „Þvîat han betr kunni.“

[4] Sæm. 94, 7: „gein stórum galdrsfödur“ (vgl. Munch 56, 3: „ok galdrs födur gôl um lengi“. 196a).

sei, weil es sich um eine Gefährdung des Lichtasen handelt, ließe sich schon annehmen, im Zusammenhang dieses Spruchwesens aber wird ihre Betheiligung auch hier eher durch den Glauben an die allgemeine Heilkraft des Sonnenlichts zu erklären sein. Auch in einem anderartigen Falle, wobei Wodan und Frea behilflich einschreiten, bei der feierlichen Namen- und Siegverleihung an die Winiler, ist die aufgehende Sonne in Mitwirkung gezogen [1]. Übrigens zeugt die Aufbietung so zahlreicher und selbst der höchsten Gottheiten zur Hilfe für Balders Ross von der großen mythischen Bedeutung, die dem Straucheln desselben zukam; und wenn dann all diese Götterkräfte zur Pferdeheilung oder gegen Verrenkungen überhaupt verwendet werden, so ergibt sich eben hieraus, daß nicht dieses irdische Heilbedürfnis die Erdichtung eines Vorgangs in der Götterwelt herbeiführte, sondern daß man zum Behuf desselben in die schon vorhandene reichgestaltete Baldersage hinaufgriff, die freilich, wie alle mythische Darstellung, ihre Sinnbildsprache selbst wieder den Meinungen und Gebräuchen des Volks entnommen hatte [2].

Wie der Segen aus dem Mythus, ja aus einem bestimmten Mythenliede geschöpft wird, dazu gibt nun Rûnatal mit seiner fünfzehnten

[1] In der bekannten Erzählung bei Paul. Diac. 1, 8 sagt Wodan: „se illis victoriam daturum, quos primum oriente sole conspexisset;“ Frea gibt den Rath: „Winilorum mulieres solutos crines erga faciem ad barbæ similitudinem componerent, maneque primo cum viris adessent, seseque a Wodan videndas pariter e regione, qua ille per fenestram orientem versus erat solitus adspicere, collocarent u. s. w. Quas cum conspiceret oriente sole, dixisse: Qui sunt isti Langobardi? tunc Fream subjunxisse, ut quibus nomen tribuerat, victoriam condonaret, sicque Winilis Wodan victoriam concessisse“ (Myth. 122). Brynhild ruft um Sieg zuerst den Tag und seine Söhne an, Sæm. 194, 3; daß die Germanen nicht vor erneutem Mondlicht die Schlacht beginnen wollten (Cäsar 1, 50. Plutarch C. 19: „πρὶν ἐπιλάμψαι νέαν σελήνην.“ Vgl. Tac. Germ. C. 11. Myth. 675 f.), fällt auch hieher.

[2] So die ganze Schilderung des Leichenbrands in der j. Edda. Der Zauberspruch zur Heilung kommt auch in einem Thôrsmythus vor, Sn. 110: „Þâ kom til völva sû er Grôa hêt u. s. w. hon gôl galdra sîna yfir Þôr, til Þess er heinin losnadi.“ Von daher ist wohl der Name auf die galdersingende Mutter im Grôalied übertragen; ebenso Fornald. S. 3, 241 eine zauberkundige „Grôa völva;“ der mythische Name gereichte weisen Frauen zur Weihung.

Ziffer einen lehrreichen Beleg: „Das Lied kann ich, das Thiodrörir sang vor Dellings Thür: Kraft sang er den Äsen, Frommen den Vanen, Gedanken dem Hroptathr (Odin)[1]. Thiodrörir, Volkwecker (wie ôdrœrir Sangwecker), singt vor Dellings Thür, d. h. bei Tagesanbruch, denn Dellingr ist der Vater Dags (Sæm. 34, 25. 91, 24. Sn. 11) und der Tag erwächst vom Dämmerlicht[2]. Zum Aufruf in der Frühe, der an Äsen und Älfe, an den Äsenvater selbst ergeht, ist kein Andrer so eigens bestellt, als Heimdall, der Wächter der Götter (Sæm. 41, 13: „vördr goda“; Sn. 104: „vörd goda“; vgl. Sæm. 85, 28: vördr med godom“) auf den Himmelbergen (Himinbiörg, Sæm. 41, 13. 92, 26. Sn. 21. 30), dessen Namen: der weiße As (Sæm. 72, 17: „hvîtastr Âsa“. Sn. 104: „hvîta âs“), der Goldgezahnte (Gullintanni Sn. 30), wie der seines Rosses: Goldzopf (Gulltoppr, Sæm. 44, 30. Sn. 18. 30. 66. 105. 214; vgl. Myth. 623), das Morgenlicht bezeichnen, der weniger Schlaf, als ein Vogel, braucht, dessen Hornlaut in allen Welten gehört wird (Sn. 30) und die Götter auch noch am letzten Tage weckt (Sæm. 8, 47. Sn. 72); er ist Thiodrörir, wenn auch in der jüngern Edda nicht so benannt. Diese gedenkt dagegen zweimal eines, jetzt verlornen, Liedes: Heimdallar galdr (Sn. 30: „segir hann sialfr î Heimdallar galdri“. 104: „um þat er kvedit î Heimdallar galdri“) und führt daraus eine Doppelzeile an, welche zeigt, daß es im galdralag verfaßt war[3]. In derselben spricht Heimdall

[1] Sæm. 30, 23: „þat kann ek it fimtânda, er gôl þiodrœrir (dvergr) for Dellings durum: afl gôl hann Âsom, en Âlfom frama, hyggju Hroptatŷ.“ „Dvergr“ ist offenbar eingeflickt; in den Verzeichnissen der Zwerge steht kein Thiodrörir (Sæm. 2, 10 ff. Sn. 15 f.) Die Zeile ist nach dem Räthselliede (Fornald. S. 3, 468 ff.) zu bessern, wo sie fünfmal lautet: „fyri Dellings dyrum.“ [Vgl. Lünings Edda S. 294. K.]

[2] Nach der Regel der patronymischen Ableitung wäre Dellingr, assimiliert aus Deglingr (vgl. Fornald. S. 1, 469, 2: „döglings“; Sn. 192: „Dagr, er Döglingar eru frâ-komnir“), umgekehrt der Sohn Tags (Myth. 697. Gr. 2, 353. 3, 351); es macht sich aber hier, wie auch sonst bei -lingr, mehr die Verkleinerung (Gr. 2, 364 f. 3, 683) geltend, Dellingr ist der mindre, dämmrige Tag.

[3] Sn. 30 (Arn. 102): „niu em ek mœdra mögr, niu em ek systra sonr“ (vgl. Sæm. 118, 34 bis 36. Sn. 104: „son niu mœdra“), s. S. 212 f. Heimdalr, dem überall der Anfang und Aufgang (auch derjenige der Stände, Sæm. 100 ff., vgl. 1, 1) angehört (Thôr 20), singt hier seinen eigenen räthselhaften Ursprung (vgl. Sæm. 118, 34: „vard einn borinn (î ârdaga).

selbst, und wenn man ebenmäßig, was von Thiodröris Galder berichtet ist, von der dritten Person in die erste überträgt („gôl hann“ in „gel ek,“ wie Sæm. 96, 6 ff.), so könnte damit ein weiteres Stück von Heimdals Sange gefunden sein. Zu welchem Zwecke Thiodröris Lied, sei es nun bloß dem Sinne nach oder mit Wenigem wörtlich angeklungen, sich wirksam bewähren soll, ist in Rûnatal nicht, wie bei den andern Ziffern, ausdrücklich angegeben, aber es ist genug gesagt, um erkennen zu lassen, daß es sich um eine Segnung für den angehenden Tag handelt; was Äsen und Lichtälfen vom Mund eines Gottes zum Morgengruße gesungen war, das muste für jedes, auch das menschliche Tagwerk gedeihlich bedünken, und man darf diese Stimme aus der Götterwelt für den höchsten aller Tages- und Sonnensegen erklären. Es fragt sich, ob Heimdals Galder, Thiodröris Lied, nicht den Morgen der vollendeten Schöpfung, den Beginn des von Götterkraft und Odins Geiste getragenen Alllebens, anfang und segnete (s. S. 239, Anmerk. 3).

Dem deutschen Segen für Balders Fohlen steht in der alten Handschrift ein andrer voran, zur Lösung der Fesseln eines Kriegsgefangenen, gleichfalls mit mythischem Eingang: „Vormals saßen Idise, saßen her und hin, einige hefteten Hafte, einige hielten das Heer auf, einige pflückten an den Ketten (und sangen): Entspring den Haftbanden, entfahr den Feinden!“ [1] Die Frauen, welche hier binden und entbinden, gehören, wie auch der Ausdruck „idisi“ (ahd. nom. itis, and. idis, ags. ides, an. dîs) ein gehobener ist (Myth. 373 f.), zu den geisterhaften Wesen, die auf manigfache Weise, warnend und vorausverkündend, lenkend und zutheilend, günstig oder feindselig, sich mit den menschlichen Geschicken befassen. Sie begegnen sich insbesondre mit den nordischen Valkyrien, die über dem Kampfe walten und unter denen zwei zusammengenannte (Sæm. 45, 36) durch ihre Namen Hlöck (Kette)

[1] Text und Erklärung: J. Grimm, über zwei entd. Gedichte 4 ff. Myth. 1180 (wodurch 373 berichtigt wird). Wackernagel, Leseb. 1, IX. Graff 1, 745: „khunauuithi.“ „Clûbôdun umbi“ bezeichnet ein leichtes Herumgreifen, denn nicht durch Gewalt der Hände, sondern durch die Macht des Spruches auch bei loser Berührung werden die aus Zweigen gedrehten Bänder gesprengt; „hapt“ (m.? Graff 4, 742) entspricht dem altn. „sprettr mer af fôtum fiötr ok af höndum hapt (Sæm. 29, 12)“ und „haptbandum“ dem altnord. „haptbönd snûa“ (Sæm. 7, 40).

und Herfiötr (Heerfessel; Myth. 373. 841), den zwei ersten Gruppen des deutschen Segens gleichthätig erscheinen [1].

In die Werkstätte der Valkyrien öffnet sich zuweilen dem Wachenden oder Träumenden ein ahnungsvoller Blick: so kommt in der dänischen Baldersage Hother (altn. Hödr), auf der Jagd im Nebel verirrt, zum Gemach dreier Waldjungfrauen, die sich als unsichtbar gegenwärtige Lenkerinnen des Kriegsgeschicks zum Heil oder Unheil ankündigen und ihn vor dem Kampfe mit dem Halbgotte Balder verwarnen, hierauf aber zusammt dem Gemache plötzlich wieder verschwunden sind [2]; Sturlüngasaga verzeichnet den Traum eines Isländers, der in ein großes Haus zu kommen glaubte, worin zwei blutberegnete Frauen, Gudr und Göndul, saßen beim Gesang einer Liedesstrophe, welche bevorstehenden Fall der Männer und schwere Verwünschungen androht [3];

[1] Ein isländisches Runenzeichen heißt „Herfiötr (vincula bellica)“, Gisl. Brynjulf., Pericul. runolog. 142.

[2] Saxo 3, 39: „Eodem forte tempore Hotherus inter venandum errore nebulæ perductus, in quoddam silvestrium virginum conclave incidit, a quibus proprio nomine salutatus, quænam essent, perquirit. Illæ suis ductibus auspiciisque maxime bellorum fortunam gubernari testantur. Sæpe enim se nemini conspicuas præliis interesse, clandestinisque subsidiis optatos amicis præbere successus. Quippe conciliare prospera, adversa infligere posse pro libitu, memorabant.“ Vgl. ebd. 42 f., auch die angels. „sigevîf,“ Myth. 402.

[3] Sagan af Niâli, Kaupm. 1772, S. 275 ff. C. 48 (Dietrich S. 52 ff. Frauer, die Walkyr. 11 ff.), Str. 3: „sigrvef;“ Str. 9: „er spâr varar springa kunnu;“ Str. 10: „Vel kvedu [Rask, Vejledn. 142 u.] ver um konûng ûngan sigrhlioda fiöld, syngjum [ebd. 131] heilar [cantemus prosperitates]! enn hinn nemi er heyrir â geirhlioda fiöld ok gumum skemti [viros oblectet]!“ V. segi, ernster und wohl auch echter, vgl. Sæm. 30, 27. Ein Nachklang hievon, auf Ereignisse von 1219 (Lex. myth. 533) bezüglich, Sturlûnga Saga, Kaupm. 1817 bis 20, B. 1, Th. 2, S. 9: „Þat dreymdi mann î Skagafirdi, at hann þôttist kvama î hûs eitt mikit, þar sâtto inni konur tvær blôdigar ok reyro âfram, honum þôtti rigna blôdi î liorna. Önnur kvonan kvad: Rôum vid ok rôum vid, rignir blôdi, Gudr ok Göndul, fyrir gumna falli; vid skulum râdast î rapta hlid (a. rekka lid), þar manom blôtadar ok bölvadar.“ In der Valkyrienschaar Sæm. 4, 24: „Gunnr (a. Gudr), Hildr, Göndul.“ Valkyriensang Str. 5: „Gunnr ok Göndul.“ Bedeutet rôa, rudern, auch die Bewegung des Webens? Auch im Liede der Niales. Str. 1: „rignir blodi.“ Durch blôtadr und

dichterisch reich ausgeführt ist ein Gesicht am Tage der Brianschlacht im Jahr 1014, wie ein Mann zwölf Valkyrien nach einem Frauengemache reiten sieht und sie belauscht, als sie dort mit Schwertern und Pfeilen das Gewebe der Schlacht und des Sieges weben, auch den berühmten Gesang ihnen abhört, den sie weissagend dazu anstimmen und zugleich als Siegeszauber zu bezeichnen scheinen, nach dessen Absingung sie, in zwei Schaaren gesondert, hinwegreiten.

Auf solchen Vorstellungen beruht es nun auch, wenn in der deutschen Formel Kriegsgefangenschaft und Erlösung aus derselben von einer traumbildartigen Thätigkeit und Segensprechung versammelter Idise abhängig gedacht sind. Ein späterer deutscher Segen sucht statt des heidnischen Anhalts einen christlichen in der Berufung auf die gelösten Bande des Heilands bei seiner Himmelfahrt [1]. Weder in Rúnatal noch in Grógaldr knüpft sich die Fesselsprengung an einen mythischen Bezug [2];

bölvadr sind galderartige Verwünschungen, wie dort durch sigrliod, geirliod, heilar, Segnungen angezeigt (Sæm. 28, 7: „blóta"). Vgl. noch einige der Träume Gíslis, Tvær Sögur af Gísla Súrssyni. Kiöb. 1849.

[1] Anzeig. 3, 280 f., Nr. 12 (Myth., 1te Ausg., Anh. CXXXIX, Nr. XXI): „Ich dreden hude uf den phat, den unser herre Jesus Cristus drat; der si mir also süß und alse gut! nu helfe mir sin heilges rosefarbes blut und sin heilge funf wunden, daz ich nimmer werde gefangen oder gebunden u. s. w. daz alle mine bant von mir enbunden werde zu hant, also unser herre Jesus inbunden wart, do er nam die himelfart." Auf einem pergamentnen Bruchstück eines lateinischen Psalmbuchs, im Anfang des 13ten Jahrhunderts geschrieben, stehen zwischen Ps. LI und LII (52 und 53) die deutschen Reime: „So din vriunt werde gevangin, so sprich disin salmin! du solt habin den trôst: dan er ane zwivil wirt erlost" (Wiggert, Scherflein, Magdeburg 1832. S. 27); es muß damit Ps. 53, 7 gemeint sein.

[2] Ein solcher liegt nicht in den Worten (Sæm. 98, 10. Munch 169, 10): „Leifnis elda læt ek þer fyri legg of kveđna." Die überfungen gelassenen, voraus beschworenen Feuer Leifnis sind dichterisch Erzringe; Leifnir steht in Skálda, Sn. 209a, 1, unter den Namen der Seekönige; vgl. unter den sverda-heiti ebd. 214, 4: „Leifnis-grand" (grand n. noxa); ebd. 155 ist gesagt: „gull er kallat í kenningum eldr handar eđa liđs eđa leggjar" und 127: „hann [mann] má ok kenna til eignar sinnar þeirrar er hann á, ok svá ef hann gaf", hiernach Leifnis eldar zunächst des Fürsten, des Mannes Goldringe, dann Arm- oder Beinringe (fyri legg) überhaupt (baugar) bis auf die Ringfesseln. Heimskr. hg. Schöning 6, 96, 168 (S. Ólafs Helga): „leggfiötur, armi compes, annulus aureus".

da jedoch an keinem von beiden Orten die Formel selbst oder ihr Inhalt angegeben ist, so folgt hiebei so wenig, als bei andern der aufgezählten Galder, daß eine solche Anknüpfung überhaupt nicht vorhanden war. Odin selbst tritt einmal, bei Saxo, hilfreich zur Befreiung auf, doch nur so, daß er seinen Günstling Hadding anweist, wenn er demnächst gefangen werde, die Wächter durch allerlei Mähren einzuschläfern und dann die Bande zu brechen [1]. Ausgesprochen mythische Grundlage hat Grôas erster Galder: „ihn sang Rindr der Rân: daß du über Achsel wirfst, was dir schwer dünkt, selber führe du dich selbst!“ [2] Rindr, bei Saxo Rinda, fällt in den Zusammenhang der Baldersage; mit ihr erzeugt Odin den Rächer des getödteten Bruders, Vali; für ihre Begegnung mit Rân, der Meeresgöttin, ergeben aber die vorliegenden Mythen keinen ersichtlichen Anlaß. Der Inhalt ihres Sanges kommt mehrfach deutsch sprichwörtlich vor, in Reinhart Fuchs, in den Lehren des Winsbeke an seinen Sohn und in einem alten Volkslied, wo Frau Nachtigall, vom Thau genetzt und von der Sonne getrocknet, allen Sorgenvollen ermunternden Rath singt [3]. Hieher ist von Belang, daß überhaupt ein Sinnspruch als Zauber verwendbar

[1] Saxo 1, 12. Der „grandævus, altero orbus oculo,“ kein andrer als Odin, spricht „hujusmodi carmine“ zu Hading: „Hinc te tendentem gressus profugum ratus hostis impetet, ut teneat vinclis u. s. w. at tu custodes variis rerum narratibus imple! cumque sopor dapibus functos exceperit altus, injectos nexus et vincula dira relide!“ Vgl. Fornald. S. 2, 225.

[2] Sæm. 97, 6: „Þann [galdr] gel ek þer fyrstan, þann kveda fiölnýtan, þann gôl Rindr Râni: at þû of óxl skiotir þvî er þer atalt þickir; sialfr leid þû sialfan þik.“

[3] J. Grimm, Sendschr. üb. Reinh. Fuchs 38 (17 f.): swer irhebit daz er niht mac getragen, der muoz ez under wegin lân, als was ez ouh umbe Isengrinen getân.“ Reinh. F. 54, 800 ff.: „wan wir hören wise liute sagen, swer hebet daz er nit mag getragen, der muoz ez lâzen under wegen: des muose ouch Isengrin nû pflegen.“ Wackernagel, Gesch. 179 f. Der Winsbeke (Ausg. v. Haupt) 14, 33: „Sun, hebe daz du getragen maht! daz dir ze swære si, lâ ligen!“ Volkslied. 52, 7: „und wölcher knab in großen sorgen leit und er ain schwäre burdin auf im trait, der soll sich frewen gen der liechten sumerzeit, daß im sein burdin geringeret werd. 8: So han ichs von den weisen hören sagen: großen unmuot soll man auß dem herzen schlagen, man soll in under die tiefen erden graben, ain frischen freien muot des soll ain krieger haben.“

sein soll und, wie ein solcher, aus der Göttersage abgeleitet wird. Die Wirkung eines Lehrspruchs kann nur eben in der Lehrkraft liegen; sie ist bei den Worten der Rindr nicht besonders angegeben, versteht sich aber als eine das sorgenschwere Gemüth entlastende und aufrichtende.

In Ernst und Scherz war es gebräuchlich, Sprichwörter, Gedenksätze, Redensarten dadurch zu beleben und zu beglaubigen, daß sie bei bestimmten Vorkommnissen und von namhaften Sprechern aus der Fabelwelt oder aus dem wirklichen Leben zuerst gebraucht sein sollten [1]. Dem Spruch aus einer Göttin Munde konnte, zu seinem lehrhaften Gehalt, noch besonders eine zauberische Wirksamkeit zugetraut werden. Aber auch ohne Steigerung des mál zum galdr gewannen die Worte der Lebensweisheit und des guten Rathes an Nachdruck und Ansehen, wenn sie sich als Ausspruch und Erfahrung höherer Wesen geltend machten. Viele solcher Lehren sind so eingerahmt, daß Sigurd sie von der Walkyrie Sigrdrisa, der Dienerin Odins (Sæm. 196[b] ff.), oder von dem ins Schiff tretenden Gotte selbst (Sæm. 184 f.) empfängt. In Hávamál begründet Odin einige seiner Lehrsprüche durch mythische Beispiele aus eigenem Erlebnis, einmal aus seinem Abenteuer mit Billings Tochter, einer nicht weiter bekannten Sage, zweimal aus dem mit

1 Beispiele der Anknüpfung an die Thierfabel: Sn. 333 (Arn. 2, 182): „Er-a hlums [a. hlunns] vant, sögdu refar, drógu hörpu á ísi.“ Gödeke, Mittelalt. 20: Hirez u. s. w. MS. 2, 374[b], 9 (Spervogel): „weistu, wie der igel sprach? „vil guot ist eigen gemach.“ Vgl. Diut. 1, 324 (Wackern. Leseb. 1, 836): „„daz mir, daz dir!“ sprach der hamer zuo dem ambôz.“ Aus Sage und Leben: Völs. S. C. 1 (Fornald. S. 1, 116): „maelti Skadi u. s. w.“ (vgl. oben Hönir). Heidelb. Hds. 313, 493[b], 3, Wilken 405: „das wer ein schad geringer, Als Danckbart sprach zu Hagen“. (Vgl. Nib. 1891, 1: „„Daz ist ein schade kleine,“ sprach dô Hagene“, zu Dankwart.) Helbling VI, 3 (Zeitschr. f. d. Alt. 4, 123): „„Iz ist erhaben,“ sprach Ruolant.“ (Ruol. Liet 144, 11: „iz ist wol erhaben, sprach der helt Ruolant.“ Stricker 55 b: „is ist wol erhaben, sprach Rulant“). MS. 2, 231 (Bruod. Wernher): „Ein wort der keiser Otte sprach: mir ist ümbe dich rehte alse dir ist ümbe mich.“ MS. 2, 375 a, 15: „hôrt ich Kerlingen sagen“ (vgl. 374[b], 6). Reinh. F. 1024 ff. (vgl. CIX): „von Hôrburg her Walther zallen zîten alsus sprach.“ Agricola, Sprichw. 74 b: „Mir grawet, sagt Neuppel, vnd fandt ein frembdes niderkleydt an seinem bettstollen.“ Vgl. Alb. Höfer, über Apologische oder Beispiels-Sprichwörter u. s. w. (Germania 6, 94 ff.). (Edm. Höfer) Wie das Volk spricht, 524 sprichwörtl. Redensarten. (Als Mscr. gedr.) Stuttgart 1855. [5te Aufl. 1866. P.]

Gunnlöd bei Erwerbung des Dichtertranks (Sæm. 12, 13 bis 15. 22 ff.); ja der ganze Zusammenhang alter Lehrdichtung, der Denksprüche, Rûnen und Zauber, wie er durch Hâvamâl, Lodfafnismâl und Rûnatal sich hinzieht, besteht aus Reden des Hohen, eben Odins, in des Hohen Halle gesungen, zum Heil Allen, die darauf hörten [1].

Ynglingasaga führt unter den Zauberkünsten Odins mehrere auf, die auch in Rûnatal und Grôugaldr als Beschwörungen verzeichnet sind: Feinde zu blenden und zu betäuben, ihre Waffen abzustumpfen, mit bloßen Worten Feuer zu löschen und See zu stillen, Todte zu wecken; dem wird dann die allgemeine Bemerkung hinzugefügt:

„Auf alle diese Fertigkeiten verstand er sich mittelst der Rûnen und Lieder, welche Galder heißen; deshalb werden die Asen Galderschmiede genannt [2].“

Ohne Zweifel hat bei dieser Zusammenstellung der Rûnen mit den Zauberliedern wieder Rûnatal vorgeschwebt, wo als eine Segnung des Odrörismeths, unmittelbar vor den achtzehn Liedern, die Rûnenkunde bezeichnet ist (Sæm. 28, 5 ff.); rûnar hier aber nicht im Sinne der früher untersuchten, als Kunstgeheimnis der Dichtersprache, sondern als eingeschnittene Zeichen (28, 5 f.: „reist“. 7: „veiztu hvê rista skal?“), zusammengehend, oft gleichgeltend, mit stafir, Stäbe, Buchstaben. Von diesen Rûnen ist eben nur soweit zu handeln, als sie mit dem Liederwesen in unmittelbarer Berührung stehen [3]. Wenn es im Rûnatal

[1] Sæm. 30, 27: „Nû eru Hâva mâl kvedin Hâva höllu î u. s. w. heill sâ er kvad, heill sâ er kann, nioti sâ er nam, heilir þeirs hlýddu!“ Vgl. Sæm. 24, 111. 2. Sn. 3. Sæm. 5, 26. 46, 46. Myth. 148. (Gr. 1, 2te Ausg., 742.)

[2] Yngl. S. C. 6. 7: „Allar þessar îþróttir kendi hann med rûnum ok liodum þeim er galdrar heita; fyrir þvî er Æsir kalladir galdrasmidir.“ In einer norwegischen Gesetzstelle (Keysler, antiquitat. septent. 463 [Geijer 1, 141]): „ef madr foer met spaadom, runum, galdrum u. s. w.“ Besonders aber Sæm. 194, 5: „fullr er hann [bior] lioda ok liknstafa, gôdra galdra ok gamanrûna.“

[3] W. C. Grimm, über deutsche Runen, Göttingen 1821. Finn Magnusen, den ældre Edda B. 3 (Kjöbhv. 1822), 75 ff. Über Rûnen, Schriftrûnen und magische: Gysl. Brynjulfi Periculum runologicum, Havn. 1823 (über die magischen § 49, S. 135 ff.); E. G. Geijer, Svea Rikes Häfder. Th. 1. Upsala 1825. IV: Runorna (S. 134 bis 185, insbes. S. 180 bis 83 [Übers. 150 bis 152 ob.], über rûnar und stafir in den Eddaliedern); J. Grimm, Myth. 1174 bis 76. Sprachg. 155 ff. (vgl. 131, 3); R. v. Liliencron und K. Müllen-

heißt: „Rûnen nahm ich auf, nahm sie schreiend“ [1], so kann dieses Schreien auf den schallenden Zaubersang, den Galder, als zum Gebrauch der Rûnen gehörend, bezogen werden; gleich das nächste Gesetz spricht von neun Hauptliedern, dann ist wieder von Rûnen die Rede und hierauf folgt das Verzeichnis der achtzehn Beschwörungslieder. Deutlicher im Vegtamsliede, wo Odin, um die todte Vala zu wecken, Galder anstimmt, nach Norden blickend, Stäbe auflegt [2] und Beschwörungen spricht. Sigrdrifa lehrt, wer Sieg haben wolle, soll Siegrûnen auf den Schwertgriff schneiden und zweimal Tŷr nennen [3]; von Tŷr sagt die j. Edda: „er gebietet über den Sieg in Schlachten; Kriegsmännern ist gut, ihn anzurufen“ [4]; ein solcher Anruf war wohl eben die dreimalige Nennung seines Namens und unter den einzuritzenden Siegrûnen der Buchstabe Tŷr, wie dann gleich in der nächsten Strophe ein andrer, Naud (Noth, Zwang) als Ălrûne empfohlen wird [5]. Daran reiht sich die Rûne Thurs in dem besonders lehrreichen Beispiel aus dem Eddaliede von Skirnis Fahrt: dieser Bote Freys wirbt für den Vanengott um die schöne Gerd, Gŷmis Tochter, und nachdem er die Widerstrebende manigfach bedroht hat, namentlich, daß sie, ewig zu

hoff, zur Runenlehre, Halle 1852; A. Kirchhoff, das goth. Runenalphabet, 2te Aufl., Berlin 1854 (über die nord. Runen bes. Vorw. 2 f.). W. Wackernagel, Gesch. der d. Litt. § 4 (S. 11 ff.), § 23 (S. 42). Ders. in der Zeitschrift f. d. Alt. 9, 570 f.

[1] Sæm. 28, 2: „nam ek upp rûnar, œpandi nam;“ nema bedeutet: nehmen; lernen (ebd. 3); anfangen, anheben (ebd. 4); in obiger Stelle steht aber „nam ek upp“ gegensätzlich zu dem vorhergehenden „nŷsta ek nidr“ (Biörn 1, 376b: „hnŷsa,“ scrutari, explorare), das zweite „nam,“ nur Wiederholung des ersten, muß hier auch gleichen Sinn haben.

[2] Sæm. 94, 9 (Munch 56, 4. 196a): „Nam hann vitugri valgaldr kveda, leit î nordr, lagdi â stafi, frœdi tôk þylja.

[3] Sæm. 194, 6: „Sigrûnar skaltu kunna, ef þû vilt sigr hafa, ok rista â hialti hiörs, sumar â vetrimum, sumar â valböstum (vgl. Sæm. 142, 9), ok nefna tysvar Tŷ.“ Auch beim Gebrauche der biargrûnar soll man die Dîsir zu Hilfe rufen (Sæm. 195, 9: „ok bidja þâ dîsir duga“). Sæm. 195, 7: „merkja â nagli Naud.“

[4] Sn. 29 (Arn. 98): „Sâ er enn Âs er Tŷr heitir u. s. w. hann rædr miök sigri î orostum; â hann er gott at heita hreystimönnum.“ Sn. 105: „vîgaguđ.“

[5] Nauđ und Tŷr im gereimten Verzeichnis der 16 nordischen Buchstabennamen bei W. Grimm, über deutsche Runen 246 f. 8. 12.

Jötunen und Reifthursen gebannt, mit einem dreihauptigen Thurse leben soll, hebt er eine feierliche Verwünschungsformel an, die er Thurse und Äsen zu hören aufruft und durch die er die Jungfrau dem Thurs Hrimgrim zuweist, an deren Schluß er ihr dann noch Thurs schneidet und dazu drei Stäbe, nemlich in drei stabreimenden Wörtern: Unmacht, Wuth und Ungeduld [1]. Die Zeichen, welche hier geschnitten werden, sind nicht ganz gleicher Art, sie scheinen vielmehr den sonst häufig verwischten Unterschied zwischen rûn und stafr darzulegen; Thurs, der Name des þ (Th) im runischen Alphabet [2], wird als solcher ausgesprochen und gilt für sich, indem die zwei folgenden Th (þer, þriâ) keine rûnenhafte Bedeutung haben; die drei stafir dagegen: e, œ und ô sind nicht als Buchstaben benannt und das Bedeutsame liegt bei ihnen darin, daß drei Wörter verwandten, unheilvollen Sinnes (ergi, œdi, ôþoli), durch sie im Anlautreime verbunden sind [3]. Thurs, an der Spitze stehend, knüpft auch allein den Rûnenzauber an die Mythenwelt und vollzieht die mehrfach angedrohte Verbannung in die kalten und öden Wohnstätten der Thurse, wovon dann die drei im Stabreim zusammenhängenden Unheilwörter nur die unvermeidliche Folge sind. Die Fluchformel im Skirnisliede gibt eine reiche, auf den besondern Fall eingehende Ausführung dessen, was andern Orts kurzgefaßte, fast sprichwörtliche Ausdrücke besagen: „die Riesen haben ihn!“ und ähnliche mehr [4]. Beachtenswerth ist hauptsächlich noch, daß diese Formel, das Lied, dem Ritzen der Rûne voransteht und letztere nur als Haft oder

[1] Sæm. 84, 26 ff. Die Formel beginnt wohl schon mit der einleitenden Str. 33, so daß der gambanteinn (vgl. 77, 20) es ist, auf den die Zeichen geschnitten werden. 86, 38: „þurs rîst ek þer ok þriâ stafi: ergi ok œdi ok ôþola; svâ ek þat af rîst, sem ek þat âreist, ef giöraz þarfar þess.“ Skirnir behält sich vor, das Eingegrabene wieder zu tilgen und damit unwirksam zu machen, wenn Gerdr sich fügt, wie es in der nächstfolgenden Strophe geschieht.

[2] W. Grimm, über deutsche Runen 246, 3: „Thuss.“

[3] Alle Vocalanlaute (hliodstafir) allitterieren unter sich, von den drei obigen hat übrigens nur ô einen Rûnennamen: ôs (Mündung); die Umlaute e und œ hat das alte Alphabet nicht (Gisl. Brynj. 132 f.).

[4] Zu Skirnisf. 36 (Sæm. 86 a): „Hrîmgrîmr heitir þurs er þik hafa skal“ u. s. w.; vgl. Sæm. 255, 33: „eigi hann iötnar“ u. s. w. (Vgl. Fornald. S. 1, 214); sonst auch: „þik hafi allan gramir!“ oder: „þröll hafi þik!“ Myth. 943. 957. Grettis S. C. 5.

Vollzug der ausgesprochenen Verwünschung erscheint [1]. Wie überhaupt das lebendige Wort aller Zeichenbildung und jedem Schriftversuche vorausgieng und wie Sprechen und Singen in ungelehrter Zeit die einzigen oder weit vorherrschenden Träger der geistigen Wirksamkeit sind, so muß auch bei den heidnischen Beschwörungen der aus bewegter Seele feierlich auflautende Spruch oder Gesang für das ältere und hauptsächliche angesehen werden. Dazu gesellte sich dann das Bedürfnis, dem verrauschenden Wort einen Halt zu geben, das heilsame für sich und Andre zu befestigen und wohlthätig fortwirken zu lassen, das feindliche Denen, die es zu verderben bestimmt war, anzuheften, dem Zauber auch dahin, wo er nicht gehört werden sollte oder konnte, einen heimlichen und fernkräftigen Bestand zu schaffen. Mittel hiezu war das Eingraben der Anlautzeichen für die im Zauberliede bedeutsamsten Namen und Gegenstände auf Waffen, Geräthe, Binden, besonders

[1] In der Saga Herrauds ok Bósa C. 5 (Fornald. S. 3, 202 ff.) schließt sich an das Verwünschungslied der Zauberin Busla (Buslu bæn) eine Buchstabenreihe mit einer dazu gehörenden Strophe, welche Syrpuvers (versus collectaneorum) genannt wird. Diese Saga gehört jedoch zu den romanhaft erdichteten und so ist auch die eingerückte Verwünschungsformel nicht mehr altheidnisch (Sagabibl. 2, 606 ff.). Gleichwohl zeigt sich in den einzelnen Flüchen Nachahmung älterer Muster (vgl. neben Skirnisför, Sæm. 165, 19 f. Saxo 1, 15 f.) und gleicher Weise verhält es sich wohl auch mit den angehängten Schriftzeichen. Zwar sind diese, wie sie in den Fornald. S. vorliegen, nur ein Buchstabenräthsel: sechs Gruppen von je sechs Buchstaben, in der ersten zwei lateinische und vier runische, in den fünf folgenden je ein sechsmal sich wiederholender Stab des norwegischen Alphabets (Su. 301 f.: „1 norænu stafrofi u. s. w. 1 rûna mâli," Arn. 2, 72 bis 76; W. Grimm, über die Runen, Tab. III: „Alphab. Norvagicum"); aus den Buchstaben der fünf letzteren Gruppen setzt sich sechsmal istil zusammen, davor je die Buchstaben der ersten Gruppe gestellt, ergeben sich die sechs Wörter (im Syrpuvers: „seggir sex." dann in der Prosa: „þessi nöfn" und „þessir karlar"): ristil, ristill (herpes, zona), eistil (von eista n. testiculus?), þistil (carduus, vgl. Sæm. 85, 32), kistil (cistella), mistil (viscum, vgl. Sæm. 6, 36 f.), vistil (vistil?); nur bei einem Theil derselben ist die schlimme Bedeutung noch erkennbar. Andern Text muß aber Gisli Brynjulfsson vor sich gehabt haben, wenn er, Peric. runol. 141, schreibt: „Vid. Buslubæn (incantat. Buslæ in Herrauds og Bósa-Saga mer.), quæ plures characteres ex litteris, quæ nomina Odini, Fiölnir, Fiugr, þundr, constituunt, junctis composita exhibet."

auch auf Zweige, Stäbe, Scheiben [1], die man den Leuten, auf die es abgesehen war, zusenden, anhängen, unterlegen konnte; geschnittene Rûnen wurden sogar wieder abgeschaben und diese Abfälle in den Trank gemischt [2]. Von solchem Schneiden und Legen der Zauberrûnen ist meist die Rede, ohne daß dabei eines Spruches oder Liedes gedacht wäre; ursprünglich war es aber doch wohl der gesungene Galder, von dem die Zeichen Bedeutung und Weihe nahmen. Wie genau Beides zusammengriff, ergeben besonders auch Stellen in Rigsmâl und Sigrdrifumâl, welche der Rûnenkunde dieselben Zauberkräfte zutheilen, die in Rûnatal und im Grôasange den Liedern oder Galdern beigemessen sind, in Rigsmâl namentlich: Männer schirmen, Schneiden stumpfen, See stillen, Feuer dämpfen, sänftigen und beruhigen, Kummer lindern [3]. Wie hiernach in den Wirkungen, so stimmen Galder und Rûne auch im Mittel überein, in der Anlehnung an übermenschliche Mächte und ihre Geschichten. Für Thurs ist ein Zauberspruch, der zu den Riesen weist, für Tŷr der Anruf dieses Gottes bereits aufgewiesen, für Sôl kann etwa der bei der südlichen Sonne geschworene Eid angeführt werden [4].

Daß bei ausgebildetem Gebrauch der zusammenhängenden Schrift

[1] Die Ausdrücke sind: teinn m. bacillus (Sæm. 85, 33): kefli n. baculus; skîđ n. lamina lignea (Sæm. 4, 20); speld n. tabula („spialdrûnir" Peric. runol. 140. 134, 2); „þær (mâlrûnar) um vindr, þær um vefr" (Sæm. 195, 12).

[2] Sæm. 28, 7: „veiztu hvê senda skal?" 196, 19: „allar vâru af skafnar þær er vâru â ristnar, ok hverfđar viđ inn helga miöđ, ok sendar â vîđa vega." Vgl. 194, 5.

[3] Rigsm. 40 f. (Sæm. 106. Munch 66): „En konr ungr kunni rûnar, æfinrûnar ok aldrrûnar; meir kunni hann mönnum biarga (vgl. Rûnat. 19, Sæm. 29. Grôag. 5, Sæm. 97), eggjar deyfa (Rûnat. 11, Sæm. 29), ægi lægja (Rûnat. 17, Sæm. 29. Gr. 11, Sæm. 98). 41: klök nam fugla, kyrra elda (Rûnat. 15, Sæm. 29; vgl. 27, 26), sæva ok svefja (Rûnat. 16, Sæm. 29), sorgir lægja (Rûnat. 9, Sæm. 28; vgl. Gr. 6, Sæm. 96), afl ok eljun âtta manna." Sigrdr. m. 10 (Sæm. 195): „brimrûnar" u. s. w. (wieder Rûnat. 17. Gr. 11); 11: „limrûnar" (Rûnat. 10, Sæm. 28); 12: „mâlrûnar" (Gr. 14, vgl. Sæm. 98).

[4] Sæm. 248, 32 (Munch 148, 30): „eida opt umsvarđa ok âr ofnefnda at Sôl inni suđrhöllu" u. s. w. Vgl. Rechtsalt. 895; auch die zaubersingende Sunna des Merseburger Segens.

ganze Lieder, geschichtlichen Inhalts, auf Stäbe oder Holztafeln geschnitten wurden [1], fällt nicht mehr in den Bereich dieser Untersuchung. Außer den einfachen Rünen des altnordischen Alphabets gab es aber zur magischen Verwendung noch manigfach zusammengesetzte und verschlungene Buchstaben, sowie verschiedene bildliche Zeichen, welche, großentheils nach mythischen Wesen und Vorgängen benannt, sich mit den im Alphabet begriffenen Thurs und Týr (etwa auch Sól) berühren, als da sind: Thórs Hammer und Haupt, Hrungnis Herz, Ögir und Ögis Helm, Jötunwirren (iötunvillur), Heerfesseln (herfiötr), Älfrünen, dann die verbundenen Namen von acht Äsengottheiten: Baldr, Týr (auch im Alphabet), Thór, Odin, Loki, Hönir, Frigg, Freyja [2].

[1] Egils S. S. 605: „Nû vilda ek fadir at vid leingdim lif okkart svâ at þû mættir yrkja erfikvædi eptir Bödvar, enn ek mun rista â kefli." (Geijer, Übers. 123.) Grettis S. C. 65 (S. 138): „Skalltu nu heyra til, segir hann [Hallmundr], enn eg mun segia þier fraa athöfnum mijnum, oc qveda þar umm qvæde, enn þu skallt rista eptir aa kefle. Hun giördi so. þa qvad Hallmundur, ok er þetta þar i: u. s. w. Margra athafna sinna gat Hallmundur i qvidunne, þvi hann hafdi farit umm allt land u. s. w. Eptir þad droo so af mætte Hallmundur, sem frammdroo qvidunni; var þad og miög jafnskiott, ad lokid var qvidunni og Hallmundur doo u. s. w. þar dvalldist Grijmur margar nætur in hellirnum, og nam qviduna" u. s. w. Auch in der fabelhaftern Örvarodds S., Fornald. S. 2, 558 f. (vgl. 2, 300 ff.): „mælti hann [Oddr]: nû skolu þer fara ok höggva mer steinþrô, en sumir skolu þer sitja hiâ mer, ok rista eptir kvædi þvî, er ek vil yrkja um athafnir mînar ok ævi. Eptir þat tekr hann at yrkja kvædi, en þeir rista eptir â speldi, en svâ leid at Oddi, sem upp leid â kvædit. þessa vîsu kvad Oddr sîdast u. s. w. (berid Silkisif ok sonum okkrum kvedju gôda, kem ek ekki þar!) Ok eptir þat deyr Oddr u. s. w. Eptir þessi tîdendi fara menn Odds austr heimleidis; sögdu Silkisif drottningu þessi tidendi ok kvedju Odds." Gisl. Brynj. peric. runol. 127.

[2] Kunde davon in Gisl. Brynj. pericul. runol. S. 135 ff.; verwiesen wird (S. 136. 138. 140. 142) auf „Siöborg, Dissert. de magia literata Scandinavorum," auf „Joh. Olav. Grunnavicensis Runologia msc. islandice conscripta" in der k. Bibliothek zu Kopenhagen, dann auf „Cod. mscr. bibliothecæ A. Magn. N. 763, Cod. mscr. derselben Bibliothek N. 434," und zwei Pergamentbl. derselben Bibl. Nr. 687 D. 4to, wobei bemerkt ist, man erzähle, die Pergamentbücher, in welche die Runen eingezeichnet waren, seien durch die Gewalt der letzteren selbst aufgerieben worden. S. auch Introd. § 1, S. 9 bis 11. Noch immer vermißt man nähere Nachricht über Rääfs umfassende Sammlung alter Segensformeln, von der für das Verständnis der nordischen Rünen und

Ist auch dieser weitere Rûnenkreis noch wenig aufgedeckt und seine Spur meist nur in späteren Segenssprüchen zur Thierheilung, Entdeckung des Diebes, Erlangung guten Winds u. dgl. vorhanden, so gemahnen doch nicht bloß die einzelnen Namen an das alte Heidenthum, sondern es blickt zugleich in mehreren Zügen das Verständnis des mythischen Ausdrucks und Zusammenhangs noch deutlich hervor. So dient Ögishelm, den Zorn des Fürsten zu vermeiden; in den altnordischen Liedern aber ist Œgishialmr der Helm des Machthabers und bedeutet dann bildlich Herrschaft, Hoheit, Übermuth, selbst den schreckbaren Blick des Gewaltigen [1]; herfiötr, Rûnen zur Lösung der Bande, begegnen sich mit den gleichwirkenden Zaubersängen, sowie mit den Valkyrien Hlökk und Herfiötr [2]; iötunvillur sind ein Gegenzauber wider verderbliche Zauberei, sichtlich wider solche, die mit der Rûne Thurs und der Verwünschung zu den Jötunen geübt wird (s. S. 247); villa f. (error) kommt von dem Zeitwort villa, irre machen, das eigens von der Trübung und Wirrung der Rûnen gebräuchlich ist [3]; Thôrs Hammer, auch sonst ein Weihezeichen wider die Macht der Unholde, ist das Werkzeug, mit dem er die Riesen zermalmt, und heißt dichterisch Hrungnistödter, weil damit der Steinriese Hrungnir erschlagen worden, dessen Herz sogar ein dreieckiger Stein war, wie denn die Rûne Hrungnis hiarta, von der auch Skâlda Kenntnis hat, ein dreigespitztes Herz darstellt; des Riesen Waffe, ein großer Schleifstein, brach vom Hammerwurf entzwei, das eine Stück aber fuhr in Thôrs Haupt und sollte durch die Galder,

damit auch der Eddalieder längst große Erwartung erregt ist (Studach, Übersetzung der ä. Edda, Abth. 1, Nürnberg 1829, Einleit. z. Hâvam. S. 33 f. Ebd. Schreiben an C. Abel 1831. J. Grimm, D. Myth. 1197).

[1] Peric. Runol. 140 f.: „Ægirshiálmr ad evitandam iram principis“ (vgl. ebd. „Hiálmrûnir (R. galeatæ) figuram galeæ repræsentarunt“). „Geck allvaldr med Œgishialmi meginmildr merkjum fyrir“, Heimskr. ed. Havn. V, 246. VI, 222 (Lex. myth. 718b f.); der Helm selbst heißt œgir (Sn. 217a). Sæm. 188, 16 bis 19; Weiteres Myth. 217.

[2] Peric. runol. 142: „Prætera multis aliis utuntur characteribus runicis, qui ab applicatione denominati sunt, ut Herfiötr (vincula bellica).“ S. oben S. 241.

[3] Peric. runol. 142: „Jötunvillur Perturbationes i. e. literæ perturbatæ gigantere adversus incantationes.“ Sæm. 88, 2. 252, 9. 196, 20. (Vgl. Saxo 3, 52. Peric. runol. 135: „Hnackvillur“?)

welche die Vala Groa darüber sang, wieder losgemacht werden; es liegen hiernach in den drei Zeichen Þórs hamar, Hrungnis hiarta und Þórs höfud ebenso viele Andeutungen jenes mythischen Riesenkampfs [1]. So zieht denn auch das Runenzeichen, ob unmittelbar und für sich, oder mittelbar durch den weihenden Spruch und in Gemein-

[1] Peric. runol. 142: „Plura runarum magicarum nomina luculenta ethnicismi vestigia produnt. Huc pertinet signum Þórshamar (Þórsrúnir), Hrugnirs hiarta.“ Sæm. 74, 32: „berit inn hamar, brûdi at vigja.“ Sn. 49, 66 (Myth. 165). Saga Hákonar góda C. 18 (Heimskr. 1, 146): „Um haustit at vetri var blôtveizla â Lödum u. s. w. Enn er it fyrsta full var skeinkt, þâ mælti Sigurdr Jarl fyrir minni, ok signadi Odni, ok drakk af horninu til konûngs. Konûngr tôk vid, ok gerdi krossmark yfir; þâ mælti Kár af Gritîngi: Hvî fer konûngrinn nû svâ; vill hann eigi enn blôta? Sigurdr Jarl svarar: Konûngr gerir svâ sem þeir gera allir er trûa â mâtt sinn ok megin, ok signa full sitt Þór, hann gerdi hamarsmark yfir âdr hann drack.“ In einer Runensteininschrift: „Thor viki these runar (Thor heilige diese Runen)!“ Geijer, Übers. 1, 129. Sæm. 68. 61: „drep ek þik Hrungnis-bana u. s. w. ebd. 63: „Hrungnis-bani mun þer î hel koma.“ Peric. runol. 141: „Hrugners hiarta (Hrugneri cor) figuram habet cordis aculeati.“ Sn. 109 (Arn. 274. 2, 298): „Hrûngnir âtti hiarta þat, er frægt er, af hördum steini ok tindótt, med þrimr hornum, svâ sem sîdan er gert ristubragd þat [id genus incisuræ], er Hrungnis-hiarta heitir.“ Peric. runol. 140: „Þórshöfut (caput Thori), quod arefacto, atque perticæ imposito, capite gadi morrhuæ [Stockfisch] inscriptum ad comparandum ventum secundum adhibetur.“ Sn. 109 f. (Arn. 274 ff.): „Hrungnir færir upp heinina bâdum höndum, kastar î mót. mœtir hon hamrinum â flugi, ok brotnar sundr heinin u. s. w. annarr lutr brast î höfdi Þór, svâ at hann fêll fram â iörd u. s. w. Þórr fór heim til Þrûdvânga, ok stód heinin î höfdi honum. Þâ kom til völva sû er Gróa hêt u. s. w. hon gól galdra sîna yfir Þór, til þess er heinin losnadi u. s. w. En Gróa vard svâ fegin, at hon mundi öngo galdra, ok vard heinin eigi lausari, ok stendr enn î höfdi Þór. Ok er þat bodit til varnanar, at kasta hein of gólf þvert [ne quis cotem per transversum pavimentum jaciat]; þvîat þâ hrærist heinin î höfod Þór.“ (Auch in Haustlöng, Sn. 112 b, Arn. 282 f.) Dieser sagenberühmte Galder, der nur darum nicht gelungen war, weil Thôr selbst ihn unterbrochen, konnte nicht wohl spurlos am Runenwesen vorübergehn, wie auch der Name der Zauberin in das Grôalied eingetreten ist. Freilich galt der Zauber zuletzt nicht mehr dem Haupte Thôrs, sondern dem eines Fisches, um zu dem für die Nordbewohner sehr wichtigen Fange des Kabeljaus (Oken 6, 156 f.) guten Wind zu erlangen; eine Neidstange (nídstöng) mit der Thôrsrune wider die Sturmriesen (vgl. Myth. 625).

schaft mit demselben, die eigentliche Kraft aus einer im Hintergrunde gedachten Thatsache des Götter- und Geisterlebens. Dieser tiefere und gemeinsame, im galdr angelautete und durch die stafir angezeichnete mythische Bezug war wohl auch im Zauberwesen die ursprüngliche rûn, hierin entsprechend dem Gebrauche des Wortes auf der Stufe des skäldischen Ausdrucks. Dann aber verwandte man die Benennung des mythischen Geheimnisses auch für das zweifach und mehr noch, als der gesprochene oder gesungene Segen, geheimnisvolle Zeichen desselben, rûn wurde gleichbedeutend mit stafr, und weiterhin verstand man, außer Zusammenhang mit Zauber und Götterkunde, unter Runen einfach die Buchstaben des nordischen Alphabets. Das hier aufgestellte Verhältnis zwischen rûn, stafr und galdr erprobt sich daran, daß, während die altn. rûn zum Schriftzeichen geworden, umgekehrt im urverwandten finnischen runo gerade das Lied, gröstentheils Mythen- und Zauberlied, und zwar das gesungene, im Verein mit dem Wohlklang der Harfe (Kantele) wunderbar wirkende, gemeint, von Schriftrunen aber dort nichts bekannt ist und, wo altnordisch diese helfen sollen, von dem zaubersingenden Finnen das rechte Wort gesucht wird [1]. Dagegen kennen

[1] J. Grimm, über das finnische Epos 7 f., rechnet zu den urverwandten, weder aus dem Deutschen ins Finnische, noch aus dem Finnischen ins Deutsche gekommenen Wörtern: „finn. runo carmen, goth. runa mysterium, altn. rûn litera, secretum, weil lied, gesang, schrift und geheimnis aneinander rühren.“ (Das finn. Nomen sondert kein Genus, ebd. 9.) Schröter, Finn. Runen, Stuttgart 1831, XII: „Der einheimische Namen ist: Runo, pl. Runot; der Sänger oder Dichter heißt Runolainen, Runoja, Runottaja, Runoseppä, oder in Sawolax und Karelen Runoniekka.“ (Ebd. XX: „Die Zaubergesänge, finnisch: Luwut, pl. (nom. sing. lukko) Lesung, als Epilog gemeiniglich, der eigentliche Zauber, die Beschwörung, finnisch: Loihto.“ Daneben gleichwohl der allgemeinere Name des Liedes Runo.) Zum Runengesang hauptsächlich Kalevala, öfvers. af M. A. Castrén, Helsingfors 1841. 1, 61. 2, 90 ff. 183 ff. Schröter 69 ff. 99 ff. Castréns Föreläsningar i finsk mytologi, Helsingfors 1853, 310 f.: „Finnarne forstodo sig ej, så vidt man har sig bekant, på konsten att rista runor, men hvad Odin u. s. w. verkar genom sina runor, detsamma åstadkommer åter Wäinämöinen genom sina sånger.“ Wäinämöinen zimmert sich ein Boot mit dreitägigem Gesang, aber zur Vollendung fehlen ihm noch drei Worte, Zauberworte, die er vergeblich vom Scheitel der Schwalben, den Schultern der Gänse, dem Haupt der Schwäne, der Zunge des Rennthiers, den Lippen des Eichhorns u. s. w. zu erlangen sucht (vgl. Sæm. 195, 15 ff.), aber erst bei dem sangkundigen Wipunen, der lange schon leblos in der

alte Volkslieder aus Schweden und Dänemark selbst noch den bezaubernden Rúnenschlag, der von der Goldharfe der schönen Zwergtochter erklingt [1]. Von beiderlei Ausdrucksweisen, die sich den Namen der Rune angeeignet haben, dem Liedesklang und den geritzten Zeichen, wird man auf die Rúne selbst, die in ihnen wirksam ist, zurückgeleitet.

Es ist der weite Gesammtkreis altnordischer Götterkunde, welchen der Skálde für seinen Liederprunk, der Zauberlustige für seine Galder und Rúnenstäbe ausbeutet. Auf das Wissen in diesem Gebiete wird gleichfalls der Ausdruck Rúnen angewandt und zwar ist hiebei wieder eine Abstufung vorzunehmen, je nachdem die Kenntnis mehr nur äußerlich die Ordnungen und Einzelwesen, die Namen und Geschichten des Götterreichs begreift, oder in Sinn und Bedeutung der räthselhaften Mythenbilder eindringt. In ersterer Hinsicht macht sich eines der in Rúnatal verzeichneten Lieder bemerklich: „Das kann ich das vierzehnte,

Erde liegt und von Baum und Busch überwachsen ist, mit einer Fülle weiterer Worte und Gegenstände des Gesanges findet (Kalevala 1, 96 ff.), eine Dichtung, die, nur in abenteurlichern Zügen, den Todtenbeschwörungen des Vegtams- und des Gróaliedes entspricht. Altnordische Sagen berichten Manches vom Zauber der Finnen (wobei besonders auch die Lappen in Finnmörk gemeint sind), der vorzüglich auf Wettermachen und gefeite Pfeile sich bezieht, s. Fornald. S. 3, 745 (Sachregist.): „Finnskr galdr;“ Heimskr. hg. Schöning VI, 113, 240: „galldrar megin-rammir fiölkunnigra Finna.“ Gegenzauber wider den abgeschossenen Pfeil in Rúnatal (Sæm. 29, 13). Bei Saxo 1, 17 schießt ein in Hadings Schiff aufgenommener Greis, offenbar der alte Odin selbst (vgl. Sæm. 183 ff.), verderbliche Pfeile unter die Biarmier und vertreibt ihr Zauberwetter („carminibus in nimbos solvere cælum“) durch eine Gegenwolke („obvia nube“).

[1] Die Lieder sind oben S. 223, Anm. 1 angezogen, hieher besonders aus Svenska Folkvis. 1, 127 ff.: „Styrer väl de Runor“ (Kehrzeile); „alt medan jag slår ett Runaslagh, blomstras skall mark och ängh;“ „Der löfvades skogh, der blomstrades mark, dett kunde vähl dhe Runaslagen vålla;“ „Riddar Tinne med Runnerne binda;“ daneben: „hon tog fram dhe Runeböcker fem; så löste hon Riddar Tinne frij u. s. w.;“ „Tacka vill iag Olle ville vargens dotter, som hade migh med Runnerne bundit;“ aus Udv. d. Vis. 1, 281 ff. Kehrzeile: „Raader i vel de Runer;“ „den Stund jeg leger mine Runer saa ꝛc.;“ „Saa slog hun de Runeslag, at Harpen saa vel maatte klinge;“ „det kunde de Runer saa vende;“ „Du torde ikke Herr Tönne med Runeslag have bundet;“ „Hun löste den Herre af Runeslag, hendes Datter havde bundet dem. Nu have jeg Dig af Runen löst, de kan Dig nu aldrig binde.“

soll ich der Männerschaar die Götter vorzählen, aller Äsen und Alfe weiß ich Bescheid, kein Unkluger versteht es so" [1]. Dieser Segen ist eigentlich die Weihe zu allen andern, die ihre Kraft einer höhern Welt entnehmen, und gemahnt an den Gedächtnistrank, den die Zauberin Hyndla dem jungen Ottar bringen soll, damit er die alten Geschlechter aufzuzählen wisse [2]. Die Eddalieder sind voll von mythologischen Aufzählungen. Grimnismâl besteht in der Hauptsache nur aus solchen: der Götterwohnungen, der Thiere, Ströme und andrer Gegenstände der Götterwelt, der Valkyrien, der Namen Odins [3]; das Ganze ist in Odins Mund gelegt und die Stellung, in der er sich dabei befindet, durch eine später hinzugefügte Erzählung in Prosa erläutert. Es ist dieselbe Art höherer Beglaubigung, wie sie, nach Obigem, für Beschwörungen, Lehrsprüche, dann für das Rûnenverzeichnis der odinischen Sigrdrifa stattgefunden hat. Auch die Vala zählt in ihrem großen Spruche Klassen und Namen der Zwerge, nebst Nornen und Valkyrien, her [4]. Aus dem gleichfalls aufzählenden Liede Alsvinnsmâl hat sich nur eine Liste von Götter- und mehr noch Heldenrossen erhalten [5] und auch hier wird der mythische Sprecher nicht gefehlt haben, der, wie sein Name besagt, hochverständige Jötun Alsvidr, in Rûnatal als derjenige genannt, durch welchen das Rûnenschneiden an die Riesen kam [6]. Mit

[1] Sæm. 30, 22 [Hâvam. 160. K.]: „Þat kann ek it fiortânda, ef ek skal firda lidi telja tiva for: Âsa ok Âlfa ek kann allra skil, fâr kann ôsnotr svâ."

[2] Sæm. 114, 11: „Nû lâttu forna nidja talda ok upphornar ættir manna". 119, 42: „Ber þû minnisöl minum gesti, svâ hann öll muni ord at tina þessa[r] rædu, þâ er þeir Angantýr ættir rekja." Vgl. Sæm. 192b: „minnisveig". 194, 5.

[3] Sæm. 39 ff. Wie die Dinge heißen, ist in diesem Liede besonders betont (Str. 5: „Ydalir heita". 6: „Valaskialf heitir" u. s. f.), aber die benannten wichtigern Gegenstände werden zugleich näher bestimmt und veranschaulicht.

[4] Sæm. 2, 10 bis 16 (12: „rêtt umtalda," 14: „telja," 16: „lângnidja tal"; vgl. Sæm. 114, 11: „nidja talda"); 4, 20. 24 („nû ero taldar nönnur Herjans").

[5] Sn. 180, Arn. 482 f.: „Þessir [hestar] 'ro enn taldir î Alsvinnsmâlum," B. „î kâlfsvisu(m)."

[6] Sæm. 28, 6: „Alsvidr iötnom for." Munch 19, 144: „Âsvidr;" unter den iötna heiti Sn. 209 f. 211 keines von beiden, dagegen Sæm. 30, 1. 6 als Beiwort, „alsvidr iötunn."

einer Namenreihe sagenhafter Pferde geben Bruchstücke von Thorgrimsthula auch die Namen vorzeitlicher Ochsen[1]. So gelangt man zuletzt zu den stabgereimten Gedenkversen der Skálda, in welchen die reichste Sammlung der einfachen dichterischen Benennungen (ókend heiti), besonders auch der Götter- und Heldensage entnommener, aufgestellt ist[2]. Wer einen guten Gedächtnistrunk gethan, um solche Aufzählungen stets gegenwärtig behalten zu können, dem war sowohl das Verständnis der älteren Lieder, als der eigene Versuch in skáldischen Arbeiten merklich erleichtert. Der ernstere Zweck der Einweihung in die Götterlehre, wie er für Grimnismál und andre Eddalieder gilt, ist allmählich dem des Unterrichts in der Dichtersprache gewichen. Unter den Liedern aber, welche jenem ursprünglichen Zwecke dienen, ist nun zu einem vorzugehen, das die Kunden aus der Götter- und Riesenwelt ausdrücklich als Rúnen bezeichnet, zu dem eddischen Wettgespräche Vafthrúdnismál. Hier geht Odin aus, um sich mit dem klugen Jötun Vafthrúdnir in „alten Stäben" (Sæm. 31, 1: „á fornom stöfum"; 38, 55: „mína forna stafi") zu messen; unter dem Namen Gángrádr, der Wandernde, tritt er bei dem Riesen ein, wird zuerst von diesem mit einigen Fragen geprüft und fragt dann denselben aus um der Jötune Rúnen und aller Götter (Sæm. 36, 42 f.: „frá iötna rúnom ok allra goda"); auf Alles weiß Vafthrúdnir Bescheid, außer zuletzt auf éine Frage, an der er den Odin erräth und für den weiseren anerkennt. Die Kunden, welche der Jötun zu geben hat, betreffen, wie es dem Wissen seines Geschlechts zukommt (s. oben), zumeist den elementarischen Weltursprung und dann wieder die Zeit des Untergangs und der Neugeburt. Das bezeichnet er selbst damit, daß er seine alten Stäbe gesprochen und von der Götternacht[3]. Streng zwar ist diese Grenze nicht mehr

[1] Sn. 179 (Arn. 480): „þessi eru heiti hesta talid. þessi eru hestaheiti í þorgríms-þulu." Sn. 180 (Arn. 484): „þessi oxna heiti eru í þorgrímsþulu: Gamalla uxna nöfna hefi ek giörla fregit."

[2] Sn. 208 ff. (Arn. 546 ff.). Auch hier 210b: „nú eru upptalin u. s. w. iötna heiti." „Skal ek tröllkvenna telja heiti." 211b: „Enn skal telja ása heiti."

[3] Sæm. 38, 55: „feigom munni mæltak mína forna stafi ok um ragna rök" (vgl. Myth. 774). Letzteres könnte zwar, wie „tíva rök" (Sæm. 36, 38 ff.), allgemein für Sachen, Geschicke der Götter genommen werden, aber es berührt sich zugleich mit „í aldar rök" (Sæm. 36, 39), „unz riufaz

eingehalten, aber sie haftet in der Anlage des Liedes [1], und einer Frage aus dem tiefern Äsenleben, was Odin dem Sohn ins Ohr gesagt, ehe dieser den Scheiterhaufen bestieg, erliegt die Weisheit des Jötuns; was er von aller Götter Rünen Sicheres sagen zu können sich rühmte (Sæm. 46, 43), findet daran sein Ziel.

Daß nun rûnar und stafir, wie sie in diesem Liede ausgetauscht werden, nicht als Buchstaben oder magische Zeichen, sondern als Belehrungen über mythische Gegenstände zu verstehen seien, wird durch den ganzen Zusammenhang vollkommen klar; nicht minder ergibt jedoch das Gleichgehen des zweiten Wortes mit dem ersten, daß auch dieses, rûnar, bereits den Durchgang durch die (schon oben in Völuspâ nachgewiesene) Anwendung für Schriftzeichen zu der allgemeineren Bedeutung gemacht habe, vermöge welcher es für Kenntnisse tieferer Art überhaupt gebraucht werden kann. Einschneiden der Schrift ist schon der Völuspâ bekannt, wenn dort gesagt wird, daß Urd und Verdandi, die zwei Nornen, auf eine Scheibe Skuld, die dritte, geschnitten haben [2]; mit merkwürdiger Rückauflösung der sinnbildlichen Person in den Begriff schneiden die beiden, welche Vergangenheit und Gegenwart bedeuten, die noch eben unter den drei vielwissenden Mädchen mitverstandene Schwester, die Zukunft, in das Holz; damit aber kann keine Zauberrune, sondern nur eine Vorausbestimmung in Schriftzeichen gemeint sein, die Festsetzung der menschlichen Geschicke, wovon unmittelbar darauf die Rede ist; gleicher Weise scheint es sich mit den Machturtheilen und den alten Rünen des großen Gottes (Odins) zu verhalten, deren, nach demselben Liede, die neuerstandenen Äsen gedenk sind [3]. In Vafthrûdnis-

regin," ebd. 40), „þâ er regin deyja" (37, 47), „at aldrlagi, þâ er riufaz regin (ebd. 52).

[1] Nicht unbedeutsam ist auch, wenn der Jötun von seiner Seite den Gast nach dem Strome fragt, der zwischen Riesensöhnen und Göttern das Land theilt, oder nach dem Felde, wo Surtr und die milden Götter sich zum Kampfe treffen werden (Sæm. 33, 15 bis 18).

[2] Sæm. 4, 20: „þaðan koma meyjar margs vitandi þriâr u. s. w. Urð hêtu eina, aðra Verðandi, skâru â skíði Skuld hina þriðju: þær lög lögðu, þær líf kuro alda börnom orlög seggja." Seggr m., gen. pl.; V. örlög at seggja. Sæm. 187, 11: „Norna dôm."

[3] Sæm. 9, 60 (vgl. Sn. 76): „Hittaz Æsir â Iðavelli u. s. w. ok minnaz þar â megindôma ok â fimbultýs fornar rûnar." (Über fimbul Myth.

mál aber werden nicht Rûnen oder Stäbe geschnitten, sondern es wird von Rûnen gesagt und sogar die stafir werden gesprochen; es ist überall ein Austausch von Worten, nicht von Zeichen [1]. Damit sind die Rûnen dem ursprünglichen Sinne der Geheimnisrede zurückgegeben und selbst das eigentliche Raunen steckt in der Spitze des Wettstreits, indem diejenige rûn, womit der Riese sich überfragt findet, eine solche ist, die Odin seinem Sohn ins Ohr geflüstert hat [2], entsprechend jenen persönlichen altn. feyrarûna, ahd. m. ôrrûno (s. oben S. 226).

Auch zu diesem Eddalied und noch entschiedener, als zu Vegtamskvida, bietet sich ein finnisches Runo als Seitenstück. Der alte göttliche

785.) Dazu halte man die ausdrücklich von gezeichneten Rûnen handelnden Stellen aus Hávamál (Sæm. 20, 81): „er þû at rûnum spyrr enum reginkunnum þeim er giördo ginnregin ok fâdi fimbulþulr“ u. s. w. und aus Rûnatal (Sæm. 28, 5): „Rûnar muntu finna ok râdna stafi, miök stôra stafi, miök stinna stafi, er fadi fimbulþulr ok giördu ginnregin ok reist hroptr rögna.“

[1] Sæm. 36, 42: „frá iötna rûnum ok allra goda segþu it sannasta.“ 36, 43: „frá iötna rûnum ok allra goda ek kann segja satt.“ 38, 55: „feigom munni mæltak mîna forna stafi;“ sonst noch im Verlaufe des Liedes 31, 2: „ædi þer dugi hvars þû skalt, orr aldafödr ordom mæla iötun“ (verbis metiri gigantem). 31, 5: „at freista ordspeki þess ins alsvinna iötuns.“ 32, 9: „inn gamli þulr.“ 38, 55: „nû ek vid Odin deildak mîna ordspeki.“ Ähnliches anderwärts, Sæm. 24, 1 [Hávam. 111. K.]: „hlýdda ek á manna mâl. Of rûnar heyrdak dœma u. s. w. heyrdak segja svá.“ (Vgl. Sæm. 174, 17.) Fornald. S. 2, 302: „Sagdi mer völva sannar rûnir en ek vætki þvî vildi hlýda“ (dem entspricht ebd. 2, 167: „saga mun sannast, sû er segir völva;“ es handelt sich von einer Todesprophezeiung). Besonders aber ist „stafir“ von mündlichen Äußerungen manigfacher Art gebräuchlich, Sæm. 12, 9: „Hinn er sæll, er ser um getr, lof ok liknstafi“ (vgl. 194, 5). 14, 30: „Œrna mælir sá er æva þegir stadlausu stafi.“ 61, 10: „sîdr oss Loki kvedi lastastöfum.“ Fornald. S. 1, 456 (vgl. 520 b): „hvat kallar þû svá full feiknstafa?“ (Sæm. 41, 12: „feicnstafi“).

[2] Die Frage lautet Sæm. 38, 54: „hvat mælti Odinn âdr á bâl stigi sialfr î eyra syni?“ Auch im Räthselliede der Herv. S., Fornald. S. 1, 487: „hvat mælti Odinn î eyra Baldri, âdr hann var á bâl borinn?“ Man vermuthet darin eine Zusicherung des Wiederauflebens in der neuerstandenen Welt, wovon Völuspá zeugt, Sæm. 10, 62: „böls mun alls batna, Baldr mun koma.“ (Finn Magn., Edda 1, 130) Vgl. Graff 2, 525: „hellirûna necromantia.“ Myth. 1178.

Väinämöinen und der Jüngling Joukahainen aus feindlichem Stamme stoßen auf dem Wege zusammen und ihr Fahrgeschirr verrennt sich in einander. Jener verlangt, daß der jüngere ausweichen soll, Joukahainen aber will, daß nicht Jugend oder Alter, sondern die überlegene Weisheit den Platz behaupte. Das Wissen, dessen er sich rühmt, betrifft Thiere, besonders Fische, Baumwerk und Boden, namentlich je die älteste Art, den Ursprung des Feuers, Wassers, Eisens, es geht hinauf in die ferne Zeit des Weltbaus. Väinämöinen aber erklärt alles dieß für Kunden eines Kindes, nicht eines bärtigen Alten, während er selbst an der Weltschöpfung thätig Theil genommen. Als sodann der zürnende Jüngling noch mit seiner Zauberkunst droht, erwidert ihm der Alte mit einem Gesange, wovon das Meer anschwillt, die Erde bebt und der junge Gegner bis zur Brust in den Boden sinkt. Aus dieser Bedrängnis löst ihn nur das Versprechen, seine schöne Schwester dem gewaltigen Sänger zur Ehe zu geben [1]. Odin und Väinämöinen sind gleichmäßig Gründer und Meister der Liederkunst, insbesondre des Zaubersangs; beiden wohnt dem naturkundigen Wettkämpfer gegenüber das höhere Wissen, die siegreiche Geisteskraft inne. An beiden Orten handelt es sich zunächst um Kunden der Urzeit, aber im Eddaliede muste der Jötun der ältere sein und das Älteste wissen, weil nach nordischer Vorstellung die erste Stufe der Weltschöpfung dem Riesengeschlecht angehört. Je höher nun, vermöge der offenliegenden Verwandtschaft mit dem finnischen Runo, das Alter von Vafthrúdnismál dem Grundbestande nach hinaufrückt, um so leichter erklärt es sich, daß der ursprüngliche Gegensatz zwischen Götter- und Riesenkunden, zwischen Äsen- und Jötunrúnen nicht mehr in vollkommener Schärfe gewahrt ist [2].

Die mythologischen Belehrungen, die das letztbesprochene Eddalied Rúnen nennt, geben noch immer nur eine äußere, thatsächliche Kenntnis

[1] Kalevala, öfvers. af Castrén 2, 186 ff. (vgl. 1, 5 bis 11). Schröter, Finn. Run. 3 ff. Vgl. Ganander, Finn. Mythol., übers. von Peterson (Reval 1821) S. 97 bis 99. (J. Grimm, üb. das finn. Epos 29.) Castrén, Föreläsn. i finsk Mytologi 285. 297 f. 303 f. 311.

[2] Die Unterscheidung der Rúnen mehrfacher Wesenclassen, Sæm. 28, 6 und 196, 19, bezieht sich allerdings auf eingeschnittene Rúnen; aber es ist schon berührt und soll noch weiter erörtert werden, wie auch da, wo von solchen die Rede ist, großentheils die Mythen selbst gemeint seien.

mythischer Namen, Gegenstände und Vorgänge, sie lassen die erhebliche Frage übrig, ob es nicht auch eine Rünenkunde gab, die sich auf die innere Bedeutung der mythischen Sinnbildsprache, als bewuster Hülle des unter ihr verborgenen Geheimnisses, erstreckte. Es verlohnt sich der Mühe, den Spuren der Rüne in dieser eindringendsten Richtung nachzugehen. In denselben Formen, wie Vafthrûdnismâl und andre der Mythenkunde gewidmete Gesprächlieder [1], bewegt sich das in Hervörsaga aufbehaltene Räthsellied [2]. Wie Odin dort als Gângrâdr, Wanderer, den vielkundigen Riesen, so sucht er hier als Gestr, Gast [3], den König Heidrek heim und stellt demselben eine Reihe von Räthselaufgaben, die der König alle löst, außer der letzten Frage, welche, kein eigentliches Räthsel, die gleiche ist, an der Vafthrûdnir erlag. Im Räthsel (altn. gâta f.) wird mit Bewustsein unter möglichst fremdartigem und beirrendem, aber durch Scharfsinn ausgleichbarem Bilde der Gegenstand versteckt. Auch die mythische Symbolik gefällt sich manchmal im Schwierigen und Verwunderlichen, davon ist der Mythus vom Dichtertrank ein naheliegendes Beispiel; aber im Ganzen hat sie es nicht auf das neckische Spiel, vielmehr darauf abgesehen, daß die Sache sich im entsprechenden Bilde spiegle, der unterliegende Sinn seinen lebendigsten Ausdruck finde. Während das Räthsel sich auf vereinzelte Gegenstände beschränken muß [4], weil sonst das Gewebe sich unauflösbar verwirren würde, kann die mythische Bilderschrift Vieles umfassen und wird eben im größeren Zusammenhang um so besser verständlich. Gests vorletztes Räthsel lautet: „Wer sind die Zween, die zur Versammlung fahren? drei Augen haben sie zusammen, zehn Füße und einen Schweif, so schweben sie über die Lande.“ Es ist der einäugige Odin auf seinem achtfüßigen Rosse Sleipnir [5].

[1] Alvîsmâl, Vegtamskvida, Fiölsvinnsmâl, vgl. auch den Eingang von Gylfaginning, Sn. 3.

[2] Fornald. S. 1, 465 ff. vgl. 533. Hervarar S., Kiöb. 1847, 32 ff. 64 f.

[3] Vgl. Grettis S. C. 75 (Marcuss. S. 146): „Gestur heiti eg u. s. w. Þu munt vilia skemta nockud, og ertu Þa goodur gestur.“

[4] Unter den Räthseln der Herv. S. bildet nur eines, Str. 51 (Fornald. S. 1, 482 f.), eine Sammelfrage, aber die einzelnen Gegenstände sind doch auseinander gehalten.

[5] Str. 61 f. Hieher auch die von den Wölfen verfolgte Sonne, Ausg. v. 1847, 65, vgl. Sæm. 45, 39. Rochholz, aargau. Räthsel in Wolfs Zeitschrift 1, 147.

Hier ist nun wohl der Gegenstand ein mythischer, aber Frage und Antwort betreffen nur die äußere Erscheinung, sie lassen unberührt, was Odins Ritt auf dem achtbeinigen Pferde bedeute (vgl. Thôr 111). Ganz nahe tritt dagegen dasselbe Räthsellied dem Wesen der Mythenbildung, wenn es in vier Aufgaben fragt, wer die Mädchen, die Bräute seien, die, klagend, ihrer viele zusammen gehn nach des Vaters Bestimmung, bleiche Haare und weiße Hauptbinden haben, Manchem zum Schaden geworden, selten freundlich gegen Männervolk seien, im Winde wachen müssen, auf Brandungsklippen gehn und die Bucht entlang fahren, hartes Bett haben und wenig in Meeresstille spielen;" und wenn dann in den gleichfalls stabgereimten Antworten diese Mädchen zugleich unbildlich als Wellen, Wogen, Brandungen und mythisch als Ögis Töchter, Gymis Töchter von Rân, Eldis Bräute bezeichnet werden [1]. Einige jener nichtbildlichen Wörter erscheinen anderseits wieder in Skâlda unter den Eigennamen der Ögistöchter [2]. Mehrmals schickt Gest dem Räthselbilde die Frage voran: „Was ist das für ein Wunder, das ich außen sah vor Dellings Thür?" [3] Es ist schon gezeigt worden, daß

[1] Str. 37 bis 42. 47 f., insbesondre 38: „Eldis brúdir (vgl. Sæm. 59 f. Sn. 129), eitri blandnar." 40: „Gýmir hefir ser getit dœtr râdsvidar vid Rân; bylgjur þær heita ok bárir." 42: „öldur þat eru, Œgis dœtr" u. s. w. 48: „bárur ok brekar, ok bodar giörvallir, leggjast loks á sker." Vgl. Str. 30: „Gýmis fletjum u. s. w. Dvalins leiku u. s. w. Forniots bur." Obgleich die strophischen Auflösungen nur in einer Hdschr. der Herv. S. stehen (Fornald. S. 1. Form. XXVI. Sagabibl. 2, 568), tragen sie doch kein neueres Gepräge, als die Aufgaben.

[2] Sn. 124: „Œgis dœtra þeirra, er svá heita: Bylgja, Bára". Ebd. 185, vgl. 217 b, 2; die mitgenannte Blódughadda (Bleikhadda?) gemahnt an die hadda bleika der Räthselfrage, Str. 39.

[3] „Hvat er þat undra er ek úti sá fyri Dellings dyrum?" Str. 9. 11. 13. 15. 59. (Vgl. Str. 12: „at Ymis dyrum." Sæm. 99, 15: „innan dyra." 124, 29: „til dómvalds dyra." 130, 76: „í herdis dyrum." Zeitschr. f. d. Alt. 2, 535 bis 37.) Der Frage: „hvat er þat undra?" entspricht Ähnliches in deutschen (auch angelsächsischen) Räthseln; Anzeig. 7, 377 (Regenbogen): „wer rat mir dise wunder?" ebd. 375, „ir maister ratent dise wunder!" MS. 2, 369 a (Rûmelant): „wie mak daz wunderliche wunder sin genennet?" 2, 211, 187 b (Reinmar v. Zweter): „Diz liet ist vol wunders gar u. s. w. merket wunder!" 188: „dirre wunder ich iuch unterscheide u. s. w. durch wunder ich daz wunder schribe, wand ez ist wunders gar genuok." 2, 240 b (Marner): „Ich spür ein wunder dur diu lant." 3, 49 b, 4: „Ein wunder wonet der werlde mit u. s. w."

die letztern Worte besagen: bei Tages Anbruch (s. S. 239). Was sollen aber die Wunder, die um diese Zeit gesehen werden, andres sein, als Traumgesichte, die eben der Morgenschlaf am lebhaftesten vorspiegelt?[1] Der Räthselmann konnte seine seltsamen Gebilde füglich als geträumte ankündigen und rückte sie damit noch tiefer in das Halblicht des Wunderbaren und Ahnungsvollen. Auch ist in Lied und Sage für die Darlegung und Deutung der Träume dieselbe Form der Wechselrede gebräuchlich, in welcher Aufgabe und Lösung der Räthsel sich ausspinnt[2]; in beiden Fällen verlangen bedeutsame Bilder das erschließende Wort und die Träume sind Räthsel der Zukunft. Nicht minder ist dem Runenwesen mit der Räthsellösung und der Traumdeutung sowohl die Form von Frage und Antwort[3], als der Ausdruck rathen („râda") gemeinsam[4]; als Atli seine Schwäger verrätherisch zu sich ladet, werden von den Hausfrauen der Niflunge die warnenden Runen und die abmahnenden

[1] Eirîksmâl 1, Fagrsk. 16 (Frauers Wall. 87): „Hvat er þat drauma? (kvad Odinn) ek hugdumk fyr dag litlu" (hugdumk zu fyr dag litlu gezogen). Sn. 97. Arn. 240: „fyrir dag risa". Lex. myth. 512.

[2] Sæm. 236 f., 37 bis 43. 253 ff., 15 bis 28 (vgl. auch 93, 1 bis 3). Fornald. S. 2, 40 bis 42. 377 bis 79.

[3] Fornm. S. 6, 371: „Herra! segir Halli, ek vil segja ydr [Har. hardr.] draum minn, þèr erud draumspakir."

[4] Räthsel Fornald. S. 1, 463: „skyldi hann bera upp gâtur þær, er konûngr gæti eigi râdit." 464: „þû skalt bera upp gâtu þâ, er ek kann eigi râda (vgl. ebd. 532: „ef hann bæri upp gâtur þær, er konûngr kynni eigi or at leysa u. s. w. er hann rêdi eigi"); im Räthselliede selbst ist die Formel: „hygg þû at gâtu" (ebd. 465 ff.), denk du dem Räthsel nach! Auch in angelsächsischen Räthseln Beides: „ræd hvät ic mæne" Cod. Exon. 479, 18; „micel is tô hycganne" Ettm. 296 f. Träume Sæm. 254, 23: „râd þû hvat þat væri." Fornald. S. 2, 377: „râda þenna draum" (zu râda ebd. 1, 181. 209. 213. 372. 420. 2, 172. 3, 561); ebd. 2, 40 f. dreimal: „hvad kvad þû, þengill! þann draum vita?" und einmal: „Hâlfri dreymdi mik, hygdu at slîku!" (wie im Räthselliede: „hyg þû at gâtu!)"; ebd. 2, 378: „hvat mân þetta þýda?" 379: „þat er þýding þess draums." Runen Sæm. 28, 5: „rûnar muntu finna ok râdna stafi." 28, 7: „veiztu hvê râda skal?" 195, 13: „þær [hugrûnar] of rêd u. s. w. Hroptr." 234, 22: „vôru î horni hverskyns stafir ristnir ok rodnir, râda ek ne mâttak" (Fornald. S. 1, 207). 252, 9: „kunni hon skil rûna; innti ordstafi at eldi liosum u. s. w. vâro svâ viltar at var vant at râda." 252, 12: „rêd ek þær rûnar er reist þin systir."

Träume gleichmäßig errathen [1], und wie in den mitgeschickten Ring Wolfshaare gewunden sind, dann in den Träumen ein krimmender Bär und ein blutsprengender Aar hereinstürmen und Wölfe heulen, so ist auch den, zwar von Boten verfälschten Schriftzeichen (ordstafir) ein entsprechender Wortinhalt unterzustellen, ein solcher etwa, wie bei Entdeckung der Wolfshaare gesagt wird: „Wölfisch ist unser Weg," und hernach: „Der Wolf wird walten des Erbes der Niflunge, dunkelfarbe Bären die Herde zerreißen, wenn Gunnar nicht wiederkommt" [2]. Ausgesprochene Gleichstellung der Rüne mit dem Traumbild ergibt sich angelsächsisch bei Cädmon, wenn Daniel über das Gesicht des Königs vom riesenhaften Baume Bescheid geben soll, was diese Rün verkünde [3].

Der Unterricht, den Sigrdrifa dem jungen Sigurd ertheilt, macht eine Reihe von Rünenarten namhaft, deren einige schon früher besprochen wurden: Siegrunen (sigrûnar), zur Erlangung des Sieges auf das Schwert einzugraben; Ålrunen (ölrûnar), zur Wahrung vor Frauentrug (beim Zweitrinken) auf das Trinkhorn und den Rücken der Hand zu ritzen; Bergrünen (biargrûnar) zur Bergung und Lösung der Leibesfrucht auf die flache Hand zu ritzen und über die Gelenke zu binden; Fluthrünen (brimrûnar) zur Schiffrettung, auf Steven, Steuerblatt

[1] Die Stellen in voriger Anm. Sæm. 252, 12: „rêd ek þær rûnar" u. s. w. und 254, 23: „râd þû hvat þat væri" (vom Traume).

[2] Sæm. 245, 8: „Hvat hyggr þû brûdi benda þâ er hon okr baug sendi varinn vâdum heidîngja? hygg ek þat at hon vörnud bydi: hâr fann ek heidingja ridit î hrîng raudom, ylfskr er vegr okkarr at rîda örindi." 253, 18: „Biörn hugda ek hêr inn kominn u. s. w. hristi svâ hramma at vit [a. ver] hrædd yrdim." Str. 20: „Örn hugda ek hêr inn flinga u. s. w. dreifdi hann oss öll blôdi." 24: „emjudu ûlfar â [geirs] endum bâdum." 245, 11: „Ûlfr mun râda arfi Niflûnga u. s. w. birnir blakkfiallar bîta þref (vgl. Sprachg. 29 u.) tönnum u. s. w. ef Gunnarr [nê] kemrat."

[3] Cädm. 4059: „bæd hine âreccan, hvät seó rûn bude," dann 4062: „hvät se beám bude," vorher aber 4046 von demselben Gesichte: „hvät þät svefen bude"; jenes „hvät seó rûn bude" wird aber weiterhin auch von den wunderbar an die Wand geschriebenen Worten gebraucht, 4240 f.: „(engel drihtnes) vrât þâ in vage vorda gerŷnu, basve bôcstafas u. s. w." 4251: „Ne mihton âr ædan rûncräftige men engles ærendbêc." 4257 f.: „þät he him bôcstafas ârädde and ârehte, hvät seó rûn bude." 4262: „drihtnes dômas." 4264: „vorda gerŷnu."

und Ruder; Zweigrünen (limrûnar) für den Arzt und Wundarzt, auf Baumrinde und Gezweig; Gerichtsrünen (mâlrûnar) für den Erfolg auf der Dingstätte, um sich zu winden und zu weben (Sæm. 194, 6 bis 12). Diese sechs Arten sind sämmtlich auf unmittelbar hilfreichen und nützlichen Gebrauch im werkthätigen Leben berechnet, die Rünen sollen wirklich geritzt und umgebunden, auf stoffliche Gegenstände eingeschrieben werden. Die vorhergehenden Rünenarten haben je eine äußere Wirkung. die Hugrünen wirken innerlich zur Einsicht und Erkenntnis, als deren Gegenstand sich eben nur die Gebilde des Mythenkreises darbieten. Ganz anders verhält es sich mit der letzten, siebenten Art, die am ausführlichsten dargelegt wird:

Sinnrünen (hugrûnar) sollst du kennen, wenn du denkfertiger (gedsvinnari) sein willst, als jeder andre Mann; die errieth, diese ritzte, die ersann Hroptr von dem Wasser, das geronnen war aus Heiddraupnis Schädel und aus Hoddropnis Horne; auf dem Berge stand er mit Brimis[1] Ecken, hatte den Helm auf dem Haupte; da sprach Mimis Haupt weise das erste Wort und sagte wahre Stäbe; auf dem Schilde seien sie geritzt, der vor der leuchtenden Gottheit steht, auf Arvakrs Ohre und Alvids Hufe, auf dem Rade, das sich unter Rögnis Wagen dreht, auf Sleipnis Zähnen und auf des Schlittens Bändern; auf des Bären Kralle und auf Bragis Zunge, auf des Wolfs Klauen und des Adlers Schnabel, auf blutigen Schwingen und auf der Brücke Ende, auf der Lösung Hand und der Linderung Spur; auf Glas und auf Gold und auf der Männer Schutzwehr, in Wein und Gebräu, auf der Vala Sessel, auf Gungnis Spitze und auf Granis Brust, auf der Norn Nagel und dem Schnabel der Eule; alle waren abgeschabt, die aufgeritzt waren, und waren in den heiligen Meth gerührt und gesandt auf weite Wege, die sind bei den Äsen, die bei den Älfen, einige bei weisen Vanen, einige haben die Menschenkinder (Sæm. 195, 13 bis 19).[2]

[1] Sæm. 195, 14: „med Brimis eggjar.“ Zwar ist brimir (zu brimi, m. flamma, Lex. isl. 1, 109 gehörig) für Schwert überhaupt gebräuchlich (Sn. 214[b], 3 unter den sverdaheiti: „brimir“; Sæm. 163, 10: „brimis dômar“, Kämpfe; 160, 8: „â brimis eggjar“); doch besagt eine Var. von Grimnism. 44: „Brimir sverda“ (æztr; Munch 192[b]. Lex. myth. 37[a]), womit ein einzelnes, ohne Zweifel eben Odins Schwert bezeichnet wird.

[2] Str. 19: „Allar voro afskafnar þær er voro ristnar, ok hverfdar vid inn helga miöd“ u. s. w. scheint eigens auf Str. 13: „Hugrûnar skaltu kunna u. s. w. þær of-rêd, þær of-reist, þær of-hugdi Hroptr“ sich zu beziehen und den Abschnitt von den Hugrünen abzuschließen, wogegen dann Str. 20 auf alle hergezählte Rünenarten geht und den Abschluß für das Ganze macht.

Der erste Blick ergibt, daß man hier grösten Theils mythische Dinge, überhaupt solche vor sich hat, bei denen ein wirkliches Einritzen rúnischer Zeichen nicht gemeint sein kann, und wenn gleichwohl einige derselben, wie Gold und Glas, dieß an sich zuließen, müssen auch sie im Sinne des Ganzen aufgefaßt werden. Es sind, wie der Name sagt, überall Rúnen des Gedankens, des Geistes, und das Einritzen selbst ist nur bildlich vom lebendigen Gebrauche der Rúnenzeichnung auf das geistige Gebiet der mythischen und dichterischen Anschauungen übertragen. Mythisch erzeigen sich unter den aufgezählten Gegenständen folgende: voran der Schild vor der göttlichen Sonne, sammt ihrem Gespann Arvakr und Alsvidr, Beides in Grimnismál näher beschrieben [1]; dann das Wagenrad Rögnis [2], hier wohl Odins, dessen Roß Sleipnir unmittelbar darauf genannt wird, wie auch der sogleich folgende Schlitten in dieser Verbindung auf einen in Grimnismál kurz berührten Mythus sich zu beziehen scheint, wonach Odin Kialar geheißen ward, als er das Schlittenjoch zog [3]; bedeutsam sind Rúnen auf Bragis, des Götterskálden, Zunge, am Stuhle der Vala, wenn es die Seherin ist, die, einsam außen sitzend (Sæm. 4, 21), in großem Gesammtbilde die Geschicke der Welt entfaltet, und auf dem Nagel der schicksalbestimmenden Norn [4]; das Brückenende findet darin mythischen Bezug, daß mit demselben Worte die j. Edda den oberen Auslauf der Götterbrücke Bifröst bezeichnet [5], wo Heimdall seine Wohnstätte hat; auch der Lösung Hand

[1] Sæm. 45, 37 f.; auch dort der Ausdruck: „for skínanda godi."

[2] Über rögnir Myth. 24. Lex. myth. 402.

[3] Sæm. 46, 49: „en þá Kialar [mik hêtu] er ek kialka dró." Lex. isl. 1, 452: „Sleda-kialki, jugum rhedæ, nonnunquam osseum, è maxillis v. costis balænarum, Slædetræer" u. s. w.

[4] Sæm. 196, 18: „á nornar nagli;" vgl. hiezu Sn. 212: „Nornir heita þær er naud skapa"; dann, auf die Ålrunen übergetragen, Sæm. 194, 7: „merkja á nagli naud." Vgl. noch 187, 12, 5. Bezieht die Eule in Str. 18: „á nefi ugln" sich etwa auf die Erscheinung dieses Vogels als Zugehör des Winters, in alten Volksspielen vom Kampfe der Jahreszeiten, dergleichen eines Sæm. 34, 26 f. anklingen mag? Ritson, Anc. Songs 1, 133: „the howlat." Shakespere, Love's labour's lost, Act 5. Sc. 2: „This side is Hiems, winter u. s. w. maintain'd by the owl."

[5] Sæm. 196, 17: „á brúar spordi." Sn. 21: „þar er enn sá stadr er Himinbiörg heita (vgl. Sæm. 41, 13), sá stendr á himins enda vid brúarspord, þar er Bifröst kemr til himins."

und der Linderung Spur weisen auf persönliche, höhere Wesen von hilfreicher Handanlegung und segnendem Erdenwandel, Lausn und Likn [1], Begriffsgestaltungen desselben Halblebens, wie die zu den Göttinnen gezählten Eir, Siöfn, Lofn u. s. w. und die Jungfrauen in Fiölsvinnsmál: Hlif, Blid, Frid u. s. w. und wieder Eir [2]. Sinnrünen nichtmythischen Gepräges stehen auf des Bären Kralle, des Wolfs Klauen, des Adlers Schnabel und blutigen Schwingen. Die drei hier genannten Thiere begegneten noch eben als Traumbilder, in denen der Niflünge Noth verkündet war [3], sie sind aber auch der dichterische Schmuck der Heldenlieder da, wo Kampf und Schlacht geschildert oder besprochen wird, und bei solchem Anlaß bietet namentlich das letzte Helgilied einen wichtigen Fingerzeig für gegenwärtige Untersuchung. Der junge Völsung Helgi hat den Feind seines Vaters, den König Hunding, gefällt und liegt nun mit seinen Heerschiffen in Brunavág. Hier kommt, durch Luft und über Meer reitend, die Valkyrje Sigrün zu ihm, fragt um Namen und Heimath, auf was sie hier warten und wohin ihr Weg gehe. Helgi nennt sich Hamal (so heißt ein Sohn seines Pflegevaters),

[1] Sæm. 196, 17: „á Lausnar lófa ok á Líknar spori.“ (Lex. isl. 2, 16: „lausn, f. liberatio, redemtio.“ 2, 32: „líkn, f. clementia. 2) medicamen, Lindring“ u. s. w. „líkna, parcere.“) Vgl. Sæm. 195, 9: „Biargrúnar skaltu kunna, ef þú biarga vill ok leysa kind frá konum, á lófa skal þær rísta“ u. s. w. ok bidja þá dísir [Lausn, Líkn?] duga.“ 194, 4: „læknishendr.“ 194, 5: „fullr er hann [bior] lioda ok líknstafa.“ 25, 11: „nem líknargaldr.“ Lofi und spor entsprechen sich, wie die Handberührung eines günstigen Wesens, so ist auch das Eintreten in die Fußspur eines solchen heilsam. (Schädliche Fußstapfen Myth. 1080 u.)

[2] Sn. 36 f. (Arn. 114 f.): „þridja [Ásynja] er Eir, hon er læknir beztr u. s. w. siöunda Siöfn u. s. w. af hennar er elskuginn kalladr siafni; attunda Lofn u. s. w. er af hennar nafni lof kallat, ok svá þat er lofat er miök af mönnum.“ (Lex. isl. 1, 189: „eyra [l. eira], acqviescere. 2) parcere.“) Sæm. 111, 39: „Hlíf u. s. w. Biört ok Blíd, Blídr, Frid, Eir“ u. s. w. Vgl. Myth. 1101 f.

[3] Man vgl. Sigrdr. mál 17 (Sæm. 196): „á biarnar hrammi u. s. w. á ulfs klóm ok á arnar nefi, á blódgom vængjom“ mit Atlamál 18 (Sæm. 253 f.): „Biörn hugda ek hèr inn kominn u. s. w. hristi svá hramma, at ver hrædd yrdim“ u. s. w. 24: „emjuda úlfar“ u. s. w. 20: „Örn hugda ek hèr inn fliuga u. s. w. dreifdi hann oss öll blódi, hugda ek af heitom at væri hamr Atla.“ Die Träume bilden den Übergang zu dem reichen Thema von den Fylgjen.

seine Heimath Hlésey, sie warten auf Fahrwind und ihr Weg gehe nach Osten. Weiter fragt Sigrûn, wo er Hild geweckt oder der Kriegsschwestern Vögel genährt habe, warum seine Brünne mit Blut besprengt sei und sie unter Helmen rohes Fleisch essen. Die Antwort ist, das sei westlich vom Meere geschehen, als er Bären gefangen in Bragalund und der Aare Geschlecht mit Spitzen gesättigt; darum sei am Meere wenig Gebratenes gespeist worden. Schlacht zeig' er damit an, erwidert Sigrûn, König Hunding sei vor Helgi auf das Feld gesunken; und als der junge Held fragt, woher sie das wissen konnte, erklärt sie, daß sie im Kampf ihm nahe gewesen; einen Schlauen nenne sie ihn, da er in Walrünen Schlachtkunde sage, bergen woll' er sich vor ihr, aber wohl kenne sie ihn [1]. Diese Wechselrede schließt sich an einen allgemeineren Gebrauch prüfender Fragen und ausweichender Antworten bei der Begegnung Unbekannter [2], zugleich aber greift sie tief in den Bilderschatz der alten Liedersprache. Schon Sigrûns Fragen, wo Hild geweckt, die Vögel der Kriegsschwestern gefüttert worden, sind dichterische Ausdrücke für Beginn und Folge des Kampfes; Hildr ist persönliche Gestaltung des Kriegs und wird auch zu den Valkyrien gezählt [3], als deren Vögel Adler und Rabe umschrieben sind; das Füttern oder Erfreuen dieses dem Heere folgenden Geflügels, wie dasjenige des Wolfes, ist in Heldenliedern und im Skâldensange wiederkehrendes Schlachtbild [4]; auch

[1] Sæm. 159, 4 bis 11; auszuheben ist Str. 8: „vîg lŷsir þû.“ 10: „þó tel ek slœgjan Sigmundar bur, er î valrûnum vîgspiöll segir.“ 11: „nû vill dyljaz döglingr for mer.“

[2] Z. B. Fornald. S. 2, 91 bis 93; vgl. 2, 499 f.

[3] Unter den Valkyrjen erscheint Hildr Sæm. 4, 24. 45, 36. Sn. 212ᵃ, 3. und persönlich wie in den Worten des Helgilieds Sæm. 160, 6: „hvar hefir þû, hilmir, Hildi vakta?“ auch in Krâkumâl 26, Fornald. S. 1, 309: „bröndum bitrum Hildi vekja“ (vgl. auch Sæm. 146, 14: „med geiri giallanda at vekja gram Hildi“); daneben aber die halb abstracten Ausdrücke Sæm. 105, 34: „vîg nam at vekja.“ Fornald. S. 2, 276: „vîg vakta ek.“ Sæm. 261, 80: „vakdir vâ mikla, er þû vâtt brœdr mîna.“ Heimskr. hg. Schöning B. VI, 104, 186: „vekja styr.“ Durch Munchs Besserung der „gunna systra“ in „Gunnar systra“ (90, 6. 200ᵃ) tritt zu Hildr auch die persönliche Gunnr oder Gudr (Sæm. 4, 24. Sn. 39); zu gunna systra vgl. die engl. weird-systirs, Myth. 378.

[4] Zu Sæm. 160, 6: „edr gögl alin gunna systra“ kommt in den Helgiliedern selbst 150, 6: „sâ er varga vinr, vid [die hungernden Raben] skulom

wird mit dem Essen rohen Fleisches unter Helme das harte Leben des Wikings bezeichnet [1]. Auf dieselbe Redeweise tritt Helgi ein, wenn er mit Spitzen, der Schwerter oder Speere, die Aare gesättigt und in Bragalund Bären gefangen hat. Zu dieser bildlichen Bärenjagd aber findet sich ein volksmäßig erläuterndes Seitenstück in den Geschichten der Jómsvikinge; als diese auf der norwegischen Insel Höd mit der gemachten Beute zu den Schiffen kehren, ruft ein Bauer ihnen zu: „Das ist nicht Kriegsmannsbrauch, daß ihr Kühe und Kälber zum Strande treibt; bessere Jagd wär' euch, den Bären zu fangen, der jetzt nahe zum Bärenstalle herangekommen ist.“ Sie sprechen sofort: „Was sagt der Mann? kannst du uns etwas vom Jarl Hakon sagen?“ Und der Bauer berichtet, daß der Jarl gestern mit nicht mehr als drei Schiffen in die Hiörundsbucht eingefahren sei, worauf sie mit Zurücklassung alles Raubs zu den Schiffen eilen, ihren Gegner aber mit anderthalbhundert Fahrzeugen gerüstet finden und so in gänzlich un-

teitir.“ 154, 35: „sá er opt hefir örnu sadda.“ 155, 43: „hrafna sedja.“ 155, 44: „gunni at heyja ok gladı örnu“ (163, 10); sonst Sæm. 184, 17: „Huginn gladdak“; ebenso 185, 26. 190, 35.

[1] In der Prosa heißt es Sæm. 159 b: „höfdo þar strandhögg ok átto rátt“; im Liede 160, 6: „hvi skal und hialmom hrátt kiöt eta?“ 7: „Þvi var at legi litt steikt etid.“ Nach Örvarodds S. hat Hialmar, ein rastloser Verfolger räuberischer Wikinge, für sich und seine Fahrtgenossen Wikingsatzungen von milderer Sitte, welche streng verbieten, den Wölfen gleich rohes Fleisch zu essen oder Blut zu trinken u. a. m. Fornald. S. 2, 194: „Ek vil þau ein vikinga lög, sagdi Hialmarr, sem ek hefir ádr haft u. s. w. Þat er fyrst at segja, at ek vil aldri eta hrátt, né lid mitt [ebd. 2, 525: ok eigi blod drekka],“ þvi þat er margra manna sidr, at vinda vödva i klædum, ok kalla þat sodit, en mer þikir þat þeirra sidr, er likari eru vörgum enn mönnum [2, 526: „en mer þikkir þat vera varga matr].“ Im Helgiliede ist noch der alte, rohe Brauch vorausgesetzt. Sögu-Þætter Islend. (Biörns Marcusson.) a Hoolum 1756. 4°. S. 54: Þaattur af Aulkofra: Ölkofri kom til Þijngs, ok aatti Munngaat at selia, kom þa til Fundar vid Vini sijna, þam sem vanir voru at kaupa Aul at hönum: Hann baþ þa Liþs, enn baud þeim Aul at selia. Enn þeir svö rudu allir aa einn Veg, at þau ein kaup hefþi þeir vid aattst, at þeim var ei vilnati; sögdu at þeir mundi ei þeim Birni beitast, at deila umm Maal hanns, vid Ofureflis Menn slijka.“ Heimskr. 2, 132 f. Fagrsk. 77. (Es sind 6 godar, Sagabibl. 1, 316.)

gleichem Kampfe dem Untergang verfallen [1]. Sigrûn, selbst eine Kriegsjungfrau, versteht wohl, daß Helgi durch den Bärenfang [2] in Bragalund [3] und das Sättigen der Adler mit Waffenspitzen eine Schlacht anzeige („vîg lýsir þû“), und sie drückt dieß noch besonders damit aus, daß er in Walrûnen klüglich Schlachtkunden sage; das Wort für letztere, vîgspiöll (sermones bellici) ist in einem andern Liede von den Feuerzeichen gebraucht, welche das Anrücken eines feindlichen Heeres verkünden [4], und entspricht den agſ. hildespell, gûđspell, Kriegsbot-

[1] Heimskr. 1, 242. S. Olafs Tryggvas. C. 42: „Bôndinn mælti: Þer farit ôhermannliga, rekit til strandar kýr ok kâlfa, væri ydr meiri veidr at taka biörninn, er nû er nær kominn â biarnbâsinn. Hvat segir karl, segja þeir, kanto nockot segja oss til Hâkonar Jarls? Bondi sagđi: hann fôr î gær inn î Hiörundar fiörđ, hafđi Jarl eitt skip eđa tvö, eigi vôro fleiri, enn III, ok hafđi ecki till ydar spurt. Þeir Bûi taka þegar â hlaup til skipanna, ok lâta laust allt herfâng.“ (Sagabibl. 3, 81. Die Jômsvîk. S., als Probe der Fornm. Sög., C. 14. S. 36, hat diese verblümte Rede nicht.) Vgl. hieher Þidr. S. Unger, C. 347 (S. 301). Hylten C. 295 (S. 229 u.). Nib. 943.

[2] Lex. poet. 41ᵃ u. 43ᵃ ff. 57ᵇ u. Sn. Arn. 1, 384, 13: „beiddum biörnu.“ D. Wörterb. 1, 1123: „den bären fangen, stechen.“

[3] Für „î Bragalundi“ gibt es eine Var. „î Brâlundi“ (Sæm. 160, 2), Braga- zusammengezogen in Brâ-, und als Ortsname steht „î Brâlundi“ Sæm. 149, 1. 158, doch nicht als Kampfplatz Helgis mit Hunding. Es fragt sich aber, ob in Helgis Gespräch mit Sigrûn braga-lundr nicht zum bildlichen Ausdruck mitgehöre und den Kriegerwald, d. i. das Heer bedeute (vgl. Sæm. 79, 41 bis 43), wie Sæm. 228, 9: „î skata lundi.“ Die gewöhnlichere Form ist zwar „bragnar, skatnar“ (Sæm. 158, 1. Sn. 212ᵇ, 3. 195); allein es fehlen auch nicht die einfachen bragr, bragi (Myth. 215), skati (Sæm. 140, 1. 169, 3. Sn. 180ᵃ, 2. 195. 212ᵇ u. [Arn. 482.] Fornald. S. 2, 8. Vgl. J. Grimm in der Zeitschr. f. vergl. Sprachforsch. Heft 1, S. 81); und wenn der einzelne Mann nach Bäumen benannt werden kann, viđr, meiđr u. s. w., selbst lundr (Sn. 158, vgl. 27 u.), so eignet sich letzteres noch besser für eine Sammlung von Männern, das Heer.

[4] Grottasöngr 18 (Sn. 149. Munch 168, 18): „Eld sê ek brenna fyrir austan borg, vîgspiöll vaka, þat mun viti kallađr; mun herr koma hinig af bragđi, ok brenna bœ fyrir buđlûngi.“ (Arn. 389: „Ignem conspicor ardere ab orientali regione arcis, vigilum bellicos indices, qui ignes prænuntiativi, credo, vocantur. Aderit exercitus huc e vestigio, ædesque regias incendio delebit.“ (Sn. 188: viti, Feuer. Lex. isl. 2, 448: „viti, m. specula. 2) index v. omen.“)

schaft [1]; Walrünen aber, in denen (í valrûnum) diese Schlachtandeutungen gesagt werden, Runen der Wahlstatt, des Heldenfalls, des blutigen Kampfes überhaupt, sind eben die bildlichen und umschreibenden Redeweisen, von Adlern und Raben, Bären und Wölfen, diesen walgierigen Hunden Odins [2].

Das Zusammentreffen der Walrünen des Helgilieds mit den auf Bärenkralle, Wolfsklauen, Schnabel und blutige Schwingen des Adlers gezeichneten Sinnrünen der Sigrdrifa weisen nun darauf, daß „valrûnar“ als eine Unterart der „hugrûnar“ anzusehen sind. Dieser besondere Kreis erweitert sich aber beträchtlich, wenn man dahin den ganzen kriegerischen Rüstzeug der altnordischen Lieder, die vielfachen Benennungen und Umschreibungen des Kampfes, der Waffen [3], des Heeres und der einzelnen Streiter rechnet [4], und wirklich liegt in dem Worte valr das Höchste jenes heidnischen Heldenglaubens, die Erwählung durch die Valkyrie, Odins Dienerin, zum Tod in der Schlacht und zur Gemeinschaft mit dem Valvater selbst in seiner von Schwerterglanz erleuchteten Valhalle [5].

1 Cädm. 3502: „hrêddon hildespelle (Gl. 177: „exhilarati sunt famâ pugnæ“). 2091: „gûdspell vegan.“ (Gr. 1, 3te Ausg. S. 335: „vegan movere.“) Gr. 2, 525.

2 Sæm. 151, 13: „fara Vidris grey valgiörn um ey.“ Völuspá, Sæm. 9, 55: „at valdýri,“ vom Wolfe Fenrir.

3 Sinnrünen sind auch eingeschnitten (Sæm. 196, 18): „á gumna heillom;“ sind heillir (nom. heill f. salus, virorum salutes) hier etwa Schutzwaffen? wie Sn. 216ᵇ der Schild hlíf (tutamen), der Helm hlífandi (hlífa, parcere, tueri) heißt.

4 Über altn. valr m. (strages), ags. väl n. und die damit zusammengesetzten Wörter s. Myth. 389. Gr. 2, 479 f. Etym. Lex. anglos. 76 ff. Bouterw. Gl. 288 f. Neben denen, die bestimmter auf Tod, Leichen, Wahlstatt sich beziehen, gibt es andre von mehr allgemein kriegerischer Bedeutung, wie altn. Sæm. 152, 19: valstefna, gleich ebd. 151, 13: hiörstefna und 156, 49: hiörþing; Sn. 216ᵇ: valhrimnir, Benennung des Helms; ebd. 214ᵇ: vallângr, valnir; 215ᵇ: valböst, des Schwertes; während Sn. 94, 9 valgaldr den Zaubersang zur Todtenerweckung bezeichnet, läßt eben valrûn die weitere Bedeutung zu. Ags. välgâr, välsceaft, Speer, välscell, Schild, välhere, Kriegsheer, välhlemm, Kampfgetös (Etym. 77 f.), välseax, Schwert (Bosw. 242ᵇ).

5 Sn. 24: „hann [Odinn] heitir ok Valfödr, því at hanns óskasynir eru allir þeir er í val falla, þeim skipar hann Valhöll u. s. w. Vgl. Sn. 28. 39. Sæm. 42, 17.

Auch hiebei wieder zeigt sich nahe Verwandtschaft der angelsächsischen Dichtersprache mit der nordischen. Die gleiche Ausdrucksweise für Schilderungen aus dem Kampfleben, wie in den Eddaliedern, blüht noch bei den christlichen Angelsachsen, und selbst dem Namen nach stellen sich zur altn. valrûn eine ags. välrun, zur hugrûn eine hygerûn, beide in der stabgereimten Legende von Helena [1]. Bei der Ausfahrt des Kriegsvolks stimmt der Wolf im Walde ein Heerlied (fyrdleód) an, verhält nicht eine Walrûn (välrûne), der Adler mit thaunassem Gefieder erhebt einen Sang auf der Spur des Feindes [2]; diese välrûn geht gleich mit dem gesungenen fyrdleód, das sonst als Gesang des ausziehenden Heeres selbst vorkommt [3], hier aber dem Geheul des gierigen Raubthiers edleren Namen gibt, wie auch das Helgilied von Wolfliedern („vargliodum" Sæm. 155, 40) weiß; sie bedeutet also eine Verkündigung des nahenden Wahlfalls (altn. valfall n., ags. välfeall Beow. 3421, välfyll m. Cädm.) und entspricht den nordischen vîgspiöll, die zwar nicht selbst Walrûnen sind, jedoch in solchen gesagt werden. Während hiernach an die ags. välrûn sich noch die volle sinnliche Frische der alten Liedersprache knüpft, ist die hygerûn, ihrem Wortsinne folgend, zu einem Ausdruck des christlich umgewandelten Geistes geworden: Cyriacus neigt auf dem Calvarienberge sein Angesicht, verhält nicht eine Sinnrûn (hygerûne), ruft mit der Macht des Geistes zu Gott und bittet, daß ihm das Geheimnis, wo die heiligen Kreuzesnägel liegen, eröffnet werde [4]; in solchem Zusammenhang

[1] J. Grimm, Andr. u. El. XXV ff. (gemeinsame Dichtersprache); 139 f. (über hygerûn und hugrûn, välrûn und valrûn).

[2] El. 27 ff.: „fór folca gedryht fyrdleód ágôl vulf on valde, välrûne ne mád, ûrigfedera earn sang âhóf lâdum on lâste." Eine von Heimdals neun Müttern heißt Ulfrûn, Sæm. 118, 35. 92, 26. Graff 2, 524: Wolfrûn.

[3] Cädm. 3506: „fyrdleód gâlan."

[4] El. 1098 ff.: „Cyriacus on Caluarie hleór onhylde, hyge rûne ne mád (wie zuvor „välrûne ne mád"), gâstes mihtum tô gode cleopode" u. s. w. Ettm. 227: „midan (mád u. s. w.) latere, abscondere, dissimulare." Andr. u. El. 139: „midan ist evitare, prætermittere, ursprünglich wohl vereri. Fela ge fore mannum midad þâs þe ge on môde gehycgad, Cod. Exon. 130, 10." Vgl. Graff 1, 674 f. „ni midan" im Sinne von nicht unterlassen. Schmeller, Gl. sax. 79: „mîthan vitare, omittere, dissimulare."

bedeutet die hygerûn eben sein inbrünstiges Gebet, die válrûn ist noch schlachtkündender Wolfsgesang, die hygerûn ist zum Worte christlicher Andacht erhoben.

Die Walrûnen in Helgis Gespräch mit Sigrûn sind dichterische Bilder, die nach Art eines Räthsels oder eines Traumes gedeutet werden müssen, deren verhüllter Sinn im Bewustsein des Aufgebenden liegt und in dasjenige des Errathenden eintritt. Dieselbe Beschaffenheit läßt sich für die mythischen Rûnen in Sigrdrîfumâl schon darum muthmaßen, weil sie nach Obigem mit den Walrûnen unter dem gemeinsamen Namen der Hugrûnen verbunden sind. Jene skáldische Rûnen, von denen früher die Rede war, bergen zwar auch ihren Gegenstand unter mythischen Namen und Beziehungen, aber sie streifen nur die Oberfläche des Mythus, ohne sich mit der Bedeutung seiner Sinnbilder zu befassen; sie schließen in sich, warum man das Gold nach Idis oder Thiassis Mund und Rede benenne, nicht aber was mit der Goldtheilung dieser Jötune selbst gemeint sei; solch tieferes Verständnis der Goldmythen mag in den Hugrûnen stecken, die auf Gold geschnitten sind (Sæm. 196, 18). Ebenso werden die auf Sleipnis Zähne geschnittenen nicht lediglich das Geheimnis enthalten, daß der Name dieses vornehmsten Rosses (Sæm. 46, 44) als heiti für das Pferd überhaupt gebraucht werden könne, wie Skálda lehrt (Sn. 179). Es ist vielmehr einleuchtend, daß, wenn die jüngere Edda vom Verbergen in Rûnen spricht, sie auf den bloßen Kunststil ein Wort anwende, das ehedessen viel bedeutsamern Inhalt hatte. Wie sollten auch die Hugrûnen des alten Liedes sich nur auf den schulgerechten Wortschmuck beziehen, während sie offenbar als der Gipfel aller Rûnenkunde hingestellt sind und die Findung derselben dem obersten Gotte in seiner geistigsten Thätigkeit zugeschrieben wird. Dieß soll nunmehr genauer ausgeführt werden.

Der Abschnitt von den Hugrûnen, welcher für sich ein kleineres Ganzes bildet[1], hebt damit an, daß, wie bei den vorhergehenden

[1] Mone, Untersuchungen zur Geschichte der deutschen Heldensage S. 114 findet diesen ganzen Abschnitt mit Zusätzen überladen und entstellt; wirklich trifft man auch hier auf mehrfache Störungen des Versbaus durch Überfüllungen oder Ausfälle, Verschiedenheiten vom Liedertexte der Völs. S. (Fornald. S. 1, 168 ff.), in welchem namentlich alles auf Mimir Bezügliche fehlt, und andre Misstände; die Wichtigkeit, die den Hugrûnen zugemessen wird, konnte

Rūnenarten, angegeben wird, zu was jene dienlich seien, nemlich zur Erlangung vorzüglichen Scharfsinns; sodann wird die Herzählung der Gegenstände, denen solche Rūnen angezeichnet sind, eingerahmt zwischen die Kunde von der Herkunft und diejenige von der Verbreitung derselben. Die Herkunft oder wie Odin sich ihrer bemächtigt, wird auf zweifache Weise dargestellt: erst, er habe sie errathen, geritzt und bedacht [1] von dem Wasser, das aus Heiddraupnis Schädel und aus Hoddropnis Horne geflossen; dann weiter, als er mit Schwert und Helm auf dem Berge gestanden, habe Mimis Haupt gesprochen und ihm gesagt, auf welchen Dingen die Stäbe eingeschnitten seien. Alles dieß ist aber nur mehrfacher, wahrscheinlich verschiedenen ältern Mythenliedern entnommener Ausdruck derselben Sache: Odin hat die Sinnrūnen aus Mimis Weisheitsquelle geschöpft. Draupnir, dropnir, der Traufende, Tropfende [2] mit den vorgesetzten Schmuckwörtern heid n., Himmelshelle, Glanz, und hodd (Myth. 922), Hort, Schatz, ist eben dieser kostbare Born in persönlicher Auffassung als Brunnengeist; seine Hirnschale, aus der das rūnenhaltige Wasser fließt, besagt das Nemliche, was nachher Mimis Haupt, der Quell, das Brunnhaupt (s. oben S. 206); das Horn ist sein Schöpf- und Trinkgefäß [3], denn Mimir selbst

auffordern, Weiteres über sie beizubringen, und die aufgezählten Beispiele ließen sich leicht vermehren, aber darum ist nicht alles Hinzugekommene willkürlich erdichtet, so wenig als die ganze Rūnenlehre dieses Liedes aufhört, ein werthvoller Beitrag zur Kenntnis des nordischen Rūnenwesens zu sein, weil sie in die Sigurdsage nur eingeschoben ist; die innere Beschaffenheit des Mitgetheilten in Vergleichung mit dem Ergebnis andrer Mythenquellen muß auch hier Maß geben.

[1] Die Folge Sæm. 195, 13: „Þær of rêd, Þær of reist, Þær of hugđi Hroptr,“ worin das Rathen dem Ritzen vorangeht (sonst begreiflich umgekehrt; Sæm. 28, 7: „veiztu hvê rista skal? veiztu hvê râda skal?“ 252, 12: „red ek Þær rûnar, er reist Þin systir“), ist nur dann die angemessene, wenn die Hugrūnen an erster Stelle wirklich Geheimnisse des Geistes, zu errathende Gedankenbilder waren. Über altn. of vor dem Verbum s. Gr. 2, 912 f. vgl. 3, 253.

[2] Vgl. Sn. 66 f. (Arn. 176 f.): „Odinn lagđi â bâlit gullring Þann er Draupnir heitir u. s. w. drupu af honum 8 gullringar iafnhöfgir.“ Sn. 131 f. Sæm. 84, 21. Zwergname Draupnir Sæm. 3, 15.

[3] Vgl. Sn. 17 (Arn. 68): „En undir Þeirri rôt [Yggdrasils] er til HrimÞursa horfir Þar er Mimisbrunnr, er spekđ ok mannvit er î fôlgit,

schöpft jeden Morgen Meth aus dem berühmten Brunnen. Die Verbreitung der Hugrünen ist in der Weise geschehen, daß die angezeichneten abgeschaben und in den heiligen Meth gemischt, zu Äsen, Älfen, Vanen und Menschen ausgesandt wurden. Es fragt sich nun, was mit dem heiligen Methe gemeint sei, derjenige, welchen Mimir von Walvaters Auge schöpft, wodurch bei dem einen Mythus verblieben würde, oder der Suttüngsmeth. Letzterem wird unbedenklich der Vorzug zu geben sein, er ist überhaupt der bekanntere, im mythischen Ausdruck gangbare, und auch im Rûnatal steht der kostbare Meth, der aus Ôdrörir geschöpft ist, mit der Findung der Rûnen, sowie mit ihrer Versendung und Ausbreitung zu verschiedenen Wesenklassen, nahe zusammen [1]. Zudem sollte der Abschnitt von den Hugrünen, nach der abgebrochenen Weise des ganzen Liedes, nicht eine folgerichtig zusammenhängende Erzählung geben; es war darum zu thun, die hohe Bedeutung dieser Rûnenart ins Licht zu stellen, zu welchem Zweck an verschiedene, die geistige Erweckung betreffende Mythen angeknüpft werden konnte; in ebengedachter Richtung begegnet sich aber Mimis Brunnen mit Kvâsis Blut und die Verwandtschaft beider Fabeln ist schon früher (S. 207 ff.) angedeutet worden.

Für das Verständnis der Hugrünen gibt diese Rückkehr zu Mimir und zum Hauptgegenstand der Untersuchung, dem Dichtertranke, den entscheidenden Aufschluß. Ein Wissen, das aus dem Brunnen kam, in den Odin um Weisheit ein Auge versetzt hatte, von dem Haupte, mit dem er noch in der ernsten Stunde des nahenden Weltuntergangs spricht, muste des wichtigsten und tiefsinnigsten Inhalts sein. Wirklich gehören die mit Hugrünen beritzten Gegenstände meist der Götterlehre

ok heitir ed Mimir er â brunninn; hann er fullr af vîsindum, firir þvî at hann drekkr or brunninum af horninu Giallarhorni." Es ist zwar für die Beiziehung des Giallarhorns ein Misverständnis zu vermuthen (s. ob. S. 197 f.); da jedoch Mimir selbst von Valvaters Pfande schöpft (Sæm. 4, 22: „drekkr miöd Mimir morgin hverjan af vedi Valfödrs"), so ist ihm ein Trinkhorn überhaupt nicht abzusprechen, wie auch Odin und Saga an rauschenden Wellen täglich aus Goldgefäßen trinken (Sæm. 41, 7). Eben so wenig hat man die Zeile „or horni Hoddropnis" für eine überzählige anzusehen (mit Mone a. a. O. 111 ob.), es ist vielmehr die dem galdralag eigenthümliche Verdopplung des dritten Gliedes in sinn- und lautverwandten Worten (s. ob S. 213).

[1] Sæm. 28, 2 bis 7; vgl. 88, 2.

an, und wenn sie auch nur vereinzelt und in geringer Zahl hergenannt sind, so geschieht es eben beispielsweise zur Bezeichnung einer ganzen Art. Die schließliche Angabe, daß diese Hugrünen, in den heiligen Meth gemischt und auf weite Wege hinausgesandt, nun theils bei den Asen, theils bei den Alfen, theils bei weisen Vanen, theils bei den Menschen sich befinden, eröffnet einen weiten Gesichtskreis und wenn man unter den aufgezählten Wesenklassen besonders noch die Riesen vermißt, so gereichen Stellen andrer Lieder zur Ergänzung, jene aus Vafthrûdnismâl von der Jötune Rûnen und aller Götter (Sæm. 36, 42 f.), sodann die aus Rûnatal, wonach Odin unter den Asen Rûnen schnitt, für die Alfe Dvalin, Dain für die Zwerge, Alsvidr für die Riesen, der Sprecher selbst, wie es scheint, für die Menschen (Sæm. 5 bis 7). Wenn hier, auf durchaus sinnbildlichem Boden und von verschiedenen Orten her, nicht alles vollkommen übereinstimmt und sich ineinander fügt, so ist doch das Gesammtergebnis, daß die Hugrünen nichts Andres sind, als die Mythologie mit allen in ihr begriffenen Heimen (Sæm. 1, 2. 36, 43. 49, 8 f. Mythol. S. 755 f.); dabei fallen der Menschenwelt insbesondre die Rûnen des Heldenlieds zu, Valrûnen, die auf Bären- und Wolfsklaue, Adlerschwinge und Granis Brust geschnitten sind. Die Rûnen des Stils wurden zuvor schon (S. 272 ff.) als den Hugrünen nicht ebenbürtig dargethan; aber auch diejenigen des Vafthrûdnisliedes, obgleich sie auf das mythische Weltganze sich erstrecken, geben doch, wie gleichfalls früher bemerkt worden (S. 259 f.) nur äußerlichen Bescheid, es ist bloße Gedächtniskunde, die nicht in Mimis Quell sich zu versenken oder mit dem heiligen Meth sich zu tränken brauchte. In diesen gemischt, sind die Hugrünen von Poesie durchdrungen, der Götterglaube und die Weltanschauung verkünden sich in dichterischen Bildern. Der Mythus vom Dichtertranke selbst verbildlicht mit unverkennbarem Bewustsein die zu und in der Dichtkunst wirkenden Thätigkeiten, er bezeichnet namentlich in den mit der Erwerbung des Methes verbundenen Schwierigkeiten die räthselartige Sinnbildsprache; von dem Inhalt ist dabei abgesehen, der sich in diesen Triebwerken und Formen gestalten soll; indem nun aber, sichtlich durch Odin, den Herrn Ôdröris, die Hugrünen in den Meth geworfen werden, erfüllt sich das dichterische Schaffen mit den Bildern und inwohnenden Gedanken, die sich in der nordischen Mythologie zu einem geistigen Ganzen verbunden haben.

Wenn in der Rüne ein Bewustes erkannt wird, so ist nicht die Meinung, als wären bei Gestaltung der Mythen Begriff und Bild, wie Urschrift und Übersetzung, in zwei Streifen neben einander gelaufen; in aller naturfrischen Dichtung des Einzelnen oder des Volksgeistes treten der Gedanke und sein bildlicher Ausdruck gleichzeitig und ungetrennt ins Leben und eben hierin liegt das Geheimnis, die ungelöste Rüne der Poesie [1]. Zeitalter, in denen der Mythus erwächst, kennen überhaupt keine bildlose Gedankenmittheilung und dennoch haftet in den Bildern das Gewuste und Gewollte. Das Bewustsein und die Absicht bethätigt sich aber vornehmlich an den beiden Enden der Mythenbildung, in den einfachsten und offensten und wieder in den verwickeltsten und dunkelsten Gebilden. Zu den erstern gehört es aus dem Kreise des bisher Besprochenen, wenn Nött, die Nacht, dem Dellingr, dem Dämon der Dämmerung, einen Sohn Dagr, den Tag, gebiert, wobei die eigentlichsten, begrifflichen Wörter den Sinn aussprechen; für das Äußerste der andern Seite kann der Dichtertrank gelten, das verschlungene Gewebe dieser ausführlichen Fabel konnte nur mit absichtlichem Nachsinnen zu Stande gebracht werden und man müste die Mitwirkung jeder freieren dichterischen Thätigkeit abläugnen, wenn man darin ein nach seinem vollen Umfange gleichzeitig entstandenes Ganzes erkennen wollte. Weniger einseitig stellt sich die Absichtlichkeit hervor, wenn man sich die Entstehung als eine allmähliche denkt [2]. Daß die Weisheit aus einer Quelle geschöpft wird, die unter Obhut eines vielkundigen Geistes steht, daß ähnlicher Weise die Dichtergabe als Trunk eines kostbaren, begeisternden Methes erlangt wird, auch noch daß, wie man im wirklichen Leben Rünenzeichen in das Trinkhorn warf [3], so

[1] Über den jungen Göthe schrieb ein nachmaliger Freund: „Er ist sehr bilderreich, und drückt sich gewöhnlich in Gleichnissen aus. Er pflegt auch selbst zu sagen, daß er sich nicht anders als uneigentlich ausdrücken könne; wenn er aber älter werde, hoffe er die Gedanken selbst, wie sie wären, zu denken und zu sagen.“ (Allg. Monatsschrift f. Wissensch. u. Literatur. Braunschweig 1854. S. 252.)

[2] Es ist für diese Annahme nicht unbedeutsam, daß der Mythus in Hávamál viel einfacher erscheint, als wie er in der j. Edda erzählt ist, und daß in der ganzen unter jenem Namen begriffenen Spruchreihe nirgends eines vanischen Wesens oder Einflusses erwähnt ist.

[3] Vgl. Sæm. 97, 5. 234, 22 (Fornald. S. 1, 207): „i horni.“

die Sinnrünen in den Dichtermeth gemischt werden, das sind faßliche, in Glauben und Sitte der Zeit bereit gelegene Bilder; so war der Grundgedanke des Mythus ein klar erkannter und doch zugleich dichterisch belebter, er war aber auch triebkräftig und wenn seine weitere Entwicklung vornherein noch mehr auf das Geistige der Dichtkunst, die Rünenkunde, gerichtet war, so muste sie weiterhin, um vollständig zu erscheinen, sich auch den Formen des Liedes und den verschiedenen Bildungsstufen der Sänger zuwenden, ist aber hierin noch bei den einfachsten Grundzügen des Versbaus und der allgemeinen Unterscheidung einer volksmäßigern und einer tiefsinnigern Dichtung stehen geblieben. Die Erzählung des Mythus in der jüngern Edda ist Antwort auf die Frage, woher die Kunst, die man Skáldschaft nenne, ihren Anfang genommen habe. Der Sinn des Ganzen ist hiemit wörtlich ausgesprochen und alle die Skálden, die daraus Redensarten schöpften, haben ihn gewust. Wie weit dieses Verständnis auch späterhin ins Einzelne gieng, läßt sich nicht ersehen; aber wie dem Grundgedanken ein Grundbild entsprach, so werden auch die Einzelbilder nicht ein Wirrsal gedankenloser Grillen gewesen sein und die Mythenforschung muß sich bemühen, sie zu deuten.

6. Odin und seine Jünger.

Bragi.

Das Wirken Odins im Gebiete der Dichtkunst und der ihr verwandten Kenntnisse und Fertigkeiten erfordert schließlich einen eigenen Überblick. Odin hat den Meth der Dichtung erworben und von ihm ist derselbe denen mitgetheilt, welche dichten können; darum heißt die Skáldschaft Odins Fund und Gabe (Sn. 87. 98); im Hyndlaliede wird von ihm gesagt: „das Lied gibt er den Skálden" (Sæm. 112, 3: „gefr hann u. s. w. brag skáldum") und namentlich war der alte Held und Sänger Starkad, als die Götter sein Schicksal bestimmten, von Odin begabt worden, ebenso fertig dichten als sprechen zu können [1]. Gleich-

[1] Gautreks S. C. 7 (Fornald. S. 3, 33): „Odinn mælti: ek gef honum [Starkaði] skáldskap, at hann skal eigi seinna yrkja enn mæla." Saxo 6, 103: „Othinus Starkatherum u. s. w. condendorum carminum peritia illustravit." Vgl. Ynglingas. C. 6.

wohl erscheint in der Reihe der Äsen noch ein andrer, Bragi, nach dem die Dichtkunst bragr benannt sein soll und der als frühester Liedesschmied, in Grimnismál als der oberste der Skälden bezeichnet wird [1]; auf seiner Zunge stehen Sinnrünen (Sæm. 196, 17), ein Zeugnis für das dichterische Wesen dieser Rünenart. Bevor Odins Geisteswege verfolgt werden, ist es gerathen, sein Verhältnis zu Bragi richtig zu stellen.

Bragi heißt Odins Sohn (Sn. 105, 10. Arn. 266; fehlt aber Sn. 211ª. Arn. 554, 10 fügt ihn bei), er wird unter die zwölf richtenden Äsen gerechnet und der tiefbartige Äse genannt [2]; seine Frau ist Idun, die Verjüngerin der alternden Götter (Sn. 30. 105. 119); übrigens ist ihm keine in den Grund der Mythen eingreifende Wirksamkeit zugewiesen. Bei Ögis Gastmahl ergreift er das Wort, um dem Aufnahme begehrenden Loki Trunk und Sitz zu verweigern; als aber Loki dennoch durch Odin zugelassen, von seinem Heilruf an die Götter den einen Äsen Bragi, der drinn auf den Bänken sitze, ausnimmt, bietet dieser ihm zur Sühne Ross, Schwert und Armring, worauf Loki dessen Kampfscheue verhöhnt und auf Bragis Kampfdrohung fortfährt: „Tapfer bist du auf dem Sitze, nicht wirst du so thun, bankprunkender Bragi!“ bis endlich Idun vermittelt: „Bragi besänftig' ich, den biererregten; nicht will ich, daß ihr Zornige kämpfet“ [3]. Von dem Trinkmahl, wozu Ögir vorher von den Äsen geladen war, ist der Anlaß zu Bragis

[1] Sn. 29 (Arn. 98): „Bragi heitir einn, hann er ágætr at speki, ok mest at málsnild ok ordfimi; hann kann mest af skáldskap, ok af honum er bragr kalladr skáldskapr.“ 105: „Hvernig skal kenna Braga? Svá at kalla hann u. s. w. frumsmid bragar.“ (Arn. 267: „primus carminum fabricator“; zu frum- s. Gr. 2, 632.) Sæm. 46, 44: „Bragi [er æztr] skálda.“

[2] Sæm. 61, 11: „nema sá einn áss Bragi.“ 62, 19: „id Æsir tveir [Bragi und Loki].“ Sn. 29: „Bragi heitir einn [áss]“. 79 (Arn. 208): „settust í háseti 12 Æsir, þeir er dómendr skyldu vera, ok svâ voru nefndir: „Þórr, Niördr, Freyr, Týr, Heimdallr, Bragi, Vidarr, Vali, Ullr, Hœnir, Forseti [Loki]. 105: „Svá at kalla hann [Braga] u. s. w. hinn sidskeggia ás: af hanns nafni er sá kalladr skeggbragi er mikit skegg hefir.“ 211ᵇ (Arn. 555): „Ása heiti u. s. w. tel ek næst Braga.“

[3] Sæm. 60, 6 bis 18; besonders Str. 11: „er innar sitr, Bragi, bekkjum á.“ 13: „Þú [Bragi] ert vid víg varastr ok skiarrastr vid skot.“ 15: „Sniallr ertu í sessi, skalattu svá giöra, Bragi bekkskrautudr“ u. s. w. 18: „Braga ek kyrri biorreifan.“

belehrenden Tischgesprächen mit diesem Nebensitzer, den schon erwähnten Bragarädur der jüngern Edda, genommen [1].

Noch in Skäldenliedern des 10ten Jahrhunderts, welche den Empfang gefallener norwegischer Könige in Valhöll feiern, ist Bragi in Theilnahme gezogen; in Eiriksmál, auf den Tod Eiriks Blutaxt nach 935, bespricht sich Odin mit Bragi über die Herankunft dieses Heldenkönigs, vor dem es tost und kracht, als käme Baldr zurück in Odins Säle [2], und dem sofort Sigmund und Sinfiötli entgegengeschickt werden, dann, nach diesem Vorbild, in Hákonarmál, dem Gesange des Skälden Eyvind auf König Hákon den Guten, Eiriks Stiefbruder, der um 951 im Kampfe fiel: ihm entgegenzugehen werden Hermód und Bragi von Odin aufgerufen und Bragi ist es, der den feierlichen Willkomm spricht: „aller Einherjen Frieden sollst du haben, empfange du Öl bei den Äsen [3]!“ Von den Weihebechern (full n. poculum plenum), welche bei Opfern und andern Festlichkeiten getrunken wurden, kommt einer unter den beiderlei Namen bragar-full und braga-full vor; bei ihm wurden Gelübde gethan und er galt dem Andenken abgeschiedener Fürsten und Helden; nach Ynglingas. C. 40 war es vor Alters Sitte, daß der Erbe eines Königs oder Jarls erst nachdem er, aufstehend entgegen dem bragafull, ein Gelübde gethan und das Horn ausgetrunken, den Hochsitz des Vaters bestieg und damit zu vollem Erbe gelangte [4];

[1] Sn. 80 (Arn. 208): „Þar var ok åfenginn miödr, ok miök drukkit. Næsti madr Ægi sat Bragi, ok áttust þeir vid drykkju ok ordaskipti.“

[2] Frauer, die Walkyr. 87, Eiríksm. 3 bis 5 (vgl. Fagrskinna 16 f.): „Hvat þrymr þar, Bragi! u. s. w. [Bragi:] braka öll bekkþili sem muni Baldr koma aptr í Odins sali. Heimsku mæla (kvad Odinn) skaltu, hinn horski Bragi! þó at þû vel hvat vitir u. s. w. Sigmundr ok Sinfiötli! rísit snarliga ok gângit ígegn grami!“

[3] S. Hákonar góda C. 33 (Heimskr. 1, 164 ff. Dietr. 31), Hákonarm. 14: „Hermódr ok Bragi, kvad Hroptatýr gângid í gögn grami, þvíat konûngr ferr, så er kappi þyckir, til hallar hinnig.“ 16: „Einherja grid skalt þû allra hafa þigg þû at Åsom öl; iarla bægi! þû átt inni hér atta brœdr (kvad Bragi).“

[4] Heimskr. 1, 49: „Þat var sidvenja í þann tíma, þar er erfi skyldi giöra eptir konûnga edr iarla, þá skyldi så er gerdi erfit ok til arfs skyldi leida, sitja á skörinni fyrir hásætinu, allt þar til er inn væri borit full, þat er kallat var Bragafull; skyldi så þá standa upp i móti Bragafulli ok streingja heit drecka af fullit sídan; sídan skyldi hann leida i hásæti

aus mehr geschichtlicher Zeit meldet die Saga von Hákon dem Guten, demselben Könige, der, obgleich ein Christ, in heidnisch mythischem Liede nach Valhöll erhoben ist, C. 16, daß nach altem Brauche beim Opferschmause zuerst Odins Vollhorn zu Sieg und Macht für den König, hierauf Niörds und Freys zu Jahressegen und Frieden getrunken ward, auch viele Männer darnächst bragafull tranken, zum Gedächtnis angesehener Blutsfreunde [1]; dieselbe altübliche Erbfeier begiengen, nach Fagrskinna, der Dänenkönig Sveinn und der Jarl Sigvald, Häuptling auf Jómsborg, gemeinsam nach dem Hintritt ihrer Väter, bragafull ward eingeschenkt und bevor sie die väterlichen Sitze bestiegen, gelobte Sveinn, den König von England zu erschlagen oder zu vertreiben, Sigvald ebenso den Jarl Hákon in Norwegen [2]. Ist mit dem Namen dieses feierlichen Trunkes zum Gedächtnis des eben verstorbenen Vaters oder

þat, sem átti fadir hans; var hann þá kominn til arfs alls eptir hann. Nú var svá her gört, at þá er Bragafull kom inn, stód upp Ingialdr konúngr ok tók vid einu dýrshorni miklu, streingdi hann þá heit, at hann skyldi auka riki sit hálfu i hverja höfut átt, edr deyja ella; drack af sidan af horninu."

[1] Heimskr. 1, 143: „Enn sá er gerdi veizlona ok höfdingi var, þá skyldi hann signa fullit ok allan blótmatinn; skyldi fyrst Odins full drekka til sigurs ok rikis konúngi sinom, enn sidan Niardar full ok Freys full til árs ok fridar. Þá var mörgom mönnom titt at drekka þar næst Bragafull. Menn drukko ok full frænda sinna, þeirra er göfgir höfdo verit, ok voro þat minni köllot." Vgl. Wachter 2, 40. Anm. 32.

[2] Fagrsk. 44: „Þá er erfi váru gör at fornum sid, þá skyldi þat skylt at gera þau á þvi ári, er sá hafdi andazk er erfit var eptir drukkit, en sá er gera lét erfit, hann skyldi eigi fyrr setjask i þess sæti, er hann erfdi, en menn drykki erfit. Hit fyrsta kveld er menn kvæmi til erfis, þá skyldi skenkja upp full mörg med þeim hætti sem nú eru minni, ok eignudu þau full hinum rikustu frændum sinum [a. sem nú eru minni full horu hinum rikustum frændum sinum eda ödrum-gódum vinum sinum. En sidan u. s. w.] eda þór eda ödrum gudum sinum, þá er heidni var. En sidast skyldi uppskenkja Braga full; þá skyldi sá er erfit gerdi strengja heit at Bragafulli, ok svá allir þeir er at erfinu væri, ok stiga þá i sæti þess er erfdr var, ok skyldi þá fulkominn vera til árfs ok virdingar eptir hinn dauda, en eigi fyrr u. s. w. En þá er bragafull var uppskenkt, ok ádr en Sveinn konúngr hafdi uppstigit i hásæti fódur sins, þá strengdi hann heit" u. s. w. Von diesen Trinkgelübden erzählen auch S. Olafs Tryggv. C. 39, Heimskr. 1, 238 f. und Jómsvik. S. C. 13, S. 30, aber ohne des bragafull besonders zu gedenken.

andrer Hingeschiedenen der Becher Bragis (Braga full) gemeint [1], so gibt sich nahe, daß man dabei an das Äl in Äsgard gedacht habe, das Bragi denen, die dorthin aufsteigen, entgegenbringt; das Gelübde bezeichnet den Eintritt in dieselbe Bahn, die zu den Einherjen führt.

Überall erscheint Bragi unter den Äsen nur als Odins Hofskalde [2] und versieht in dessen Saale den Ehrendienst als Begrüßer der Gäste mit dem Willkommtrunk oder als Gesellschafter derselben beim Trinkgelag; er ist ein Vorbild des Skaldenthums an den nordischen Höfen und es kann nicht mehr für zufällig angesehen werden, daß an der Spitze der Sängernamen dieser Klasse Bragi der Alte steht. Obgleich noch der Sagenzeit verfangen, entbehrt dieser Dichterahn doch nicht geschichtlicher Anknüpfung. Das zuverlässige Landnámabók [3] reiht ihn einem norwegischen Geschlecht ein, das nachmals, im dritten Gliede von Bragi, sich in Island ansiedelte; seine Frau ist Lopthöna, Tochter des Erpr Lútandi, seine Tochter Ästridr Släkidrengr [4] und Snorris Skáldatal besagt ergänzend, daß Bragis Vater Boddi hieß und auch Erpr, der Schwiegervater, ein Skalde war [5]. Dasselbe Geschichtbuch, sowie Stur-

[1] Für diese gewöhnliche Annahme sprechen hauptsächlich die in der zweiten Belegstelle (Heimskr. 1, 143 f.) dem bragafull vorausgehenden Odins full, Freys full, Niardar full (vgl. S. Hák. góda C. 18, Heimskr. 1, 146: „signadi Odni u. s. w., signa full sit Þór"); dagegen besteht anderwärts bragar-full (Sæm. 146a. 146b, 32. Fornald. S. 1, 345. 417. 515) und füglich kann das Appellativum bragr m. (princeps) auf den König, Jarl, sonst angesehenen Freund, oder nach Umständen ihrer mehrere (darnach gen. sing. bragar, gen. pl. braga), bezogen werden, zu deren Gedächtnis (minni) getrunken wurde (Yngl. S. C. 40: „eptir konúnga eda iarla." S. Hák. goda C. 16: „full frænda sinna, þeirra er göfgir hofdo verit, ok voro þat minni köllot. Fagrsk. 44: „eignudu þau full hinum rikustu frændum sinum"): von Gesängen (bragr m. poesis, carmen) ist dabei nicht die Rede. Über bragr und bragar-, Braga full Myth. 215. 58.

[2] Vgl. Sæm. 90, 16 (Munch 176, 16): „greppr Grim[n]is"; selbst hier, in einem Mythus von Idunn, hat Bragi wenig zu verrichten.

[3] Islands Landnámabók 2 P. 1 K. Sagabibl. 1, 225 nennt diese Saga: „af alle islandske Sagaer den paalideligste." 2, 454: „Sturlunga Saga C. 2." 2, 475: „Egilss. C. 19."

[4] Islendínga Sögur 1, 55: „Módir þeirra Armþrúdar var Ástrídr slækidrengr, dóttir Braga skállds ok Lopthœnu, dóttur Erps lútanda."

[5] Skáldatal (Heimskr. nach Peringskiold 2, 479): „Bragi Gamli Bodda son" und unter den skáld beim Eystein Beli, König in Schweden: „Bragi Gamli, Erpur Lutandi."

lüngasaga und die mehr dichterische, aber auf alter Grundlage ruhende Hálfssaga, bezeugen weiter, daß Bragi unter Hiörr, König von Hördaland, sich in Norwegen befand, und geben aus der Zeit dieses Gastaufenthalts, in den Hauptzügen übereinstimmend, ein ansprechendes häusliches Bild: der König Hiörr befindet sich auf Kriegsfahrt, die Männer sind auf der Jagd, die Weiber im Nußgehölz, Niemand ist daheim in der Halle, als Bragi der Skálde, auf dem Ehrensitz, die Königin, verborgen und in Tücher gehüllt, und drei sämmtlich dreijährige Knaben, deren einer, schön aber weichlich, auf dem Hochsitz mit Golde spielt, die beiden andern, schwarz und wunderhäßlich, doch kraftvoll, vom Stroh auf dem Estrich sich erheben, den Schönen vom Sitze stoßen und ihm alles Gold nehmen, worüber er weint; da steht Bragi auf, geht zum Lager der Königin, schlägt mit dem Stab (stafr, sproti, reyrsproti) auf ihre Tücher und spricht ein Gesätz des Inhalts, daß die Zwei, Hámund und Geirmund, dem Hiörn geboren, der Dritte, Leif, aber nicht der Königin gehöre, sondern eines Knechtes Sohn sei; wirklich hat sie, auch in Abwesenheit ihres Gemahls, Zwillinge geboren, die sie ihrer Häßlichkeit halber gegen das schmucke Kind des Dienstweibs austauschte; jetzt von Stab und Wort des Skálden getroffen, bringt sie dem heimkehrenden Vater die rechten Söhne; da ruft er: „Trag sie fort! nie sah ich solche Helhäute (Heljarskinn)"; der Beiname bleibt beiden, aber sie werden thatkräftige Männer und von ihnen stammt ein großes Geschlecht auf Island, wohin sie vor Harald Schönhaars Herrschermacht gewichen waren [1]. Die Auswanderungen freiheitliebender Norweger nach diesem Eiland begannen um 870 und so kann Bragis Besuch bei Hiör, als dessen Zwillingssöhne dreijährig waren, gegen die

[1] S. af Hálfi C. 17, Fornald. S. 2, 59 f.: „Bragi skáld kom þar at heimbodi. þat var einn dag, at karlar allir fóru á skóg, en konur á hnetskóg, ok var ekki heima manna í höllinni, nema Bragi sat í öndvegi u. s. w. þá stóð Bragi upp, ok gekk þartil, er drottning lá, ok drap staf ofand klædin, ok kvad u. s. w. fæddir eigi þú þann mög, kona!" Landn. 2 P. 19 K. Islend. S. 1, 93 ff. Sturlúnga-Saga 1, 1 ff., darin: „Bragi skáld var heima ok sat í öndvegi ok hafdi reyrsprota í hendi sèr u. s. w. heyr hvörnin kóngs sonr tekr [V. grætr] eptir einum gullhringi u. s. w. styde á hana reyrsprotanum" u. s. w. Vgl. Fornald. S. 2, 167. 507. Über die Hautfarbe der Hel, der Todesgöttin, Sn. 33. Myth. 289.

Mitte des 9ten Jahrhunderts fallen [1]. Weitere Berührungen des Skálden mit geschichtlichen Namen verzeichnet Skáldatal; hier ist er zuerst unter Ragnar Lodbrók, mit diesem Könige selbst, welcher sammt seiner Gemahlin Áslaug und den Söhnen dieser Ehe zu den Skálden gezählt wird, aufgeführt, dann unter dem Schwedenkönig Eystein Beli (s. S. 157) mit Erpr Lútandi u. A., endlich noch unter Biörn auf Haug mit demselben Erp, der nach Landnámabók sein Schwäher ist [2]. Diese drei nordische Fürsten verhalten sich so zu einander: der sagenberühmte Dänenkönig Ragnar Lodbrók hat, obgleich schon mit Kráka vermählt, auf einem Gastgebot bei dem Upsalakönig Eystein Beli ein Verlöbnis mit dessen Tochter Ingibiörg geschlossen; als ihm aber nachher Kráka sich als Áslaug, Tochter Sigurds des Fafnistödters, zu erkennen gibt und dieß durch den Wurm im Auge ihres neugebornen Sohnes bewährt, holt Ragnar die schwedische Braut nicht heim und über diesem Schimpf entzweien sich die Gastfreunde; zwei Söhne Ragnars kommen bei einem Einfall in Schweden um, werden aber von ihren Brüdern Hvitserk und Biörn durch den Fall Eysteins und die Eroberung seines Reiches gerächt, welches nach des Vaters Tode, eben auf Biörn, zugenannt Eisenseite (Járnsíða), und dessen Nachkommen übergeht; von diesem Sohne Ragnars stammt im dritten Gliede Biörn auf Haug, nach seinem befestigten Wohnsitze so geheißen [3]. Unterstützt werden die Annahmen in Skáldatal über Bragis Verkehr mit den genannten Herr-

[1] Ari Frôdi im Íslendingabók C. 1: „Ísland bygdist fyrst ur Norvegi á dögum Haralds ens Hárfagra . . . î þann tîd . . . er Ivar Ragnarsson Lodbrôkar lèt drepa Eadmund enn Helga Engla konûng; en þat vas 8 hundrud ok 70 [vetrum] eptir burd Krists.“ Zeuß 541. Geijer 159 ob. Sagabibl. 2, 456 ob.

[2] Skáldatal (a. a. O. 479): „Ragnar Kongr (Starkadr inn Gamli u. s. w. gehört wohl nicht in diese Klammer); Ragnar Kongr Lodbrok var Skalld, Aslaug kona hans, ok synir þeirra. Bragi Gamli Bodda son. Eystein Beli Kongr, î Sviþiodi; Bragi Gamli. Erpur Lutandi. Biörn at Haugi. Erpur Lutandi, va vig i veum, ok var ætladur til draps, hann orti um Sor Kong at Haugi, frielsti þa haufud sitt. Bragi Gamli.“ Vgl. Halfdan. Einari, Sciagraph. histor. literar. island. Kopenhagen 1777. S. 49 ff.: „Seriem veterum poetarum . . . juxta exscriptionem Thormodi Torfæi, qui veterem membranam secutus est, latina civitate donatam, adjiciendam existimo.“)

[3] Zum Vorstehenden hauptsächlich S. af Ragnari Lodbrôk ok sonum hans C. 8 bis 11. Fornald. S. 1, 254 ff.

schern in Beziehung auf Ragnar dadurch, daß ihm in der jüngern Edda ein Ehrengedicht auf diesen, im Liede selbst als Sohn Sigurd Hrings („mögr Sigurđar") bezeichneten König zugeschrieben wird, welches den Dank für die Beschenkung mit einem kostbaren Schilde ausspricht und die darauf eingezeichneten Sagenbilder besingt: nach den ebendort erhaltenen Bruchstücken des Gedichts waren darunter Darstellungen aus den Sagen vom Kampfe der Hiadninge und vom Fall der Gudrúnsöhne Sörli und Hamdir, der Blutsfreunde von Áslaug, wie ein Aufzeichner ausdrücklich anmerkt [1]; es können aber auch noch andre Stellen in

[1] Sn. 145 (Arn. 370 ff.): „Bragi hinn gamli orti um fall Sörla ok Hamđis í drâpu þeirri, er hann orti um Ragnar Lodbrôk" u. s. w. Folgen vier Strophen und eine Halbstrophe, deren Schluß kehrreimartig (vgl. Rasks Versl. 49 f.) besagt, daß Ragnar dem Dichter den Schild mit den Bildern geschenkt habe. Str. 1 steht auch Sn. 340, Arn. 2, 206 f. (in einem Aufsatz aus dem 14. Jahrhundert, Arn. 2, VI, IV) mit den einleitenden Worten: „Ekbasis er afgânga efnissins, þâ er skâldit reikar afvegis, sem Bragi skâld giörđi, þâ er hann setti í þâ drâpu, er hann orti um Ragnar konûng, þær vîsur, er segja um fall Sörla ok Handis, sona Jônakrs konûngs ok Gudrûnar Giukadóttur, er þeir fêllu fyrir mönnum Erminreks konûngs, ok er sià vîsa ein af þeim u. s. w. und mit der späteren Bemerkung, Sn. 341, Arn. 2, 210: „Bragi lofađi frændr Âslaugar í Ragnarsdrâpu, at hans virđing sŷndist meiri en âdr var hon." Arn. 2, 211: „Bragius in encomio Ragnariano cognatos Aslögæ laudavit, ut honor ejus (Ragnaris) major quam antea existimaretur." Sn. 162 (Arn. 426, vgl. 2, 329): „Bragi skâld kvađ þetta um bauginn á skildinum: Nema svâ at god ens gialla giöld baug-navar vildi meyjar hiôls inn mæri mögr Sigurđar [V. mög Sigronar] Högna. Hann kalladi skiöldinn Hildar hiôl, en bauginn nöf hiólsins" d. i. „Bregius poeta hæc cecinit de circulo clypei: Nisi ita sit, ut excellens Sigurdi filius accipere velit dignam remunerationem circuli tinnulæ rotæ Högnii virginis. Scilicet appellavit clypeum rotam Hildæ, circulum vero modiolum hujus rotæ." Ragnars Vater war Sigurd Hring. Sn. 165 (Arn. 434 f.): „Svâ er sagt í kvæđum, at Hiađningar skulu svâ bíđa ragna rökrs. Eptir þessi sögu orti Bragi skâld í Ragnars drâpu lodbrôkar" u. s. w. vier Strophen und vor der letzten eine Halbstrophe mit den schon erwähnten Kehrzeilen; diese besagen: „ræs gâfumk reiđar mâna Ragnarr u. s. w." Arn.: „dedit mihi rhedæ piraticæ lunam Ragnar u. s. w." Vgl. Sn. 160, Arn. 420: „Skildir eru kallađir ok kenndir viđ herskip, sôl eda tûngl . . . skipsins." S. 161: „hlŷrtûngl." Arn. 424 f.: „luna proræ." Gleichartig sind die Kehrzeilen in Haustlaung Sn. 112, Arn. 284. Sn. 121, Arn. 314.

gleicher Versart, die unter Bragis Namen vorkommen, namentlich jene über die Abpflügung Seelands von Schweden und mehrere über Thôrs Angeln nach der Midgardsschlange bei Hŷmir, das auch in Hûsdrâpa nach einem Bilde gefeiert ist, der Ragnarsdrâpa angehört haben[1]. Bragis Beziehung mit Eystein Beli beruht eben nur auf Skâldatal, während diejenige mit Biörn auf Haug durch das Verzeichnis schwedischer Könige, wie es am Schlusse der Hervörsaga in einer Handschrift lautet, bestätigt wird[2]; auch kommt eine Meldung der geschichtlichen Egilssaga in Betracht: als Egill Skalagrimsson, ein berühmter Skâlde des 10ten Jahrhunderts, den Zorn Eiriks Blutaxt auf sich geladen hatte, ward ihm gerathen, zu thun wie einst sein Anverwandter Bragi, der, in den Zorn des Schwedenkönigs Biörn gefallen, zu dessen Lob über Nacht eine Drâpa von zwanzig Gesätzen dichtete und dafür sein Haupt frei erhielt, welchem Beispiel Egill sofort durch Abfassung seines in die Saga eingerückten Liedes höfudlausn, Hauptlösung, folgte[3]. Die

[1] Die Str. über Gefiun Sn. 17 („svâ segir Bragi skâld gamli") und Ŷng. S. C. 5 („Bragi hinn gamli"; s. ob. S. 171), die Stellen vom Fischzug Sn. 98. 101. 102 (drei Stellen). 145 ob. 186 (Arn. 242 u. 252 u. 256. 370. 504 (gesammelt und erklärt Lex. myth. 188. 209 f.); sonst betrifft den Schild noch die Halbstrophe Sn. 162 (Arn. 426): „Vilit, Hrafnketill, heyra hve hreingrôit steini Þrûdar skal ek, ok Þengil Þiófs ilja blad leyfa" („Visne Hrafnketil, audire, quomodo laudaturus sim principem tabulamque plantarum raptoris Thrudæ, colore puro obductam"); wer ist dieser Hrafnketill? (Ähnliche Anreden an Frauen Arn. 306, 2. 312, 4.) Eben darauf können die Verse Sn. 320 u. (Arn. 2, 134) sich beziehen; zwei andre Stellen, Sn. 102 („Vel hafit" u. s. w. Arn. 256) und 122 u. (Arn. 318 u., von Thiassis Augen), handeln von Thaten Thôrs, eine Sn. 130 (Arn. 338 f.) rühmt fürstliche Goldspendung beim Trinkgelage für den Gesang des Dichters und noch eine Sn. 135 ob. (Arn. 350) ist gleichfalls ein Lob freigebiger Freundlichkeit.

[2] Fornald. S. 1, 510, 3: „Biörn konûngr efldi þann stad, er at Haugi heitir; hann var kalladr Biörn at Haugi, med honum var Bragi skâld." Über diesen Biörn s. Geijer 484 f. 488.

[3] Egils-Saga C. 62, S. 418 f. (a. C. 936): „segir Arinbiörn svâ u. s. w. Nû vil ek at vid takim þat râd upp attû vakir i alla nött ok yrkir lofkvædi um Eirik konûng. þætti mer þâ vel ef þat yrdi drâpa tvîtug. ok mættir þû kveda â morgin er vid komum fyri konûng. svâ gerdi Bragi, frændi þinn, þâ er hann vard fyri reidi Biarnar Svîa konûnga. at hann orti drâpu tvîtuga um hann eina nött. ok þâ þar fyri höfud

verschieden lautenden Quellen rücken Ragnars Thatenzeit theils hinauf ins Ende des 8ten Jahrhunderts oder doch zum Jahr 845, theils hinab zu 870 bis 880 [1]; selbst dieser spätere Zeitraum würde noch gestatten, daß Bragi sowohl bei Hiör, Hâlfs Sohn, als bei Ragnar Lodbrôk und dem gleichzeitigen Eystein Beli verweilt habe; aber für allzu langlebig müste man den Dichter annehmen, wenn er für den Urahn und den Urenkel Ragnar und Biörn auf Haug, hier sogar noch mit seinem Schwäher Erp Lûtandi, gesungen haben sollte, weshalb denn statt dieses späten Biörn, mit gutem Anschein auf Biörn Jarnsida, den Sohn Lodbrôks, gerathen wird; Egilssaga, das älteste Zeugnis, spricht einfach von Biörn und läßt die nähere Bezeichnung offen. Die Liederproben, die unter Bragis Namen gehn, erweisen sich wenig geeignet, festere Zeitbestimmungen für seine Lebensbahn zu ergeben. Sie sind nach Form und innerem Gepräge sehr verschieden geartet. Zuvörderst die in seinen Mund gelegte Einzelstrophe über Hiörs Söhne im altepischen Fornyrdalag zählt zur zahlreichen Klasse der Versreden, die von den Sagaschreibern theils aus älterer Überlieferung, theils zur Be-

sitt u. s. w. at yrkia lof um Eirîk konûng." (Ähnliches von Erp Lutandi in Skâldatal, s. ob. S. 283.) Der Herausgeber bemerkt hiezu: „Biörnus Sueciæ rex, cujus hic meminit Arinbiörnus, est, credo, Biörnus Jarnsîda filius Ragnari Lodbrôk; neque enim is esse potest Biörnus rex de Högo, quod Skallda tal apud Wormium videtur statuere; siquidem Biörnus ille de Högo sive Suecus, sive Norvegus fuerit (res enim mihi est incerta), Haralldo pulchricomo fuit coævus, vide Landn. b. p. 222. 224 et 25. Denique Bragii poetæ ex filia Astrida Slækidrengo abnepos fuit Arinbiörnus noster, vide Landn. b. p. 53, unde videri possit in textu reponi debere minn, pro þinn, postquam Egilli cum Bragio consanguinitatis nulla exstant vestigia, quod ego quidem sciam." Die Wunschformel („oskan") am Schlusse von höfudlausn besagt: „Nioti bauga sem Bragi auga" u. s. w. Wenn aber hier, nach den Auslegern, Bragi für Odinn stehen soll, so wird damit doch die nach Skâlda (Sn. 94. Arn. 230; vgl. 314) gestattete Nennung des einen Asen statt des andern, sofern ein Eigenthum oder Werk des letztern hinzukommt, sehr weit erstreckt; den höheren Gott nach dem geringern zu benennen, wäre undichterisch und in der Zusammensetzung mancher Odinsnamen mit -týr wirkt noch ein allgemeinerer Sinn des Wortes (vgl. Myth. 175 f.). Es erscheint daher ungezwungener, anzunehmen, daß auf irgend ein Ereignis im Leben des Skâlden Bragi, nach dessen Vorgang Egill dichten sollte, angespielt sei.

[1] Sagabibl. 2, 474 bis 76. Crit. Undersög. 160 ff. (J. 720 bis 798). Geijer 452 ff. 480 ff. Zeuß 535 f. Munch, heroisch. Zeitalt. 109 ff.

lebung des Vortrags an geeigneter Stelle neuverfaßt, der Erzählung eingeschoben werden, ohne darum buchstäblich dem genannten Sprecher anzugehören (vgl. 2, 457). Heimatlich aber steht jene Strophe mit der alten Stammkunde, der sie zum Wahrzeichen dient, weder in Landnámabók noch in Sturlúngasaga, sondern doch nur in der trefflichen Heldensage vom König Hálf, Hiörs Vater, und seinen Recken, deren Prosa fast nur den Rahmen zu größeren Liedern und einzelnen Gesätzen der epischen Weise bildet; und wenn auch Hálfssaga nach ihrer jetzigen Fassung erst in den Anfang des 13ten Jahrhunderts gesetzt wird (Sagabibl. 2, 456), so stammt doch ihre Grundlage und der Geist, der in ihren Liedern lebt, aus viel früherer Zeit; ja es wäre gedenkbar, daß in diesen wirklich noch Nachklänge vom Gesange des Skáldenvaters fortlauteten, der als erbetener Gast auf dem Ehrensitze der alten Hördalandekönige saß. Jedenfalls verkündet sich in der Haltung und hohen Stellung des Sängers, wie er mit hellem Auge das Geheimnis der Königin durchschaut und sie mit Auflegung des Stabes zurechtweist, noch etwas von dem ernsten und strengen Skáldenthum Starkads, eines weiterhin besonders zu besprechenden Dichters und Helden, dessen Lieder für die ältest überlieferten galten, und nach welchem Fornyrdalag in seiner einfachsten Gestalt Starkadarlag geheißen ist.

Im Fornyrdalag sind auch zwei weitere, nach einer Meldung in Skálda, Bragi dem Alten zugehörende Strophen gedichtet: als er nemlich spät Abends durch einen Wald zu Wagen fährt, wird er von einem Zauber- oder Riesenweibe (tröllkona), das erfahren will, wer er sei, mit einem Gesätz voll dichterischer Bezeichnungen eines Trölls angeredet, was er durch ein andres mit solchen eines Skálden erwidert [1]. Diese

[1] Sn. 175 (Arn. 464 ff.): „Þetta kvad Bragi hinn gamli; þá er hann ók um skóg nokkvorn síd um kveld, þá stefjadi tröllkona á hann, ok spurdi hverr þar fór: Tröll kalla mik u. s. w. elsólar böl u. s. w. hvelsvelg himins [vgl. Sæm. 6, 32. Zeitschr. f. d. Alt. 6, 313. 315]; hvat er tröll nema þat? (Hann svarar svá:) Skáld kalla mik, skapsmid Vidurs, Gauts giafrötud, grepp óhneppan, Yggs ölbera, óds skapmóda, hagsmid bragar; hvat er skáld nema þat?" Arn. 467: „Poetam me vocant, dignum Viduris fabrum. Gothi muneris inventorem, vatem haud sterilis venæ. Yggi cerevisiæ ministrum, carminis justum confectorem, poeseos dextrum artificem. Poeta quid est, si hoc non est?" Tröll ist N. und

Wechselreden stammen wohl gleichfalls aus einer sagenhaften Erzählung, in der sie zu Einleitung eines Gespräches dienten, wie auch anderwärts bei der Begegnung mit dämonischen Wesen gewöhnlich in Versen gesprochen wird und ausforschende Fragen an die Spitze treten [1]; der einfachen Versweise unerachtet bewegt sich das Waldgespräch durchaus schon in skäldischen Kenningar [2] und den Skälden selbst kennzeichnet Bragi als Vidurs Sinnschmied, Yggs Ölträger (beidemal Odins) u. s. f. [3], so daß Vers und Stil die gleichen sind, wie in den Bruchstücken von Biarkamál, in denen die Goldnamen gedrängt stehn [4]. Viel künstlicher ist die Versart, dróttkvædi, und zugleich viel überladener und verschränkter die dichterische Sprache der Ragnarsdrápa, und so bestimmt dieses Gedicht als ein an Ragnar Lodbrók gerichtetes bezeichnet wird und sich selbst für ein solches ausgibt, so kann doch ihm am wenigsten ein so früher Ursprung zugestanden werden.

Nicht als ob es an sich unstatthaft wäre, daß Lieder sehr verschiedenen Stils aus derselben Zeit und von dem gleichen Dichter herrührten [5]. Das einfache epische Fornyrdalag wurde neben den

kann auch für einen männlichen Unhold oder Riesen gebraucht werden (z. B. Egils S. C. 62. S. 408: „Madr er hèr kominn úti fyri dyrum u. s. w. mikill sem tröll" u. s. w. Fornald. S. 2, 29: tröll = Þussinn) und in den Versen selbst sind (mit Ausnahme des N. böl) sämmtliche kenningar des Trölls Masc.; auch die zu „hvelsvelg himins" bezügliche Stelle der Völuspá (Sæm. 6, 33. Sn. 13. Arn. 60) ergibt ein männliches Ungethüm. Vgl. Myth. 493. 956. 993.

[1] Z. B. Fornald. S. 2, 125: „Hvat er Þat býsna." 2, 127: „Hvat er Þat flagda." (Vgl. Sæm. 106, 2 f.: „Hvat er Þat flagda." 48, 2: „Hvat er er Þat fíra." 48, 5: „Hvat er Þat rekka.)

[2] Die beiden Str. (Sn. 174. Arn. 464 f.) stehen zwar als Beleg für die „ûkend heiti skáldskapar," hierunter sind aber nur die in jenen vorkommenden einfachen Wörter ódr und bragr verstanden.

[3] S. 287, Anm. Zu skapsmid Vidurs vgl. Sæm. 46, 5. Munch 32, 49. Sn. 24[b]. 100 ob.: „Vidursfeng."

[4] Sn. 154. Arn. 400 f., s. ob. S. 229 f. Einfach nehmen sich immerhin diese „gullsheiti" hier noch aus im Vergleich mit dem Gebrauche derselben in den Kunstgesängen, wovon Skálda im nemlichen Abschnitt zahlreiche Beispiele gibt. Wenn nach Sagabibl. 2, 358 Bragi der Alte Biarkamál gedichtet haben soll, so kann damit doch nur gemeint sein, daß dieses Lied, wie früher, ebd. 124, angenommen ist, mindestens zu Anfang des 9ten Jahrhunderts, also ungefähr zu Bragis Zeit (vgl. ebd. 2, 475) verfaßt sei.

[5] Vgl. oben S. 211.

gekünsteltesten Versmaßen fortgeübt; in demselben ist das schmucklose Eiriksmâl gesungen, während Egils Höfudlausn, dem nemlichen König bei seinem Leben gewidmet, kunstmäßig im vollen Gebrauche des Auslautreimes (rûnhendr) einherschreitet, und schon eher dichtete Thiodôlf von Hvin gleich fertig ebenso wohl im Fornyrdalag und, wie andre Skälden Harald Schönhaars, im Drôttkvädi. Für das Alter der Ragnarsdrâpa kommen vielmehr, was ihre Form betrifft, zwei Umstände in Erwägung: einmal bestehen die frühesten glaubhaften Zeugnisse vom Gebrauch des Drôttkvädi darin, daß in dieser Weise verfaßte Liederstücke und einzelne Gesätze von benannten Skälden Haralds (863 bis 936), Thorbiörn Hornklofi und eben Thiodôlf von Hvin, zuverlässigen Geschichtsagen einverleibt sind [1]; über die zweite Hälfte des 10ten Jahrhunderts hinauf, in die muthmaßlichen Zeiten Ragnar Lodbröks und Bragis des Alten erstreckt sich keine solche Beglaubigung [2]; sodann tragen die beurkundeten Erzeugnisse der norwegischen Skälden aus Haralds Tagen deutliche Spur des Übergangs, indem sie einerseits im Fornyrdalag nicht völlig mehr die altepische Einfachheit, anderseits im Drôttkvädi noch weit nicht die gesteigerte Künstlichkeit walten lassen, wie sie fortan in diesem überhandnimmt, wogegen Ragnarsdrâpa hierin hinter Gedichten gleicher Versart und verwandten Inhalts vom Ende des 10ten Jahrhunderts, Thôrsdrâpa und Hûsdrâpa, um nichts zurücksteht [3]. Das Ragnarslied ist nicht das einzige, das sich in dieses

[1] Von Hornklofi Fagrsk. 9. Heimskr. 1, 83 („î Glymdrâpu"). 84. 86. 93. 99; von Thiodôlf Heimskr. 1, 105. 116; von Frauen Heimskr. 1, 101. 119 („Jorunn skaldmær, nokkur erendi î sendibit?"). Vgl. Ölver hnûfa Sn. 101. (Haralds Regierungsjahre, 863 bis 936, Thorlac. antiquitat. bor. spec. sext. S. IV, zu Haustlöng, Dietr. XXIX.) Merkwürdige Stelle über Haralds Skälden und die Beziehung ihrer Lieder zur Geschichte im Form. der Heimskr. 1, 2.

[2] Zwar gibt Snorri in Yngl. S. C. 5 die Str. über Gefion, eben wie in Gylfaginning, unter dem Namen Bragis des Alten; es läßt sich aber die bloße Beisetzung eines überlieferten Namens nicht vergleichen mit der bestimmten Angabe über Thiodôlf von Hvin als Dichter des Ynglingatal (im Fornyrdalag) in Snorris Vorrede zu seinem Geschichtwerk (Heimskr. 1, 1) und am Schlusse der Yngl. S. (ebd. 1, 64. Vgl. Fornald. S. 2, 106).

[3] Ein Lied, das Fagrsk. 8 f. dem Thiodolf, Heimskr. 1, 95 f. dem Hornklofi zuschreibt, nennt die Schilde „Svafnis salnæfrar," Odins Saalbalkenköpfe, weil Valhöll mit aufgehängten Schilden geschmückt ist, in Ragnarsdrâpa Sn. 165 b

Königs Zeit hinaufdichtet; ein bekannteres, Lodbrókarkvida oder Krákumál, ist dem sterbenden Helden selbst in den Mund gelegt [1]; letztere Aufschrift scheint wenigstens das wahren zu sollen, daß Áslaug-Kráka es auf den Tod ihres Gemahls habe dichten lassen, etwa wie die Königin Gunnhild das auf Eiriks Fall [2], und doch weist die Kritik dem Todesgesange, der viel weniger schwierigen Stils ist, als das Schildlied, frühestens das 10te Jahrhundert an [3]. Ragnarsdrápa kann zu den Dichtwerken gezählt werden, in denen der Drang sich bethätigte, Gestalten und Ereignisse der Götter- und Heldensage, die in alter schlichter Form überliefert waren, mit dem Schmucke der neuerrungenen skáldischen Meisterschaft zu bekleiden [4]. Arbeiten dieser Art, von denen größere Überreste vorliegen, sind, neben Ragnarsdrápa, Haustlöng unter dem Namen Thiodólfs von Hvin [5] und die zwei schon genannten, deren

(Arn. 438) heißt der besungene Schild „Svolnis salpenningr,“ Odins Saalpfenning, verglichen mit einer glänzenden Münze (Lex. isl. 2, 170: „peningr, m. pecus, pecora. 2) æs, nummus); wenn nun gleich der ahd. phantinc, pfentinc, pfenninc (denarius) schon im 8ten Jahrhundert auftaucht (Graff 3, 342 f. Schmeller, b. W. 1, 316 f.), so müßte er doch in einem altnordischen Skáldenliede aus Ragnars Zeit befremden. Für die „gullpeninga“ und „silfrpeninga“ der Yngl. S. C. 52 (Heimskr. 1, 60) geben Fornald. S. 2, 104 einfach: „gull,“ „silfr.“ Den „eyrpenningum,“ Yngl. S. C. 13 (Heimskr. 1, 16) ist auch gerade kein hohes Alter beizumessen. [Sæm. 65, 40 (Œgisdr.): „penning.“]

[1] Fornald. S. 1, 300 ff. „Krákumál,“ Schluß: „gladr skal ek öl með Ásum í öndvegi drekka; lífs eru liðnar stundir, læjandi skal ek deyja“ (vgl. ebd. 282. Saxo 9, 176).

[2] S. ob. S. 279. Fagrsk. 16: „Eptir fall Eiríks lét Gunnhildr yrkja kvæði um hann, svá sem Oðinn fagnaði hánum í Valhöll, ok hefr svá“ u. s. w.

[3] Sagabibl. 2, 479 f. (11tes oder 12tes Jahrh.); Köppen, Literar. Einleitung 86 (10tes, spätestens 12tes Jahrh.); Dietrich XXXII (11tes Jahrh.).

[4] Diesen Unterschied und Umschwung gibt Skálda genau an (Sn. 165. Arn. 434 f.): „Svá er sagt í kvæðum, at Hiaðningar skulu svá bíða ragna rökurs. Eptir þessi sögu orti Bragi skáld í Ragnars drápu lodbrókar.“

[5] Thiodólfs besser bezeugte Stücke, nicht bloß die in leichteren Weisen, sondern selbst die Strophen im Dróttkvæði, zeigen weit nicht den verschobenen Satzbau des Haustlöng und es spricht dieß für den erhobenen Zweifel, ob letzteres Lied ihn zum Verfasser habe (Dietr. XXVIII: „wenn Haustlöng von ihm ist“; vgl. Zeitschr. f. d. Alt. 9, 178 u.); der darin gefeierte Name des

Dichter gegen Ende des 10ten Jahrhunderts blühten [Dietr. XXIII]: Thórsdrápa von Eilif Gudrúns Sohn und Húsdrápa von Ulf Uggis Sohn. Diese skáldische Sagenbearbeitung gieng zusammen mit der Entwicklung verschiedener Arten bildender Kunst, deren vermuthlich sehr unvollkommene Darstellungen durch die begleitenden Lieder dichterisch ergänzt und erleuchtet wurden. Húsdrápa galt den mythischen Bildwerken, womit das neuerbaute Haus eines reichen Isländers geschmückt war (Thór 143, oben S. 82), eine Stegreifstrophe im Dróttkvädi des Skálden Thormódr (anderwärts Thorfidr) einem Umhangbilde bei Olaf dem Heiligen, wie Sigurd den Lindwurm schlägt [1]; besonders aber waren Schildbilder aus der Sagenwelt, wie in Ragnarsdrápa, so auch in Haustlöng und einer Drápa des schongedachten Isländers Egill besungen, von welcher nur die gleichfalls im Dróttkvädi verfaßte Eingangsstrophe noch übrig ist [2]. Schon gänzlich sagenhafte Helden führen Schilde, darauf ihre Thaten abgebildet sind [3], in der Blüthezeit der

Beschenkers, Thórleifr, mag irrig auf einen angesehenen Mann aus Haralds frühester Lebenszeit, Þórleifr enn spaki (Heimskr. 1, 72; vgl. 103. 138) bezogen und hiernach das Gedicht dem namhaftesten Skálden jenes Zeitraums angeeignet worden sein; Skáldatal (S. 486) nennt wirklich zu „Þorleifur Spaki“ als Skálden: „Thiodolfr or Hvini.“

[1] Olafs S. hins helga. Christ. 1849, S. 48 (vgl. 93): „Fra Þui er oc sact at Olafr konongr sat i hasæte sinu æinnhværn dag. oc Þormodr sat a stole firir hanum. Þa mællte konongrenn at hann skilldi yrkja um Þat er skrivat var a tialldeno iamgiægnt harlum. Skolldet læit til en Þar var a markat hvar er Sigurdr va ormenn. Oc quad Þa visu Þessa“ u. s. w. (Sagabibl. 2, 386.)

[2] Egils S. C. 81, S. 699 ff. (A. C. 962).

[3] Der sterbende Hildiger bei Saxo 7, 136: „Ad caput affixus clypeus mihi sveticus astat, quem specular vernans varii cælaminis ornat et miris laqueata modis tabulata coronant; illic confectos proceres pugilesque subactos, bella quoque et nostræ facinus spectabile dextræ multicolor pictura notat, medioxima nati illita conspicuo species cælamine constat, cui manus hæc cursum metæ vitalis ademit.“ Vgl. Fornald. S. 2, 485. Auch Amleth, Saxo 4, 56: „In scuto quoque, quod sibi parari jusserat, omnem operum suorum contextum, ab ineuntis ætatis primordiis auspicatus, exquisitis picturæ notis adumbrandum curavit. Quo gestamine perinde ac virtutum suarum teste usus, claritatis incrementa contraxit.“ (Lex. myth. 612 bis 14.) Hugrúnen (Mythen) waren dem Sonnenschild eingegraben, Sæm. 195, 15. Vgl. 196, 18: „á gumna heillum.“

Hofskälden aber war der sagengeschmückte Schild das rechte Ehrengeschenk an den Sänger, der mit der kostbaren Gabe die Pflicht übernahm, für ihre Verherrlichung zu sorgen; als Einar Skálaglam für sein Loblied auf Hákon Jarl einen solchen Schild empfangen hatte, nahm er diesen mit sich nach Island und hängte ihn dort im Hause des abwesenden Egils auf, der bei seiner Heimkunst über die errathene Absicht, daß er nun den Schild besingen solle, zuerst heftig erzürnt war, bald aber doch sich gedrungen fand, eine Drápa auf denselben zu dichten [1]. Das gefeierte Kleinod, vielleicht nach schon daran haftender Sage, von einem älteren, berühmten Besitzer, wie Thorleif Spaki, noch mehr Ragnar Lodbrók, herzuleiten und dann auch einen namhaften Skálden desselben, Thiodólf, Bragi, als Empfänger sprechen zu lassen, gereichte mit zur dichterischen Ausstattung des Schildliedes.

Bragi der Alte ist hiernach zugleich geschichtlich beurkundet und doch mehrfach in Sage und Dichtung verwoben, ja er berührt sich mit dem gleichnamigen Skálden der Götterwelt und es erwächst die Frage, wie dieses Verhältnis aufzufassen sei. Von ihrem Asen Bragi sagt die

1 Egils S. a. a. O.: „Jarlinn, vildi eigi at Einar færi á brott. ok hliddi þá qvædinu. ok sidan gaf han Einari skiölld. ok var hann en mesta gersemi. han var skrifadr forn-sögum [a. allr sögum; vgl. von Ragnars Schilde Sn. 145. Arn. 374: „fiöld sagna"]. enn allt milli scriptann voru lagdar ifir speingur af gulli ok settr steinum. Einar for til Islands u. s. w. þá geck han til rúms Egils ok festi þar upp skiölldinn þann enn dýra ok sagdi heima-mönnum at han gaf Agli skiölldinn. Sídan reid Einar í brott. enn þann sama dag kom Egil heim. enn er han kom inn til rúms sins, þá sá han skiölldinn, ok spurdi hverr gersemi þá ætti. honum var sagt, at Einar Skálaglam hefdi þar komit. ok han hafdi gefit honum skiölldinn. þá mælti Egil. gefi han allra manna armastr. ætlar han at ek skyla þar vaka ifir ok yrkia um skiöld hans [a. hann ok skiöld hans]. nu taki hest minn. skal ek rida eptir honum ok drepa hann. honum var sagt at Einar hafdi ridid snemma um morguninn. mun han nú kominn vestr til Dala. Sídan orti Egil drápu [a. um skialdar giöfina] ok er þetta upphaf at u. s. w." Folgt die erste Str. in dróttkvædi, die jedoch den Inhalt der dargestellten Sagen noch nicht andeutet. Die Stelle Sn. 160: „á fornum skiöldum var títt at skrifa rönd, þá er baugr var kalladr ok er vid þann baug skildir kenndir" (Arn. 421: „antiquitus mos fuit, ut in clypeis orbis pingeretur, circulus dictus, a quo circulo clypei denominantur") spricht nur von einem durch Zeichnung abgegrenzten, nicht von einem mit Bildern gezierten Schildrande.

jüngere Edda, er sei im höchsten Grade der Dichtkunst mächtig und nach ihm sei diese bragr genannt, auch werde nach seinem Namen bragr der Männer oder Frauen geheißen, wer andre jenes oder dieses Geschlechts an Redefertigkeit übertreffe [1]. Dieß würde nahe geben, auch den geschichtlichen Dichternamen Bragi für einen dem göttlichen abgeborgten Ehrentitel anzusehen oder beide gleichmäßig als im Wortsinne begründete Benennungen eines vortrefflichen Skålden zu verstehen. Ein viel späterer Sänger desselben Namens, Bragi, Halls Sohn, den Skáldatal unter Sverrir und dessen Sohn Håkon, norwegischen Königen vom Ende des 12ten und im Verfolge des 13ten Jahrhunderts, verzeichnet [2], wäre dann, obgleich sonst wenig kundbar, entweder gleichfalls dem Sängergott oder zunächst dem älteren Skålden nachbenannt. Herkömmlich war es aber keineswegs, außerhalb des dichterischen Kunststils [3], den Namen einer Gottheit für den gewöhnlichen Gebrauch auf Menschen zu übertragen; eine solche Gemeinschaft konnte sich nur dann geziemen, wenn der Göttername einen noch gewußten allgemeineren Sinn hatte [4], also im gegebenen Falle Bragi wirklich den eines Dichters, obwohl auch dann nicht der Hauptname, sondern ein nachgesetzter Beiname daraus geworden wäre. Allein eben die Wortbedeutung stimmt hier, genauer erwogen, nicht mit den Annahmen der jüngern Edda überein.

[1] Sn. 29 f. (Arn. 98): „Bragi heitir einn, hann er ágætr at speki, ok mest at málsnild ok orðfimi; hann kann mest af skáldskap, ok af honum er bragr kallaðr skáldskapr, ok af hans nafni er sá kallaðr bragr karla eða kvenna, er orðsnild hefir framarr en aðrir, kona eða karlmaðr“. „Unus Asarum Bragius vocatur, is sapientia excellit, in primis eloquentia et dicendi facultate; artis poeticæ peritissimus est, et ex eo poesis „bragr“ appellatur; de ejus quoque nomine is dicitur „bragr virorum aut feminarum,“ qui alios facundia antecellit, sive femina, sive vir sit“.

[2] Skåldatal a. a. O. 482: „Sverri Kongr: Bragi Skalld. Hakon Kongr Sverris son: Bragi Hallzson.“ Vgl. Halfd. Einar. Sciagraph. 54.

[3] Sn. 127. Oder auch hier nur als kend heiti (vgl. Sn. 175), wie Sn. 96 und 212: „mann-Baldr“. Heimskr. 1, 150: „baldri“. Sæm. 266, 8: „geir-Niörðr“ (Myth. 198, mit Freyr 192 f.). Heimskr. 1, 133: „foldar Freyr“. 149: „Niörðr landa, nadds.“

[4] So in den ahd. Mannsnamen Wuotan (Graff 1, 767. Myth. 120), Donar (Graff 5, 150. Myth. 170) u. s. w., dem goth. Fráuja (Myth. 192); vgl. Fornald. S. 1, 303: „Freyrr konûngr í Flæmingja veldi“ (ebd. 3, 237, 1).

Zwar eröffnet bragr auch die Reihe einfacher „heiti“ der Dichtkunst, die in Skálda aufgezählt und belegt sind; da jedoch die ihm nachfolgenden Ruhm, Schall, Kundbarkeit, Lob und Preis bedeuten [1], so läßt sich für bragr, das leitende Wort, eine Färbung desselben Begriffs zum Voraus vermuthen, ja sie ist im skáldischen Gebrauche aufweisbar, und sie bezeichnen alle nicht zunächst die Skáldschaft überhaupt, sondern ihre Richtung auf den Ruhm der Besungenen oder auch in manchen Liederstellen, das einzelne Lob- und Ehrengedicht [2]. Dem angenommenen Wortsinn sagen zu: „bragar-full“ (s. S. 277 ff.), Becher des Ehrengedächtnisses, dann Thôrs Bezeichnung „Âsa-bragr“ (Sæm. 85, 34. Sn. 211 [a]), Ruhm der Äsen, und die vorgedachten „bragr karla“, „bragr kvenna“, Preis der Männer, Krone der Frauen, nicht eben nur die beredtesten [3]. Unmittelbar persönlich gilt die schwache

1 Sn. 175 (Arn. 464): „Hver eru ûkend heiti („appellationes simplices“) skáldskaparins? Hann heitir bragr ok hrôdr, ôdr, mærdr, lof, leyfd.“ Biörn 1, 395: „hrôdr, m. encomium, laus. 2) poema.“ 2, 97: „mærd, f. (?) laus. 2) poesis.“ 2, 39: „lof, n. laus.“ 2, 25: „at leyfa, laudare.“ Zu ôdr s. ob. S. 190. Eine andre Bedeutung von bragr: Sitte, Geberde (Biörn 1, 102: „bragr, m. mos, gestus;“ hiezu 1, 101: „at braga eftir einum, imitari aliqvem, referre aliqvem gestu“) vermittelt sich mit dem Begriff des Lobes, der Ehre, durch das Anständige, Ziemliche (decus, decorum).

2 Sn. 191 (Arn. 520): „Jöfurr heyri upphaf, ofrast mun konûngs lof, hâttu nemi hann rêtt hrôdr[s] mîns [V. sîns], bragar sîns [V. mîns].“ („Princeps initium carminis de se facti audiat. Carmen laudatorium in regem incipietur. Ille attente modos advertat encomii mei.“) Heimskr. 1, 119: „bragr.“

3 Sæm. 218, 15: „hon er bragr kvenna“ von Brynhild ohne allen Bezug auf Redegabe. Myth. 215: „bragr karla = vir facundus, præstans u. s. w. Âsa bragr (deorum princeps) = Þôrr u. s. w. bragr qvenna u. s. w. femina præstantissima;“ hauptsächlich Gr. 4, 724: „aller ritter, aller wibe bluome, aller wibe ein krône.“ 725: „allerô mannô êra.“ 963: „aller riter êre.“ Bragr ist nirgends entschieden als Personennamen gebraucht (über bragafull s. ob.) und es fragt sich, ob überhaupt der Doppelgebrauch starker und schwacher Form für männliche Eigennamen (Lex. poet. 72 [b] und hiezu: Mima meidr) außerhalb der Poesie üblich sei. Vgl. Fornm. S. 3, 103: „Hèr liggr skáld þat er skálda skörûngr var mestr at flestu [V. af flestum“] u. s. w.; auch karla, kvenna sk.? Fornm. S. 3, 90: „Þorkild het kona hans [Âsgeirs]; hûn var vitr kona ok vinsæl ok skörûngr mikill.“ Fornald. S. 1, 176: „Þâ hefir sèt Brynhildi Budladôttur, er mestr skörûngr er.“

Form bragi, die zum Eigennamen geworden ist. Der Übergang zu letzterem zeigt sich unter den vielen zu Söhnen Hálfdans des Alten gestempelten Eigenschaftsnamen in den beiden Brüdern Bragi und Lofdi [1], deren jedem eine mit der Mehrzahl desselben Wortes benannte Gefolgschaft, „bragnar, lofdar,“ zugeschrieben wird [2]; damit erhält man für den einen Bragi oder Lofdi deren je eine Schaar, und zwar nicht von Skálden, sondern von Kriegsleuten (zu deutsch: „von helden lobebären“), es werden auch diese ehrende Namen für Männer überhaupt, als „manna-heiti,“ dichterisch verwendet [3], und daß es Appellative sind,

[1] Entsprechend den synonymen bragr, lof, leyfd; vgl. Sn. 176 (Arn. 468): „fram tel ek leyfd fyrir lofda lioeri“ u. s. w. („Laudem virorum coram candidâ [muliere] recito.“) Heimskr. 2, 48 f.: „brag u. s. w. lofi skalda u. s. w. hródurs u. s. w. at bragarlaunum u. s. w. leyfd.“

[2] Sn. 192 (Arn. 520 f.): „Enn áttu þau Hálfdan adra níu sonu, er svá heita: u. s. w. setti Bragi, er Bragníngar eru frá komnir, þat er ætt Hálfdanar ens milda u. s. w. áttundi er Lofdi, hann var herkonúngr mikill, honum fulgdi þat lid, er Lofdar voru kalladir, hans ættmen voru kalladir Lofdúngar; þadan er kominn Eylimi, módurfadir Sigurdar Fáfnisbana.“ Sn. 194 (Arn. 526): „Lofda konúngi fylgdi þat lid er Lofdar heita.“ Sn. 195 (Arn. 528): „Lofdar heita ok menn í skáldskap, sem fyrr er ritad u. s. w. Bragnar hêtu þeir, er fylgdu Braga konúngi enum gamla.“ Fornald. S. 2, 9 ff., besonders: „Hildir, Sigarr ok Lofdi voru allir herkonúngar u. s. w. Dagr, Skelfir ok Bragi adtu at löndum“ u. s. w. Bragi gamli var konúngr á Valdresi u. s. w. þessi ætt Haralds [hins hárfagra] heita Bragníngar u. s. w. Lofdi var konúngr mikill; þat herlid, er honum fylgdi, eru Lofdar kalladir; hann herjadi á Reidgotaland, ok vard þar konúngr; hans synir voru u. s. w. þessir ættmenn Haralds eru kalladir Lofdúngar.“ Das Hyndlalied (Sæm. 115, 16) nennt zwar als von Hálfdan fyrri (= gamli) abstammende Geschlechter nur Skilfingar, Ödlingar, Ynglingar (115, 11 noch: „hvat er Ylfinga?“); da aber ausdrücklich seine achtzehn Söhne (115, 15 f.: „áttián sonu; þadan“ u. s. w.) als Geschlechtstifter angezeigt werden, so ist immerhin auch für die nicht genannten Bragi und Lofdi, Bragningar und Lofdungar Raum gelassen. Dieß zu Munch 2, 4 ff.

[3] Sn. 212 b (Arn. 558 f.): „Mál er at segja manna heiti u. s. w. bragnar u. s. w. lofdar. Sæm. 114, 3.: „brögnum“. Fornald. S. 1, 350: „fyri bragna.“ 2, 138: „bragnar“. Sn. 176: „fyrir lofda“ (vgl. Anm. 1). Yngl. S. C. 47 (Heimskr. 1, 57): „lofda kyns.“ Heimskr. 2, 15 und 338: „bragna konr.“ Sæm. 158, 1.: „bragnar“. Mit Bragi, Bragnar gleichbeschaffen sind Skati, Skatnar; zu diesen vgl. J. Grimm in der Zeitschr. f. vgl. Sprachforsch. 1, 81; über die Form des Nom. und Gen. Pl. -nar, -na Gr. 1 (2), 661. (ebd. 597. 817. 820 f. Sprachg. 939 ff. 953). Heimskr. 1, 14.: „skatna vinr.“

ist so wenig zweifelhaft, als bei andern derselben und einer älteren, poetische Würdenamen für König oder Jarl begreifenden Schicht von je neun gleichzeitig gebornen Hälfdanssöhnen [1]. An Bragi und Losdi schließen sich aber nicht bloß die ansehnlichen Gefolge, Bragnar und Losdar, sondern auch große Nachkommenschaften, Bragningar und Losdüngar [2], und wie es mit andern berühmten Geschlechtern üblich war, sind bragnîngr und lofdûngr gleichfalls gangbare Würdenamen und Bezeichnungen wehrhafter Männer überhaupt in der nordischen Dichtkunst geworden [3], zugleich nehmen beide Stammreihen ihren Zug in die Geschichte und zwar, wie auch meist die übrigen, auf Harald Schönhaar, dem von Vaterseite die Bragninge, von mütterlicher die Losdünge zu Ahnen gegeben werden; insbesondre wird dem Geschlecht seines Urgroßvaters, Hälfdans des Milden, dessen Mutter Hild im vierten Gliede von Bragi dem Alten stammen soll, der Name Bragninge zugetheilt [4]. Mit dieser auf Skálda und der Saga vom Anbau Norwegens beruhenden Stammtafel stimmt die von Harald aufsteigende Namenreihe

[1] Über die ersten Neun, Thengill, Räsir, Gramr, Gylsi, Gilmir, Jöfurr, Tiggi, Skyli oder Skuli, Harri oder Herra Sn. 191 (Arn. 518): „þessir níu brœdr urdu svá ágætir í hernadi, at í öllum frædum sídan eru nöfn þeirra haldin fyrir tignarnöfn, svá sem konûngs nafn eda nafn iarls.“ Ein appellativer Würdename ist auch breogo, brëgo in den angels. Gedichten, „obgleich Formen und Vokalverhältnisse nicht genau [mit Bragi] zutreffen“, Myth. 215. Andr. und El. 97. Gr. 1 (3), 348 ff. 1 (2), 640 u. 2, 450. 602. Ettmüllers Lex. 319. Bouterweks Gl. 30.

[2] S. S. 295, Anm. 2; auch hier das eingeschaltete n.

[3] Sn. 193 (Arn. 522): „þessar ættir, er nú eru nefndar, hafa menn sett svá í skáldskap, at halda öll þessi fyrir tignar nöfn;“, in den nachfolgenden Belegstellen: „Bragníngr („rex“) u. s. w. „Lofdûngr enn leyfdi“ („laudatus ille rex“). Fornald. S. 2, 38: „bragnînga sveit“. 1, 307: „vid lofdunga þrenna.“ 2, 85: „lofdunga at finna.“ Sæm. 199, 38: „lofdungs.“ Yngl. S. C. 33 (Heimskr. 1, 42): „bragnings bur.“ Heimskr. 1, 172. 2, 76 und 336: „bragníngr“. 2, 408: „vid bragning“. 2, 103: „fimm bragníngar.“

[4] Sn. 192 (Arn. 522): „Bragi, er Bragníngar eru fråkomnir, þat er ætt Hálfdanar ens milda.“ Fornald. S. 2, 9: „Bragi gamli var konûngr á Valdresi; hann var fadir Agnars, födur Álfs, födur Eireks, födur Hildar, módur Hálfdanar ens milda, födur Gudrödar, födur Hálfdanar svarta, födur Haralds hins hárfagra; þessi ætt Haralds heita Bragníngar.“

in Ynglingasaga bis zur Spitze; aber gerade hier tritt an die Stelle Bragis des Alten, Königs in Valdres, als letztgenannter: Sigtrygg. König von Vindill [1]; auch der Geschlechtsname Bragninge bleibt dabei unerwähnt, und in den eingefügten Versen aus Thiodôlfs Ynglingatal, die jenen Seitenast gar nicht berühren, wird bragnîngr, wie lofdi, siklîngr, döglîngr, skilfîngr, budlûngr, nur skaldisch als Würdename gebraucht [2]. Harald Schönhaar, der alle Einzelgewalten norwegischer Bezirke in seine Hand nahm, mochte hiezu vorbestimmt erscheinen, wenn, eben in Hâlfdan, eine ursprüngliche Stammeinheit der edelsten Geschlechter gefunden war, deren Fäden zuletzt wieder in dem mächtigen Einkönig zusammenliefen. Ynglingatal aber und die Saga, der das Gedicht Quelle war, verfolgten geradauf den männlichen Hauptstamm der Ynglinge, der vielstufig zu dem göttlichen Yngvifrey hinanstieg [3]; dem gemäß nennt Thiodôlf Sprossen desselben Freys Abkömmlinge [4]. Die Grenze zwischen Fabel und Geschichte, zwischen wirklichen und erdichteten Eigennamen, läßt sich in all diesen Stammreihen nicht genau

[1] Yngl. S. C. 51. (Heimskr. 1, 58 f.): „Eysteinn, son Hâlfdanar Hvîtbeins, var konûngr eptir hann â Raumarîki ok â Vestfold; hann âtti Hildi dôttur Eirîks Agnar sonar, er konûngr var â Vestfold. Agnar fadir Eirîks, var sonr Sigtryggs konûngs â Vindli.“ Eysteins Sohn von Hild ist Hâlfdan der Milde; in der aufsteigenden Seitenreihe fehlt bis zu Sigtrygg einzig Âlf, Agnars Sohn (vgl. S. 296, Anm. 4). Genau mit Yngl. S. trifft die Aufzählung in Fornald. S. 2, 104 zusammen. Sigtrygg ist sonst auch der Name eines von Hâlfdan dem Alten im Zweikampf erschlagenen Gegners (Sæm. 115, 15. Sn. 190. Fornald. S. 2, 9. Vgl. Saxo 1, 6. 8. Myth. v. Thôr 194. 198).

[2] Heimskr. 1, 42: „bragnings burs.“ 1, 57: „lofda kyns.“ 1, 17 und 43: „sikling.“ 1, 29: „döglîngr“ (vgl. 1, 84). 1, 38: „skilfînga nid.“ 1, 60: „budlûng.“ 1, 62: „budlûngr.“

[3] Fornald. S. 2, 106: „um hann [Rögnvald] orti Þiodôlfr Hvinverski Ynglîngatal, ok segir þar frâ þeim konûngum, er komnir voru frâ Yngvi-Frey î Svîþiod, ok af hans nafni eru Ynglîngar kalladir.“ Vgl. Heimskr. 1, 1 f. 64.

[4] Heimskr. 1, 27: „Freys afsprîng.“ 1, 42: „Freys âttûngr;“ doch ist dieß auch schon zum tignarnafn geworden, denn eben so kennzeichnet (Heimskr. 1, 88) Eyvind Skâldaspillir, ein Urenkel Haralds, den Jarl Hâkon, Griotgards Sohn, der eines andern Stammes war (Fornald. S. 2, 6. Vgl. „Tys âttûngr“ Heimskr. 1, 38. 178).

abstecken [1]; aber wie die geschichtliche Geltung des Namens Ynglinge für den königlichen Hauptstamm feststeht, ist auch die Angabe nicht unglaubhaft, daß ein in diesen sich einsenkendes Geschlecht wirklich Bragninge genant war, und wenn auch erst aus den Geschlechtnamen die einfachen Namen der Stammväter gefolgert sind, so konnte dieß hier um so unbedenklicher geschehen, als Bragi, abgesehen von den beiden Skálden, auch in der Heldensage als Mannsname vorkommt [2]. Im Ganzen ergibt sich, daß auf diesen Namen der Skáldenstand kein ausschließliches Anrecht hat, die Mehrzahl bragnar aber und die Ableitung bragníngr, bragníngar, nirgends als „heiti" der Dichter, sondern nur als solche für Könige, Helden, ehrsame Männer überhaupt, erweislich sind. Somit liegt im Namen kein Hindernis, die Untersuchung darauf zu richten, ob nicht Bragi bei den Äsen, statt für den Namengeber des irdischen Kunstgenossen gelten zu können, vielmehr selbst kein andrer sei, als der nach Âsgard erhobene Bragi der Alte, Boddis Sohn, jener vielgenannte, in allen drei nordischen Reichen von Geschlecht zu Geschlecht heimisch gefundene Hauptskálde [3].

[1] Sagabibl. 2, 447: „vi vide da slet ikke, hvor Grændsen ligger mellem Fabel og Historie, og kunne ikkun med nogen Rimelighed antage de nærmeste Led för Harald Haarfager at være paalidelige." (Ebd. 2, 446: „De fleste klassiske Digterudtryk ere desuden laante fra Skaldene hos Harald Haarfager og hans Æt.")

[2] Sæm. 164a: „Bragi ok Dagr," „Bragi ok Högui." Fornald. S. 2, 212: „Bildr ok Bagi [B. Bragi, Bösi]." Örtliches Sæm. 160, 7: „î braga-lundi," wie 228, 9: „î skata-lundi." (Fornald. 1, 336. 3, 736a: „Skatalundr â Îslandi?" Brâlundr, Brâvîk, Brâvellir?)

[3] Forniots S.:

Hâlfdan gamli.
Bragi gamli, k. â Valdresi.
Agnarr.
Âlfr.
Eirekr.
Hildr.

[Eysteinn?]
Hâlfdan mildi.
Gudrödr.
Hâlfdan svarti.
Haraldr hârfagri.

Das Beiwort „gamall" dient den zwei verwandten Begriffen: vorzeitlich und bejahrt, Alterthum und Lebensalter [1]; es wird gerne sagenhaften Stammherrn zugetheilt; Odin selbst, der Asenvater, König Hálfdan, von dessen zahlreicher Nachkommenschaft ganze Reihen dichterischer Königsnamen abgeleitet werden und der vergeblich opferte, um wie Snär (Schnee) der Alte dreihundert Jahre am Königthum zu leben, Alf, König von Alfheim, und ein König Bragi von Valdres in Norwegen haben sämmtlich den Zunamen gamli [2], ebenso dann die beiden

Yngl. S.:

	Sigtryggr, k. à Vindli.
	Agnarr.
Hàlfdan hvítbein.	Eirîkr.
Eysteinn.	Hildr.
Hàlfdan mildi.	
Gudrödr.	
Hàlfdan svarti.	
Haraldr hàrfagri.	

Saxo 7, 123: „Haldanus gemini regni imperio potitus, opinionis suæ titulum tribus honestatis gradibus decorabat. Erat enim condendorum patrio more poematum peritia disertus, nec athletica minus virtute, quam regia potestate conspicuus u. s. w. tali carmen brevitate compegit" u. s. w. Vgl. 1, 64: „patrio carmine." 7, 125: „filium ex ea [Thorilda] Asmundum sustulit, a quo se Norvagiæ reges originem duxisse magni æstimant, ab Haldano solennem generationis suæ seriem retexentes."

[1] Gr. 3, 618: „Übrigens hat gamall, gleich unserm hd. alt, beides den Sinn von παλαιός (vetus, antiquus) und γεραιός (senex).

[2] Fornald. S. 1, 95: „Odinn gamli" (Fornm. S. 2, 138: „madr gamall". Yngl. S. C. 15 (Heimskr. 1, 18: „Odins ins gamla." Vgl. Sæm. 4, 21: „hinn aldni". Saxo 1, 12: „grandævus u. s. w. senex." 7, 138: „senex." Myth. 133. Sn. 190 (Arn. 516): „konûngr er nefndr Hàlfdanr gamli, er allra konûnga var àgætastr; hann giördi blót mikit at midjum vetri, ok blótadi til þess at hann skyldi lifa î konúngdómi sînum CCC vetra" u. s. w. Fornald. S. 2, 8 (vgl. 2, 11. 21.) wird beigefügt: „sem sagt var, at lifat hefdi Snærr hinn gamli" u. s. w. (2, 17: „Snærs hins gamla." Yngl. S. C. 16 (Heimskr. 1, 19): „med Sniá hinum gamla." (Thôr 34 f.) Sæm. 115, 14: „Hàlfdan fyrri." Fornald. S. 2, 11: „Àlfr konûngr hinn gamli réd fyrir, Àlfheimum u. s. w. vgl. ebd. 1, 387 f. (Sæm. 114, 12. 115, 18. 157, 51.) Fornald. S. 2, 9: „Bragi hinn gamli var konûngr à Valdresi." Sn. 195 (vgl. 192. Arn. 528. 522.): „Bragnar hêtu þeir, er fylgdu Braga konûngi enum gamla."

Skålden, die man für die ältesten ansah, Starkadr und Bragi, jener insbesondre mit einer Lebensdauer von drei Menschenaltern begabt [1]. Sollte nun, wie für jede bedeutende Geistes- und Lebensrichtung, auch für den neubegründeten höfischen Kunstgesang ein Vorbild im Götterhimmel aufgestellt werden, so war hiezu nicht der altepische Starkad, sondern eben Bragi zu berufen, den man für den frühesten Verfasser einer Drâpa gehalten zu haben scheint. Kenntlich als der Alte ist er denn auch in dieser Erhebung, wenn Skålda von Bragi unter den Äsen sagt, daß man ihn als den tiefbartigen Äsen „hinn sîdskeggia âs“ bezeichne und von seinem Namen ein Mann mit großem Barte „skeggbragi“ geheißen werde [2]; gleichmäßig lautet ein Name des alten Odins „Sîdskeggr“ [3]. Mit der Greisengestalt Bragis hängt sichtlich zusammen, daß ihm als Gattin Idun zugesellt wird; beim Verschwinden dieser, als der Jötun Thiassi sie geraubt hat, werden die Götter alt und grau, bis sie zurückgebracht ist, und in Haustlöng heißt sie deshalb Alterarznei der Äsen [4]. Bragi, der Sängerahn mit langem Bart und

[1] Skåldatal 479: „Starkaþur inn gamli.“ Fornald. S. 1, 384: „sem Störkudr inn gamli segir.“ 3, 406: „Starkadr hinn gamli.“ 3, 32: „Odinn svaradi, þat skapa ek honum, at hann skal lifa mannsaldra þrîa.“ Saxo 6, 103: „quem etiam ob hoc ternis ætatis humanæ curriculis donavit“ u. s. w. „Bragi hinn gamli“ ist bereits nachgewiesen.

[2] Sn. 105 (Arn. 266): „hinn sîdskeggja Âs. Af hans nafni er sâ kalladr skeggbragi, er mikit skegg hefir.“

[3] Sæm. 46, 48: „Sîdskeggr“. Sn. 24. Myth. 134. 1206 ob. Fornm. S. 5, 171: „skeggiadr.“

[4] Sn. 81. (Arn. 210): „En Æsir urdu illa vid hvarf Idunnar, ok gerdust þeir brâtt hârir ok gamlir“ („brevique cani et senes reddebantur“). Sn. 121 (Arn. 312) aus Haustlöng: „þâ var Id med Jötnum udr nŷkomin sunnan; gördust allar âttir Ingifreys, at þingi vôru heldr, ok hârar, hamliot regin, gamlar.“ (Arn. S. 313: „tum Idunna nuper ab regionibus meridianis ad gigantes delata erat. Omnes (vero) gentes Ingifreyi grandævæ et canæ extiterunt; numina, externa specie majorem in modum deformia, conventum agebant); und im vorhergehenden Gesätze: „sorgeyra mey u. s. w. þâ er elli-lyf Âsa u. s. w. kunni“ („virginem malorum medicam, quæ remedium Asarum senectutis nosset“). Gegen die mißverständliche Übertragung des letztern Ausdrucks auf die Äpfel s. Thôr 122 [oben S. 70], Anm. 1. Ironisch Lex. isl. 2, 29: „Lifia [l. lyfja] elli, tollere e medio; proprie senectutem sanare.“ Beispiele hiezu Sæm. 261, 77. Fornald. S. 3, 156 ob. Über lyf vgl. Myth. 989. 1103. Zu Idudr Gr. 1 (2), 307. (Myth. 393 u.)

mit dem Rohrstab, durfte dieses verjährten Aussehens auch in seiner höheren Stellung nicht entkleidet werden, aber die Verbindung mit Idun wahrte seinem Alter Kraft und Jugendfrische. Weiter jedoch ist er bei ihrem Mythus nicht betheiligt. Die einzige Liedesstelle, welche dieser Gattin Bragis vorübergehend gedenkt, findet sich in der Saga von Grettir, einem Zeitgenossen Olafs des Heiligen [1]; dagegen zeigt sich in Haustlöng, wo Raub und Rückerlangung der Göttin besungen wird, von ihrem Bunde mit Bragi noch keine Spur, so nah es gelegen wäre, sie nach dichterischem Brauch irgendwie als seine Genossin zu benennen, statt dessen sie als „kummerstillende Jungfrau", „Dis der Götterbank", „lustmehrende, berühmte Jungfrau" umschrieben ist [2]. Auch die jüngere Edda, obgleich sie anderwärts jene Gemahlschaft mehrfach hervorhebt (Sn. 30. 105. 119), läßt doch in Bragis eigener Erzählung der Hauptsage von Idun seinen Namen und jeden Bezug zu ihr gänzlich aus dem Spiele (Sn. 80 bis 82). Versuche einer inneren Mytheneinigung [3] halten hier überall nicht Probe; mag es sinnreich erscheinen, dem Gotte des Gesangs die Göttin ewiger Jugend zu vermählen, in Wahrheit ist die Idunsage ein Naturmythus und es zeugt von einer späten, nur noch äußerlichen Auffassung derselben, daß Iduns Verjüngungsgabe dem gealterten Skälden zu gut kommen konnte. Wohl sind schon im Eddaliede von Ögis Gastmahl Bragi und Idun ehlich verbunden, sogar mit Nachkommenschaft gesegnet (Sæm. 61 f., 16), auch wird Bragi dort ausdrücklich zu den Äsen gezählt (ebd. 61, 11), obgleich er es selbst hier, wie schon gezeigt wurde, nicht weiter als zum Hofskälden beim Götterschmause gebracht hat; man hat aber keinen Grund, dieses Lied über die Zeit hinaufzurücken, in welcher der geschichtliche Bragi zum mythischen erhoben werden

[1] Sögu-Þætter u. s. w. Hoolum 1756, S. 142: „fion Bragakvonar." Lex. poet. 73 a. (Sn. 217 b: „iða").

[2] Sn. 121 (Arn. 312): „sorgeyra mey", „bekkjar u. s. w. goða dísi", „munstœrandi mæra mey" (vgl. Sn. 119, Arn. 306: „snôtar ûlfr", „raptor virginis"; Sn. 183. Arn. 492: „ylgr"; Sæm. 5, 29: „Oðs mey". Sn. 134. Arn. 348: „Oðs beðvinu"). Nichts wie sonst in Haustlöng Sn. 111 (Arn. 280): „Svölnis ekkja" („Svölneris uxor"); Sn. 120 b (Arn. 310): „farmr Sigynjar arma" („Sigynæ maritus").

[3] Den im Myth. v. Thôr 126 miteingerechnet.

konnte[1], und zwar nicht wegen der Schmähungen an sich, womit Loki alle Götter überschüttet, sondern darum kann dem Liede kein höheres Alter zukommen, weil der Vorwurf meist gegen sittliche Gebrechen derselben gerichtet ist, ein Standpunkt, der dem Sinn und Geiste der alten Mythenbildung völlig fremd und dann erst möglich war, als bei getrübtem Verständnis des Mythus das nordische Heidenthum, abgesehen vom christlichen Einfluß, seiner inneren Auflösung entgegengieng[2].

Noch die beiden Ehrenlieder auf den Schlachttod norwegischer Könige um 935 und 951 bezeugen nicht, daß Bragi, obgleich bei Odin weilend, selbst auch ein Äse geworden sei; im erstern spricht Odin mit Bragi über Eiriks Empfang in Valhöll, wozu dann Sigmund und Sinfiötli entgegengeschickt werden, im Hákonslied erhält und vollzieht Bragi selbst mit Hermôd diesen Auftrag (s. ob. S. 279), er bietet dem ankommenden Könige, der schon acht Brüder hier hat, den Frieden aller Einherjen und heißt ihn bei den Äsen Äl empfangen, wie auch nach Vafthrúdnismál die Einherjen Äl mit den Äsen trinken[3]; Einherjen, in die Gesellschaft, nicht zum Range der Äsen[4] erhobene Helden, sind auch die begrüßenden Sigmund und Sinfiötli, bekannte Völsunge; ersterem aber ist Hermôd deutlich gleichgestellt, wenn im Hyndlaliede gesagt wird, der Heldenvater (Odin) habe dem Hermod Helm und Brünne, dem Sig-

[1] In dem angefochtenen, jedenfalls beträchtlich nachgebornen Hrafnagaldr (vgl. Dietrich in der Zeitschr. f. d. Alt.; Munch, Edda X) ist nicht gesagt, daß Bragi, der Dichter Odins („greppr Grímnis"), Iduns Gatte sei; doch bleibt er allein bei ihr als Hüter in der Unterwelt, nachdem die mit ihm gesandten Heimdall und Loki zu den Äsen zurückgekehrt sind (Sæm. 90, 16).

[2] Vgl. Münter 163 bis 65. Geijer 196. Myth. XLVI. 5 f.

[3] Hákonarmál 16 (Heimskr. 1, 167): „Einherja grið skalt þú allra hafa, þigg þú at Ásom öl" u. s. w. Vafþr. m. St. 41 (Sæm. 36): „Allir einherjar u. s. w. öl með Ásom drekka" u. s. w. Vgl. Munch 25, 41. 190 b.

[4] Was Sæm. 166 b (Munch 94 a) in der Prosa von Helgi, Sigmunds Sohn, gemeldet wird: „er hann kom til Valhallar, þá bauð Odinn hánum öllu at ráða með ser," ermäßigt sich dadurch, daß nachher, im Liede selbst Helgis ganz nach Art andrer Einherjen gedacht ist, Sæm. 168, 37. (Munch 95 f.): „kominn væri nú, ef koma hygði, Sigmundar burr frá sölum Odins".

mund ein Schwert gereicht [1]; sind nun diese Helden, geschichtliche und sagenhafte, nach ihrem Erdenlauf zu Odins Mahl und Ehrendienst berufen, warum nicht auch, auf seine Weise, ein berühmter Skalde? Hermôd insbesondre steht in den Gedenkversen der Skalda unter den Söhnen Odins, nicht unter den Åsen selbst, Odinssöhne sind aber auch halbgöttliche Helden, wie der eben dort neben Hermod genannte Sigi, den die Saga von den Völsungen an die Spitze dieses Stammes stellt [2]; die ältere Edda gibt Hermôds Namen nirgends, als in jener Stelle des Hyndlaliedes mit dem Helden Sigmund; selbst an Ögis Gastmahl, wobei Bragi unter den Åsen sitzt, hat er keinen Theil, dagegen wird er, nach Erzählung der jüngern Edda, im Mythus von Baldrs Tode zum kühnen Ritt in die Unterwelt verwendet, aus der er diesen seinen Bruder vergeblich loszukaufen sucht; selbst hier heißt er übrigens Odins Diener, er ist dessen Bote, wie Bragi desselben Hofskalde [3]. Auch darin trifft er mit letzterem zusammen, daß sein Name ein menschlicher ist, selbst heute noch auf Island gangbar [4]; wenn aber der Held Hermôd

[1] Sæm. 112, 2 (Munch 67): „gaf hann (Herjafödr) Hermôdi hialm ok brynju, en Sigmundi sverd at þiggja.“

[2] Sn. 211: „Burir eru Odins u. s. w. Hermôdr, Sigi u. s. w. (Arn. 554 am Schlusse noch: „Hödr ok Bragi.“) Sn. 211 b (Arn. 555) unter den „Åsa heiti“ fehlt Hermôdr, während Bragi genannt ist. Völs. S. C. 1 (Fornald. S. 1, 115): „Hèr hefr upp, ok segir frå þeim manni, er Sigi er nefndr, ok kalladr at hèti son Odins.“ Dunkel ist der Vers eines Skålden Thôrdr Sn. 155 f. (Arn. 406), worin der Name „Hermôdr“ als kenning gebraucht wird.

[3] Sn. 65: „En så er nefndr Hermôdr enn hvati, sveinn Odins (Arn. 175: „famulus Odinis“), er til þeirrar farar vard.“ (Vgl. Fornald. S. 1, 373: „Hverr var Helgi enn hvassi med Åsum? u. s. w. hann var Hermôdr, er bazt var hugadr“.) Sn. 67 (Arn. 178): „[Hermôdr] så þar sitja î öndugi Baldr brôdur sinn.“

[4] Lex. myth. 155: „qvod [nomen] pro virili proprio adhuc in Islandia usitatur.“ Im Beowulfsliede wird des Welsungs Sigmund und hierauf eines älteren Dänenkönigs Heremôd als berühmter vorzeitlicher Helden gedacht, des letztern nicht in Gutem, aber doch wohl desselben, der im Hyndlaliede mit Sigmund zusammensteht (Beow. 1795 ff. 3417 ff. Leos Beow. 45 bis 47. Ettm. Beow. 11 f.). Außer den Stammtafeln angels. Könige, worin Götter- und Heldennamen schwer zu unterscheiden sind, geben aber auch angels. Urkunden den Namen „Heremod“ (Kemble, Cod. diplom. ævi saxon. 232. 241), wie

nicht geschichtlich aufgewiesen werden kann, wie der Skälde Bragi, so fällt er nur eben einer früheren, sagenhaften Zeit anheim und scheint darum vor diesem in die Götterfabel eingerückt zu sein.

Der gewichtigste Grund endlich für die Ansicht, wonach nicht ein Gott der Dichtkunst, Bragi, dem norwegischen Skälden den Namen gegeben hat, sondern eben dieser erst in die Gemeinschaft Odins erhoben wurde, liegt darin, daß von so vielen Liederstellen, in denen die Skälden von ihrer Kunst sprechen, nicht eine einzige auf Bragi, als göttlichen Schutzherrn des Gesanges, Bezug nimmt, daß kein Skälde sich beigehen läßt, seine Begabung und Begeisterung von Bragi herzuleiten, daß in der reichen Fülle skäldischer Benennungen und Umschreibungen der Dichtkunst Bragi mit keinem Worte berührt ist, vielmehr in allem dem unmittelbar auf den Urheber und Geber Odin gewiesen wird. Sogar in jenem Gesätze, welches Bragi den Alten selbst die Bezeichnungen eines Skälden herzählen läßt, wo also der nächste Anlaß war, seines göttlichen Namensstifters, wenn man einen solchen angenommen hätte, unterscheidend zu gedenken, geschieht dieß in keiner Weise, der Skälde nennt sich nicht bloß allgemein „Kunstschmied des Liedes," ganz ähnlich wie Skälda auch ihren Äsen Bragi kennzeichnet, sondern noch eigens „Sinnschmied Viðurs", ferner „Gauts Begabten" und „Yggs Ölträger", in Valhöll überall nur als Angehörigen Odins [1]; „Odins Meth tragen" bedeutet gleichmäßig, bei Egill, die Darbringung eines Liedes [2]. Man

noch häufiger deutsche der Karolinger Zeit: Herimuat, Herimuot (Myth. 204 f. Trad. Wizenb. ind. onom. 380 b).

[1] Zu Sn. 175 (Arn. 466): „Skåld kalla mik, skapsmið Viðurs, Gauts giafrötuð, grepp óhneppan, Yggs [B. Uggs] ölbera u. s. w. hagsmið bragar" vergleiche man Sn. 105 (Arn. 266): „frumsmið bragar" („primus carminum fabricator"); Sn. 100 (Arn. 250): „kunnum hróðrsmið haga" („fabricationem carminis apte accomodare novimus"); Sæm. 90, 17: „greppr Grímnis"; Sn. 100 (Arn. 250): „giöf Grímnis" („Grimneris donum"; Sn. 98, Arn. 244: „giöf Odins"; ebenso Sn. 87, Arn. 224). Zu rötuð, rötut s. Gr. 2, 230. 250 f.

[2] Sn. 99 (Arn. 246. Egils S. 427): „bar [B. ber] ek Odins mióð á Engla bióð" d. h. „adtuli Odinis mulsum in Anglorum terram"; in demselben Liede, Höfuðlausn, Egils S. 427 f. (Dietr. 28): „enn ek Viðris ber mun strandar mar." Myth. 857: „vóðbora (carmen ferens) bald poeta cod. exon. 295, 19. 489, 17, bald orator, propheta (vates?) 19, 18, 346, 21."

sieht hier deutlich die Übergänge, welche die Einheit des irdischen Bragi mit dem bei den Göttern befindlichen vermitteln; bildliche, dem Mythus vom Dichtermeth entnommene Ausdrücke [1] haben sich dahin verdichtet, daß in Ögisdrekka und im Hakonsliede Bragi als Mundschenke Odins auftritt. In Valhöll aber, wie im Erdenwandel, hat er seine Skaldenweihe gänzlich von Odin und dieser bewährt sich auch hier als der Urquell alles dichterischen Geistes und Vermögens.

Gest. Starkad.

Wie nun Odin den Sänger weckt und zu sich emporhebt, so besucht er auch selbst als unerkannter Wanderer die Heimatstätten der Menschen und entfaltet zu ihrer Überraschung den ihm inwohnenden Hort der Dichterweisheit. Gast den Blinden läßt er sich nennen, als er seine Räthsel dem König Heidrek vorlegt [2]. In Liedern und Sagen legt häufig der ankommende Fremdling, der Angabe seines wahren Namens ausweichend, sich einen solchen bei, der allgemein den Wandersmann, Herbergesuchenden, Unbekannten bedeutet; „mit einem Namen nannt' ich niemals mich, seit ich unter Völkern fuhr,“ sagt in Grimnismál Odin selbst von sich, und solche Namen des wandernden, verhüllten Gottes sind: Gángrádr, Vegtamr, Grimr und Grimnir, nun auch Gestr, Gestr blindi, welcher Beisatz ihn näher als den Einäugigen, Trübsichtigen kennzeichnet [3]. In Vafthrúdnis-

Sn. 176 (Arn. 468): „bar ek mærd af [V. at] hendi.“ Sn. 189 (Arn. 514): „leyfd ber ek hans.“ Lex. poet. 23a: „ölverk âsar, confectio cerevisiæ Odins, versificatio. Korm. 22, 1.“ Olafs. 145: „Yggs lid smída.“

[1] Daß ölberi (Sn. 175) und ber ek miöd (ebd. 99) Gleiches bedeuten, leidet bei der Stellung des erstern Worts in einer Reihe auf Dichtkunst und Odin bezüglicher kenningar keinen Zweifel. Vgl. Sn. 100 u. (Arn. 252): „lid heitir öl“ (also öl wie lidr für geistiges Getränk überhaupt; dann die Synonyme in Alvismál, Sæm. 51, 35; Ægisdr. 6: „mæran drykk miadar“. 9: „ölvi“. 18: „Braga u. s. w. biorreifan“. 53: „forns miadar“. 64: „öl giördir þú“. Biörn 2, 161: „öl, n. cerevisia. 2) qvicunque potus inebrians.“ Myth. 296.

[2] Fornald. S. 1, 463 ff. 531 ff. S. ob. S. 260.

[3] Sæm. 46, 48: „einu(m) nafni hêtumk [Gr. 4, 40] aldregi siz ek med fólkum fór.“ 32, 8: [vgl. Sagabibl. 2, 568 ob.] „Gângrâdr ek heiti, nû emk af göngu kominn.“ Vgl. Sæm. 121, 2: „gestr gângandi“.

mál[1] wird gestr, bezüglich auf den in der Halle des Jötuns angekommenen Gângrâd, noch gänzlich appellativ gebraucht, das nachgebildete Räthsellied dagegen macht mit der ständigen Anrede „gestr blindi!“ den Übergang zum Eigennamen, obwohl mit unverlorner allgemeiner Bedeutung; aus diesem Anruf hat sich etwas ungeschickt die einleitende Erzählung von einem reidgotländischen Hersen, genannt Gest der Blinde (Gestr hinn blindi), dessen Gestalt Odin annahm, entsponnen und ist auch in Handschriften der skaldischen Gedenkverse der Odinsname Gestumblindi gekommen[2].

Von besondrem Belang ist aber hieher noch der Gastbesuch Odins in der Halle christlicher Norwegkönige, wie solcher in fünffacher Fassung erzählt wird, und zwar abwechselnd als Besuch bei Olaf Tryggvis Sohn, dann bei dessen Nachfolger Olaf dem Heiligen. Da übrigens die Sage der Grundlage nach überall nur eine ist und die Stellung der beiden bekehrungseifrigen Könige zum alten Heidenglauben dieselbe war, so kommt es auf einigen Unterschied in der Zeitrechnung wenig an. Als König Olaf Tryggvis Sohn einst zur Osterzeit beim Gastgebot auf Ögvaldönes sich befand, kam dahin eines Abends ein alter, einäugiger Mann mit

91, 11: „Vegtamr ek heiti, Valtams em ek son.“ 46, 46 ff.: „Hêtumk Grîmr u. s. w. Gângrâdr [V. Gângleri] u. s. w. Grîmnir u. s. w. Sîdhöttr u. s. w. (Myth. 148 ***). Ebd.: „Helblindi (Zeitschr. f. d. Alt. 6, 11). Sn. Arn. 2, 472 f. (2, 555 f.): Tvîblindi, Herblindi, (Helblindi), Biblindi, Gunnblindi“. Vgl. Fornm. S. 2. 138: „einsýnn ok augdapr“ (Myth. 133). Fridthiofs Wortspiele mit þiofr, merkwürdig für Namenbildung überhaupt, Fornald. S. 2. 91 f.

[1] Sæm. 32, 9. 33, 19.

[2] Fornald. S. 1, 463 ff.: „Madr hêt Gestr, ok var kalladr hinn blindi; hann var hersir rîkr þar â Reidgotalandi u. s. w. Gest hinn blinda u. s. w. Gestr hinn blindi“ u. s. w. in den Versen die wiederkehrende Anrede: „Gestr blindi!“ Dagegen 2, 531 ff.: „Gestum-blindi hêt einn rîkr madr î Reidgotalandi u. s. w. Gestum-blinda“ u. s. w.; auch die Anrede: „Gestum-blindi!“ Sn. Arn. 2, 473: „(Odins nöfn) gestvmblindi“. 556: „(Odens heiti) gestumblinnde.“ Gestumblindi Verschmelzung aus Gestr hinn blindi (vgl. Sprachg. 339). Saxo 5, 90: „Alrico Sveonum regi adversus Gestiblindum Gothorum regem atrox incidit bellum u. s. w.: senectute armis inhabilem“. Hiezu wieder Fornald. S. 1, 463 f.: „hann [Gestr] hafdi haldit skatti fyrir Heidreki konûngi, ok var mikill fiandskapr â millum þeirra u. s. w. hêldi bardaga u. s. w. Vgl. Stephan. nott. 125a.

herabhängendem Hute; dieser Mann wuste von allen Ländern zu sagen und gab Bescheid auf alle Fragen des Königs, der an seinen Reden großes Ergetzen fand und lang in den Abend sitzen blieb. Auf die Frage, wer der Ögvald gewesen, nach dem die Landspitze und der Hof genannt sei, erzählte der Gast, Ögvald, ein König und großer Kriegsmann, habe eine Kuh verehrt und auf allen Fahrten bei sich gehabt, es hab' ihn heilsam bedünkt, stets ihre Milch zu trinken, in einer Schlacht gegen den König Varin sei er gefallen und hier unweit des Hofes im Hügel bestattet worden, wo noch die Denksteine stehen, in den andern Hügel nahe dabei sei die Kuh gelegt worden. Noch viel Andres sagte derselbe von Königen und alten Kunden. Nachdem man darüber tief in die Nacht gesessen, erinnerte der Bischof den König, daß es Zeit wäre, schlafen zu gehen; auch that der König so; als er aber ausgekleidet war und im Bette lag, setzte sich der Gast auf die Fußbank und sprach noch lange mit ihm; kaum war ein Wort gesprochen, so verlangte den König nach einem andern, bis der Bischof zu schlafen mahnte und nun der Gast hinausgieng. Kurz nachher wachte der König auf, fragte nach dem Gast und hieß ihn herberufen, derselbe fand sich aber nirgends. Am Morgen erfuhr der König vom Koch und vom Schenken, daß, als sie die Speise zurichten sollten, ein Mann zu ihnen gekommen sei, der das Kochfleisch als allzu schlecht für des Königs Tisch getadelt und ihnen zwei dicke und fette Rindsseiten gegeben habe, die sie dann mit dem andern Fleische gesotten. Der König befahl, den ganzen Vorrath wegzuschaffen, und sagte, das werde kein andrer Mann gewesen sein, als Odin, an den die Heiden lange geglaubt; es soll' ihm aber keineswegs gelingen, sie zu betrügen [1]. Eine zweite Erzählung

[1] S. Ol. Tr. C. 70 f. Heimskr. 1, 276 ff.: „þá sótti hann [Olafr k.] nordr á Rogaland, ok kom Páska aptan nordr í Körmt, á Ögvaldsnes; var þar búin fyrir hönum Páskaveizla; hann hafdi nær CCC manna.“ C. 71: „Svá er sagt, þá er Olafr konúngr var á veizlonni á Ögvaldsnesi, at þar kom eitt kveld madr gamall ok ordspakr miök, hafdi hött sídan; han var einsynn; kunni sá madr seiga af öllom löndom. Hann kom ser í tal vid konúng; þótti konúngi gaman mikit at rædom hans, ok spurdi hann margra luta, enn gestrinn [gestrinn und gestr auch weiterhin] fekk orlausn til allra spurnínga, ok sat konúngr lengi um kveldit u. s. w. Slíka luti sagdi hann, ok marga adra, frá konúngom eda ödrom forntídindom u. s. w. þótti konúngi ie ords vant er annat var mælt u. s. w. segir [kon.]

desselben Vorgangs knüpft denselben bestimmter an das Fest der siegreichen Auferstehung im Gegensatze zu dem untergehenden Heidenthum und läßt den König Olaf äußern, daß der Teufel selbst das Aussehen Odins an sich genommen oder diesen als Sendboten gebraucht habe, um durch ergetzliche Fabelsagen sie, die Christen, deren Abfall ihn verdrieße, hinzuhalten, so daß sie nachher um so tiefer in Schlaf versänken und dann entweder von bösem Zaubervolk überfallen werden könnten oder doch die Mette des heiligen Ostermorgens versäumten; doch läßt der König nach Ablauf der Festtage die beiden Grabhügel auf der Landspitze aufbrechen und man findet wirklich in dem größeren mächtige Menschengebeine, in dem kleineren aber Rindsknochen [1]. Auf Olaf den Heiligen übertragen, gestaltet sich die Sage zunächst so: dieser König befand sich beim Gastmahl in Vik, da trat vor ihn grüßend ein unbekannter Mann, der, um seinen Namen befragt, sich Gest nannte und beim Hofgefolge verweilen zu dürfen bat; er trug kurzen Rock und über das Antlitz herabhängenden Hut, war blödsichtig und gebartet; der König machte wenig aus dem Ankömmling, wies ihm den Sitz abseits der Gäste an und hieß die Leute wenig mit ihm verkehren, ließ jedoch Abends denselben vor sein Bett rufen und fragte, ob er sich auf irgend eine Kurzweil verstehe; da ward unter ihnen Vieles von den Königen der Vorzeit und ihren Thaten gesprochen; auf Gests Frage,

at þetta mundi eingi annarr madr verit hafa, enn sá Odinn er heidnir menn höfdo lengi átrúat; sagdi, at Odinn skyldi þá engo áleidis koma at svíkja þá."

[1] S. Olafs kon. Tryggvas. C. 197. Fornm. S. 2, 138 ff.: „ordspakr, einsýnn ok augdapr u. s. w. þvíat hann kunni af öllum löndum tídindi at segja, eigi sídr forn enn ný u. s. w. gestrinn u. s. w. slíka luti ok marga adra sagdi hann frá fyrrum tídindum, ok af fornkonúngum u. s. w. gestrinn gamli u. s. w. madr aldradr u. s. w. fiandinn hefir brugdit á sik ásiánu hins ódygga Odins u. s. w. en nú sýnir hann sik eigi mega þola heitan bruna sinnar logandi öfundar, er hann sérr eydast sveit manna sinna, svá sem fólkit gefr sik á vald ok undir viljanliga þionostu alzvaldanda guds u. s. w. dvaldi svefninn fyrir oss. C. 198 (2, 141 ff.): „sá hinn bölvadi fiandans sendibodi Odinn u. s. w. dvaldi fyrir oss svefninn u. s. w. med sínum skemtiligum skröksögum" u. s. w. Auf die Seite dieser Darstellung fällt auch der kürzere Bericht in der norweg. Bearbeitung der von dem Mönche Odd lateinisch verfaßten Geschichte Olafs Tr. (S. Olafs k. Tr. hg. Munch, Christ. 1853, 34 f.), obgleich hier das Ereignis auf den Weihnachtabend (iola aptaninn) verlegt ist.

welcher von den alten Königen Olaf am liebsten gewesen sein möchte, gab dieser zur Antwort, ein Heide möcht' er überall nicht sein, doch am liebsten noch Hrólf Krakis fürstliche Milde haben, unbeschadet des Festhaltens am Christenglauben; Gest sprach weiter: „Warum wolltest du nicht sein wie der König, der Sieg hatte wider jeden, mit dem er Streit führte, dem an Schönheit und Fertigkeiten keiner in Nordlanden gleich kam, der ebenso Andern, wie sich selbst in Kämpfen den Sieg zu geben vermochte und dem die Dichtkunst zu Gebot stand, wie andern Männern die bloße Rede?“ Der König erhob sich da, griff nach dem Meßbuch und wollte damit nach Gests Haupte schlagen. „Du,“ sprach er, „der schlimme Odin, möcht' ich zuletzt sein.“ Gest aber soll dahin niedergefahren sein, woher er gekommen war, und der König lobte Gott, daß dieser unreine Geist, der in Gestalt des schlimmen Odins erschienen war, keine Trugrede vorzubringen vermochte, die irgend einen Schatten auf die glänzende Blume seines heiligen Glaubens geworfen hätte [1]. Von dieser Fassung weicht eine andre beträchtlich ab; nach

[1] Vidraukar Olafs sögu helga, Fornm. S. 5, 171 f.: „hann nefndist Gestr u. s. w. heldr ûþýdr ok stikkinn, ok þó uppvödslu mikill u. s. w. stuttklæddr, ok hafdi sîdan hatt nidr fyrir andlitit, ok så ógerla åsiónu hans u. s. w. skeggiadr u. s. w. bad menn vera fåskiptna vid kvomumanninn u. s. w. ef hann kynni nokkut skemta u. s. w. bædi frôdr ok diarfmæltr; vard þeim þå talat mart til hinna fyrri konûnga, er verit höfdu, ok þeirra framverka u. s. w. fornkonûngr u. s. w. atferd ok höfdingskap Hrôlfs kraka u. s. w. hvî vildir þû helzt vera sem Hrôlfr kraki, sem ekki at manni mâtti heita, hiå þvî sem annarr konûngr, så er verit hefir? edr hvî vildir þû eigi vera sem så konûngr, er sigr hafdi vid hvern sem hann âtti bardaga, ok svå var vænn ok vel at îþrôttum bûinn, at engi var hans lîki å Nordrlöndum, ok svå mâtti ödrum sigr gefa î söknum sem siâlfum sèr, ok svå kríngr skåldskapr, sem ödrum mönnum mål sitt u. s. w. þû vilda ek sîzt vera, hinn illi Odinn! u. s. w. galt hann þå margfaldt lof gudi fyrir þat at siå óhreini andi, er sýndist î lîkîng hins illa Odins, gat önga þå vêl edr tål framsett, at nokkurn skugga edr sorta drægi å hit biartasta blôm hans heilagrar trûar.“ Odins Sieghaftigkeit ähnlich in Yngl. S. C. 2 (Heimskr. 1, 6): „hann var svå sigrsæll, at î hverri orrustu fekk hann gagn. Ok svå kom at hans menn trûdu þvî, at hann ætti heimilan sigr î hverri orrustu;“ seine Dichtergabe ebd. C. 6 (1, 10.): „mælti hann allt hendîngum, svå sem nû er þat kvedit, er skåldskapr heitir;“ hiezu S. Ol. helga C. 170 (Heimskr. 2, 313 f.): „Sigvatr [skåld] var eigi hradmæltr madr î sundrlausom ordom: enn skåldskapr var hönom svå tiltækr, at hann kvad af tûngo

ihr nennt ein großer, unbekannter Mann, der bei Olaf dem Heiligen zu Sarpsborg Aufnahme begehrt, sich Tòki, Sohn Tòkis, des Sohnes Tòkis des Alten; noch im Alter sieht man ihm an, daß er an Wuchs und Schönheit ein stattlicher Mann gewesen; sein Benehmen ist gefällig, er weiß über Alles Bescheid und der König, der ihm einen Ehrensitz angewiesen, ergetzt sich sehr an seinen Reden; einsmals um sein Alter befragt, erwidert Tòki, er kenn' es nicht genau, wisse jedoch, daß ihm bestimmt sei, zwei Menschenalter zu leben, und das Ende derselben werde bald zu erwarten sein; der König fragt hierauf: „Da wirst du dich des Königs Hälf und seiner Recken oder Hrólf Krakis und seiner Kämpen erinnern?“ Tòki antwortet, er sei bei Beiden gewesen, und auf die weitere Frage, an welchem von beiden Orten er die Berühmteren gefunden, hebt er eine ausführliche Erzählung an, wie er als rüstiger Mann mit einer ausgewählten Gefolgschaft weit durch die Lande fuhr, um überall sich an die Kühneren anzuschließen und um die Tapferkeit der Häuptlinge und die Berühmtheit ihrer Kämpen zu versuchen, wobei ihm mit den Lebensaltern bestimmt war, nirgends länger als zwölf Monate sich wohl zu befinden; wie er so, vom Ruhme des milden und tapfern Hrólf Kraki und seiner Genossen angelockt, nach Dänemark zog und ihn der König, an keinem Manne Kost zu sparen gewohnt, den Sitz einnehmen hieß, den er sich durch Hinwegreißen des Inhabers verschaffen würde, was er mit Bödvar und Hialti vergeblich versuchte, bis es ihm endlich mit Hvitserk und dann mit Einem nach dem Andern gelang; wie er später zum König Hälf in Norwegen kam, wo er auf gleiche Weise sich einen Sitz erringen sollte, aber die ganze Halle durch bei Keinem zum Zwecke kam und deshalb eine Bank tiefer sich setzen muste; aus Allem entnimmt König Olaf, daß Hälfs Recken die weit stärkeren waren, doch sei kein gleichzeitiger König tapfrer und besser gewesen, als Hrólf Kraki; noch fragt er den Fremdling, ob er getauft sei, worauf Tòki erklärt, er sei primsignet, aber nicht getauft, darum weil er abwechselnd bei Christen und Heiden sich aufgehalten; doch glaube er an den weißen Christ und sei

fram, svá sem hann mælti annat mál (vgl. S. Ol. k. ens h. Christ. 1853. C. 132. S. 171).“ Gautr. S. C. 7 (Fornald. S. 3, 33.): „Odinn mælti: ek gef honum [Starkadi] skáldskap, at hann skal eigi seinna yrkja enn mæla.“

hieher gekommen, um getauft zu werden und der Botschaft zu genießen, die der König entboten, was er nicht wohl von einem bessern Manne würde erlangen können; er wird hernach vom Hofbischof König Olafs getauft und verscheidet im weißen Taufgewande[1]. Hieran reiht sich zuletzt noch, obgleich wieder auf den älteren Olaf bezogen, die Saga von Nornagest[2]: in Throndheim kommt einmal bei Tagesneige zum König Olaf ein großer, bejahrter Mann, der auf Befragen angibt, er heiße Gest. „Gast sollst du hier sein," spricht der König, „wie du heißen magst." Weiter meldet Gest, sein Vater Thòrd, genannt Thingbitr,

[1] þàttr Tòka Tòkasonar, Fornm. S. 5, 299 ff.: „hann nefndist Tòki, ok kvedst vera Tòkason, Tòka sonar hins gamla u. s. w. fàskiptinn u. s. w. drakk löngum litit u. s. w. lidugr ok vidfellinn u. s. w. þokkadist hverium manni vel u. s. w. bædi frôdr ok frèttinn, leysti hann ok or öllu vel ok vitrliga u. s. w. hin mesta skemtan at rædum u. s. w. gamall madr u. s. w. at hann hafdi verit afburdarmadr at vexti ok vænleika u. s. w. hversu gamall madr u. s. w. at mèr var aldr skapadr u. s. w. tvo mannsaldra u. s. w. enn ek skal segja ydr þartil einn æfintýr u. s. w. fôr ek landa à milli u. s. w. þviat ek þòtti þà þeim framfylgja, er i frækuara lagi voru u. s. w. fôr ek þà vida um lönd, ok vilda ek reyna örleik höfdingja ok frægdir kappa þeirra; var þat ok lagit à mik med aldrinum, at ek skylda hvergi una lengr enn 12 mànudi, ok vissa ek at þat gekk eptir. þà spurda ek til Hrôlfs kraka, örleika hans ok mildi, frægda ok framverka ok hraustleika kappa hans u. s. w. þiggja at honum vetrvist u. s. w. hann kvedst vid öngan mann mat spara u. s. w. blàr sem hel u. s. w. var þar hin mesta mikilmenska à öllu u. s. w. engi þiki mèr verit hafa konûngrinn samtîda örvari ok betri at sèr, enn Hrôlfr kraki u. s. w. skîrdr madr u. s. w. primsigndr [Biörn 2, 176: „primsigna, prima signatione crucis christianum initiare"] u. s. w. saki þess at ek hefi verit ýmist med heidnum mönnum edr kristnum, en þô trûi ek à Hvîta-Krist u. s. w. skîrast, ok þann bodskap hafa, sem þèr biodid u. s. w. skîrdr af hirdbiskupi Olafs konûngs ok andadist i hvîtavodum."

[2] In den meisten Handschriften dieses þàttr scheint nur „Olafr konûngr", ohne weiteren Beisatz, genannt zu sein; eine jedoch (Fornald. S. 1, 313. Anm. 2) besagt ausdrücklich: „Olafr konûngr Tryggvason" und in mehreren ist das Stück ein Abschnitt der Saga von diesem König (ebd. Form. XX, 4). „Ùlfr inn raudi" ist auch sonst als dessen Dienstmann beglaubigt (Heimskr. 1, 350. S. Ol. Tr. Christ. 1853. 54 f. 64 f. 67) und auf denselben Olaf werden die im Nornagestsþàttr erwähnten Trinkhörner „Grimar" (ebd. 1, 315) noch in andern Sagen bezogen. þàttr Helga þòriss., Fornm. S. 3, 135 ff. Biörner S. 804 ff. S. af þorsteini bæarm. bei Biörner S. 813 ff.

ein Däne von Geschlecht, habe zu Gröning in Dänemark gewohnt, er selbst sei primsignet, nicht getauft, seine Kunst sei, die Harfe zu spielen oder Sagen zu erzählen zum Ergetzen der Leute; kurz vor dem Jolfest kommt nun Ulf der Rothe heim, der den Sommer über in Geschäften des Königs abwesend war, und bringt diesem, mit andern Kleinoden, den Goldring Hnitud, einst dem König Hälf gehörig, nach dem die Hälfsrecken benannt sind; als dieser Ring beim Festgelage herumgeboten wird, sind Alle einverstanden, niemals gleich gutes Gold gesehen zu haben, nur der Ankömmling auf der Gästebank reicht denselben über die Hand, mit der er das Trinkhorn hält, stillschweigend weiter, und, hierüber zur Rede gestellt, versichert er, allerdings noch beßres Gold zu kennen, worüber die Andern lachen und mit ihm eine Wette eingehn; Gest nimmt hierauf seine Harfe und spielt schön und lange den Abend über; am besten schlägt er Gunnarsschlag und zum Schlusse noch das alte Lied Gudrünstrug, das die Leute nie zuvor gehört haben; andern Tags nach dem Morgentrunk soll über die Wette vom König entschieden werden und Gest überreicht ihm ein Stück von einer Sattelspange, das, mit dem Ringe Hnitud zusammengehalten, für das bessere Gold erkannt wird; doch verschmäht Gest die Annahme des Wettgelds; aufgefordert aber, anzugeben, woher er das Gold bekommen, erzählt er seine Sagen, wie er, angezogen vom Ruhme des jungen Völsüngs Sigurd, sich nach Frankland in dessen Dienst begab und seine siegreichen Kriegsfahrten, auf denen er Nornagest benannt ward, wider Hundings Söhne, dann, in Gesellschaft der Giukünge, gegen die Söhne Gandâlfs mitmachte; als Sigurd einst sich in einen Sumpf verritten hatte und sein Ross Grani so heftig aufsprang, daß ihm der Brustgurt entzweigieng und die Spange niederfiel, hob Gest, der sie im Lehme glänzen sah, dieselbe auf und brachte sie dem Helden, erhielt sie aber von ihm zum Geschenk und ist dieß eben das vorgewiesene Gold; nachdem Sigurds Geschicke nach dessen Saga ausführlich berichtet, auch mehrere Stücke aus den Eddaliedern mitgetheilt sind, meldet Gest nur kurz noch von seinem Aufenthalt bei Lodbroks Söhnen, bei Eirek in Upsala, bei Harald Schönhaar und bei König Hlödver in Sachsland, woselbst er primsignet wurde; schließlich erklärt er noch, weshalb er Nornagest genannt sei: weissagende Weiber, Valen, zogen umher und verkündeten den Leuten für Bewirthung und Gaben das

Alter, sie kamen auch nach Gröning in seines Vaters, eines reichen Mannes, Haus, und sollten das Schicksal des Knaben anzeigen, der dort in der Wiege lag, während über ihm zwei Kerzenlichter brannten; zwei sagten ihm großes Glück voraus, aber die dritte, jüngste Norn, die sich von den andern hintangesetzt fand und durch gewaltsames Gedräng vom Sitze gestoßen war, rief zürnend aus: „Ich schaffe dem Knaben, daß er nicht länger leben soll, als die Kerze, die neben ihm angezündet ist.“ Sofort löschte die ältere Vala die Kerze aus und hieß die Mutter solche verwahren und nicht eher als am letzten Lebenstage des Sohnes wieder anzünden; als dieser zum Mann erwachsen war, übergab die Mutter ihm die Kerze und er hat sie jetzt bei sich; zum König Olaf ist er gekommen, weil er von dem Vielbelobten irgend ein Glück erwartet, was ihm denn auch durch die heilige Taufe und die Aufnahme in dessen Gefolgschaft zu Theil wird; eines Tags fragt der König ihn, wie lang er leben wollte, wenn er zu gebieten hätte. „Kurze Frist noch, wenn Gott will,“ erwidert Gest, nimmt dann aus seinem Harfenstock die Kerze, und als sie angezündet ist, brennt sie rasch; dreihundert Winter alt legt er jetzt sich nieder und läßt sich die Ölung geben, im gleichen Augenblick ist die Kerze abgebrannt und Gest hingeschieden, Alle bedünkt sein Tod merkwürdig und der König legt großen Werth auf seine dadurch bewährte Sagen [1].

[1] Fornald. S. 1, 313: „hann sagdist Gestr heita. Konûngr svarar: Gestr muntu hèr vera, hversu sem þû heitir“ u. s. w. 314: „nokkut hniginn â efra aldr“ u. s. w. 315: ertu nokkr îþrottamadr? Hann kvadst leika hörpu, edr segja sögur, svâ at gaman þætti at u. s. w. Svâ segja menn, at Gestr þessi kæmi â þridja âri rîkis Olafs konûngs u. s. w. 316: þenna hrîng hafdi âtt âdr Hâlfr konûngr, er Hâlfsrekkar eru frâ komnir ok vid kendir, er þeir höfdu kûgat fè af Hâlfdani konûngi î Ylfîng u. s. w. þâ voru enn eigi hallir smîdadar î þann tîma î Noregi u. s. w. â gestabekk, ok svâ fyri Gest hinn nýkomna u. s. w. 317: â gestabekkinn u. s. w. segja mèr nokkra sögu u. s. w. 318: „Tekr Gestr þâ hörpu sîna, ok slær vel ok lengi um kveldit, svâ at öllum þikkir unat î â at heyra, ok slær þô Gunnarsslag bezt; ok at lyktum slær hann Gudrûnarbrögd hinn fornu, þau höfdu menn eigi fyrr heyrt u. s. w. gestasveitinn u. s. w. 320: „at þû hefir oss heitit sögu þinni. Gestr svarar: ef ek segi ydr, hversu farit er um gullit, þâ get ek, at þèr vilid heyra adra sögu her med u. s. w. þâ mun ek segja frâ þvî, er ek fôr sudr î Frakkland, vilda ek forvitnast um konûngs sidu, ok mikit âgæti, er fôr frâ Sigurdi u. s. w. 321: giör-

Ihren vollen Nachdruck behauptet diese mehrgestaltige Gestsage nur in denjenigen Darstellungen, nach welchen der alte Odin selbst herantritt und nicht in einen menschlichen, wenn auch mit wunderbarem Geschick ausgestatteten Wanderer umgewandelt ist. Verschiedene Anhänge zur Geschichte Olaf Tryggvasons lassen in sein emsiges Bekehrungswerk

damst ek þiónustmadr Sigurdar sem margir adrir u. s. w. 322: „kölludu þeir mik þá Norna-Gest“ u. s. w. 328: at þat hafi Odinn verit reyndar u. s. w. 329: „sem segir í sögu Sigurdar Fofnisbana“ u. s. w. 330: Hann kvedst Starkadr heita Stórverksson, nordan af Fenhring úr Noregi u. s. w. 331 f.: „Olafr konúngr mælti: gaman þikki mèr at sögum þínum; lofudu nú allir frásagnir hans ok færleik; vildi konúngr, at hann segdi miklu fleira um atburdi frænda sinna. Segir Gestr þeim marga gamansamliga hluti allt til aptans“ u. s. w. 332: „Konúngr mælti: eigi fær ek skilit til fulls um aldr þinn, hver líkendi þat má vera, at þu sèrt madr svá gamall, at þú værir vid staddr þessi tídendi; verdr þú at segja sögu adra, svá at vèr verdum sannfródir um slíka hluti. Gestr svarar: vita þóttumst ek þat fyrir, at þèr mundid heyra vilja adra sögu mína, ef ek segda um gullit, hversu farit væri u. s. w. Gestr segir: sú er flestra manna sögu u. s. w. 333: þeir bádu hann kveda, ef hann kynni u. s. w. 338: „þá sögdu hirdmenn, at þetta væri gaman“ u. s. w. 339: Enn spyrr konúngr Gest: hvar hefir þú þess komit til konúnga, er þèr hefit bezt þótt? Gestr svarar: mest gledi þótti mèr med Sigurdi ok Giúkúngum u. s. w. 340: þar fóru þá um landit völvur, er kalladar voru spákonur, ok spádu mönnum aldr u. s. w. skyldu þær spá mèr örlaga; lá ek þá í vöggu, er þær skyldu tala um mitt mál u. s. w. þær mæltu þá til mín u. s. w. ok sögdu allt svá fara skyldu um mitt rád. Hin ýngsta nornin þóttist oflitils metin hiá hinum tveimr, er þær spurdu hana eigi eptir slíkum spám, er svá voru mikils verdar; var þar ok mikil rifbalda sveit, er henni hratt úr sæti sínu, ok fèll hún til iardar u. s. w. 341: kallar hún þá hátt ok reidulige, ok bad hinar hætta svá gódum ummælum um mik: þvíat ek skapa honum þat, at hann skal eigi lifa lengr u. s. w. hin eldri völvan u. s. w. Eptir þetta fóru spákonur í burt, ok bundu hina úngu norn u. s. w. giördi hann hirdmann sinn u. s. w. C. 12: Gestr tók kerti sitt úr hörpustokki sínum u. s. w. 342: konúngr spurdi Gest: hversu gamall madr ertu? Nú hefir ek 300 vetra (segir Gestr). Gamall [V. allgamall] ertu, sagdi konúngr u. s. w. var þat ok iafnskiott, at kertit var brunnit, ok Gestr andast, ok þótti öllum merkiligt hans andlát; þótti konúngi ok mikit mark at sögum hans, ok þótti sannast um lífdaga hans, sem hann sagdi; ok lýkr þar frá Norna-Gesti at segja.“ Das färöische Volkslied von Nornagest bei Lyngbye 356 ff. (vgl. 96 f., 131), bei Hammershaimb 71 ff.

das verdrängte Heidenthum verlockend oder feindselig hereinspielen. Die in seine Hauptsage aufgenommene Erscheinung Odins, der nun zum bösen Geiste geworden, ist neben und zwischen ein unstreitig geschichtliches Ereignis eingerückt, die Vertilgung einer dem König aufsäßigen Schaar heidnischer Zauberleute unter Anführung des Eyvind Kelda; doch wäre mit dem Einschläfern zum Zweck eines nächtlichen Überfalls durch dieselben oder einer versäumten Frühmesse der odinische Gastbesuch allzu dürftig begründet [1]; der Grundgedanke liegt vielmehr darin, daß der christliche Olaf, selbst ein Königsheld, von der Erinnerung an das alte Heldenthum und seine Sagen sich nicht völlig lossagen konnte und so dem verfolgten Odinsglauben noch immer eine Blöße bot. Das unwiderstehliche Hinneigen zu den Reden des Gastes und dann die Entrüstung, mit der er das Messbuch ihm an den Kopf wirft, das sind die echten und kräftigen Züge; der bekehrte Norden hat sich aber mit seinem heidnischen Helden- und selbst Götterwesen für Sang und Sage billig ausgeglichen und so gieng auch der Versucher Odin in den halbchristlichen Vermittler über, der abwechselnd bei Heiden und Getauften verweilt, zuletzt aber in seine eigene Taufe die werthgehaltenen Heldensagen miteintaucht. War der Erzähler unschädlich gemacht und seine ursprüngliche Bedeutung abgeschwächt, so wurde dagegen durch fortschreitende Mehrung seines Sagenschatzes nachgeholfen. In den zwei ersten der oben verzeichneten Fassungen wird nur des verschollenen Königs Ögwald, welcher dem Vorgebirge, darauf sein Grabhügel ragt, und dem nebenliegenden Hofe, wo König Olaf Tryggvis Sohn Ostern feiert, den Namen gab, besonders gedacht, desselben, der nach Hálfssaga in eigenem Gesang aus dem Grabe sich vernehmen läßt [2]; neben

[1] Heimskr. 1, 276 ff. hält die beiden Vorfälle C. 70: „dráp Eyvindar Keldo“ und C. 71: „frá Olafi konúngi ok vêlom Odins“ getrennt; S. Ol. k. Tryggv. Christ. 1853, S. 34, läßt im C. 32: „frá Odni“ die Tödtung Eyvinds unmittelbar auf den Vorgang mit Odin folgen, nach S. Ol. k. Tryggv. in Fornm. S. 2, 138 ff., C. 197 f., in derselben Nacht, in welcher Odin den König hinhielt, nach Ögvaldsnes gekommen, um denselben im Schlafe zu erschlagen oder zu verbrennen, und Olaf ahnt auch einen Zusammenhang zwischen Beiden.

[2] Fornald. S. 2, 26 f. (vgl. 2, 5). Solche Stimmen vom Grabhügel: Laudn. 386. 387 f. Þorleifs iarlaskálds S., Fornm. S. 3, 102. Fornald. S. 2, 65. 488 f. Geijer 176 f. 233, 4. Müller, isl. Historiogr. 23. Sagabibl. 3, 214. Myth. 859.

jener örtlichen Anlehnung heißt es dann allgemein, der Gast habe noch viel Andres zu sagen gewußt von Königen und Kunden der Vorzeit, er habe aus allen Landen Abenteuer erzählen gekonnt, alte nicht weniger, als neue [1]; in der dritten Darstellung nennt Olaf der Heilige den König Hrölf Kraki als denjenigen, dem er am ehesten gleichen möchte, wogegen Gest den siegesmächtigsten Herrscher, d. h. sich selbst, den verhüllten Odin, hervorhebt [2]; in der vierten und fünften folgen nicht bloß nordische Heldennamen, wieder Hrölf und seine Kämpen, Hälf und seine Recken, Lodbröks Söhne u. a., sondern es wird auch die ausdrücklich als fränkisch bezeichnete Sigurdssage [3] in großem Umfang herbeigezogen und zwar dergestalt, daß der Erzählende, der jetzt nicht mehr Odin ist, überall, im Norden und in Frankland, selbst die ruhmreichen Könige aufgesucht und ihnen gedient hat. Die Geschichterzählung, wie sie altnordisch vor dem Gebrauche der Schrift in fester Form ausgebildet war und von Mund zu Mund sich vererbte, die Saga, setzt als jedesmaligen Urheber einen Augen- und Ohrenzeugen der erzählten Begebenheit voraus und dieser erste, unmittelbare Zeuge, der auch gerne zur Beglaubigung genannt wird [4], war ein giltigerer Gewährsmann, als

[1] Heimskr. 1, 278: „Slíka luti sagdi hann, ok marga adra, frá konúngom eda ödrom forntídindom.“ S. Ol. k. Tryggv. Christ. 1853, 34: „ok kunne fra mavrgv at segia u. s. w. ok kvnne hann at segia mavrg tidende af orrostvm ok fornvm attbvrdvm.“ Fornm. S. 2, 138: „Þvíat hann kunni af öllum löndum tídindi at segja, eigi sídr forn enn ný u. s. w. slíka luti ok marga adra sagdi hann frá fyrrum tídindum, ok af fornkonúngum.“ 142: „dvaldi fyrir oss svefninn u. s. w. med sínum skemtiligum skröksögum.“

[2] Der edle und milde Hrölf Kraki war vorzugsweise geeignet, daß auch ein christlicher König sich mit ihm befreunden konnte, er und seine Kämpen, besonders Bödvar Biarki, sind schon in der Saga Odin und den andern Göttern ungläubig und feindlich gegenübergestellt (Fornald. S. 1, 98. 107. 112; vgl. Saxo 2, 37).

[3] S. af Nornag. C. 4 (Fornald. S. 1, 320; vgl. ebd. 323): „Þá mun ek segja frá Því, er ek fór sudr í Frakkland; vilda ek forvitnast um konúngs sidu, ok mikit ágæti, er fór frá Sigurdi Sigmundar syni u. s. w. fyrr enn ek kom til Frakklands“ u. s. w. (ebd. 329: „sem segir í sögu Sigurdar Fofnisbana“).

[4] Skaldische Vergleichung des Jarls Skúli mit alten Sagenkönigen Sn. 267 f., 94 (Arn. 710, 94).

jeder nachfolgende (vgl. S. 335) Überlieferer[1]; da nun auch die fabelhafte Sage auf Glaubwürdigkeit Anspruch machte und eben sie diesen zu begründen besonders Ursache hatte, so war es ganz angemessen, den kundenreichen Tóki oder Nornagest aus eigener Erlebnis sprechen und sich darüber selbst durch mitgebrachte Gegenstände ausweisen zu lassen[2]; je mehr aber der Kreis seiner Erfahrungen sich in der Sagenwelt ausbreitete, um so längere Lebenszeit war ihm nöthig, um dieselben noch den norwegischen Königen am Schlusse des 10ten und Anfang des 11ten Jahrhunderts mündlich mittheilen zu können, und so musten für Tóki, der mit den am Rande der urkundlichen Geschichte stehenden Hrólf Kraki und Hálf zusammen war, wenigstens zwei Menschenalter, für Nornagest, der mit dem sagenhaften Sigurd auszog[3], dreihundert Jahre wunderbar vorbestimmt sein. Tókis kurze Angabe, daß ihm sein zweifaches Alter geschaffen war („at mèr var aldr skapadr"), ist genau der Ausdruck, welcher sonst für die Vorbestimmungen der Schicksalsgöttinnen gebraucht wird[4]; die ausmalende Nornagestsmähre nennt

[1] Über das zur Kunst ausgeprägte Sagawesen s. P. E. Müller, über den Ursprung und Verfall der isländischen Historiographie, übersetzt von Sander, Kopenhagen 1813, S. 37 ff. Geijer 175 ff. Munch 1, 241 ff.

[2] Außer der Sattelspange Sigurds zeigt er auch eine sieben Ellen lange Schweiflocke des Rosses Grani vor; ein riesenhafter Backenzahn Starkads, den er gleichfalls mitgenommen, hängt an einem Glockenseil in Dänemark (Fornald. S. 1, 331). Der angelsächsische Vidsid, ein Sänger und Harfner, dessen Wandername mit Gângrâd, Wegtam u. s. w. (auch dem deutschen Irreganc) zutrifft, hat noch auf weiteren Wegen, als Gest, die berühmtesten Sagenhelden selbst aufgesucht, darum kann er von ihnen singen und sagen; auch hat er einen goldschweren Armring, den ihm Eormanric gab, seinem Gebieter heimgebracht (Cod. Exon. 321, 22 ff. 324, 1 ff.).

[3] Sigurd Fáfnisbani wird freilich weit herabgerückt, indem derselbe mit den Giukûngen Zeitgenosse des Schwedenkönigs Sigurd Hring und der ihm verwandten Gandálfssöhne sein soll. (In den Beschreibungen der Brávallaschlacht stehen die Gandálfssöhne auf dänischer Seite, Fornald. S. 1, 380. Saxo 8, 144: „editi Gandal sene" u. s. w.)

[4] Sn. 18 (Arn. 72): „þessar meyjar skapa mönnum aldr; þær köllum vær nornir. Enn eru fleiri nornir, þær er koma til hvers manns er borin er, at skapa aldr, ok eru þessar godkunigar" u. s. w. Sæm. 149, 2: „nornir kvâmo, þær er ödlingi aldr um skôpo." Fornald. S. 1, 309: „fárr gengr of sköp norna; eigi hugda ek Ellu at aldrlagi mînu" u. s. w. (Myth. 379.) Vgl. Sæm. 273, 31: „kveld lifir madr ekki eptir kvid norna."

dann wirklich die Nornen und gibt nach ihnen dem langlebigen Gaste seinen Namen. Sie findet zum Theil ein Seitenstück an der Meldung Saxos vom Schicksalspruche der Parcen, wie ihn der Dänenkönig Fridlef für seinen neugebornen Sohn Olaf im Heiligthum der Götter einholt und welcher gleichfalls von Zweien mit günstiger, von der Dritten mit ungünstiger Begabung ergeht [1]; dagegen bietet sich für die Abhängigkeit der Lebensdauer vom Brennen der Kerze nirgend sonst im nordischen Sagengebiet etwas Entsprechendes und man muß damit zu den Mören und dem Lebensscheit Meleagers aufsteigen [2]. Die Nornen der Gestsage sind überhaupt nicht sicher und gleichmäßig aufgefaßt und entsprechen keineswegs ihrem Namen. Vornherein sind es herumziehende Valen, dergleichen auch anderwärts geschildert werden und zwar überall bloß zur Erspähung und Verkündung, nicht zur Festsetzung der Geschicke berufen [3]; demgemäß sollen auch jene an Nornagests Wiege nur

[1] Saxo 6, 102: „Mos erat antiquis super futuris liberorum eventibus Parcarum oracula consultare. Quo ritu Fridlevus Olavi filii fortunam exploraturus, nuncupatis solenniter votis, deorum ædes precabundus accedit, ubi introspecto sacello ternas sedes totidem nymphis occupari cognoscit. Quarum prima indulgentioris animi liberalem puero formam uberemque humani favoris copiam erogabat. Eidem secunda, beneficii loco, liberalitatis excellentiam condonavit. Tertia vero protervioris ingenii invidentiorisque studii fœmina, sororum indulgentiorem aspernata consensum, ideoque earum donis officere cupiens, futuris pueri moribus parsimoniæ crimen affixit. Ita aliarum beneficiis tristioris fortunæ veneno corruptis, accidit ut Olavo pro gemina munerum ratione permixta liberalitati parcitas tribueret cognomentum“ u. s. w. (Stephan. nott. 135 a: „Olaff hin Nidske.“ Vgl. Saxo 3, 39. 42. f. Heimskr. 1, 60.)

[2] Vgl. Sagabibl. 2, 115. Myth. (380 f.) 386. W. Wackernagel in der Zeitschrift für d. Alterth. 6, 280 f.

[3] Sæm. 4, 25: „völu velspá.“ Fornald. S. 1, 11: „spádómr minn (völvu) allr u. s. w. þína til sagna“ u. s. w. 2, 165 f.: „hún var völva ok seidkona, ok vissi fyrir óordna hluti af frôdleik sínum u. s. w. sagdi hún hverjum, þat sem fyri var lagit u. s. w. sínar spásögur“ u. s. w. 167: „saga mun sannast sú er segir völva, öll veit hún manna örlög fyrir.“ (Norg. g. lov. 1, 152: „fer hann med spásögur eda med gerningum“ u. s. w. Edd. 2, 381, 56.) 168: „þat er þèr at segja, Oddr! sagdi hún u. s. w. at þèr er ætladr aldr miklu meiri enn ödrum mönnum; þú skalt lifa 300 vetra, ok fara land af landi u. s. w. vegr þinn mun fara um heim allan u. s. w. Spá þú allra kellinga örmust um mitt ráð u. s. w. at rennt hafa

weissagen und die zwei älteren beschränken sich darauf, aber schon ihre Dreizahl ist nornenhaft und die dritte, jüngste, nun wirklich Norn genannt, schafft ihm, nicht länger zu leben, als die Kerze brennt. Norn und Vala sind hier ungebührlich vermengt, das Geschäft der Nornen ist, durch Gesetz und Urtheilspruch, Alter und Schicksal unabänderlich zu bestimmen [1]; dieß ist ein Vermögen solcher Art, daß es keine Nornen vom Menschenstamme geben kann [2]; als höhere Wesen sind sie auch in Fridlefs Befragung angesehen, Valen dagegen, Seherinnen, welche das Beschlossene durch Zauber erforschen und darnach das Künftige vorhersagen, finden sich in der Göttersage, wie im wirklichen Leben; aber selbst jene bedeutendste Seherin, die vorbildliche Vala, deren Weissagung

ek nû þeim sköpunum u. s. w. 300: „at spâ sû komi fram, er völvan arma spâdi mèr fyrir laungu“ u. s. w. (Sæm. 236, 37. Munch 138, 37: „Svâ mik nýliga nornir vekja, vil sinnis spâ vildi at ek rêda“.) 301: „eigi u. s. w. vid sköpum gjöra“ u. s. w. 302: „Sagdi mèr völva sannar rûnir“ u. s. w. (Vgl. 2, 506 ff. 507: „gânga þada sèr hverr til frètta“ u. s. w. til frètta u. s. w. 508: „hundrad vetra u. s. w. 558.) Fornm. S. 3, 212 (þâttr Orms Storôlfss. C. 5): „konur þær fôru yfir land, er völvur voru kalladar, ok sögdu mönnum forlög sîn, ârferd ok adra hluti, þâ er menn vildu vîsir verda u. s. w. var völvan frètt at forspâm sînum“ u. s. w. Und nun im Nornag. þâttr selbst (1, 340): „þar fôru þâ um landit völvur, er kalladar voru spâkonur, ok spâdu mönnum aldr u. s. w. skyldu þær spâ mèr örlaga u. s. w. sögdu allt svâ fara skyldu um mitt râd u. s. w. eptir slîkum spâm u. s. w. 341: eptir þetta fôru spâkonur î burt, ok bundu hina ûnga norn.“ Myth. 372: „altn. spâkonor (vgl. spâkr, ahd. spâhi, prudens)“ u. s. w.

[1] Zu „skapa aldr“ s. ob. S. 317, Anm. 4; Schicksal überhaupt Sæm. 4, 21: „þær lög lögdo, þær lîf kuro, alda börnum örlög at segja“. Sn. 19: „ef nornir râda örlögum manna.“ 212 a: „Nornir heita þær er naud skapa.“ (Sæm. 194, 7: „merkja â nagli naud.“ 196, 18: „â nornar nagli.“ 149, 3: „snero þær [nornir] af afli örlög-þâtto.“) Sæm. 164, 13: „nornir valda.“ 181, 2. 187, 11: „Norna dôm.“ 217, 7. (216, 6.) Fornald. S. 1, 508: „illr er dômr norna.“ Heimskr. 1, 60: þâ er Hâlfdan u. s. w. norna dôms of notit hafdi“. (Lex. poet. 102 b.) 1, 109: „rêdo þvî nornir.“ (Myth. 379. 381. Rechtsalt. 750. 768. 778 u.)

[2] Sæm. 187 f., 13 (Munch 109, 13): „Sundrbornar miök hygg ek at nornir sê, eigud þær ætt saman; sumar ero âs-kungar, sumar âlfkungar, sumar dœtr Dvalins.“ Sn. 18 f.: „En eru fleiri nornir, þær er koma til hvers manns er borin er, at skapa aldr, ok eru þessar godkunnigar, en adrar âlfaættar, en enar þridiu dvergaættar“ (vgl. Fornald. S. 1, 161). Fornm. S. 2, 53: „blôt norna“ (Lex. poet. 64 b).

(völu-spâ) in großartigen Zügen die Weltgeschicke verkündet, wird genau von den Nornen unterschieden und dieser Unterschied greift tief in die Anlage des nach ihr benannten Eddalieds. Nachdem sie die Schöpfungsgeschichte damit beschlossen, wie Ask und Embla durch Odin, Hönir und Lodr belebt und beseelt worden, spricht sie von der Esche Yggdrasill, die immergrün über Urds Brunnen steht, woher die vielwissenden drei Jungfraun kommen [1], Urd, Verdandi und Skuld, welche Gesetz gaben, Leben koren den Menschenkindern, Schicksal der Männer [2]; einsam saß sie nun außen, als der alte Sorgliche unter den Äsen kam und ihr in die Augen sah: „Wes befragt ihr mich? warum versucht ihr mich? Wohl weiß ich, Odin, wo du dein Auge bargst, in jenem berühmten Mimisbrunnen; Meth trinkt Mimir jeden Morgen von Valvaters Pfande.“ Da verlieh Heervater ihr Ringe und Halsbänder, kluge Sprüche und Weissagstäbe, sie aber sah weit und weitum durch jedes Menschenalter, sah den Ausritt der Valkyrjen und gedenkt des ersten Krieges in der Welt über der erschlagenen und doch fortlebenden Gullveig, einer zauberkundigen, schlimmen Vala, des ersten Volkkriegs, als Odin den Speer fliegen ließ und in das Heer schoß [3]. So reiht sich

[1] Str. 20 bei Munch: „Þrlar or Þeim sæ [R., sal A.] er und Þolli stendr.“ Vgl. Sæm. 233, 21 (Munch 136, 21): „Þat [full] var um aukit Urdar magni, sval-köldum sæ ok sônar dreyra.“ Vgl. Sæm. bei Munch 70, 36. 202 b.

[2] Sæm. 4, 21 (Munch 3 a, 20): „Þær lög lögdu, Þær lîf kuru alda börnum, orlög seggja [R., a. orlög at segja]“. Zu „kuru“ Gr. 1, 914, IX. Rechtsalt. 768. Zu seggr Sn. 196 ob. 212 b ob. (vgl. Gr. 3, 321. 2, 518. 542 u. 545 ob. Tädm. 2, 251). Biörn 2, 233 b: „seggr, m. vir fortis, sibi confidens. Sæm. 103, 21. 68, 60. Für diesen ganzen Abschnitt ist die von Resenius, dann in der Kopenhagener Ausgabe und bei Munch eingehaltene Strophenordnung befolgt, die sich auf den Cod. reg. Hafn. und die arnämagn. Pergamenthandschrift zu gründen scheint; eine vergleichende Zusammenstellung der Strophenfolge nach den verschiedenen Handschriften bleibt zu wünschen.

[3] Sæm. 4, 21 bis 28 (Munch 3, 21 bis 4, 28). Bekannter Name Odins ist Yggr; hiezu tritt entschieden appellativ: „yggjungr“, Beides unzweifelhaft vom Verbum „uggn, suspicari“ (Biörn 2, 488; ebd. 487: „yggr, m. terror; item suspicio“); als Odin über Baldrs schweren Träumen ahnungsvoll besorgt ist, weshalb er dann die begrabene Vala zu befragen ausreitet, heißt es Sæm. 93, 5 (Munch 195 b): „Valfödr uggir, van sê tekit, hamingjur ætlar horfnar mundu.“ Sæm. 16, 49: „uggir.“ Vgl. Nam. des Donn. 17. 22. Zwischen: „Valdi henni herfödr hringa ok men“ und: fêspiöll (Lex. poet. 167 a)

an die Erschaffung des Menschengeschlechts unmittelbar die Bestimmung seiner Geschicke, Ask und Embla hießen wenig vermögende, schicksalslose; ins Leben gerufen erhalten sie durch die Satzungen der Nornen ihr Schicksal[1]; aber diese Vorbeschlüsse harren der verstehenden und verkündenden Vala, die Sprecherin des Liedes sitzt außen, ein Ausdruck, der für solches Spähen überhaupt gebraucht wird[2], wohl eben am Urdbrunnen, an dem auch der Redner von Lodfáfnismál sitzt[3]; allein es fehlt ihr, die von Jötunen aufgenährt ist[4], noch die rechte Weihe, sie weiß dem prüfenden Blicke des hinzugetretenen Gottes nur zu antworten, er, der sein Auge im Mimisbrunnen verpfändet, sei der Kundige, der nicht bei ihr zu forschen brauche; und wirklich ist es Odin, durch den sie erst zur Seherin ausgerüstet wird, mit dem Schmucke, der auch irdische Valen auszeichnet, mit dem Stabe, wie ihn auch diese führen, und mit den Spruchformeln zum Hellsehen befähigenden Zaubers[5].

spaklig ok spáganda (ebd. 221 b u.)", oder auch nach Letzterem fehlen zwei Kurzzeilen, in denen der Wahrsagberuf noch bestimmter ausgedrückt sein mochte. Norg. g. lov. 2, 327 (vgl. 308): „fè i haugum finna" u. s. w. Heimskr. 1, 12: „Odinn vissi of all iardfè" u. s. w.

[1] Gegensatz zwischen Sæm. 3, 17: „Ask ok Emblu orlöglausa" und 4, 21: „orlög seggja."

[2] Mit Sæm. 4, 21: „Ein sat hon úti" (vgl. 216, 6) stimmen die Gesetzstellen: Norg. g. lov. 1, 350 f.: „Þæt er ubota værk at sitia uti. Þæt er ubota værk, at gera finfarar". Vgl. ebd. 389 u. fara at = spyria spo. Ebendas. 2, 308 (2, 327): „vtti sættor at spyria orlaga." Fornm. S. 7, 275 (S. Hákonar herdibreids K. 17): „Svá segja menn at Gunnhildr, er Símon hafdi átt, fóstra Hákonar, lèti sitja úti til sigrs honum, en þat var rád [ok vitradist þat, H; en svá gekk frèttin, Hk.] at þeir skyldi berjast vid Inga um nótt, en aldri um dag, ok þá myndi hlýda; en Þórdís skeggja [seggja, Hk.] er sú kona kölluð, sem sagt er at úti sæti, en eigi vitum ver sann á því."

[3] Sæm. 24, 1 (Munch 16, 111): „Mál er at þylja þularstóli at Urdar brunni at" u. s. w.

[4] Sæm. 1, 2 (Munch 1, 2): „Ek man iötna ár um borna, þá er fordum mik fœdda [a. frœdda] höfdu." Vgl. 5, 32. Vgl. Sæm. 118, 32: „Eru völur allar frá Vidólfi u. s. w. komnir." Thór 202 f.

[5] Den Aufzug der Vala Thorbiörg mit Halsschmuck und Stab schildert die betreffende Geschichtsage umständlich (Finn M., Edd. 1, 6 f. Weinhold, d. Fr. 60 f.) und in Hrólfs S. wird eine Vala durch Zuwerfen eines Goldrings bestochen (Fornald. S. 1, 11).

Jetzt sieht sie in alle Zeiten hin und zwar zeigt sich ihr zunächst das Schicksal der wehrhaften Männer, der erste Krieg, vorbedeutet durch den Auszug der Walkyrjen, angefacht durch die Gewaltthat an Gullveig [1], dem bösen Zauberweibe, einer persönlichen Gestaltung des gierig verfolgten Goldes, eröffnet durch Odins verhängnisvollen Speerwurf, und zu dieser Ansicht stimmt vollkommen diejenige Heldensage, welche, obgleich nicht heimischen Ursprungs, doch vorzugsweise als ergänzender Anhang der Götterlieder gleichartig mit diesen behandelt, mit denselben verbreitet und gleich ihnen zum Schmucke der Skäldensprache reichlich verwendet worden ist, die Sage von Sigurd und den Niflüngen: sie beginnt in der Liederedda mit einem weiteren Mythus, wie das Fluchgold an die Menschenstämme kam, zwei Brüdern und dann noch acht Königen verderblich; dem Sigurd insbesondre wird verkündet: „Das klingende Gold und das glutrothe Gut, die Armringe werden dir zum Tode!“ und im alten Biarkiliede heißt das Gold: der Niflünge Hader [2].

Das erschlossene Auge der Vala überschaut aber auch die Geschicke der Götter und die Zukunft des Weltganzen bis zum allgemeinen Untergang und bis zur Wiedergeburt. Daß die Nornen auch hierüber Urtheil geben, ist weder in diesem Liede noch in andern Mythenquellen namentlich ausgesprochen und selbst die menschlichen Loose findet man in den Sagen durch Odin und andre Götter bestimmt und geleitet [3];

[1] Zu Sæm. 5, 26: „geirum studdu“ s. auch Keyser, Nordm. Religionsforſ. 103 (Landn. V, 11. Fornald. S. 2, 92).

[2] Sæm. 181, 5 (Munch 105, 3): „þat skall gull, er gustr âtti, brœdrum tveim at bana verda, ok ödlingum âtta at rógi“ u. s. w. 187, 9 (Munch 109, 9): „it gialla gull ok it glódrauda fê þêr verda þeir bauga at bana.“ Sn. 154 f. (Arn. 400 f.): „Í Biarkamâlum enum fornum eru tód mörg gulls heiti u. s. w. rógi Niflúnga (Niflungorum dissidiis).“ Vgl. Sæm. 214, 24 (Munch 132, 24): „urdr ödlinga hefir þû [Brynh.] æ verid, rekr þik alda hverr illrar skepnu, sorg sâra sinu konunga ok vinspell vífa mest.“ Näher Eingehendes über die Mythen von Gullveig und Andvari bleibt andrem Zusammenhange vorbehalten. Auch in Hrôlfs S. spielt das Gold eine bedeutende Rolle. Dann Visburs verhängnisvolles „gullmen“ und die Vala Huldr, Yngl. S. C. 16. 17. 22.

[3] So theilen sich Odin und Thôr in die Schicksalsprüche über Starkad, die sofort von eilf Richtern, zu denen Odin selbst als der zwölfte niedersitzt,

gleichwohl sagt die Vala, eben wie sie zuvor die Valkyrjen reiten sah, im Verfolg ihrer Gesichte: „Ich sah Baldr, dem blutigen Opfer, Odins Sohne, Schicksale vorbehalten“; dasselbe Wort aber (orlög, wie einfach lög) hatte sie von den Satzungen der Nornen gebraucht [1] und bei Saxo leiten wirklich drei übermenschliche Waldjungfrauen die Geschicke Baldrs und Höds [2]; im Eingang des nächsten Abschnitts versichert dann die Seherin, noch weiter vor zu blicken und von der künftigen Götternacht (ragnarök) Vieles melden zu können [3], was nun ausführlich geschieht; es zieht sich also von der Schilderung des Urdbrunnens und

bestätigt werden (Fornald. S. 3, 32 f. Saxo 6, 103. Myth. 818 f.); der Schwedenkönig Ön oder Ani opfert um langes Leben („blôt til lânglîfis sèr“) seine Söhne dem Odin und erhält dessen Bescheid (Yngl. S. C. 29, Heimskr. 1, 34; vgl. Fornald. S. 2, 12); wem Hâlfdan der Alte um dreihundert Jahre geopfert („blôtaði“ Sn. 190. Fornald. S. 2, 8). Vgl. Lex. poet. 64 b: „blôt norna“. Fornm. S. 2, 53.

[1] Vsp. (Munch) Str. 36: „Ek sâ Baldri, blôðgum tívor, Oðins barni, orlög fôlgin“ u. s. w.; hiezu Str. 20: „Þær lög lögðu u. s. w. orlög seggja“ und Str. 24: „Sâ hon valkyriur“ u. s. w. (Lex. poet. 162 a u.: „örlög, Baldri fôlgin, fata B. reposita destinata, Vsp. 29“; ebd. 65 b u.: „b. tífor, deus sanguine perfusus, sancius, Vsp. 29“; tífor entspricht aber doch wohl dem ags. tiber, tifer n., ahd. zëpar n., Myth. Ettm. Lex. 524. 36. Cädm. Gl. 276. Graff 5, 580, Opfer, Opferthier; über das wegfallende i des Dat. Gr. 1 (2), 651.) In Vegtamskvida, einer Ausführung des in Str. 36 und 37 kurz Berührten, muß Odin, um Baldrs Schicksal zu erfahren, eine Vala aus dem Grabe wecken; eine Strophe schwebt zwischen beiden Liedern, Sæm. 6, 37 f. 95, 16. Munch 57, 11. 187 b. Vgl. wieder Norg. g. lov. 2, 308: „Þæir er fræista draugha vpp at vækkia æda haugbua.“

[2] Saxo 3, 39: „Hotherus inter venandum errore nebulæ perductus in quoddam silvestrium virginum conclave incidit; a quibus proprio nomine salutatus, quænam essent, perquirit. Illæ suis ductibus auspiciisque maxime bellorum fortunam gubernari testantur. Sæpe enim se nemini conspicuas præliis interesse clandestinisque subsidiis optatos amicis præbere successus. Quippe conciliare prospera, adversa infligere posse pro libitu memorabant“ u. s. w. (vgl. 42 f.: „tres nymphas u. s. w. ni trium maxima vetuisset u. s. w., obgleich dieß verworrener Weise wieder andre sind); die beiden Asen sind bei Saxo zu kriegerischen Königen geworden und seine Waldjungfrauen schwanken zwischen Norn und Valkyrje.

[3] Str. 44 (Sæm. 7, 40): „Fram sè ek lengra, fiöld kann ek segja um ragnarök röm sigtíva.“ Myth. 774.

der drei schicksalsmächtigen Nornen an eine fortlaufende Folge des Schauens und der Weissagung [1].

Bedeutsam für die umfassende Geltung der Nornensprüche ist eben auch der Umstand, daß jener Brunnen, von dem sie ausgehn, unter der Esche Yggdrasill steht, die, ein Sinnbild des zeitlichen Allebens, mit diesem unverwelklich grünt, beim herannahenden Weltbrand aber zittert und stöhnt [2]. Selbst die Namen der drei Nornen, welche hier

[1] Im ersten Abschnitt, über die jötnische Urzeit, aus der die Vala selbst herkam, bis zum vollendeten Schöpfungswerke spricht sie als sich erinnernd (Str. 1: „er ek fremst um man.“ Str. 2: „Ek man iötna år um borne, þá er forðum mik fœdda hösðu; níu man ek heima u. s. w.) und berichtet demgemäß im Prät.; im zweiten Abschnitt, zur Vala geweiht, fängt sie zu sehen an, spricht aber noch: sah sie, ich sah (durchlaufender Wechsel der ersten und dritten Person: Str. 23: „sá hon vitt ok um vitt of veröld hverja.“ Str. 24: „Sá hon valkyrjur“ u. s. w. Str. 36: „Ek sá Baldri u. s. w. orlög fólgin.“ Str. 37: „er mer sýndisk,“ noch unabgeschwächt: mir sichtbar wurde. Str. 38: „Hapt sá hon liggja“ u. s. w. Str. 42: „Sal sá hon standa“ u. s. w. Str. 43: „Sá hon þar vaða“ u. s. w.), und erzählt fortwährend in der vergangenen Zeit, denn auch das Zukunftschauen ist hier schon ein vormaliges und die Ereignisse, überall Störungen und Trübungen des im ersten Zeitraum geordneten Götter- und Menschenlebens, sind bereits eingetreten, wie denn namentlich Baldrs Tod auch in andern Eddaliedern als ein Geschehenes vorausgesetzt ist (Sæm. 38, 54. 63, 27 f. 117, 28); sie kann also wohl auch einmal sich erinnernd sprechen (Str. 25: „Þat man hon fólkvíg fyrst í heimi“ u. s. w.), und wo es bleibende, noch vorhandene Zustände sind, weiß sie, sieht sie hier schon und gebraucht darstellend das Präsens (Str. 19: „Ask veit ek standa u. s. w. stendr æ yfir grœnn Urðar brunni.“ Str. 22: „alt veit ek u. s. w. drekkr miöð Mimir morgin hverjan“ u. s. w. Str. 31: „Veit hon Heimdallar hliod um fólgit u. s. w. á sér hon ausask“ u. s. w.); der dritte Abschnitt verkündet rein die Zukunft und fortan heißt es: ich sehe, sie sieht (Str. 44: „Fram sé ek lengra, fiöld kann ek segja um ragnarök“ u. s. w. Str. 57: „Sér hon uppkoma“ u. s. w. Str. 62: „Sal sér hon standa“ u. s. w.); auch wird nun durchaus entweder im Präsens, denn für die Seherin ist es Gegenwart, oder in den Formen der künftigen Zeit (mun, munu, skolu Str. 62 f., Gr. 4, 178 u. 180) gesprochen.

[2] Vsp. Str. 19: „Ask veit ek standa, heitir Yggdrasill, hár baðmr ausinn hvíta auri u. s. w. stendr æ yfir grœnn Urðar brunni.“ Str. 20: „Þriár or þeim sæ er und þolli stendr.“ Str. 48: „Skelfr Yggdrasils askr standandi; ymr id aldna trê.“ (Daß Str. 56: „geisar eimr við aldrnára“ nichts mit der Esche zu thun hat, ergibt Lex. poet. 8b. Vgl. Bouterw. Gl. 9: „aldornere“ u. s. w.). Was Vsp. Str. 19 nur vermuthen

allein vollständig und im Zusammenhange gegeben sind, entsprechen dem Inhalte der Völuspâ nach dessen ganzem Umfang; denn wie die Vala Vergangenes, Gegenwärtiges und Künftiges offenbart, so bezeichnet Urd, die erstgenannte Norn, das Gewordene, Verdandi, die zweite, das Werdende, im Werden Begriffene, Skuld, die dritte, was werden soll, werden wird [1]. Diese drei Zeitformen, eigentlich die drei Stufen aller Bewegung in der Zeit [2], haben ihren vollsten und großartigsten Gegenstand in der Geschichte des Weltganzen, wie solche von der Vala entrollt wird; sie finden aber ihre Anwendung auch auf den Lebens- und Schicksalsgang besondrer Wesenklassen, ausgezeichneter Geschlechter und einzelner Menschen, und so zersplitterte man die drei Allnornen in solche, die von Asen, Alfen und dem Zwerge Dvalinn stammen [3], man bezog sie auf die persönlichsten Zustände und Begegnisse und sprach, je nachdem diese beschaffen waren, von guten oder übeln, häßlichen, grimmen Nornen [4]; wenn zwei derselben Gutes zu-

läßt, daß die Nornen es seien, die den Baum begießen, führt Sn. 20 (Arn. 76) so aus: „Enn er þat sagt, at nornir þær, er byggja vid Urdar brunn, taka hvern dag vatn î brunninum, ok med aurinn, þann er liggr um brunninn, ok ausa upp yfir askinn, til þess, at eigi skyli limar hans trêna edr fûna“ u. s. w. Drei Wurzeln erstreckt die Esche nach drei Seiten, zu Hel, zu den Hrîmthursen und zu den Menschen, Sæm. 44, 31.

[1] Sæm. 4, 20 (Munch 3, 20): „Urd hêtu eina, adra Verdandi, skâru â skîdi Skuld ena þridju.“ Die genaueste Aufweisung der grammatischen Formen, aus denen diese drei Eigennamen hervorgegangen sind, Myth. 376 f.

[2] Spruch eines mhd. Dichters: „Dá mit diu werlt al umbe gât, des sind niuwan driu wort: ez was, ist oder wirt.“ [F. Pfeiffer, zur deutschen Litteraturgeschichte S. 82. K.]

[3] S. ob. S. 318, Anm. 3. Die „dœtr Dvalins“ (Sæm. 188, 15) gemahnen daran, daß der Zwerg Andvari von einer kümmerlichen Norn spricht, die ihm ehedessen schuf, daß er im Wasser leben sollte (Sæm. 181, 2. Munch 104, 2).

[4] Sæm. 164, 13: „þô kved ek nökkvi nornir valda“ u. s. w. Ebd. 15: „var þér þat skapat, at þû at rôgi rikmenni vart.“ 181, 2: „aumlig (Lex. poet. 30a) norn skôp oss î ârdaga, at ek skylda î vatni vada.“ 216, 6 (Munch 117, 5): „gêngu þess â milli grimmar urdir.“ 217, 7 (Munch 117, 7): „liotar nornir skôpu oss langa þrâ.“ 267, 13 (Munch 161, 3): „Gêkk ek til strandar, gröm var ek nornum, vilda ek hrinda stridgrid þeirra.“ 273, 31: „kveld lifir madr ekki eptir kvid norna.“ Sn. 18 f. (Arn. 72 f. 2, 262 f.): „Urdr, Verdandi, Skuld; þessar meyjar skapa mönnum aldr; þær köllum vær nornir. Enn eru fleiri nornir, þær

theilen, die dritte Böses, und wenn hinwider der feindliche Spruch durch eine günstige Wendung ermäßigt wird, so veranschaulicht dieß, wie überhaupt im menschlichen Geschicke die weißen und die schwarzen Loose sich mischen und ausgleichen. Aus der Dreizahl wird vorzugsweise Urd für sich allein genannt, nicht bloß indem, wie schon in Völuspâ, der Brunnen eigens von ihr den Namen trägt, sondern auch ausdrücklich als Schicksalsmächtige [1]; mit der Mehrzahl ihres Namens scheinen sogar die Nornen im Allgemeinen bezeichnet zu werden [2].

Warum nun gerade die Älteste, die Norn des Gewordenen, als Ordnerin der Schicksale hervorgehoben wird, die sich doch erst in Gegenwart und Zukunft erfüllen, erklärt sich dadurch, daß dieselben überall

er koma til hvers manns er borinn er, at skapa aldr, ok eru þessar godkunnigar, en adrar âlfa ættar, en enar III dverga ættar; svâ sem hèr segir u. s. w. Þâ mælti Gângleri: Ef nornir râda orlögum manna, þâ skipta þær geysi ûiafnt, er sumir hafa gott lîf ok rîkuligt, en sumir hafa lîtid lèn edr lof, sumir lângt lîf, sumir skamt. Hâr segir: gôdar nornir ok vel ættadar skapa gôdan aldr, en þeir menn, er fyrir ûsköpum verda, þâ valda þvî illar nornir." Vgl. Fornald. S. 1, 508: „illr er dômr norna." Saxo 6, 102: „Tertia vero protervioris ingenii invidentiorisque studii fœmina, sororum indulgentiorem aspernata consensum" u. s. w.

[1] Sæm. 112, 48 (Munch 174, 47): „Urdar ordi kvedr eingi madr, þôtt þat sê vid löst lagit." 98, 7 (Munch 169, 7): „Urdar lokur haldi þèr öllum megum" u. s. w. 214, 24 (Munch 132, 24): „Urdr ödlinga hefir þû æ verid" (vgl. Sæm. 164, 16. Munch 93, 27: „Hildr hefir þû oss verid, vinnat skiöldungar sköpum"). Sturl. S. Lib. 6. C. 15 (Joh. Eric. observ. 98). Verdandi kommt nirgends vor, als in der Hauptstelle Vsp. Str. 20 und darnach in der j. Edda (Sn. 18). Angelsächsisch ist Wyrd (altf. Wurth) das allein gangbare Wort für das persönlich gefaßte Schicksal, doch wird dasselbe Wort auch für den Begriff verwendet oder schwebt zwischen dem einen und dem andern. Myth. 377 bis 79. 387. 394. Bouterw. Einleit. LXIV ff. Gloss. 315, bes. auch: „vyrd gevordene" Cädm. 3988. Übers. S. 268; „vyrd væs gevorden" Cædm. 4170. Übers. S. 271: „die Geschichte war geschehen." Ettm. Lex. 109.

[2] Sæm. 216, 6 (Munch 117, 5): „göngu þess â milli grimmar urdir." Myth. 379: „dira fata u. s. w. abstract gebraucht.") Vgl. Cädm. 993: „vælgrimne vyrd" sing. acc. Übers. 213: „das todbringende Loos". 3650: „vyrda [gen. pl.] gesceaft". Übers. 261: „des Schicksals Beschluß". 3667: „vyrda gerynu". Übers. 262. 3678: „vyrda gesceafte" (ebd.). 4063: „vyrda geþingu". Übers. 269: „der Geschicke Beschlüsse". Bouterw. Einl. LXIV: „Das Glossar von Epinal (S. 160, 2) überträgt Parcæ durch vyrdæ." Myth. 379.

schon am Anfang der Dinge festgestellt sind [1]: die Weltgeschicke im Beginn der Zeiten, am Brunnen der Urd, wobei Skuld, die Künftige, zunächst nur auf die Tafel eingeschnitten wird und dann erst an der Spitze der Valkyrjen persönlich und lebendig den Schild erhebt [2]; die menschlichen Loose bei der Geburt, bei welcher die Nornen, die das

[1] Sæm. 181, 2: „aumlig norn skôp oss î ârdaga, at ek skylda î vatni vada.“ 66, 48 (Munch 44, 48): „Þêr var î ârdaga id liota lîf um lagit“ u. s. w. (vgl. 217, 7: „liotar nornir.“)

[2] Str. 20: „Urd hêtu eina, adra Verdandi, skâru â skîdi Skuld ena Þridju.“ Str. 24: „Sâ hon valkyrjur u. s. w. Skuld hêlt skildi, en Skögul önnur“ u. s. w. In Grîmnismâl Sæm. 45, 36 (Munch 31, 36) gehen „Skeggöld ok Skögul“ im Stabreim zusammen; vgl. Vsp. Str. 46: „skeggöld“. Sn. 213b: „Öx u. s. w. skeggja“ (Myth. 753 ob.). Sn. 39 (Arn. 120) wird Skuld zugleich als jüngste Norn und als Valkyrje aufgeführt: „Gudr ok Rota [Arn. 2, 275: Rosta], ok norn en ŷngsta, er Skuld heitir, rîda iafnan at kiosa val, ok râda vigum.“ In Hrôlfs S. leitet Skuld (bei Saxo 2, 31: Sculda), eine Halbschwester dieses Königs und Tochter einer Älfin, durch Zauber den todbringenden Kampf gegen ihren Bruder und hat dabei ein dämonisches Gefolge von Älfen und Nornen (Fornald. S. 1, 32: „Þetta hafdi verit ein âlfkona.“ 1, 96 f.: „var Skuld en mesta galdrakynd, ok var ût af âlfum komin î môdurætt sîna, ok þess galdt Hrôlfr konûngr ok kappar hans u. s. w. setr Skuld hêr til enn mesta seid, at vinna Hrôlf konûng, brôdur sinn, svâ at î fylgd er med henni âlfar ok nornir ok annat ôtöluligt illþŷdi, svâ mannlig nâttûra mâ eigi slîkt standast“ u. s. w.); zugleich erscheint, bei Saxo, auf der Seite Hrôlfs eine andre Schwester desselben, Ruta, welche den Helden Biarco unter ihrem Arme durchblicken läßt, damit er den in der Schlacht gegenwärtigen Odin, auf weißem Roß und unter weißem Schild, zu sehen vermöge (Saxo 2, 30 u. 37. Myth. 891. 1061); die Valkyrjennamen Skuld und Ruta = Rota und die Erwähnung der Nornen lassen hier die Verdunklung eines älteren, mythischen Bestandes muthmaßen. Stellen wie 2, 33:

> „Quid te, Hiarthvare, loquar? quem Sculda nocente replevit
> Consilio, tantaque dedit crudescere culpa“

vgl. 2, 31) oder 2, 34:

> „Tu quoque consurgens niveum caput exere, Ruta,
> Et latebris egressa tuis, in prælia prodi!
> Cædes te foris acta vocat“ u. s. w.

erinnern doch sehr an jenes „Urdr, Hildr hefir þâ verit“ (s. ob. S. 326, Anm. 1 und an obiges „Rota ok norn en ŷngsta, er Skuld heitir u. s. w. râda vigum“. In Frage kommt noch eine Zeile des Grôaliedes, Sæm. 97, 4 (Munch 164, 4): „skeikar þâ Skuld at sköpum.“

Leben kiesen, fast als Wehmütter hilfreich sind [1], zugleich aber das Alter des Kindes und damit auch schon seine Todeszeit, nicht weniger die Grundzüge seines Lebensgangs und selbst seine Sinnes- und Gemüthsart vorbestimmen. Im Nornenspruch und in dem ihn erkennenden Gesichte der Vala ist das anhebende Leben auch schon ein vollständig und unabänderlich gewordenes [2] gemäß der Anschauungsweise des nordischen Alterthums, wonach der Mensch nicht nur zu eigenem und Andrer Glück oder Unglück [3], Heil oder Unheil, sondern sogar zu seinem sittlichen Adel oder Unadel geboren und die böse That nicht sowohl eine Verschuldung, als ein angeschaffenes Unheil ist [4]; von seiner Geburt

[1] Vsp. Str. 20: „þær lîf kuro“ (vgl. Sæm. 164, 16. Munch 93, 27: „Lífna munda ek nû kiosa er liđnir eru“). Sæm. 187, 12 (Munch 109, 12): „hverjar 'ro þær nornir, er naudgönglar 'ro ok kiosa mœđr frâ mögum?“ (vgl. Sæm. 194, 7. 195, 9. 196, 18.) Dagegen heißt es von den Valkyrjen Sn. 39 (Arn. 120; vgl. 2, 275): „þær kiosa feigđ â menn u. s. w. at kiosa val“. Vgl. Sæm. 36, 41: „val þeir kiosa“ die Einherjen. 254, 27: „vildi þik kiosa;“ Hâk. m. Str. 1, Heimskr. 1, 164: „at kiosa of konûnga“ u. s. w. Über kiosa Gr. 4, 608. Myth. 389. Zeitschr. f. d. Alt. 6, 3 f.

[2] Fornald. S. 2, 51: „mèr var ûngum aldr skapađr.“ Sæm. 83, 13 (Munch 59, 13): „einu dœgri [am Tage der Geburt] mer var aldr um skapađr ok alt lîf um lagid“. Vgl. hiegegen Sæm. 176, 25. Munch 100, 25: „dœgr eitt er þer daudi ætlađr;“ dafür Hâk. m. 19, Heimsk. 1, 168: „Gôđo dœgri verđr sâ gramr of borinn, er ser getr slîkan sefa; hans aldar æ mun vera at gôđo getit.“ Lex. poet. 97a. 126a, c). Sæm. 187, 10 (Munch 109, 10): „æ til ins eina dags.“ Fornald. S. 3, 32 f.: „þat legg ek â hann“ u. s. w. Vgl. Grimms Myth. 381 **).

[3] Sæm. 227, 4 (Munch 128, 4): „þû vart, Brynhildr u. s. w. heilli verstu î heim borin“ u. s. w. („heill, n. omen“ Biörn 1, 341b. Myth. 822, 3. Lex. poet. 48a). Vgl. vor. Anm. „gôđo dœgri“ u. s. w. (Myth. 820 f.)

[4] Dem Sohne Fridlevs schaffen die Nornen, wie gezeigt worden, besonders seine zwiespältige Sinnesart (Saxo 6, 102): „liberalitatis excellentiam u. s. w. parsimoniæ crimen u. s. w. permixta liberalitati parcitas;“ dem jungen Starkad verhängt Thôr, daß er in jedem der drei ihm von Odin gegebenen Menschenalter ein Nidingswerk verüben soll, und fügt zu dem Reichthum an fahrendem Gut, welchen Odin gewährt, die unersättliche Habgier. Fornald. S. 3, 32: „hann skal vinna nidîngsverk â hvörjum mannsaldri u. s. w. þat legg ek â hann, at hann skal aldrei þikjast nôg eiga“. Vgl. 2, 35: „at mer þôr um skôp nidings nafn u. s. w. hlaut ek ôhrôdigr

an begleitet den Menschen ein Folgegeist, eine Fylgja oder Hamingja, als Trägerin seines Glücks und zugleich, wenn sie, besonders in Träumen, zur Erscheinung kommt, durch ihre Gestalt ein Abbild seines Wesens. Wenn es nun nicht an Beispielen fehlt, daß auch Odin und andre Äsen Alter, Schicksal und Anlage den Sterblichen zuweisen [1], wenn Odin selbst oder durch die Walkyrjen, seine Dienerinnen, dem Leben der Helden auf der Wahlstatt ein Ziel steckt, so sind doch die Götter mit den Menschen, obgleich in länger bemessenen Weltzeiten, demselben Gesetze der Vergänglichkeit unterworfen, sie haben, was ihnen bevorsteht, nicht selbst festgestellt und müssen die Rathschlüsse, die über ihr eigenes Loos bestimmen, erst anderwärts zu erforschen bemüht sein. Odin und Frigg, die doch sonst als schicksalkundig gerühmt

illt at vinna u. s. w. Þat er mèr harmast handaverka." Abweichend Saxo 6, 103: „Othinus u. s. w. Starcatherum u. s. w. non solum animi fortitudine u. s. w. illustravit u. s. w. quem etiam ob hoc ternis ætatis humanæ curriculis donavit, ut in his totidem execrabilium operum auctor evaderet; adeo illi consequenti flagitio vitæ tempora proroganda constituit". Drei Nidingswerke haften auch in Herv. S. an dem Schwerte Tyrfing (Fornald. S. 1, 414 f.: „med þvî sverdi sê unnin 3 nidingverk hin mestu"), wie am Gold Andvaris mehrfacher Verwandtenmord (Sæm. 181, 5. 6: „syni þinum verđa sæla sköpud" u. s. w.). Der Sigrûn war es geschaffen, den Fürsten zum Hader zu werden; Sæm. 164, 16. Munch 93, 26: „var þer þat skapad, at þû at rôgi rikmenni vart". Vorher ebd. 13: „þô kved ek nökkvi nornir valda"; und weiterhin 165, 21: „einn veldr Odinn öllu bölvi, þvîat med sifjungum sakrûnar bar". Vgl. hieher noch Sæm. 146, 32. Munch 81, 32: „Mik hefir myklu glœpr meiri sôttan" u. s. w. Fornald. 2, 484: „Miök er vandgætt, hve verda skal, ofborinn ödrum at banordi". Vgl. ebd. 466: „þvîat þat [sverd] mun verda at bana enum göfgustum brœdrum, dôttursonum þinum". Ebd. 470: „Hildibrandr konûngr hafdi berserkja nâttûru, ok kom â hann berserksgângr". 484: „þâ kom â hann berserksgângr u. s. w. þâ sâ hann son sinn, ok drap hann þegar". 485: „ôviljandi aldrs synjadak". Saxo 7, 136: „Parcarum præscius ordo" u. s. w. Berserkergang als ein Unglück Sagabibl. 1, 149 f. Vatnsd. S. Vgl. Jus eccles. vet. 78 f.

[1] Der vom vollen Gerichte der Äsen bestätigten Sprüche Thôrs und Odins über Starkad ist mehrfach gedacht worden. Yngl. S. C. 29 läßt den Upsalakönig Ôn um langes Leben dem Odin opfern, der darüber seinen Ausspruch gethan hat. Fornald. S. 2, 51: „ek hefi hiarta hart î briosti, sîst mèr î æsku Odinn framdi." 2, 132: „Þat hafdi Odinn skapat Framari, at hann bitu eigi iarn."

wird [1], erahnen das ihrem geliebten Sohne Baldr drohende Unheil nur aus seinen beängstenden Träumen und es ist Gegenstand eines besondern Eddaliedes, wie Odin als Vegtamr zu Hel hinabreitet und durch Zaubersang eine längst verstorbene Vala weckt, um von ihr sichere Kunde zu erlangen; aber auch der Seherin des umfassenden Valaliedes hat er fragend ins Auge geblickt und sie ausgerüstet, nicht nur Baldrs verborgene Geschicke, sondern auch die ganze Götterzukunft zu offenbaren. Die Abhängigkeit selbst des Äsenvaters von einer vorbestimmenden Schicksalsmacht wird jedoch dadurch wieder aufgewogen, daß, während letztere nur als starrer Begriff der Nothwendigkeit dasteht [2], dagegen in Odin der lebendige Geist, schaffend und waltend, forschend und kämpfend, sich bewegt und seine Ausspendungen an die Menschen, Weisheit, Beredsamkeit und Dichtkunst, Heldenmuth, Schlachtkunde und Siegeskraft, dem Gehalte nach viel reicher sind, als die eigentlich nornischen Zumessungen der Lebenszeit und des Todestags. Noch in der aus dem allgemeinen Untergange verjüngten Welt erinnern sich die wiederkehrenden Äsen an die Machturtheile und an des Hauptgotts alte Rünen, wobei unter den Urtheilen doch wohl die vormalige Äsenherrschaft auf den Gerichtsstühlen an der Weltesche, unter dem Hauptgotte der rünenkundige Odin verstanden ist [3]; einer Wiederkehr dieses Gottes selbst ist

[1] Sæm. 63, 29 (Munch 43, 29): „orlög Frigg hygg ek at öll viti, þótt hon sialfgi segi.“

[2] Sæm. 175, 24: „lagt er alt for.“ 179, 53: „munat sköpum vinna.“ Niala S. S. 10: „þat verdr hverr at vinna er ætlat er.“ Fornald. S. 1, 95: „audna rædr hvörs manns lífi, en ekki sá illi andi [Odinn].“ Myth. 820 f. 1226, 817. Sn. 212a: „Nornir heita þær er naud skapa.“ Myth. 381.

[3] Vsp. Str. 58 (Sæm. 9, 60. Munch 7, 58): „Finnask æsir á Idavelli ok um moldþinur mátkan dœma [vgl. Lex. poet. 99a: „dœma“ β] ok minnask þar á megindóma ok á fimbultýs fornar rúnar.“ Dieß berührt sich mit Str. 7: „Hittusk æsir á Idavelli“ u. s. w. (wie auch Str. 59: „gullnar töflur“ u. s. w. mit Str. 8: „Tefldu“ u. s. w.) und mit dem in der Urgeschichte, Str. 6. 9. 27. 29, sich wiederholenden: „þá gêngu regin öll á rökstóla“ u. s. w.; förmliche Gerichtsitzung der Äsen ergibt auch Grimnism., Sæm. 44, 29 f. (Munch 30, 29 f.): „er hann [þórr] dœma ferr at aski Yggdrasils u. s. w. er þeir [æsir] dœma fara at aski Yggdrasils;“ hiezu Sn. 17 u. f. (Arn. 70. 262: „þridja rót askins stendr á himni, ok undir þeirri rót er brunnr sá, er miök er heilagr, er heitir Urdarbrunnr; þar

nirgends gedacht, vielmehr kommt, nach Völuspâ, zum göttlichen Gericht ein Gewaltiger, Allgebietender von oben, der auch die Schicksalschlüsse festsetzt, welche jetzt bestehen sollen [1], und auch Hyndla verkündet die Ankunft eines Mächtigern, den sie jedoch nicht zu nennen wagt, wie denn Wenige jetzt schon über Odins Begegnung mit dem Wolfe hinaussehn [2]. Wenn in diesen Liederstellen, was nicht entschieden ist,

eigi gudin dômstad sinn, hvern dag rîda Æsir þangat upp um Bifröst u. s. w. en þôrr gengr til dômsius" u. s. w. vgl. Fornald. S. 3, 32 f. Sn. 123b: „â dœmistôli." Dœma ist: judicare, existimare, aber auch allgemeiner: confabulari, colloqui, Lex. poet. 99a; dômr, dômstadr beziehen sich nicht bloß auf Reingerichtliches, sondern überhaupt auf Beschlüsse in gesessenem Rath (Rechtsalt. 745). Zu fimbultýr vgl. Myth. 785. Lex. poet. 170. Zeitschr. f. d. Alt. 3, 414. 6, 318.

[1] Str. 63: „þâ kemr hinn rîki at regindômi, öflugr ofan, sâ er öllu rædr: semr hann dôma ok saka leggr, vêsköp setr, þau er vera skolu." (Munch 189a: „Strofe 63 udelades af R, og de sidste 4 Linjer af samme ogsaa af A." Zu vêsköp vgl. Rechtsalt. 810: „vêbönd"; ebd. 733 f.: „vargr î veum". Fornald. S. 1, 309: „sköp norna". Hiernach vêsköp: Schicksalbestimmungen aus heiliger Gerichtsstätte. Zu „vera skolu" Gr. 4, 180. Sæm. 40, 4: „en î þrûdheimi skal þôrr vera unz um riufask regin.")

[2] Hyndl. 40 f. (Sæm. 119. Munch 71a): „Vard einn borinn öllum meiri, sâ var aukinn iardar megni; þann kveda stilli stôraudgastan, sif sifjadan siötum görfôllum. 41: þâ kemr annari enn mâtkari, þô þori ek eigi þann at nefna; fâir siâ nû fram um lengra (vgl. Vsp. Str. 44: fram sê ek lengra u. s. w.), enn Odinn mun ûlfi mœta." Daß in Str. 40 Thôr gemeint sei (dessen auch Str. 4 gedenkt), folgt nicht aus „aukinn iardar megni," was in Str. 36 auch auf Heimdall angewendet ist, also nicht gerade besondern Bezug auf Jörd, als Thôrs Mutter, hat; wohl aber stimmt „öllum meiri" (vgl. Str. 41: „enn mâtkari") mit Thôrs „âsmegin" (Sæm. 56, 30. Sn. 26. 51. 114) und mit seinen Beinamen „âsabragr" (Sæm. 85, 34), „âsahetia" (Sn. 211, Sn. 101: „verjandi Âsgards"), auch den Beiwörtern: „þrôttöflûgr, dâdrakkr" (Sæm. 55, 23. 58, 38), sowie „sif sifjadan (amicissimum; vgl. Sæm. 55, 21: „Odni sifiadr". Myth. 286. Biörn 2, 243: „sifi, m. cognatus, necessarius. 2) amicus." „sifiadr, affinitate junctus. 2) cognatus. 3) amicus."), siötum (Biörn 2, 249b: „siót, f. multitudo) giörvöllum" mit den anderwärtigen Bezeichnungen „vinr verlida," „sâ er öldum bergr" (Sæm. 53, 11. 55, 22); da nach Saxo 7, 122. 124 derselbe Hâlfdan, von welchem die norwegischen Könige abzustammen sich rühmten, für einen Sohn Thôrs gehalten war, so könnte dieß veranlassen, „sif sifjadan" u. s. w. auf die Pflanzung der Königsstämme durch Hâlfdan den Alten zu

christlicher Einfluß waltet, so folgt noch nicht, daß demselben auch Odins Verschwinden aufzurechnen sei, denn schon nach jener früheren nicht angezweifelten Strophe der Völuspá lebt Odin mit seinen alten Rünen nur noch in der Erinnerung. Die ganze Darstellung der verjüngten und beruhigten Welt sticht freilich bedeutend ab von dem gewohnten strengen und düstern Gepräge des altnordischen Heidenthums, aber sie hat ihr Vorbild in dem frohen Götterleben am Morgen der Zeiten und es kann füglich als eine Entwicklung des vorchristlichen Glaubens aus seinen eigenen Ansätzen betrachtet werden, daß der heilige Friede, dem in der ersten Schöpfung keine Dauer gegönnt war, in der Wiedergeburt unter einer mächtigern Gotteskraft zu ungetrübtem Bestande gelangen soll. So weit nun einzelne Götter in das neue Leben namentlich eingeführt werden, handelt es sich um die Herstellung gestörter Zustände und um die Abwehr fernerer Zerwürfnisse: Baldr und Hödr bewohnen brüderlich die Hofstätten des Vaters[1]; Hönir, der als Geisel weggegeben war, kommt wieder zu seinem Loose[2], sodann, nach Grim-

beziehen; allein gerade das Hyndlalied, das doch Hálfdans und der Abstammungen von ihm umständlich gedenkt (Sæm. 115, 15 bis 17), weiß nichts davon, daß er selbst ein Sprößling Thórs sei. Lex. poet. 23a: „hinn almúki áss, de Odine sumitur, Isl. I, 258. Vigagl. 25.

[1] Vsp. Str. 60: „búa þeir Hödr ok Baldr Hropts sigtôptir“ u. s. w.

[2] Vsp. Str. 61: „þa kná Hœnir hlut [R. hlaut; vgl. Myth. 1064] vid kiosa, ok burir byggja [R. byrir, A. er burir] byggja brœdra tveggja vindheim vídan. Vitud ér enn eda hvat.“ Es ist früher S. 191 ff. gezeigt worden, daß Hönir und Lodr nirgends als Brüder Odins genannt, sowie daß Vili und Ve, Börs Söhne und Odins Brüder, mit Jenen nicht einerlei sind; dasselbe Misverständnis nun, wodurch gleichwohl diese Vermengung in die j. Edda (Sn. 10. Arn. 52) gekommen ist, scheint auch zu ungeschickter Ausfüllung einer lückenhaften Stelle der Völuspá verleitet zu haben. Die Worte „ok [Var. er] burir“ u. s. w. schließen sich schon nicht ungezwungen an den Eingang der Str. 61 und es ist nirgendher ersichtlich, wer denn die Brüdersöhne sein sollen, die hier, als Bewohner Windheims, mit Hönis Besitzergreifung zusammengebracht sind. Daß die Insaßen der neuen Welt in Völuspá, wie sie jetzt vorliegt, nicht zu erschöpfender Aufzählung kommen, ergibt das zuverläßige Vafthrúdnislied, indem es auch die Odinssöhne Vidar und Vali (vgl. Sn. 105: „Hvernig skal kenna Vídar? u. s. w. byggvidr födurtôpta u. s. w. Vala u. s. w. byggvanda födrtôpta.“ Sæm. 41, 11), die Thórssöhne Módi und Magni wiedererscheinen läßt; besonders aber sagt dasselbe Lied, am Abend der Zeit werde Niörd zu weisen Vanen heimkehren (Sæm. 36, 39. Munch 25, 39: „Í Vana-

nismál, wohnen Vidar und Vali an geweihten Stellen [1], gebrauchen Módi und Magni den Hammer ihres Vaters zur Friedensweihe [2], denn da kein Jötun mehr genannt und von der Midgardsschlange nur noch als von einer alten Kunde gesprochen wird [3], so ist auch der riesenzermalmende Thór nicht weiter vonnöthen. So wenig aber Odin und Thór in diesem Abschnitt der Göttersage wieder auftauchen, ist auch noch irgend von den Nornen die Rede, ihre Zeitherrschaft ist gebrochen und wenn dieselbe meist für eine harte und feindselige angesehen war, so begründet sich damit das innere Bedürfnis, hinter und über dieser blinden Nothwendigkeit und ihren launenhaften, in sich zwiespältigen Machtsprüchen zuletzt eine weise und gerechte Weltleitung hervortreten zu lassen.

heimi sköpu hann vís regin, ok seldu at gíslingu goðum: í aldar rök hann mun aptr koma heim með vísum vönum"). Diese Wiederkehr Niörds in seine Heimath vermißst man in Völuspá um so mehr, als sie sich fast nothwendig an diejenige Hönis, des Gegengeisels, zu seinem Loose angeschlossen haben würde; Windheim hätte dann seinen rechten Sinn für das luftige Vanenland, wie nach Skálda die Luft auch „veðrheimr" benannt werden kann (Sn. 181. Arn. 486: „veiðheimer"; die Strophe konnte etwa lauten: „Þá knâ Hœnir hlut við kiosa, Niörðr mun byggva niðja sali, vindheim víðan" u. s. w.); statt dessen sind, wie sonst an die Stelle der göttlichen Väter die Söhne eintreten, zu Hönir unebenmäßig namenlose Neffen gesellt.

[1] Sæm. 37, 51 (Munch 26, 51): „Viðarr ok Vali byggja vé goða, Þá er sloknar Surta logi." Diese zwei deuten auf einen begrifflichen Gegensatz: Vidar, dessen weitgestrecktes Land mit Strauch und Gras verwachsen ist (Sæm. 42, 17; vgl. Munch 29, 17), was sonst die „grünen Wege" des Wandernden besagen (Sæm. 100, 1: „grœnar brautir". 191, 41. Sn. 115, 1), und der den dicken ledernen oder eisernen Wallerschuh trägt (Sn. 31: „hann hefir skô Þiokkvan". 73. 105: „eiganda iarnskôs". Vgl. Fornald. S. 1, 276 f. 338 f.), verbildlicht das Weggehen, die Hinfahrt, Vali, dessen Sitz die Bank des Fremdlings ist (Sæm. 41, 6. Munch 28, 6: „valaskialf"), das Kommen, die Wiederkehr (Fornald. S. 1, 316: „kemr hann â gestabekk, ok svâ fyri Gest hinn nýkomna"). Vgl. Heimdall und Loki, Baldr und Höd.

[2] Sæm. 37, 51 (Munch 26, 51): „Môði ok Magni skolu Miöllni hafa ok vinna at vígÞroti". R. Munch 191 a: „Vingnis at vígÞroti, A, samt Cdd. af Snor. Ed." Sn. 76. Arn. 202 f. 2, 293. Biörn 2, 506 b: „Þrot, n. defectus virium et consilii." 507 b: „at Þrióta, deficere". Über Weihungen mit Thórs Hammer s. Thór 28 f. Myth. 165.

[3] Vsp. Str. 58: „Finnask æsir â Iðavelli ok um moldÞinur mátkan dœma."

Wie Odin Wissen aus Mimis Brunnen, Dichtkunst aus Ôdrörir schöpft, so trinkt er am Sturzbache, Sökkvabekk, aus goldenen Schalen mit Saga; irdischer Weise scheint er als greiser Skälde „Uggr" gewandert zu sein [1], bei Heidrek war er als Räthselkundiger und nun kommt er noch zu Christenkönigen als Sagenmann [2], als ein Wanderer, der von Königen und Kunden der Vorzeit Vieles zu sagen, der Abenteuer aus allen Landen, alte und neue, zu erzählen weiß (s. ob. S. 316). Dazu kann auch Niemand besser ausgerüstet sein, als eben Odin, der Stammvater königlicher Geschlechter, der den berühmtesten Helden von frühester Jugend bis zu ihrem gewaltsamen Tode gegenwärtig, der sie alle um sich in Valhöll zu versammeln stets geschäftig war. Für Tôki und Nornagest, die statt des verhüllten Gottes eingetreten sind, ist der Verkehr mit den Heldenkönigen lediglich zum Dienstverhältnisse geworden, aber von den gefeiertsten Namen, denen jene sich anschlossen, Hrôlf, Hâlf, den Völsungen und Niflüngen, hätte auch Odin aus viel bedeutsamern Beziehungen Kunde geben können [3]. Es ist nicht unglaublich, daß die Erscheinung Odins als Sagenerzähler schon in reinheidnischen Überlieferungen ihren Vorgang hatte und in diesen der Name Nornagest, der jetzt wenig einleuchtend abgeleitet

1 Saxo 5, 88: „Deseruit eum [Hunor. regem] quoque Uggerus vates [vgl. 8, 144: „Berhgar vates"], vir ætatis incognitæ et supra humanum terminum prolixæ; qui Frothonem transfugæ titulo petens, quicquid ab Hunis parabatur edocuit." Nach P. E. Müllers Vermuthung ist „Uggerus" der Name Odins Yggr (besonders Sæm. 47, 53: „Odinn ek nû heiti, Yggr ek adan hêt"), Uggr (Sn. Arn. 1, 466); Yggr, Gen. Yggs, konnte bei Saxo zu Uggerus werden, wie Starkadr, Gen. Starkadar und Starkads (Fornald. S. 3, 32 f.) zu Starcatherus, Ullr, Gen. Ullar, und Hödr, Gen. Hadar, zu Ollerus und Hotherus.

2 Sturl. S. Th. 1, C. 6: „sagnamadr" (neben saga die Form sögn f., Gen. sagnar); ebd.: „var frædimadr mikill, ok fôr med sögur"; vgl. Heimskr. 1, 1: „fornar frâsagnir u. s. w. svâ sem ek hefir heyrt frôda menn segja u. s. w. eptir fornum kvædum eda söguliodum u. s. w. gamlir frædimen" u. s. w. Fornald. S. 1, 381: „Sögu-Eirikr," bei Saxo 8, 144: „Ericus fabulator"; so ist zu lesen statt tibulator.

3 In Hrôlfs und die Völsungensage greift bekanntlich Odin überall ein. In Hâlfs S. C. 13 (Fornald. S. 2, 45) beklagt sich Innsteinn, daß Odinn einen solchen König des Sieges beraubt habe; „egum Odni illt at gialda, er hann slikan konûng sigri rænti"; vgl. 2, 39.

ist[1], dem Gotte selbst zukam, als Besucher der Nornen, deren Schicksalsprüche, namentlich auch die der Heldensage zu Grund liegenden (s. ob. S. 322), die von Odin ausgestattete Vala verkündigt hat.

Die Saga in ungebundener Rede hat sich kunstmäßig erst bei den Isländern herangebildet. Anfänglich dienten nur kürzere Prosastücke, wie in den Heldenliedern der Edda, die oft unvollständig überlieferten, überhaupt mehr gesprächartigen, als erzählenden Gesänge zu ergänzen und im Thatsächlichen zu erläutern. Vergleicht man dann mit den Völsungenliedern die Völsungasaga, so zeigen sich umgekehrt der ausgebreiteten prosaischen Erzählung größere oder kleinere Liederstellen mehr noch zum Schmuck oder zum Zeugnis eingeflochten. Das ist die allgemeine Form der auf das Heldenalter bezüglichen Sagawerke; ja man fand nöthig, wo keine Lieder zu Gebote standen oder die Erzählung romanhaft erdichtet war, die beglaubigenden Verse neu zu fertigen. Selbst die eigentliche Geschichtsage sucht in häufiger Beiziehung solcher Gedichtstellen, die von gleichzeitigen und mithandelnden Personen herrühren oder doch dafür angesehen sind, eine vorzügliche Gewähr. Snorri bemerkt in der Vorrede seines Geschichtbuchs, Einiges sei geschrieben nach alten Gesängen oder Sageliedern, welche den Leuten zur Kurzweil gereicht haben und wenigstens von alten Sangkundigen für wahrhaft gehalten worden seien[2], und er nennt sofort Thiodolfs und Eyvinds Stammreihenlieder, in denen noch Mythisches und Sagenhaftes vorherrscht; dann aber kommt er auf die Skälden Harald Schönhaars und auf die norwegischen Königslieder überhaupt zu sprechen, und was in diesen, die vor den Fürsten selbst oder ihren Söhnen gesungen worden, über die Fahrten und Kriege derselben enthalten sei, findet er ganz

[1] Norna-gestr ist wörtlich Gast der Nornen; als Eigenname konnte zwar Gestr durch den vorgesetzten Gen. (wie in Sögu-Eirikr, Júngu-Oddr, Örvar-Oddr u. dgl.) irgendwelche Beziehung zu den Nornen erhalten, als Täufling der Nornen; aber diese Pathinnen führen überhaupt nur mit zweifelhaftem Anspruch den Nornennamen. Vgl. Gr. 2, 422: Pálna-Tóki.

[2] Heimskr. 1, 1: „sumt er ritat eptir fornum kvædum eda söguliodum, er menn hafa haft til skemtanar ser. Nû þó at ver vitum ei sannindi á því, þá vitum ver dœmi till þess, at gamlir frœdimen hafa slíkt fyrir satt haft.“ Vgl. Sn. 83 f. (Arn. 216): „at kenna mönnum frœdi“ u. s. w. skáld eda frœdamadr; B. ok frœdimadr;“ Myth. 855. Hiezu S. Ol. e. helg. Christiania 1853, S. 2 f.

glaubwürdig, denn obgleich die Skälden den zu erheben pflegen, vor dem sie auftreten, so dürfte doch Keiner wagen, Einem ins Gesicht Thaten beizulegen, die von allen Hörern und ihm selbst für gefabelt erkannt wären, das wäre ja Spott und nicht Lob [1]. (Fornm. S. 11, 164, 4 [vgl. 12, 242]: „sögu-kvædi.)

Die Angaben der Lieder ergänzt Snorri aus der Meldung unterrichteter Männer [2]. Alles weist darauf, daß die altnordische Saga aus dem Sageliede, die Geschichtserzählung aus geschichtlichen oder für geschichtlich geltenden Gesängen herausgewachsen ist. Noch der späte Nornagestsþáttr deutet das richtige Verhältnis an, wenn er den vielgewanderten Gast nicht bloß Sagen erzählen, sondern auch die Harfe, in deren Stock er seine Lebenskerze trägt, spielen und darauf namentlich Gunnarsschlag und das alte Gudrunslied anschlagen läßt (s. ob. S. 313). Wo Odin selbst noch dieser Gast ist, wird zwar der Harfe nicht gedacht, und welcherlei Gesang Saxos Skälde Ugger (s. ob. S. 334) gepflegt, ist nicht angegeben; daß aber auch das Sagenlied, wie alle Dichtkunst, in Odins göttlichem Geiste seinen Ursprung hat, davon liegt ein anderwärtiges Zeugnis in der mehrerwähnten Dichterweihe Starkads. Diesem ist die Skäldschaft von Odin solcher Weise gegeben, daß er ebenso fertig

[1] Heimskr. 1, 2: „Med Haraldi voru skald, ok kunna menn enn kvædi þeirra, ok allra konûnga kvædi þeirra er sídan hafva verit at Noregi, ok tökum ver þar mest dæmi af því, er sagt er í þeim kvædum, er kvedin voru fyrir sialfum höfdîngjunum eda sonum þeirra; tökum ver þat alt fyrir satt, er í þeim kvædum finnz um ferdir þeirra eda orrustur. Enn þat er háttr skálda at lofa þann mest, er þá eru þeir fyrir; enn engi mundi þat þora, at segja sialfum hönum þau verk hans, er allir þeir er heyrdi, vissi at hegômi væri ok skrök, ok svâ sialfr hann: þat væri þá hád enn eigi lof“. Noch von Olaf dem Heiligen und seinen Vorbereitungen zur Schlacht bei Stiklestad erzählt Snorri: „þá kalladi konûngr til sín skáld sín, ok bad þá gânga í skialdborgina; skulot þer, segir konûngr, hêr vera ok siá þau tídindi er hêr geraz, er ydor þá eigi segjandi saga til; þvíat þer skulot frá segja, ok yrkja um sídan“. Heimskr. 2, 381. Vgl. S. Olafs ens Helga, Christ. 1853, 206. Vgl. ob. S. 313.

[2] Heimskr. 1, 1 f., schon im Eingang der Vorrede: „fornar frásagnir u. s. w. svâ sem ek hefir heyrt frôda menn segja“; weiterhin: „Eptir þiodôlfs sögn er fyrst ritin æfi Ynglinga, ok þar vidaukit eptir sögn frôdra manna“. Vorher: „hann orti ok kvædi u. s. w. þat er kallat Ynglingatal“.

dichten als reden soll [1]. Starkad führt nun, wie Bragi, den Beinamen der Alte, und Skáldatal, das ihn an die Spitze stellt, sagt von ihm, seine Lieder seien die ältesten bekannten, er habe von Dänenkönigen gedichtet; nach ihm ist auch die alterthümlich einfachste Versart, eben diejenige des Sagenliedes, Starkadarlag benannt, und was von Liederbruchstücken ihm zugeschrieben wird, ist in dieser Weise verfaßt [2]. Wie Tóki und Nornagest hat er mehrere Menschenalter gelebt, weite Lande durchfahren und mit vielen Königen verkehrt, aber mehr, als jene, war er selbst ein thatenreicher Held; Odin, der Gott des Kampfes und Sieges, wie des Gesangs, hat seinen Günstling und Zögling [3] nach beiderlei Seiten begabt. Starkads Helden- und Sängerleben wäre Gegenstand einer weitschichtigen Darstellung; hier kann nur mit wenigen Zügen hervorgehoben werden, was ihn unter allen Kämpen und Skálden der nordischen Sagenwelt in scharfer Eigenthümlichkeit auszeichnet. Er lebt an Höfen, nennt sich Sänger des Königs, dichtet Loblieder und

[1] Fornald. S. 3, 33: „Odinn mælti: ek gef honum skáldskap, at hann skal eigi seinna yrkja enn mæla" (wie von Odin selbst s. oben). Saxo 6, 103: „[Othinus Starcatherum] non solum animi fortitudine, sed etiam condendorum carminum peritia illustravit."

[2] Skálda tal S. 479: „Starkaður inn Gamli var Skalld, hanns kvædi ero förnust þeirra sem menn kunno, hann orti um Dana Konga" (vgl. Heimskr. 1, 2: „kunna menn enn kvædi þeirra"). Sn. 311 (Arn. 2, 104): „sem Starkaðr gamli kvad." Yngl. S. C. 25 und 29 (Heimskr. 1, 30. 34): „Starkadr hinn gamli"; ebenso Landn. 226. Sn. 268 (Arn. 712 f.) sind Beispiele von Fornyrda- und Starkaðar-lag, der einfachsten Form desselben, gegeben (vgl. oben S. 268). Eine große Zahl von Strophen dieser Versart, in welchen Starkadr spricht, Fornald. S. 3, 16 ff., vielleicht sämmtlich dem Liede angehörend, wovon ebd. 3, 35 gesagt ist: „þá orti Starkadr kvædi þat, er heitir Vikarsbálkr" (vgl. Sn. 268, Arn. 712: „bálkar-lag"). Auch Sn. 311 f. (Arn. 2, 104) steht eine Str. „í bálkarlagi" als Beispiel des „Barbarismus" durch Aspiration (hr statt r): „sem Starkadr gamli kvað: þann hefi ek manna menzkra fundit hringheyjandi! [B. heyanda, hreytanda] hrammaztan at afli"; vgl. Saxo 6, 116 b: „maxime regum [Frotho]" u. s. w. „magni Frothonis" u. s. w. 117 a: „magnum Frothonem."

[3] Wie Odin als Hrosshársgrani auf der Insel Fenhring den jungen Starkad erzieht (Fornald. S. 3, 17 f. 32 f.), so war er auch Pflegvater Geirröds (Sæm. 39) und, als Bauer Hrani, Beherberger Hrólfs und seiner Gefährten (Fornald. S. 1, 77 ff. 94 f.).

rühmt königliche Freigebigkeit[1]; aber junge Könige, welche zugleich Gold geben, Schwerter schwingen und Schiffe rüsten, erklärt er höheren Lobes werth, als daheimsitzende und schatzsparende[2]; würdiger Zweck des Goldspendens ist ihm nur die Sicherung eines kampftüchtigen Gefolges; im Landnámabuch wird Starkad der Alte namentlich als Skálde bei König Fródi und seinem Sohne Ingiald bezeichnet[3]; aber die Hoflieder, die er letzterem beim Gelage singt, sind schwertscharfe Schelten und Weckrufe, wodurch er den verweichlichten jungen König aufstachelt, den Tod seines tapferen Vaters Fródi blutig zu rächen[4]. Der greise Skálde preist das harte Leben, die rohe Kost, das einfache Getränk der Könige und Recken seiner früheren Zeit[5] gegenüber der üppigen Sitte, die durch Ingialds sächsische Gemahlin aus Deutschland eingebracht worden, und ein goldenes Haarband, das ihm diese zur Beschwichtigung darbot, wirft er ihr mit Unwillen ins Gesicht[6]; Verächter der weich-

[1] Fornald. S. 3, 31: „Mèr gaf Vikar valamálm [vgl. Sæm. 114, 8: valamálmi], hring enn rauða, er ek á hendi ber; mèr þrímerking, en ek þrumu honum [also eine Widergabe]“ u. s. w.; nach Vikars Tode nennt er sich, ebd. 36: „hringa vanr ok hróðrkvæða [statt: „hróðr kveða“], drottinlaus“ u. s. w.; ebd. 37: „at iöfurs greppi“. Sn. 194: „Skáld heita greppar“ u. s. w.

[2] Sn. 268 (Arn. 712 f.): „Veit ek verðari, þá er vell gefa, bröndum beita ok búa snekkjur: hæra hróðrar en heimdraga, únga iöfra en auðspörut“ u. s. w.

[3] Landn. S. 226 (Sagabibl. 2, 585. Sagnh. 90). Fornald. S. 2, 12 f.: „Fróða ens frœkna, föður Ingialds Starkaðar-fóstra.“

[4] In Saxos lateinischer Umschreibung 6, 115 ff. („hoc carmine usus asseritur“, „clara rursum voce recinuit“); die in voriger Anmerkung gegebene Str. und die darauf folgende, beide als Belegstellen für Starkadarlag in Skálda eingerückt, können gleichfalls an Ingiald gerichtete Mahnungen sein.

[5] Saxo 6, 117: „Ipse rex parvo meminit modestam ducere vitam. Mellei temnens speciem saporis, combibit tostum Cereris liquorem, nec parum coctis dubitabat uti, assa perosus.“

[6] Saxo 6, 116: „Absonum namque est, ut in arma promptis nexili crinis religetur auro u. s. w. Uxor Ingelli levis ac petulca Teutonum ritus celebrare gestit, instruit luxus et adulterinas præparat escas“. 6, 118b: „Dum gravem gemmis, nitidamque cultu aureo gaudes celebrare nuptam“ u. s. w. Vgl. 6, 114: „postquam se enim Teutoniæ moribus permisit“ u. s. w. „mirifici operis vittam“ u. s. w. 6, 115: „Teutonum luxus u. s. w. saxonicamque imitatus illecebram“ u. s. w.

lichen Goldschmiede, wird er zum Lobredner der Waffenschmiede, die ihn selbst einmal durchgehämmert haben (Saxo 6, 109. 8, 152); überall ein abgesagter Feind aller Gaukler und Spielleute, hat er einem solchen, der ihn auf Befehl der Königin erheitern sollte, aber mehr einem Steinbild, als einem Menschen, zu singen und zu blasen schien, einen Knochen auf die Pausbacken geschleudert [1]; als er einst, an der Berghalde sitzend, zum Kampfe für Ingialds Schwester seine neun Gegner erwartet, trifft ihn ein Wartmann derselben bis an die Schultern eingeschneit; den kostbaren Mantel, womit ihn die Königstochter beschenkt, hatte Starkad in die Dorne geworfen, und als er dann von den furchtbaren Wunden des siegreichen Streites erschöpft, sich auf einen Fels niedergelassen, hat sich diesem die bleibende Spur seiner Gestalt eingedrückt [2]. Eis- und steinriesenhaft, wie er hier erscheint, ist er auch, den Sagen zufolge, jötunischer Abkunft oder ein wiedergeborner Jötun, und die grauenhafte Schilderung seiner Jötunlarve ist ihm selbst in den Mund gelegt [3]; mit dieser Thursenart hängt aber die wilde und

[1] Saxo 6, 115: „Quo evenit, ut elusus opinione sua mimus, statuæ magis quam homini canere putaretur u. s. w. tibiæ cantu [114: tibicine modulari jusso] u. s. w. Osse itaque u. s. w. in vultum gesticulantis projecto, plenas aurarum buccas violento flatus excussione laxavit u. s. w. Deinde in ampliorem histrionis suggillationem, mox citandum carmen subtexuit." Vgl. 6, 104: „quod apud Upsalam sacrificiorum tempore constitutus, effœminatos corporum motus scenicosque mimorum plausus ac mollia nolarum crepitacula fastidiret" u. s. w. 105: „Victo occisoque Hugleto u. s. w. Starcatherus, quoscunque ex histrionibus captioni casus obtulit, cædendos virgis curavit" u. s. w. Yngl. S. C. 25 (Heimskr. 1, 29 f.).

[2] Saxo 6, 111: „sub montis cujusdam clivo sessione quæsita, adversum ventis ac nivibus corpus præbuit u. s. w. purpureum quoque, quo nuper a Helga donatus fuerat, sentibus amiculum injecit u. s. w. quendam montis fastigio immittunt u. s. w. is postquam montanæ celsitudinis verticem conscendit, in devexa ejus parte senem prospicit scapulis tenus nivali desuper respersione contectum u. s. w. Igitur consumpto pene robore, saxo, quod in vicino forte situm erat, genibus advolutus, paulisper eidem acclinis incubuit: cujus cava adhuc superficies cernitur, ac si illam decubantis moles conspicua corporis impressione signasset. Ego autem hanc imaginem humana arte elaboratam reor" u. s. w.

[3] Über das Verhältnis des Jötuns zum Helden Starkad vgl. Thôr 185 ff. Hauptstelle Fornald. S. 3, 36 f., die drei Str. vgl. 18 f.

böse Seite seines Wesen zusammen, wie sie nicht bloß in seinem Grimm und Ungestüm, sondern zugleich in der Ehrvergessenheit und Treulosigkeit seiner Nidingswerke zu Tage kommt [1]. Das schmählichste und verrufenste von diesen ist, daß er sich mit Gold dingen läßt, seinen letzten Herrn, den König Àli, meuchlerisch im Bade zu erschlagen; er selbst empfindet darüber bittere Beschämung und Reue, so daß er an einigen der Anstifter für sein eigenes Verbrechen blutige Rache nimmt [2], und als er, von Alter entkräftet und erblindet, des Lebens überdrüssig ist, hängt er das Gold, das er für den Mord an Àli empfangen, an seinen Hals, um damit Einen, der ihn todtschlage, zu erkaufen, worin ihm mit seinem eigenen Schwerte willfahrt wird [3]; so erfüllt sich auch an ihm das mit Gullveig über die Menschen gekommene Schicksal (s. oben S. 322) [4]. Ganz von dieser gehässigen Seite nimmt ihn Nornagests Erzählung vom Kampf der Giukünge mit Gandâlfs Söhnen: im Heere der letztern sah man einen großen und starken Mann, der haufenweise Männer und Rosse niederschlug, denn er glich mehr Jötunen als Menschen; auf Sigurds Frage nennt er sich Starkad, Störverks Sohn von Fenhring; als aber Sigurd sich als den Fáfnistödter zu erkennen

[1] Fornald. S. 3, 36: „kölludu hann endrborinn iötun ok niding. Vgl. ebd. 35: „at mèr þór um sköp nidings nafn“ u. s. w. Fornald. S. 1, 385 wird er „þussinn“ angeredet.

[2] Saxo 6, 147: „pecunia Starcatherum asciscunt. Ille ut rem ferro exequeretur adductus, ntentem balneis regem, susceptis cruenti ministerii partibus, attentare constituit“ u. s. w. 148: „Centum et viginti auri libræ in præmio reponebantur. Postmodum pœnitentia ac pudore perculsus, tanta animi acerbitate commissum facinus luxit, ut si mentionem ejus incidere contigisset, a lacrymis temperare non posset. Adeo culpæ atrocitatem resipiscens animus erubescebat. Præterea aliquot ex his, quorum instinctu usus fuerat, in sceleris a se commissi vindictam occidit, et cui facto manum tribuerat, præbuit ultionem.“ Ŷngl. S. C. 29 (Heimskr. 1, 34): Åli var konûngr at Uppsölum XXV vetra, âdr Starkadr hinn gamli drap hann.“ Nornag. Þ. C. 8 (Fornald. S. 1, 331): „heyrđum vèr getit nídings vîgs Starkađar, er hann hafdi drepit Åla [V. Armôd] konûng î laugu.“ S. Egils ok Åsm. C. 17 (Fornald. S. 3, 406): „Þenna Armôd[?] drap Starkadr hinn gamli î laugu, ok var þat hitt sîdasta ôdâdaverk hans.“

[3] Saxo 149 u. bis 153: „emendi in se percussoris gratia, aurum, quod pro Olonis interfectione meruerat, collo appensum gerebat“ u. s. w.

[4] Starkad in der Hölle s. Fornm. S. 3, 200 f.

gibt, will Starkad entweichen; noch stößt Sigurd ihm mit dem Schwertheste zwei Backenzähne aus und heißt dann das Ungethüm sich trollen; der eine dieser Zähne, den Nornagest aufhob, hängt, den Neugierigen zur Schau, an einem Glockenseil in Dänemark und wiegt sieben Öre; mit Starkads Flucht entfliehen auch Gandâlfs Söhne und bald nachher verlautet Starkads Nidingswerk, die Ermordung König Âlis im Bade [1]. Doch nicht so nachzüglich erst, schon in einem der Eddalieder von dem zu den Völsüngen gerechneten Helgi, Hundings Tödter, muß Starkads Name und ungethümliche Erscheinung sich herbeilassen; hier ist er einer der von Helgi bekämpften Granmarssöhne, der Könige grimmigster, dessen Rumpf sich noch schlägt, nachdem das Haupt gefallen ist [2], offen-

[1] Fornald. S. 1, 330 f.: „Î þeirra [Gand. s.] lidi sâst einn madr mikill ok sterkr, drap þessi madr menn ok hesta, svâ at ekki stôd vid, þvîat hann var lîkari iötnum enn mönnum u. s. w. îmôti þeim mannskelmi u. s. w. Hann kvedst Starkadr heita Stôrverksson, nordan af Fenhrîng ûr Noregi. Sigurdr kvedst hans heyrt hafa getit, ok optarr at illu: eru slîkir menn eigi sparandi til ôfagnadarins u. s. w. Starkadr vill þâ undan leita; en Sigurdr snýr eptir, ok færir â lopt sverdit Gram, ok lamdi hann med hiöltunum â ioxlgardinn, svâ at hrutu ûr honum tveir iaxlarnir, var þat meidsla högg. Sigurdr bad þâ mannhundinn î brott dragast þadan. Starkadr snarast þâ î burt þadan: en ek tôk annann iaxlinn ok hafda ek med mèr, er sâ nû hafdr î klukkustreng [î Lundi] î Danmörk, ok vegr siö [V. 6] aura; þikkir mönnum forvitni at siâ hann. Þegar er Starkadr lagdi â flôtta, flýdu Gandâlfs synir u. s. w. Litlu sîdarr heyrdum vèr getit nîdings vîgs Starkadar, er hann hafdi drepit Âla [V. Armôd] konûng î laugu." Auch hier, neben diesem Meuchelmorde, das zweite Nidingsstück, die ehrlose Flucht (vgl. Saxo 7, 126), und eine der von Thôr angewünschten unheilbaren Wunden (Fornald. S. 3, 33: î hverju vîgi „meidslasâr"; vgl. Saxo 6, 105 ob. 101 f., hiezu 8, 152 u. 8, 146, 2. Fornald. S. 1, 383 u. 385 f.) Nornag. Þ. Cap. 7 (1, 329 f.) läßt Gandâlfs Söhne, Verwandte Sigurd Hrings, von diesem wider die Giukunge geschickt sein, dagegen stehen sie nach Sögubr. (1, 380) und Saxo (8, 144: „editi Gandol sene" u. s. w.) im Brâvallakrieg auf Haralds Seite, während Starkad, in Âlis Gefolge, für den Schwedenkönig kämpft.

[2] Sæm. 161 (Munch 91 a): „Granmarr hèt rîkr konungr, er biô at Svarinshaugi, hann âtti marga sonu: einn hèt Hödbroddr, annarr Gudmundr, þridi Starkadr u. s. w. svâ sem segir î Völsungakvidu inni fornu" u. s. w. Sæm. 164, 13 f. (Munch 92, 24 f.): „(Helgi kvad:) fèllu î morgun at Frekasteini Bragi ok Högni, vard ek bani þeirra. En at Styrkleifum Starkadr konungr, en at Hlèbiörgum Hrollaugs synir;

bares Seitenstück zu Saxos Meldung von Starkad, Stórverks Sohn, wonach dessen abgeschlagenes Haupt noch in eine Erdscholle beißt [1]. Das altheimische Reckenthum, das mit seinen rauhen Tugenden wie mit seinen unverblümten Freveln und Flecken in Starkad vertreten war, erscheint nur noch als versinkendes Gespenst im Hintergrunde der glänzenden Gestalten eines Sagenkreises von fremder Herkunft, dessen aber die nordische Dichtkunst mit voller Kraft und entschiedener Vorliebe sich bemächtigt hat. Wie der Völsung Sigmund in Valhöll aufgenommen ist, macht die Verherrlichung seines Geschlechts den Hauptinhalt der Heldengesänge, die sich den Eddaliedern aus der Göttersage anschließen. Sigurd vor allen ist nun der berühmteste unter der Sonne [2], er und was mit ihm zusammenhängt, ist den Skälden und ihrer Sprache überall geläufig [3], während von Hrólf Kraki zwar öfters noch das Goldsäen, von Hálf einmal das Gewand, als Bezeichnung der Brünne [4], von Starkad lediglich nichts im skäldischen Bilderschmucke zu finden, sein Name zwar noch einer Versart angeeignet, übrigens jeder Nachhall

Þann sá ek gylfa grimmúdgastan, er bardisk bolr, var á brot höfud.“ Hier ist „gylfa“ gen. pl. des „konungs nafn“ gylfi; Sn. 191; vgl. 208 a. Seltsam erscheint neben Starkad auch der Name Bragi bezüglich auf den vorgenannten „Starkadr konungr.“

[1] Saxo 8, 153; „Igitur Hatherus adacto vegete gladio senem capite demutilavit. Quod corpori avulsum impactumque terræ glebam morsu carpsisse fertur, ferocitatem animi moribundi oris atrocitate declarans.“ (Stephan. nott. 178 b f.) Im Starkadsliede von der Brávallaschlacht muß ein Kämpe, Sóknarsóti, vorgekommen sein, der, als ihm der Kiefer gespalten und das Kinn weggehauen ist, in seinen Bart beißt und es so festhält (Fornald. S. 1. 384).

[2] Sæm. 173, 7 (Munch 98, 7): „Þú munt madr vera mæztr und sólu, ok hæstr borinn hverjum iöfri.“

[3] Den Mittheilungen aus der Sigurds- und Niflungensage fügt Skálda bei (Sn. 145. Arn. 370): „Eptir þessum sögum hafa flest skáld ort, ok þekit ýmsa þáttu“ (Harum narrationum complures poetæ alii alias partes variando descripserunt“). Vgl. Sagabibl. 2, 376 bis 380.

[4] Lex. poet. 235 a: „Hálfs gerdar“ ornatus Halvi, lorica. Sagabibl. 2, 453 *): „See et Vers af Stuf Skald i Heimskringla, Oluf Kyrres Saga Kap. 9“ [fehlt bei Peringsk.]; vgl. Sn. 194 (Arn. 528): „Rekkar voru kalladir þeir menn, er fylgdu Hálfi konúngi, ok af þeirra nafni eru rekkar kalladir hermenn, ok er rétt at kenna svá alla menn.“

seiner reichen Sage im Kunstliede verklungen ist [1]. Dagegen wird er, obgleich nicht von hoher Abstammung, bei Saxo und im Bruchstück als der Kämpe von weitest verbreitetem Ruhme hervorgehoben [2] und, was mehr besagt, es ist auf ihn eben jene Fülle gewichtiger Thaten und Erlebnisse gehäuft, wofür nur dreifaches Menschenalter ausreichen konnte und in der zugleich seine Beglaubigung als Altmeister des Sageliedes lag. Sein thatkräftiges und sangreiches Leben muste sich besonders noch auf die gewaltige Schlacht im Felde Brávellir, an der ostgotländischen Bucht Bráviк, erstrecken, die berühmteste Schlacht des Nordens [3], die von Saxo mit den Farben eines Ragnarök geschildert wird [4]. In ihr sind um die beiden Gegner, Harald Hilditönn, König der Dänen, und seinen Verwandten, den Schwedenkönig Sigurd Hring, die Tapfersten aus allen nordischen Reichen und den Nachbarlanden

[1] Wenn Vetrlidi, ein Skálde vom Schluß des 10ten Jahrhunderts, zu Thôr spricht (Sn. 103. Arn. 258): „steypdir Starkadi", so ist damit der Jötun, nicht der Held und Sänger, gemeint (Thôr 176 bis 178. Heimskr. 1, 285 u. Dietr. XXIII ob.); auch Störverkr steht in den Gedenkversen, Sn. 209b (Arn. 550), unter den „iötna heiti".

[2] Saxo 6, 102 f.: „Siquidem [Starcath.] excellentius humano habitu corpus a natura sortitus, ita id animi magnitudine æquabat, ut nulli mortalium virtute cedere putaretur. Cujus tam late patens claritas fuit, ut adhuc quoque celeberrima factorum ejus ac nominis opinio perseveret. Neque enim solum apud nostros egregiis operum titulis coruscabat, verum etiam apud omnes Sveonum Saxonumque provincias speciosissima sibi monumenta pepererat." 6, 120: „Ast ego, qui totum concussi cladibus orbem" u. s. w. Fornald. S. 1, 381: „sá kappi, er ágætastr hefir verit í fornsögum: Störkudr inn gamli Störverksson, er upp hafdi fædst í Noregi á Hördalandi í eyjunni Fenring, ok farit hafdi vída um lönd, ok verit med mörgum konûngum."

[3] Fornald. S. 1, 382: „var sú orrosta svá snörp ok mikil, sem segir í öllum fornum sögum, at engi orrosta á Nordlöndum hafi háit verit med iammiklu ok iamgódu mannvali til orrostu at telja." Vgl. 1, 238. 510, 1. 3, 216: „þá skyldi vera bardagi á Brávöllum, er mestr hefir verit á Nordlöndum, sem segir í sögu Sigurdar Hríngs, födur Ragnars lodbrôka u. s. w. Í þessi orrostu fèll Haraldr konûngr, ok med honum fimtân konûngar u. s. w. sem segir í sögu hans" u. s. w.

[4] Saxo 8, 146: „Deinde canentibus lituis summa utrinque vi conseritur bellum. Crederes repente terris ingruere cœlum, silvas camposque subsidere, misceri omnia, antiquum rediisse chaos, divina pariter et humana tumultuosa tempestate confundi, cunctaque simul in perniciem trahi" u. s. w.

versammelt, Skälden, wie Starkad selbst, kämpfen mit [1], Schildjungfrauen schwingen Banner und Schwert, und wenn in manchen Sagen nur der Schatten Odins vorüberstreift, so tritt der alte Heldenvater leibhaftig und selbsthandelnd in die Mitte dieses von ihm angeschürten und gelenkten Völkerstreits [2]. Wie nun in demselben Starkad, auf Sigurd Hrings Seite vorkämpft und zum Heldenruhm auch hier die furchtbarsten Wunden davonträgt, so galt er zugleich für den Sänger des großen Liedes von der Brävallaschlacht, das den Schilderungen Saxos und des Sagabruchstücks zu Grunde liegt, und in den zusammengereihten Streiternamen sind noch die Anlaute des alten Stabreims hörbar [3]; auch der Schwanensang des lebensmüden Greises

[1] Sögubr. C. 8 (1, 379): „þessir kappar voru med Haraldi konúngi: Sveinn, Sámr, Gnepi enn Gamli, Gardr, Brandr, Blœngr, Teitr, Tyrvingr, Hialti; þeir voru skáld Haralds konúngs ok kappar.“ Vgl. Saxo 8, 143: „poesea quoque patrio sermoné contexere promtissime calluerunt.“ 144: „Berhgar vates.“

[2] Der Dänenkönig Harald Hilditönn, der greise Held dieser Schlacht, aus der er von Odin hingerafft wird, ist vom Beginn bis zum Schlusse seines Lebens ein vollkommener Odinsmann und es gebührt ihm eine bedeutende Stelle in der Ausführung des Odinsmythus nach der Seite des Heldenthums. Er und seine Nächstverwandte heißen Sæm. 117, 27: „gumnar godom signadir.“

[3] „Historiam belli Svetici Starcatherus, qui et ejusdem prælii præcipuum columen erat, primus danico digessit eloquio, memoriæ magis quam literis traditam. Cujus seriem ab ipso pro more patrio vulgariter editam digestumque latialiter complecti statuens, inprimis præstantissimos utriusque partis proceres recensebo.“ 8, 146: „Illic Starcatherus, qui belli hujus seriem sermone patrio primus edidit, prior in acie dimicans, Haraldi proceres Hun et Eli, Hort ac Burgha a se prostratos, abscissamque Wisnæ dexteram commemorat. Cæterum Roa quendam cum duobus aliis Gnepia et Garthar a se in acie vulneratos occubuisse declarat. Hisdem Scalki patrem tacito nomine applicat. Idem fortissimum Danorum Haconem a se in terram prorutum, seque ab eo ita mutuo vulneratum testatur, ut exertum thorace pulmonem, cervicemque mediotenus scissum, manum quoque uno truncam digito gerens excederet bello, diuque hiscens plaga nec cicatricis capax, nec medelæ habilis videretur. Eodem teste puella Weghtbiorg in hostem dimicans Soth pugilem acie stravit“ u. s. w. Fornald. S. 1, 381 bis 383: „hvar er kappinn Störkudr, er enn hertil bar ávalt hærra skiold? vinn oss sigr!“ u. s. w. 384: „sem Störkudr inn gamli segir“ u. s. w. 385 f. Verzeichnis anlautender Namen Lex. myth. 301. Vgl. Sagahist. 112.

schließt die Aufzählung seiner Großthaten mit dem brávellischen Sieg, als einem unvergänglichen Denkmal seiner Tapferkeit [1]. Die angeführten Quellen erklären die Entstehung des großen Kampfes wirklich nur aus dem kriegerischen Geiste des Odinsglaubens: der hochbejahrte Harald, von Jugend auf ein Geweihter Odins, will in herrlichem Schlachttod untergehn, Odin selbst, dem die Kampftodten angehören, stiftet als Bote Haralds Zwietracht unter den Anverwandten und erschlägt als Wagenführer den erblindeten Greis, der nun vom Schlachtfeld mit großem Gefolg aus dem eigenen und dem feindlichen Heere nach Valhöll zieht [2]. Die Geschichtforschung, welche diesen nordischen Völkerstreit in die vordere Hälfte des 8ten Jahrhunderts setzt [3], sieht sich nach andern, als bloß mythischen, Anlässen um; aber sie stimmt den Sagen in dem Ergebnis der gewaltigen Bewegung bei, daß ein Wechsel der Obergewalt im Norden die Folge war und die wirkende Kraft in demselben durch den Brávallasieger Sigurd Hring auf seinen sagenberühmten Sohn Ragnar Lodbrók und dessen streitbare Söhne übergieng.

Dieses Geschlecht ist es nun, welches die Völsunge verwandt-

[1] Saxo 8, 152: „Semperque manebit nostra bravellinis virtus conspecta trophæis.“

[2] Saxo 7, 142 f.: „Othinus u. s. w. insidiosæ legationis cura arctissimam regum concordiam labefactavit, tantaque inimicitias serentis fallacia fuit, ut amicitia ac necessitudine vinctis mutuum odii rigorem ingeneraret, quod absque bello satiari non posse videretur u. s. w. Sunt qui Haraldum non livoris impulsu, aut regni æmulatione, sed industrio quodam spontaneoque conatu clandestinos exitii causas quæsivisse testantur. Quum enim ob senectam severitatemque civibus etiam onustus existeret, ferrum morbi cruciatibus anteponens, spiritum in acie quam lectulo deponere præoptavit, consentaneum præteritæ vitæ operibus exitum habiturus. Itaque quo mortem suam clariorem efficeret, inferosque comitatior peteret, complures fati consortes adsciscere gestiebat, futuræ cladis materiam ultronea belli instructione molitus. His ergo de causis tam propriæ, quam alienæ necis aviditate correptus, ut par utrobique strages incideret, pares utrinque copias instauravit, aliquando fortius Ringoni robur applicans, quem victorem superesse maluerat.“ Vgl. 8, 146 f. Fornald. Sög 1, 377. 380. 386 f.

[3] P. E. Müller, Sagnbiel. 119 (vgl. Sagabibl. 2, 492) um 730; Munch 2, 95 f. zwischen 715 und 730.

schaftlich an den Norden bindet, so daß Völsûngasaga sich unmittelbar in der Ragnarssaga fortsetzt. Ragnar Lodbrôk hat die in niedrigen Stand gerathene Âslaug, Sigurds des Fáfnistödters Tochter von Brynhild, unerkannt zu sich erhoben; aber erst nachdem sie ihm den fünften Sohn geboren, bewährt sie durch das Schlangenzeichen in dessen Auge die Abkunft von dem Sagenhelden und dadurch von Odin selbst, wonach dann der Neugeborne „Sigurdr Ormr-î-auga" genannt wird [1]. Vikingsfahrten Ragnars und seiner Söhne giengen nach Südwesten, namentlich nach Frankland [2]; von da ist auch die dreijährige Âslaug in einer Harfe nach den Nordlanden gebracht worden, ein Bild der wandernden Sage [3].

Als Skalde desselben Geschlechts war Bragi der Alte angesehen und er ist auch der erste, dem ein Kunstlied zugeschrieben wird, worin Beziehungen auf die Völsûngensage hervortreten; die Drâpa zum Preise des Schildes, einer Gabe von Ragnar, der als Sohn Sigurds (S. Hrings) angeredet wird, besingt, als Gegenstand eines der Schildbilder, den tapfern Kampf der Gudrûnssöhne und hierüber wird ausdrücklich bemerkt, Bragi habe diese Verwandten der Âslaug gelobt, damit dadurch Ragnars Ehre gemehrt werde (s. oben S. 284); wohl in dem gleichen Liede wird das Schlangengift dichterisch Trank der Völsûnge genannt, weil der Völsûng Sigmund ohne Schaden Gift trinken konnte [4];

[1] Sn. 144 (Arn. 370): „Eptir Sigurd svein lifdi dôttir, er Âslaug hêt u. s. w. ok eru þadan ættir komnar stôrar." Fornald. S. 1, 257 bis 9. Vgl. Saxo 9, 170 f. Sæm. 104, 31. Sagabibl. 2, 383 f. 476 u. bis 78. Es ist ein mehrfach vorkommender Sagenzug, daß nichtebenbürtige Frauen um so höher in das Licht einer fabelhaften Abkunft gestellt werden.

[2] Fornald. S. 1, 354: „Lodbrôkar synir fôru um mörg land med hernadi: England ok Valland ok Frakkland, ok ûtum Lombardî." 1, 357: „Sigurdr ormr î auga ok Biörn iarnsîda ok Hvîtserkr höfdu herjat vîda um Frakkland." Vgl. Zeuß 535 f.

[3] Fornald. S. 1, 229: „[Heimir] lætr nû giöra eina hörpu svâ mikla, at þar lêt hann meyna Âslaugu î koma, ok margar gersimar î gulli ok silfri, ok gengr â brott sîdan vîda um land, ok um sîdir hingat â Nordrlönd." 1, 233: „nû fær hûn [kelling] uppkomit hörpunni, ok þar sêr hûn eitt meybarn, at hûn þóttist ekki slîkt sêt hafa" u. s. w.

[4] Sn. 144 f. (Arn. 1, 370): „Svâ er sagt, at Sigmundr Völsûngsson var svâ máttugr, at hann drakk eitr ok sakadi ekki; en Simfiötli sonr hans ok Sigurdr voru svâ hardir â hûdna, at þá sakadi ekki eitr, at

in Valhöll ist Bragi mit Sigmund und dessen ältestem Sohne Sinfiötli geschäftig, den in der Schlacht gefallenen Eirik Blutaxt zu empfangen (s. oben S. 279), einen Sohn Haralds Schönhaar, welch letzterer auf Mutterseite von Ragnar und Áslaug, der Sigurdstochter, stammt [1]. Bei Starkad zeigt sich von der Völsungen- und Niflüngensage nirgends eine Spur; in seinem Bråvallaliede war wohl Ragnars Vater gefeiert, aber erst mit der Frau des Sohnes wird die Stammtafel völsüngisch. Die Eddalieder jenes Sagenkreises sind zwar großentheils im Fornyrdalag, also in Starkads Tone, gedichtet, tragen jedoch vielfachen Anflug der Kunstsprache und haben, in Sigrdrifamál, eine ganze Rünenlehre aufgenommen. Was dagegen von Starkads Sange durchklingt, hält sich, angemessen der Art seiner Helden und dem Zuschnitt seiner eigenen Kämpenschaft, in gänzlich schmucklosem Stil [2]. Es ist auch nicht gesagt, daß Starkad von Suttüngs Meth getrunken habe, seine Skaldschaft, das einfache Sagenlied von den altnordischen Recken, eignete sich besser, als für den rünischen Odrörir, zur unmittelbaren Verleihung durch Odin, den Gott des kriegerischen wie des dichterischen Geistes.

utan kvæmi á þá bera. Þvî hefir Bragi skáld svá kvedit: u. s. w. hrökkviáll u. s. w. Völsûnga drekku" (die Midgardsschlange). Vgl. Sæm. 170 f. Fornald. S. 1, 130. 142. 323. Lex. myth. 210 a.

[1] Fornald. S. 2, 10 u. bis 12 ob. 16. Fagrsk. 12, 20. Einen andern Sohn Haralds, Hákon den Guten, läßt Eyvinds Lied auf dessen Tod gleichfalls durch Bragi in Valhöll bewillkommen, wo derselbe schon acht Brüder trifft, Heimskr. 1, 167: „Þu átt inni hèr átta brœdor! kvad Bragi". Vgl. Fagrsk. a. a. O.

[2] P. E. Müller, der es gut verstand, alte Grundlage von späterer Zuthat zu unterscheiden, jene unter dieser herauszufühlen, bemerkt über die Starkadslieder, Sagnhist. 88: „Vi ville ikke paastaae, at netop de samme vers, Stærkodder havde digtet, gientoges til Saxos Tid. Men det er ikke blot Saxo, der giör Stærkodder til Digter, han nævnes blandt Skialdene i det gamle Skialdatal, og hvad der er vigtigere, Vers under hans Navn citeres i Snorros Edda (Rask's Udg. S. 311) og fornemmeligen i Göthreks og Hrolfs Saga u. s. w. vi have flere Exempler paa, hvorledes slige Sange giennem Rækker af Aerhundreder ere forplantede, i det de Tid efter anden foryngedes, ligesom Sproget modtog en ny Farve. Nye Træk kunne da maaske og være bleven lagte til, men Æmne og Grundtone maatte blive det samme." Vgl. Sagabibl. 2, 585.

Der Hohe.

Reden des Hohen, Hâva-mâl, lautet die gemeinsame Überschrift, unter welcher die hauptsächlichen Spruchgedichte der Liederedda zusammengefaßt sind. Der Hohe (Hâr, Gen. schw. Form Hâva, vgl. Gr. 1 (2), 312. 742 γ) ist Odin, der sich selbst als Sprecher zu erkennen gibt. Des Hohen Halle, Rath, Reden sind diesen Sprechliedern gangbare Ausdrücke [1], dagegen zeigt sich in denselben keine Spur von Jafnhâr und Thridi; die Erzählung der j. Edda von den drei Hohen ist sichtlich an Hâvamâl angesponnen und hat daraus eine Strophe wörtlich herübergenommen; man hat demnach Hâvamâl von jener Anknüpfung an die Gylfisage gänzlich freigestellt zu betrachten (vgl. oben S. 176). Unter dem Gesammtnamen sind drei verschiedene Spruchgedichte begriffen: zuerst eine Reihe von Lehrsprüchen, die, wenn auch einzeln für sich gültig, doch am gleichen oder verwandten Gegenstande sich fortsetzen und damit in Gruppen gliedern, sodann je in besondrer Einleitung Lodfâfnismâl, eine weitere Folge von Klugheitslehren, und endlich Rûnatal, ein Spruch über Rûnen mit Aufzählung achtzehn heilsamer Zauberlieder. Wenn nun gleich die beiden letztern Stücke durch eigene Rahmen und Formeln in sich abgeschlossen sind und namentlich das dritte nicht in der Ermahnung, sondern in der Zauberkunde sich bewegt, so fallen doch alle in den Kreis altnordischer Spruchweisheit und die Lehrsprüche treffen mit den Rûnen und Zaubersegen darin zusammen, daß sie gleich diesen sich gern an mythische Namen und Vorgänge anlehnen und daß auch ihre Bestimmung ist, für alle Vorkommnisse des Lebens zu feien und festzumachen, nicht sowohl sittliches Pflichtgefühl zu pflanzen und zu nähren, als vielmehr den Mann mit Klugheit, Vorsicht, sicherer, tüchtiger Haltung auszurüsten; es ist mit den ertheilten Rathschlägen nicht auf das Gute an sich, sondern auf die Nützlichkeit der Befolgung abgesehen [2].

[1] S. oben S. 245, Anm. 1.

[2] Die Klugheit, mit deren Beispiel Odin selbst vorangeht, wird bis zur Falschheit und Verstellung empfohlen Str. 46 f.; vgl. 43 (Munch 44 f. vgl. 41). 92 f. (90 f.); Gastfreiheit wird zur Pflicht gemacht, zugleich aber dem Gaste gegen den Wirth ein argwöhnisches, lauerndes Benehmen angerathen 1 bis 8 (1 bis 7); Freigebigkeit bringt Widergabe, ist das Mittel, sich Freunde zu

Die Zusammenhänge des verschiedenartigen Spruchwesens in Hávamál und den verwandten Gedichten sind übrigens schon im vorhergehenden Abschnitt erörtert worden; hier handelt es sich nur noch darum, das Verhalten Odins in seinem göttlichen Lehrberuf und in der Einwirkung auf seine Schüler durch die drei Theile von Hávamál zu verfolgen und aufzuweisen. Im ersten, umfangreichsten Theile, der gänzlich den Lebensregeln gewidmet ist, läßt Odin sich als Redender nicht verkennen, wenn zwei seiner Abenteuer, fortwährend in erster Person gesprochen, erzählt werden, das eine, die Werbung um Billings Tochter, zur Warnung vor ungenügsamer Begierde und weiblichem Wankelmuth, das andre, um den Nutzen gewandter Rede zu beweisen, die Erlangung des kostbaren Meths von Gunnlöd [1]. Da nun diese Stücke mit den übrigen Lehren zu einem Ganzen verbunden sind, so eignen sich dadurch alle dem gleichen Redner an; auch erscheint das Ich noch ein paar mal, obwohl wenig für Odin passend; vielmehr ist anzunehmen, daß in den

gewinnen und zu erhalten 40. 42 f. 45 (38. 40 f. 43); Tapferkeit ist um so rathsamer, als dem Kampfscheuen das Alter doch keinen Frieden gibt 16 f. (14 f.); der Nachruhm überlebt Gut, Freunde und den Mann selbst 77 f. (75 f.). Nicht als hätte dem alten Norden der rege Sinn für jede uneigennützige Tugend und Tüchtigkeit gemangelt; aber das Treffliche, was den Mann auszeichnet, ist ein angeborner, naturwüchsiger Adel, der eben darum nicht lehrhaft zum Ausdruck kommt, sondern in den Lebensbildern der Helden- und Geschichtsage; gelehrt werden kann das Gute nur als Verständiges, Nützliches; kluger und unkluger Mann (fródr, snotr, ósnjallr, ósvidr, ósnotr madr) sind darum die Losungswörter der Lehrsprüche. (Die Skálden werben in ihren Liedern um Gold und Gunst, ihre dankbare Treue bewähren sie in den Schlachten ihrer Könige). Es kommt der Einsicht in die Sittenlehre so wenig, als in die Mythenlehre des nordischen Heidenthums zu statten, wenn man in diesem, nach der einen und der andern Seite, überall das Christliche voraus angezeigt finden will. Dem Christenthum selbst geschieht damit kein Dienst, wenn auf solche Weise der gründliche Unterschied zwischen seiner lauteren, das Gesetz der Liebe voranstellenden Sittenlehre und den Begriffen der heidnischen Germanen verwischt wird, wenn es nicht überhaupt eine völlig neue Botschaft war, vor deren ergreifendem Eindruck die Bekenner Odins sich niederwarfen. Nur wenn das Heidnische in seinem besondern Wesen erkannt ist, kann auch die Wirksamkeit des neuen Glaubens klar gewürdigt werden. (Vgl. Myth. 132.)

[1] Str. 96 bis 104 (94 bis 101; Lex. poet. 54 a vermuthet appellativ „billings mær"; zweifelhaft ist die Beziehung auf Rindr, Rinda bei Saxo 3, 44 f.); 106 bis 112 (103 bis 110).

größern Verband manches schon sprichwörtlich Vorhandene mit aufgenommen wurde [1]. Der Hohe wird hier nicht als Lehrer genannt, sondern in der Beziehung, daß am Tage nach dem Methraub die Reifthurse, nach Bölverk forschend, sich aufmachen, des Hohen Rath zu erfragen in des Hohen Halle, unter der hier leicht ersichtlich Odins Wohnung in Äsgard verstanden ist [2]. Bedeutsamer für das Spruchgedicht stellt sich die Nennung dieser Halle im zweiten Theile, Lodfáfnismál. Die Lehren werden hier so eingeleitet: „Zeit ist zu reden lange Reden auf des Redners Stuhl, am Brunnen der Urd; ich saß und schwieg, ich sah und bedachte, horcht' auf der Männer Spruch; von Rûnen hört' ich sprechen mit den Tagfrühen, und in Nächten schwiegen sie nicht, an des Hohen Halle, in des Hohen Halle hört' ich also sagen" [3]. Es folgen 26 (nach der Eintheilung bei Rask 24) lehrhafte Gesätze mit dem mehrfach wiederholten Anruf: „Ich rathe dir, Lodfáfnir, merke du Rath! genießen wirst du's, wenn du merkst" [4]; die Räthe selbst sind gleichartig denen des ersten Theils, doch sind keine Mythen

[1] Str. 48 (46): „ungr var ek fordum, fór ek" u. s. w. 71 (69): „eld sá ek uppbrenna" u. s. w. Die Str. 77 und 75 klingen in Eyvinds Hákonsliede (zum Jahr 963) an: „Deyr fé, deyja frændr" u. s. w. Heimskr. 1, 168. Fagrsk. 26.

[2] Str. 111 (109): Ens hindra dags gêngu hrîm-þursar Háva ráđs at fregna Háva höllu [dat.] î; at Bölverki þeir spurđu" u. s. w. In dieser und der folgenden Strophe ist von Odin in dritter Person die Rede und „hygg ek" gebraucht hier ein Sprecher, der von Odin übel denkt; Simrocks Vermuthung eines Zusatzes (Edd. 383) erscheint hinsichtlich dieser beiden Strophen gegründet.

[3] Lodf. Str. 1 f. (Munch 111 f.): „Mál er at þylja þulor lângar [fehlt bei Munch; vgl. Sn. 179 f.: „î þorgrims-þulu"] þularstóli at Urđar brunni at; sat [Munch sá] ek ok þagđak, sá ek ok hugđak, hlýdda ek á manna mál. 2. Of rûnar heyrđak dœma [Lex. poet. 99 a: d. of rûnar de runis, scientiis, verba facere, Hávam. 113]". M.: [ok reginдóma, nê um risting þögđu] med dagrædum [Gr. 2, 253*. Myth. 709. Vgl. Lex. poet. 93 a. Dieses ráđ hätte dat. pl. ráđum, Munch 16 b, 112], nê um niđum [Myth. 672 f.] þögđu, Háva höllu at Háva höllu î [Lex. poet. 24 b: „ad aulam, in aula"] heyrđak segja svá." Vgl. Sn 212 b: mál er at segja manna heiti. Fornm. S. 4, 202: sat hann þar lengi dags yfir málum manna." 2, 311: „er þat mál manna."

[4] Str. 8 ff. (113 ff.): „Ráđumk [Gr. 4, 39 f.] þer, Lodfáfnir, en [M. at] þû ráđ nemir! nióta muntu ef þû nemr."

eingeflochten, auch werden nicht Galder und Rünen gelehrt, sondern nur beiläufig als heilsam empfohlen [1]. Der Sprechende, der auf dem Rednerstuhl am Urdbrunnen verkündigt, was er mit stillem und beharrlichem Aufmerken in des Hohen Halle sagen hörte, ist Lodfáfnir und was er mittheilt, ist nicht seine eigene Lehre, sondern wörtlich die dort empfangene mit der an ihn selbst gerichteten Anrede, durch die er eben seine höhere Sendung beglaubigt [2]. Seine Stellung als Sprecher und zuvor als Hörer bezeichnet er in mythisch bildlicher Weise; daß sein Redestuhl am Brunnen der Norn steht, daß er vernommen hat, was in Odins Halle gesprochen ward, damit ist ausgedrückt, es handle sich um Eröffnungen eines Unterrichteten in der Wissenschaft, die man von jenen heiligen Stätten ableitete. Auf welcher Männer Rede Lodfáfnir gelauscht, wer es war, der zu ihm sprach: „ich rathe dir“, ist nicht gesagt; aber die Stimme, die an und in des Hohen Halle sich vernehmen ließ, kommt am besten von diesem Hohen selbst, der auch im ersten Theile Weisheit lehrt, und der Männer Rede, das Sprechen über Rünen, tiefere Kunden, weist auf einen geistigen Verkehr Odins mit den in seine Nähe erhobenen Geweihten [3].

Der Name Lodfáfnir ist nur soweit durchsichtig, als Fáfnir bei den Dichtern Schlange bedeutet [4]; die Zusammensetzung mit lod, zottig, läßt auf eine besondre Schlangenart rathen [5]. Fáfnir heißt auch der

[1] Str. 11 (121): „gôđan mann teygđu þer at gamanrûnum ok nem líknargaldr [s. oben S. 266] međan [þû] lifir“ [gamanrûnar sind jedoch hier nur: „sermones jucundi,“ Lex. poet. 221 a]; Str. 26 (138): „vid bölvi rûnar.“

[2] Dietrich zu Hávam., Zeitschr. 3, 424: „ein gewöhnlicher götterverehrer konnte noch 861 zu Ansgars zeiten seiner rede vor dem schwedischen volke gegen die annahme des christenthums zu grunde legen, er habe sie in der versammlung der götter des landes gehört, und sei von ihnen damit ans volk beauftragt; Rimbertus, vita Ansg. C. 23.“

[3] Vgl. Dietrich in Haupts Zeitschr. 3, 425.

[4] Sn. 180 (Arn. 184). Arn. 2, 486 b u. 570 a; auch für solche Gegenstände, die nach der Schlange benannt werden, unter den „sverđa heiti“ Sn. 215 a (Arn. 567): fafnir (wie þinorr, gôinn, nìđhöggr), für das Schiff (wie ormr, dreki, nadr) Lex. poet. 150 a.

[5] Biörn 2, 38: „lód (lod), n. u. f. w. villositas, hirsuties.“ „lodinn (lođinn), hirtus, villosus.“ „lodkápa, f. toga pellibus villosis subsutilis.“ Fornald. S. 1, 238: „lodbrækur og lodkápa,“ vgl. Saxo 9, 169 f. Fornald. S. 2, 60: „Lodhattar son.“

Hortwächter, der in Wurmgestalt, die er angenommen, von Sigurd erschlagen wird, und zwar ist nicht etwa der Eigenname auf die Schlange übertragen, so wenig als ähnliche Benennungen derselben, Ofnir und Svâfnir, von Odin stammen, der vielmehr diese Namen führt, weil auch er sich zur Schlange verwandelt hatte [1]; ein Bruder Fáfnis fuhr als Fischotter in den Wasserfall und hieß demgemäß Otr [2]. Nun erscheint Fáfnir auch in der Eigenschaft besondern Wissens, indem Sigurd noch den Todwunden über Dinge aus der Götterwelt in gleicher Formel befragt, wie Gangrâd den weisen Vafthrûdnir [3], und sobald er den mit Fáfnis Herzblute beträuften Finger an die Zunge gebracht, die Stimme der schicksalweisenden Vögel versteht [4], was an die Übertragung

[1] Wie ofnir und svâfnir auf die Bewegung der Schlange, scheint das dunkle fâfnir sich auf das Athmen, Blasen derselben zu beziehen; vgl. πνέω, πνεῦμα, flo, flavi, ahd. fnehan (anhelare), fnâhtjan, fnaston, Graff 3, 781 f. Sæm. 188, 17 (M. 109, 18) sagt Fáfnir: „eitri ek fnæsta“ u. s. w. Lex. poet. 188a. Fornald. S. 1, 162: „svâ fnýsta ek eitri.“ Sæm. 188, 19 (M. 109, 19): „Inn frâni ormr! þû gördir fræs mikla“ u. s. w. Lex. poet. 202a: „fræs, f., sibilus, sibilatio“ u. s. w. Sæm. 186 (M. 108): „en er Fâfnir skreid af gullinu, blês hann eitri“ u. s. w. Fornald. S. 1, 346: „blês eitri“ u. s. w. Dieß spricht für die Zusammenstellung Fáfnis mit Πύθων, Myth. 345; vgl. System der griech. Mythol. von J. F. Lauer, Berlin 1853, S. 260: „neben der Quelle Kastalia der Drache Πυθώ oder Πυθών (von der Wurzel πυθ, faulen, blasen, wehen, pusten) u. s. w. Pott 1, 263. N. 252.“

[2] Sæm. 180 (M. 104): „Otr hêt brôdir vârr u. s. w. er opt fôr î forsinn î otrs lîki“ (Biörn 2, 153a: „otr, m. lutra); vgl. 183a (M. 106): „at Fâfnir lâ â Gnitaheidi ok var î orms lîki.“

[3] Sæm. 187, 12 und 188, 14 (M. 109, 12 und 14): „Segdu mer (þat) Fâfnir! alls þik frôdan kveda ok vel mart vita“ u. s. w. Sæm. 34, 26 (M. 24, 26. 24, 34): „Segdu þat id fiorda, alls þik frôdan [in andern Str. „svinnan“] kveda ok þû, Vafþrûdnir, vitir“ u. s. w.; auch begegnet sich Sæm. 188, 20 (M. 109, 20): „Ræd ek þer nû, Sigurdr! en þû râd nemir“ u. s. w. mit dem wiederkehrenden: „Râdumk þer, Lodfâfnir! en þu râd nemir“ u. s. w. (Sæm. 24 ff. M. 16 ff.) Sæm. 190, 34 (M. 111, 34): nennt den Fáfnir: „inn hâra þul“. Vgl. wieder Lodf. m. Str. 24 (Sæm. 27. M. 18, 135): „at hârum þul“ u. s. w.

[4] Sæm. 189 (M. 110): „þâ gêkk Reginn at Fâfni, ok skar hiarta or hânum med sverdi (þvî) er Ridill heitir, ok þâ drakk hann blôd or undinni eptir; Reginn kvad: 27. Sittu nû, Sigurdr! en ek mun sofa ganga, ok halt Fâfnis hiarta vid funa; eisköld ek vil etinn lâta eptir

ähnlicher Fähigkeiten mittelst des Speichels erinnert; das Herz galt ja für den Sitz des weisen Sinnes (s. oben S. 200). Verstehen der Vogelstimme, fast sprichwörtlicher Ausdruck für die spähsamste Klugheit, wird noch anderwärts, selbst in der Geschichtsage nordischen Männern zugeschrieben [1] und auch hierin steht Odin voran, auf dessen Achseln die zwei Raben Huginn und Muninn sitzen und ihm Alles in die Ohren sagen, was sie auf ihrem täglichen Flug über die ganze Welt gesehen

þenna dreyra drykk." Sæm. 190 (M. 110 f.): „Sigurdr tôk Fâfnis hiarta ok steikdi â teini. Er hann hugdi at fullsteikt væri, ok freyddi sveitinn or hiartanu, þâ tôk hann â fingri sînum ok skynjadi hvârt fullsteikt væri. Hann brann ok brâ fingrinum î munn ser, en er hiartblôd Fâfnis kom â tungu hânum, skildi hann fugls röd; hann heyrdi at igdur klökudu â hrîsinu; igdan kvad: [dieß paßt nicht zur vorstehenden Prosa] „þar sitr Sigurdr sveita stokkin, Fâfnis hiarta vid funa steikir; spakr þætti mer spillir bauga, ef hann fiörsega frânan æti." Sæm. 191 b (M. 111 b): „Sigurdr hiô höfud af Regin, ok þâ ât hann Fâfnis hiarta ok drakk blôd þeirra beggja Regins ok Fâfnis; þâ heyrdi Sigurdr hvar igdur mæltu" u. s. w. Sn. 138 (Arn. 358): „En er Sigurdr steikdi hiartad, ok hann hugdi at fullsteikt mundi, ok tôk â fingrinum, hve hart var: en er fraudit rann or hiartanu â fingrinn, þâ brann hann, ok drap fingrinum î munn ser; en er hiartablôdit kom â tunguna, þâ kunni hann fugls rödd, ok skildi hvat igdurnar sögdu, er sâtu î vidnum" u. s. w. Völs. S. C. 19 (Fornald. S. 1, 163 f.): þâ drakk Reginn blôd Fâfnis, ok mælti u. s. w. gakk til elds med hiartat ok steik, ok gef mer at eta. Sigurdr fôr ok steikti â teini; ok er freyddi or, þâ tôk hann fingri sînum â, ok skynjadi, hvârt steikt væri; hann brâ fingrinum í munn ser; ok er hiartablôd ormsins kom â tungu honum, þâ skildi hann fuglarödd; hann heyrdi at igdur klökudu â hrîsinu hiâ honum: þar sitr þu Sigurdr! ok steikir Fâfnis hiarta; þat skyldi hann sialfr eta, þâ mundi hann verda hverjum manni vitrari" u. s. w.

[1] Ýngl. S. C. 21 (Heimskr. 1, 24): „Dagr hêt son Dyggva konûngs, er konûngdôm tôk eptir hann; hann var madr svâ spakr, at hann skildi fugls rödd; hann âtti spörr einn, er hönum sagdi mörg tîdindi, flaug hann â ymsi lönd." S. Olafs konge kyrra C. 9 (Heimskr. Peringsk. 2, 193 f.): „þat var hia einum bonda i fylki nockru i Listelieni, sogdu þeir, þar er sa eirn gamal bukarl, er veit fyrer alla hluti, hann er so vis, hofum vier marga hluti spurt han, ok hefur hann urleyst, ok einkis hofum vær hann þess spurt, at hann giordi ei grein a, ok þat hygglum vier, at hann kunne fugle rödd at skilja" u. s. w. (Folgt die umständliche Erzählung, wie ihm die Krähen Kunde sagten.)

oder gehört haben [1]. Es ist deutlich gesagt, daß eben der weite und rasche Umflug der Vögel, der sie so Vieles und Fernes beobachten läßt, den Kennern ihrer Sprache das reiche Wissen verschaffe (s. die zwei vorigen Anmerkungen). Selbst die Anzeige kommender Dinge hängt damit zusammen, daß die geflügelten Wanderer schon geschaut und angehört haben, was in der Ferne gegenwärtig ist oder vorbereitet wird. Namentlich ist der Ausblick, den die sprechenden Adlerinnen in Sigurds Zukunft öffnen, doch eigentlich eine Hinweisung auf andern Orts Vorhandenes, woran sein Geschick sich heften kann: sie wissen eine Königstochter, die allerschönste, nach der hin grüne Wege liegen und um welche der junge Held werben möge, sie wissen, daß auf dem Berge, den Flammen umspielen, die Kampfjungfrau schläft, wo Sigurd sie unterm Helme sehen kann [2]. Was ihm diese Kunden hörbar macht, das Kosten

[1] Sn. 42 (Arn. 126): „Hrafnar tveir sitja á öxlum honum [Odni] ok segja í eyru honum öll tidindi, þau er þeir siá eda heyra; þeir heita svá: Huginn ok Muninn. Þá sendir hann í dagan at fliugja um allan heim, ok koma þeir aptr at dögurdarmáli, þar af verdr hann margra tidinda viss; því kalla menn hann Hrafna-gud“ u. s. w. Sn. 322 (Arn. 2, 142): „Flugu hrafnar tveir af Hnikars öxlum: Huginn til hánga, en á hræ Muninn.“ Yngl. S. C. 7 (Heimskr. 1, 11 f.): „Hann átti ok hrafna II. er hann hafdi tamit vid mál; flugu þeir vída um lönd, ok sögdu hönum mörg tídindi: af þessum lutum vard hann störliga fródr.“ Vgl. Sæm. 42, 20. Heimskr. 1, 225 u. Zu „segja í eyru“ vgl. ob. S. 225 über rúni, eyrarúna. Rafne-Rune ist im schwed. Volkslied (Sv. Folkvis. 2, 195 f.) ein sprechender, auf Botschaft ausfliegender Rabe; dagegen heißt es Isl. fornkv. 1, 45: „hrafninn brúni“ und in Danm. gamle Folkevis. 2, 200 f.: „raffuenu hynn brune“; vgl. jedoch ebd. 189: „enn raffn med vinger brunne,“ der auf seine Klauen eingeritzte Runen trägt. In Rigsmál wird das Verständnis der Vögellaute zur Rúnenkunde gezählt (Sæm. 106, 41. S. ob. S. 232, 3). Wie Odins Verkehr mit Mimis Brunnen und Haupt, so ist auch der mit den Raben aus dem Volksglauben in die Sinnbildsprache gehoben, dort aus der Quellbefragung (S. ob. S. 208), hier aus der Vögelforschung; schon die Namen Huginn und Muninn verkünden den geistigen Bezug (ob. S. 199).

[2] Sæm. 191, 40 ff. (M. 111, 40 ff.): „Mey veit ek eina myklu fegrsta, gulli gædda, ef þú geta mættir. 41. Liggja til Giuka grœnar brautir, fram vísa sköp fólkliddöndum [Lex. poet. 189 b]; þar hefir dýrr konungr dóttur alna, þá mundu Sigurdr mundi kaupa u. s. w. 43. Veit ek á fialli fólkvitr sofa u. s. w. 44. Knáttu, mögr! siá mey und hialmi“ u. s. w. Wenn Sæm. 211 (M. 130a) bemerkt wird: „Þat er sögn manna, at Gudrún hefdi etid af Fáfnis hiarta, ok hon skildi þá fugls rödd,“ so

vom Herzen Fáfnis, dem zum voraus das gleiche Verständnis inwohnen muste, knüpft sich an uralte Vorstellungen vom Verhältnis der Vögel zur Schlange. Melampus, der Altmeister griechischer Wahrsagerei, Ahn des Polyidos (s. oben S. 223), hatte vor seiner ländlichen Wohnung eine Eiche stehn, auf der sich ein Schlangennest befand; seine Diener tödteten die alten Schlangen, die jungen aber zog er auf, und als sie herangewachsen, stellten sie, während er schlief, sich auf seine Schultern und reinigten mit ihren Zungen ihm die Ohren; erschrocken sich aufrichtend, verstand er die Stimmen der über ihm fliegenden Vögel, und von ihnen lernend, sagte er den Leuten künftige Dinge voraus [1]. Auch Teiresias, sowie Kassandra und ihr Bruder Helenos, erlangten diese Begabung dadurch, daß Schlangen ihnen die Ohren reinigten [2]. Nach Plinius benannte Demokrit Vögel, aus deren zusammengegossenem Blut eine Schlange sich erzeuge; wer diese esse, soll dann die Gespräche der Vögel verstehen [3]; damit erhält der Hergang im Fáfnislied eine Vorstufe, erst wird aus dem Vogelblut die Schlange, dann gibt der Genuß der

ist damit ausgedrückt, daß ihr der verheimlichte Hergang des Mordes an Sigurd doch schon verrathen war (vgl. Sæm. 208, 15. 209, 17. 210. Fornald. S. 1, 332 u.); ein Seitenstück dazu Fornald. S. 1, 256. Herz als Sitz des Verstandes in der Fabel vom Hirsche, Reinh. Fuchs S. XLVIII.

[1] Apollod. l. 1, c. 9, 11: „Ἀμυθάων μὲν οὖν οἰκῶν Πύλον, Εἰδομένην γαμεῖ τὴν Φέρητος, καὶ γίνονται παῖδες αὐτῷ Βίας καὶ Μελάμπους, ὃς ἐπὶ τῶν χωρίων διατελῶν, οὔσης πρὸ τῆς οἰκήσεως αὐτοῦ δρυὸς, ἐν ᾗ φωλεὸς ὄφεων ὑπῆρχεν, ἀποκτεινάντων τῶν θεραπόντων τοὺς ὄφεις, τὰ μὲν ἑρπετὰ, ξύλα συμφορήσας, ἔκαυσε, τοὺς δὲ τῶν ὄφεων νεοσσοὺς ἔθρεψεν· οἱ δὲ γενόμενοι τέλειοι, περιστάντες αὐτῷ κοιμωμένῳ τῶν ὤμων ἐξ ἑκατέρου, τὰς ἀκοὰς ταῖς γλώσσαις ἐξεκάθαιρον. ὁ δὲ ἀναστὰς, καὶ γενόμενος περιδεὴς, τῶν ὑπερπετομένων ὀρνέων τὰς φωνὰς συνίει· καὶ παρ' ἐκείνων μανθάνων, προύλεγε τοῖς ἀνθρώποις τὰ μέλλοντα. προσέλαβε δὲ καὶ τὴν ἐπὶ τῶν ἱερῶν μαντικήν. περὶ δὲ τὸν Ἀλφειὸν συντυχὼν Ἀπόλλωνι, τὸ λοιπὸν ἄριστος ἦν μάντις."

[2] Tzez. proleg. ad Lycophr. Cass. Eustath. S. 663, 40. Hieher, wie zu Melampus, vgl. K. Eckermann, Melampus und sein Geschlecht. Gött. 1840.

[3] Plin. histor. natur. 10, 70: „Qui credit ista, et Melampodi profecto aures lambendo dedisse intellectum avium sermonis dracones non abnuet: vel quæ Democritus tradit, nominando aves, quarum confuso sanguine serpens gignatur: quem quisquis ederit, intellecturus sit alitum colloquia" u. s. w. (Vgl. 29, 22: „Democritus quidem monstra quædam ex his conficit, ut possint avium sermones intelligi.")

Schlange das Verständnis der Vogelstimme. Aus dem Norden ist noch anzuführen, daß, bei Saxo, Erik der Beredte (disertus, Fornald. S. 2, 10: „Eireks hins målspaka"; vgl. Sn. 192 u.) durch eine mit dem Geifer zwei schwarzer Schlangen im Gegensatz zu einer dritten, weißen, gemischte Speise, wie überhaupt ungemeine Weisheit, so besonders das Vermögen erlangt, die Stimmen wilder und zahmer Thiere zu deuten [1]. Was die weitfliegenden, allumschauenden Vögel in den Lüften oder hoch auf dem Baume sagen, das vernimmt mit hörsam aufgerichtetem Kopfe die Schlange, die am Boden kreucht; sie ist das wache Ohr für Alles, was in der lebendigen Natur laut oder leise sich vernehmen läßt; diese Vorstellung haftet selbst an der Esche Yggdrasil, dem mythischen Bilde des Weltganzen; in den Zweigen derselben sitzt ein Vieles wissender Adler und unten nagt an ihr die Schlange Nidhögg, am Stamm aber läuft das Eichhorn Ratatöskr, das des Adlers Worte von oben bringt und sie der Schlange drunten sagt [2], ein geheimnisvoller Verkehr zwischen dem Bewohner und Vertreter des rauschenden Luftgebiets und dem der schweigenden Unterwelt. In solchen Anschauungen lag denn

[1] Saxo 5, 72: „Ericus itaque, fausta jam dape refectus, interna ipsius opera ad summum humanæ sapientiæ pondus evasit. Quippe epuli vigor supra quam credi poterat, omnium illi scientiarum copiam ingeneravit, ita ut etiam ferinarum pecudaliumque vocum interpretatione calleret. Neque enim solum humanarum rerum peritissimus erat, verum etiam sensuales brutorum sonos ad certarum affectionum intelligentiam referebat. Præterea tam comis atque ornati eloquii erat, ut quicquid disserere cuperet, continuo proverbiorum lepore poliret." Müller, Sagnh. 59 f. Eines der Sprüchwörter Eriks vom Wolfe, Saxo 5, 74, steht schon in Fáfnismál, Sæm. 190, 35; vgl. auch Sæm. 198, 36. Von weißen Schlangen kommt die Kunde der Thiersprache in einem deutschen Märchen und in der Volkssage von der Seeburg (Br. Grimm, Hausmärchen. 6te Aufl. 1, 105 ff.; Deutsche Sagen 1, 201 ff.); vom Essen eines Krauts im Bruchstück von Abor (Zeitschr. 5, 8 f.) und im Elegast (760 ff.). Weitere Zusammenhänge sollen hier nicht verfolgt werden. Vgl. Myth. 1ste Ausg. 633**. 709 merkwürdig: „cor serpentis et linguam milvi." 2te Ausg. 1166.

[2] Grimn. m. Str. 32 (Sæm. M. 30): „Ratatoskr heitir íkorni, er renna skal at aski Yggdrasils: arnar ord hann skal ofan bera ok segja Nidhöggvi nidr." Str. 35: „skerdir Nidhöggr nedan." Sn. 19 (Arn. 74): „Örn einn sitr í limum asksins, ok er hann margs vitandi u. s. w. Íkorni sá, er heitir Ratatöskr, renn upp ok nidr eptir askinum ok berr öfundarord milli arnarins ok Nidhöggs" (?). Vgl. Myth. 756 u. Myth. v. Thôr 117 f. [oben S. 68], Anm. 1.

auch genügender Anlaß, dem stillen, lernbegierigen Lauscher auf die Reden, die in des Hohen Halle gepflogen werden, den Schlangennamen Lodfáfnir beizulegen, und es wird nachdrücklich betont, wie er saß und schwieg, sah und bedachte, wie er horchte und hörte auf die Gespräche des Morgens und der Mitternacht, an und in der Halle, und was er da gehört, nun im Liede wiedersagt (s. oben S. 350, Anm. 3).

Der dritte Theil der gesammelten Lehrgedichte, Rúnatal, steht in ausgesprochenem Anschluß an Lodfáfnismál. Wenn es in der Einleitung dieses zweiten Theiles hieß: „an des Hohen Halle, in des Hohen Halle hört' ich also sagen," worauf dann die Reihe von Rathschlägen folgte mit der wiederkehrenden Anredeformel: „ich rathe dir, Lodfáfnir, aber du merke den Rath! genießen wirst du's, wenn du merkst" (S. 350, Anm. 4; vgl. S. 352, Anm. 3), so heißt es am Schlusse des dritten Theils: „nun sind des Hohen Reden gesagt, in des Hohen Halle, an des Hohen Halle u. s. w. genieße sie, der sie merkte! Heil ihnen, die drauf horchten!" und auch hier wird Lodfáfnir namentlich angeredet [1]. Was zwischen diesen sich genau entsprechenden Eingangs- und Schlußzeilen liegt, das sind die fortgesetzten Reden, auf welche derselbe Hörer begierig lauscht und sie weiter verkündet, in Lodfáfnismál Sprüche der Lebensweisheit, im Rúnatal Runenlehre und Aufzählung von achtzehn heilsamen Zauberliedern. Auch schon vorn im erstern Stücke sind die Runen mit den Räthen zugleich angekündigt [2], und wie dort schon anzunehmen war, daß der Redner in des Hohen Halle, der zu Lodfáfnir sprach, Odin selbst sei, so wird nun in Rúnatal das Gesprochene ausdrücklich des Hohen

[1] Sæm. 30, 7 (M. 21, 165): „Nû eru Hâva mâl kvedin Hâva höllu î, Hâva höllu at" [fehlt bei M.] u. s. w., „nioti sâ er nam! heilir þeirs hlŷddu!" 30, 24 (M. 21, 163): „Liođa þessa [þeirra] mun þu, Lodfâfnir! lengi vanr vera, þô sê þer u. s. w., nŷt ef þû nemr" u. s. w. (Vgl. Dietr. 54b ob.: „enn hinn nemi er heyrir â" u. s. w.) Sæm. 28, 5 (M. 19, 143): „Rûnar muntu finna" u. s. w. 28, 7 (M. 19, 145) achtmal: „veiztu" u. s. w.

[2] Sæm. M. 16, 112: „Of rûnar heyrđa ek dœma [ok regindôma, nê um risting þögđu] nê um râđum þögđu" u. s. w. Das Eingeklammerte nicht bei Rask 24, 2 und ebendas. statt der zwei letztern Zeilen: „međ dagræđum nê um nîđum þögđu. Immerhin weisen die verschiedenen Lesarten auf den zweifachen Gegenstand; dagegen bildet die vorletzte Zeile von Lodf. m.: „en vid bölvi rûnar" (Sæm. 27, 26. M. 19, 138) kaum den Übergang zu Rúnatal.

Rede genannt und gleich im ersten Gesätze gibt sich Odin mit diesem seinem eigentlichsten Namen zu erkennen. Dasselbe lautet:

„Ich weiß, daß ich hieng an windigem Baume neun ganzer Nächte, mit dem Speere verwundet und Odin gegeben, ich selbst mir selbst, an dem Baume, von dem Niemand weiß, aus welchen Wurzeln er sprießt." [1]

In solcher Schwebung empfieng der Sprechende, statt Brotes und Horntrunks, die Kunde der Runen und Zauberlieder, die fortan den weiteren Gegenstand der Lehrdichtung ausmachen. Die Erklärung der ausgehobenen Stelle führt mitten in den Kreis der Odinsweihen. Yngl. S. C. 10 meldet von ihrem menschlich gefaßten Odin, er sei in Schweden an Krankheit verstorben; dem Tode nah, ließ er sich mit Speeresspitze zeichnen und eignete sich alle von Waffen getroffene Männer an [2]. Waffentodte sind es, auch nach Grimnismál, die er täglich zu sich nach Valhöll kiest [3]; die Meldung der Saga weist aber darauf, daß der wirkliche Waffentod durch ein Weihezeichen, die Ritzung mit dem Speer, ersetzt werden konnte, und damit stimmt auch der Speerverwundete des Liedes. Mit dem Speerstiche verbindet sich in andrer Sage das Aufhängen am Baume. Bei jener Brautwette der Frauen, worin Odin, unter dem Namen Höttr (Hut), durch seinen als Gähre verwendeten Speichel den Ausschlag gegeben, zum Entgelt aber sich ausbedungen hatte, was zwischen der Kufe und Geirhild sei, sprach König Alrek zu dieser: „Ich sehe hangen an hohem Galgen, Weib,

1 Sæm. 27, 1 (M. 19, 139): „Veit ek at ek hèkk vindga meiđi â nætr allar niu, geiri undađr ok gefinn Odni, sialfr sialfum mer, â þeim meiđi, er mangi veit hvers hann af rôtum renn."

2 Heimskr. 1, 10: „Odinn varđ sôttdaudr î Svîþiod; ok er hann var at kominn bana, lèt hann marka sik geirs oddi, ok eignađi ser alla vâpnbitna menn" u. s. w. (Vgl. Lex. poet. 123b: „eignađr Gauti, Odini dicatus, devotus. Od. 7.) Lex. poet. 226a u.: „senda Gauti sverdbautinn her, F. I 25, 1; „vâpnbautinn herr, eignađr Gauti, Ód. 7."

3 Sæm. 41, 8 (M. 28, 8): „þars en gullbiarta Valhöll vîđ of þrumir; en þar Hroptr kýss hverjan dag vâpndauđa vera." Sn. 24 (Arn. 84): „Odinn u. s. w. heitir ok Valfödr, þvî at hans oskasynir eru allir þeir, er î val falla; þeim skipar hann Valhöll u. s. w. ok heita þâ Einherjar." Die von Krankheit und Alter sterben, gehen zu Hel, Sn. 33 (Arn. 106): „međ þeim, er til hennar [Heljar] voru sendir, en þat eru sôttdaudir menn ok ellidaudir."

deinen Sohn, verkauft an Odin" [1]. Die Vorhersagung erfüllt sich an dem Sohne, dem kampfberühmten König Vikar, und zwar durch den Zögling Odins Starkad, der damit sein erstes Nidingswerk vollführt. Als nemlich Vikar und seine Schiffgefährten wegen widrigen Windes lange vor den hördländischen Inseln liegen müßen, werfen sie Späne um Fahrtwind und es ergibt sich, daß Odin verlangt, ein Mann aus der Schaar solle nach dem Loosfall hangen; da kommt das Loos des Königs selbst heraus, worüber Alle kleinlaut werden und es wird am folgenden Tage von seinen versammelten Rathgebern auf Starkads Vorschlag beschlossen, das Opfer in einer Art von Andeutung zu vollziehen; Starkad steigt unter einer nebenstehenden Föhre auf einen hohen Block, biegt einen schwanken Ast herab und knüpft daran Gedärm eines eben zur Mahlzeit geschlachteten Kalbs und spricht dann: „nun ist dir hier ein Galgen bereitet, König, der nicht lebensgefährlich bedünken wird"; sofort steigt auch Vikar hinauf und läßt sich das Band um den Hals legen, Starkad aber nimmt einen Rohrstab, den ihm sein Pflegvater Hrosshârsgrani, der verhüllte Odin, in der Nacht gegeben, stößt damit nach dem König und spricht: „nun geb' ich dich dem Odin"; zugleich läßt er den Föhrenast los; alsbald wird der Stab zum Speere, der den König durchbohrt, der Block fällt unter seinen Füßen, die Kalbsdärme werden zum starken Weidenstrang, der Ast schnellt empor und hebt den sterbenden König in das Gezweig; im Liede Vikarsbálk sagt Starkad: „den Vikar gedacht' ich in hohem Baume den Göttern zu weihen, mit dem Speere stach ich dem König nach dem Herzen, das ist mir meiner Handthaten leidigste" [2]. Selbst Saxo, der die entschiedenste

[1] Hálfs S. C. 1 (Fornald. S. 2, 25 f.): „Signý hêt á Freyju, en Geirhildr á Hött; hann lagdi fyri dregg hráka sinn, ok kvadst vilja fyri tilkvâmu sína þat, (er) var milli kersins ok hennar; en þat reyndist gott öl; þá kvad Álrekr: Geirhildr getta! gott er öl þetta, ef því annmarkar öngvir fylgja; ek sê hânga á hâfum gálga son þinn, kona! seldan Odni. Á þeim misserum var fœddr Vikar, son Álreks ok Geirhildar."

[2] Gautreks S. C. 7 (Fornald. S. 3, 31 ff.): „Vikar konûngr sigldi af Ógdum nordr á Hördaland, ok hafdi lid mikit. Hann lá í hólmum nokkurum lengi, ok fêkk andvidri mikit. þeir feldu spân til byrjar, ok fêll svâ at Odinn vildi þiggja mann at hlutfalli at hânga or herinum. [Fornald. S. 1, 452; ebd. 526: „feldr blódspônn til, en svâ gekk fréttin" u. s. w. Heimskr. 1, 24: „geck hann þá til sonar blóts, til fréttar" u. s. w.

Hinterlist Starkads annimmt, weiß doch von einer widerstreitenden Meinung, welche das angelegte Weidenband plötzlich zum eisernen erstarken läßt [1]. Auch hier bezweckte man nur das Zeichen, den Schein

1, 226: „frettar felli“ u. s. w.] Þá var skipt lidinu til hlutfalla, ok kom upp hlutr Víkars konúngs. Vid þat urdu allir hliodir, ok var ætlat um daginn eptir, at rádsmenn skyldu eiga stefnu um þetta vandmæli u. s. w. Þá mælti Hrossháragrani til Starkads: vel muntu nú launa mer, fóstri! lidsemd, þá er ek veitta þer. Vel, segir Starkadr. Þá skaltu nú senda mer Víkar konúng, en ek mun rádin til leggja. Starkádr játar þessu. Þá fékk Hrossháragrani geir í hönd honum, ok segir at þat mundi sýnast reirsproti u. s. w. Um morguninn eptir gengu rádgiafar konúngs á stefnu til umráda, kom þat ásamt med þeim, at þeir skyldu giöra nokkura minning blótsins, ok segir Starkadr upp radagiördina. Þar stód fura ein hiá þeim, ok stofn einn hár nær furunni; nedarliga af furunni stód einn kvistr mior, ok tók í limit upp. Þá biuggu þionustusveinar mat manna, ok var kálfr einn skorinn ok krufdr. Starkadr lét taka kálfsþarmana; sídan steig Starkadr upp á stofninn, ok sveigdi ofan þann enn miofa kvistinn, ok knýtti þar um kálfsþörmunum. Þá mælti Starkadr til konúngs: nú er þer búinn hér gálgi, konúngr! ok mun sýnast eigi allmannhættr. Nú gaktu hingat, ok mun ek leggja snöru á háls þer. Konúngr mælti: sé þess umbúd ekki meir hættlig, enn mer sýnist, þá vænti ek, at mik skadi þetta ekki, en ef ödruvís er, þá mun audna ráda, hvat atgiörist. Sídan steig hann up á stofninn, ok lagdi Starkadr virgilinn um háls honum, ok steig sídan ofan af stofninum. Þá stakk Starkadr sprotanum á konúngi, ok mælti: nú gef ek þik Odni. Þá lét Starkadr lausan furukvistinn. Reirsprotinn vard at geir, ok stód í gegnum konúnginn. Stofninn féll undan fótum honum, en kálfsþarmarnir urdu at vidu [B. vidju] sterkri, en kvistrinn reis upp, ok hóf upp konúnginn vid limar, ok dó hann þar. Nú heita þar sídan Víkarshólmar u. s. w. Þá orti Starkadr kvædi þat, er heitir Víkarsbálkr; þar segir svá frá drápi Víkars konúngs: u. s. w. Skilda ek Víkar í vídi háfum Geirþiofsbana godum um signa; lagda ek geiri gram til hiarta, þat er mer harmast handaverka.“

[1] Saxo 6, 105: „Tunc Starcatherus facto ex viminibus laqueo regem implicuit, pœnæ speciem duntaxat exiguo temporis spatio daturum. Sed nodi rigor suum jus exequens supremum pendentis halitum rapuit. Cui Starcatherus adhuc palpitanti ferro spiritus reliquias evulsit, cumque remedium afferre deberet, perfidiam detexit. Neque enim illa mihi recensenda videtur opinio, quæ viminum mollitiem, subitis solidatam complexibus, ferrei morem laquei peregisse commemorat.“ Da dem alten Norden das Hauptgewicht der Verschuldung im Thatsächlichen lag, so wurde Starkad, der seinem Gebieter und Pflegbruder den Tod gab, damit zum Niding, wenn er auch die Tödtung nicht beabsichtigt hatte.

eines Opfers („nokkura minning blôtsins“, „pœnæ speciem“), aber die bildliche Opferung schlug zur wirklichen um. Im Rûnatal hängt der speergeritzte, dem Odin gegebene Sprecher an dem Baume, von dem Niemand weiß, aus welchen Wurzeln er aufsteigt; schon dieß weist auf die Esche Yggdrasil, denn obgleich das Geheimnis ihrer drei Wurzeln, die nach drei verschiedenen Heimen stehn, den Eingeweihten erschlossen ist, so geschah es doch nur durch Odin selbst, der darüber, in Grimnismâl, besondre Belehrung gibt [1]. Deutlich aber spricht der Name Yggdrasil, denn er bedeutet nichts Andres als den Baum, an dem er selbst oder sein Geopferter aufgehängt ist; Yggr, ein Name des Gottes, zusammengesetzt mit drasill, einer dichterischen Benennung des Pferdes [2], ergibt schon in den ältesten Götterliedern, Völuspâ und Grimnismâl, und für einen so tief in der Götterlehre haftenden Gegenstand dieselbe Ausdrucksweise, nach welcher die Skälden den Galgenbaum Hagbards und Sigars (des Gehängten und des Hängenden) Ross nennen und das Gehängtsein als ein Reiten auf diesem Rosse bezeichnen [3]. Mehrere Kenningar Odins lassen ihn den Gott der Gehängten sein, den Herrn des Galgens, und Yngl. S.

[1] Sæm. 44, 31 (M. 30, 31): „Þriâr rœtr standa â þriâ vega undan aski Yggdrasils: Hel býr undir einni, annarri Hrîmþursar, þridja mennskir men.“ Darnach zum Theil misverständlich Sn. 17 (Arn. 68 f.). Vgl. Sæm. 109, 21.

[2] Sn. Arn. 2, 487 b (ebd. 571 b): „hesta heiti u. s. w. drasill“ u. s. w. Lex. poet. 104 b. Biörn 1, 150 b: „drasill, m. equus.“ Vgl. drösull, Lex. poet. 109 a. Biörn 1, 157 b: „drösla u. s. w. hæsitanter progredi u. s. w. drösull, m. equus (v. drasill).“ Zelter? Gr. 2, 111. 117.

[3] Schon bei Thiodolf im 9ten Jahrhundert, Yngl. S. C. 22 (Heimskr. 1, 26): „temja u. s. w. svalan hêst Signýar vers.“ C. 26 (1, 31): „Enn Gudlaugr grimman tamdi u. s. w. Sigars iô“ u. s. w.; Heimskr. 2, 69: „rîda u. s. w. Sigars hesti“ (vgl. S. Magn. k. blinda C. 4 (Peringsk. Heimskr. 2, 291: „grandmeid Sigars ſianda“); Sn. Arn. 522 f.: „ett Sigars, er hengdi Hagbard [ok hêr af heitir gâlgi Hagbards hestr, add. Hβ].“ Fornald. S. 2, 10: „Sigarr, fadir Signýjar; hann lêt hengja Hagbard“ u. s. w. Die Sage von Hagbard und Signy, Sigars Tochter, bei Saxo 7, 128 ff. und in den nordischen Volksliedern; vgl. Sagnhist. 101 ff. Grundtvig, Danm. g. Folkev. I, 258**. Auch angelsächsisch, Beow. 4886 f.: „rîde on galgan“ (vgl. 4910 f.); Cod. Exon. 329, 12 f.: „sum sceal on geapum galgan rîdan“; Rechtsalt. 40 f.: „einen dürren baum soltu reiten.“

bemerkt, weil er sich unter Gehängte hingesetzt, sei er Herr derselben benannt worden [1], womit dem Zusammenhange nach gemeint sein muß, daß er sie, gleich den aus der Erde geweckten Todten, über verborgene Dinge befragen wollte, wie denn auch das zwölfte Zauberlied im Rûnatal befähigt, Rûnen zu schneiden, welche den am Baume schwebenden Strangtodten zum Gehen und Gespräche bringen [2]. Es gibt aber auch eine skâldische Bezeichnung Odins als Bürde, Rossesbast des Galgens, wonach entschieden er selbst am Baume hangt [3]. Das Verwunden mit dem Speer, als Wahrzeichen der Hingabe an Odin [4], geht

[1] Hângagođ, Hângatŷr, Sn. 24 (Arn. 84; vgl. 2, 265). 94 f. (Arn. 230 f. Sæm. 90, 18); gâlga valdr, Lex. poet. 220a („dominus patibulorum, Isl. I, 307“; ebd. 210); Yngl. S. C. 7 (Heimskr. 1, 11): „Odinn hafdi međ ser höfut Mimis ok sagđi þat hönum mörg tîdindi ur ödrum heimum: enn stundum vakti hann upp dauđa menn ur iörđu, eđr settiz undir hânga; fyrir þvî var hann kalladr draugadrôttinn eđr hângadrôttinn.“

[2] Sæm. 29 f., 20 (M. 20, 158): „þat kan ek id tôlpta, ef ek sê â trê uppi vâfa virgilnâ: svâ ek rîst ok î rûnum fâk, at sâ gengr gumi ok mælir viđ mik.“ Vgl. Fornald. S. 3, 34: „lagđi Starkađr virgilinn um hâls honum“ u. s. w.

[3] Sn. Arn. 248 und 252 (vgl. Sn. R. 99b und 100b): „î hverlegi Gâlga-farms“ („in latice lebetis patibuli oneris“, d. h. im Gedichte, Liede, v. „gâlga-grams,“ „regis patibulorum“); Lex. poet. 158a: „farmr m. onus u. s. w. etiam de onere equi: hann riđr Grana međ öllum sînum herbûnađi ok farmi, FR I, 181.“ Odins Name Vâfuđr (Sæm. 47, 54. M. 32, 54. Sn. 24. Arn. 2, 556a: „vôfuđr,“ Arn. 86. Hâkonarm. 5: „vâđir Vâfađar“. Heimskr. 1, 165, V. Lex. poet. 76b u.) kann zu jenem „vâfa“ der Gehängten (s. vorige Anmerkung) gehalten werden.

[4] Sæm. 27, 1 (M. 19, 139): „gefinn Ođni, sialfr sialfum mer.“ Von wirklicher Opferung, der Hingabe an Odinn zum Tode, wird gefa gebraucht in Yngl. S. C. 47 (Heimskr. 1, 56): „brendu hann inni, ok gâfu hann Odin, ok blêtu hönum til ârs ser“ (s. oben); Starkad, den Rohrstengel auf Vikar stechend, sprach: „nû gef ek þik Ođni (Fornald. S. 3, 34; zu seiner Mutter war gesagt, schon in Beziehung auf den künftigen Hängetod: „ek sê hânga, â hâsum gâlga, son þinn, kona! seldan Ođni“, ebd. 2, 26); die Absicht Starkads wird auch ausgedrückt: „Vikar u. s. w. godum um signa“ (ebd. 2, 26), ebenso heißen im Hyndlaliede Harald Hilditönn und seine Ahnen: „gumnar gođum signađir (Sæm. 117, 27. M. 69 f., 27), Harald selbst fiel dem Odin anheim, „cujus oraculo editus videbatur“ (Saxo 7, 138; vgl. auch Fornald. S. 117 f.); signa full Ođni, þôr, minniöl signođ âsom, war schon eine Stufe des Opfers (Myth. 52 f.), das sich bis zur Widmung des Mannes zum Dienste der Götter und zum gewaltsamen Tode steigern konnte.

unverkennbar vom kriegerischen Berufe des Gottes aus; nur in dieser Eigenschaft kam es ihm vornherein zu, sich, nach Yngl. S., alle waffengeschnittenen Männer („alla vâpnbitna menn“) anzueignen. Vor den gealterten Völsûng Sigmund, einen Abkömmling Odins, tritt mitten im Schlachtgetümmel ein Mann mit hangendem Hut und blauem Mantel, einäugig und einen Speer in der Hand, den er vor Sigmund emporschwingt, und als dieser einen mächtigen Hieb führt, trifft sein Schwert, das er einst von Odin empfangen, auf den Speer und springt in zwei Stücke; damit ist sein Heil verschwunden, bald liegt er todtwund auf der Walstätte, den Abruf durch Odin erkennend [1]; nach dem dritten Helgiliede hat Odin dem Dag, der ihm um Vaterrache geopfert, hiezu seinen Speer geliehen und der damit durchbohrte Helgi steigt zu Odins Sälen auf [2]; anscheinend als einen Rohrstab gibt Odin denselben in Starkads Hand, damit dieser ihm den Helden Vikar sende [3],

Eyvinds Eltern hatten vor seiner Geburt gelobt: „at sâ madr skal alt til daudadags þiona þorr ok Odinn“; letzterem wird er geweiht, Fornm. S. 2, 168. Myth. 147. Über eigna s. oben S. 358, Anm. 2. Heimskr. 1, 34: „medan hann gæfi Odni son sinn“ u. s. w. Fornald. S. 1, 527: „þetta fólk gefa Odni fyri sun sinn“ u. s. w. Hrafnk. S. 4: „hânum [Frey] gaf hann alla hina beztu gripi sîna hâlfa vid sik.“ 5: „Hann gaf Frey, vin sînum, þann hest [Freyfaxa] hâlfan.“

[1] Völs. S. C. 11 (Fornald. S. 1, 145): „þâ kom madr î bardagann med sîdan hatt ok heklu blâ; hann hafdi eitt auga ok geir î hendi; þessi madr kom âmôt Sigmundi konûngi, ok brâ upp geirnum fyrir honum; ok er Sigmundr konûngr hiô fast, kom sverdit î geirinn, ok brast î sundr î tvâ luti; sîdan snêri mannfallinu, ok var Sigmundi horfin heill“ u. s. w. C. 12 (ebd.): „vill Odinn ekki, at ver bregdum sverdi, sîdan er nû brotnadi; hefi ek hâd orrostur, medan honum lîkadi.“

[2] Sæm. 164 b f. (M. 93 a): „Dagr Högnason blôtadi Odin til fôdurhefnda; Odinn lêdi Dag geirs sîns. Dagr fann Helga mâg sinn þar sem heitir at Fiöturlundi; hann lagdi ígögnum Helga med geirnum; þar fêll Helgi“ u. s. w. 168 b (M. 94 a): „Haugr var giörr eptir Helga; en er hann kom til Valhallar, þâ baud Odinn hânum öllu at râda med ser.“ 168, 37 (M. 95, 48): „Kominn væri nû, ef koma hygdi, Sigmundar burr frâ sölum Odins.“

[3] Fornald. S. 3, 33: „þâ skaltû nû senda mer [Odni] Vikar konûng, en ek mun râdin til leggja. Starkadr iâtar þessu. þâ fekk Hrossbârsgrani geir î hönd honum, ok segir at þat mundi sýnast reyrsproti“ u. s. w. 34: „nu gef ek þik Odni u. s. w. Reirsprotinn vard at geir, ok stôd î gegnum konûnginn“ u. s. w.

ein Opfer, das den Kriegsschiffen Fahrwind verschaffen soll[1]; ebenso reicht Odin dem Schwedenkönig Eirik einen Rohrstab, um solchen über das feindliche Heer zu schießen und es mit dem Ruf: „Odin hat euch alle!“ ihm, dem Gotte, zu weihen[2], der selbst zur Losung des ersten Krieges in der Welt den Speer in das geschaarte Heer warf[3].

Der Zweck solcher Odinsweihe durch den Speer ist genügend angezeigt; im Hákonsliede spricht die Valkyrje Göndul, auf den Speerschaft gestützt: „Nun wächst der Götter Hilfschaar, da sie Hákon mit großem Heere heimgeladen haben“[4], und in der jüngern Edda wird erklärt, obgleich alle Männer, die vom Anfang der Welt an im Kriege fielen, zu Odin nach Valhöll gekommen, sollen ihrer immer noch mehr werden und werde dennoch ihre Zahl zu gering erscheinen, wenn der Wolf komme[5], dann reite Odin mit Goldhelm und glänzender Brünne,

[1] Fornald. S. 3, 31: „þeir feldu spán til byrjar“ u. s. w. Sæm. 113, 3 (M. 67, 8): „byri gefr hann [Herjaföðr] brögnum“; bei Sigurds Kriegsfahrt legt sich mit Odins Eintritt in das Schiff der Seesturm (Sæm. 183 f., M. 106); daß aber der allgewaltige Odin zu Gunsten seiner Helden über Naturkräfte gebietet, macht ihn noch nicht zum Luft- oder Wassergeist, d. h. zu einem göttlichen Wesen, in welchem die Elemente selbst persönlich geworden sind (vgl. Myth. 135. 457); ihm steht das Zauberlied zu Gebot, mit dem er, nach Rúnatal, Wind und See stillen kann (Sæm. 29, 17. M. 20, 155): „vind ek kyrri vâgi á, ok svæfik allan sæ“; vgl. Myth. 135. 457. Seine Valkyrjen schützen ebenfalls Helgis Kriegsflotte vor den Riesenweibern Sæm. 144 f., M. 79 f.

[2] Fornm. S. 5, 250: „seldi honum reyrsprota í hönd, ok bað hann skiota honum yfir lið Styrbiarnar, ok þat skyldi hann mæla: Odinn á ydr alla!“ Myth. 134.

[3] Sæm. 5, 28 (M. 4, 28): „Fleygði Odinn ok í fólk um skaut, þat var enn fólkvíg fyrst í heimi.“ Vgl. Fornald. S. 1, 502: „láti svá Odinn flein fliúga“ u. s. w.

[4] Heimskr. 1, 166, X: „Gondol þat mælti, studdiz geirskapti: vex nú gengi goda, er Hákoni hafa með her mikinn heim bönd of bodit.“ Es fragt sich, ob das Walkiesen der Odinsjungfraun (Sn. 39) nicht eben auch darin bestand, daß sie die für Valhöll Erkorenen mit dem Speere zeichneten? Mehrere Valkyrjennamen beziehen sich auf den Speer: Geirskögul, Geirdriful, Geirölul, Geirönul, Geirahöð, Geiravör (Sæm. 4, 24. 45, 36. Heimskr. 1, 166, XII. Sn. 39. Arn. 1, 120. 2, 490), und gemeinsames heiti ist Speerweiber, geirvíf (Lex. poet. 231 a).

[5] Sn. 41 f. (Arn. 124): Þá mælti Gangleri: Þat segir þú, at allir þeir menn, er í orostu hafa fallit frá upphafi heims, eru nú komnir til

auch mit seinem Speere Güngnir an der Spitze aller Einherjen (eben der Speergezeichneten) zur Kampfstätte [1]. Aber auch den Hängopfern fehlt nicht der ursprüngliche Bezug zum Kriegswesen; bei Vikars Tod ist Anlegen des Stranges mit dem Speerstiche genau verbunden, die bei Opferfesten Aufgehängten waren vermuthlich Kriegsgefangene und damit als Knechte der schmählichern Todesart verfallen [2], in der jüngeren Edda sind die Odinsnamen Hángagod und Haptagod, Gott der Gebundenen, zusammengestellt [3], zugleich aber gehen haptr und

Odins i Valhöll [B. ef allir vápndaudir menn koma til hans u. s. w.]: hvat hefir hann at fá þeim at vistum? ek hugda at þar skyldi vera allmikit fiölmenni. þá svarar Hár: satt er þat er þú segir, allmikit fiölmenni er þar, en miklu fleira skal enn verda, ok mun þó oflítid þikkja, þá er úlfrinn kemr." Sæm. 41, 8. 198, 94: „vápndaudir." Sæm. 42, 19: „vápngöfugr Odinn" u. s. w. 47, 53: „Eggmódan val nú mun Yggr hafa". 273, 31. Lex. poet. 121 a.

[1] Sn. 72 (Arn. 190): „Æsir hervæda sik ok allir Einherjar, ok sækja fram á völlina: rídr fyrstr Odinn med gullhialm ok fagra brynju, ok geir sinn, er Gúngnir heitir" u. s. w. Vgl. Sæm. 43, 22 (M. 29, 23). Sn. 44 (Arn. 130).

[2] Rechtsalt. 344: „Die menschenopfer des heidenthums bestanden hauptsächlich aus knechten, erst aus kriegsgefangenen oder missethätern und, wann diese mangelten, aus einheimischen knechten. Nur in besondern fällen traf das opfer freie oder edle." Fornm. S. 2, 238. Heimskr. 1, 281. Opfer zu Upsala bei Adam von Bremen (Myth. 46): „corpora autem suspenduntur in lucum, qui proximus est templo. is enim lucus tam sacer est gentilibus, ut singulæ arbores ejus ex morte vel tabo immolatorum divinæ credantur" u. s. w. Vita S. Wulfram. S. 360, von den Friesen: „ut corpora damnatorum in suorum solemniis deorum sæpissime diversis litaret modis: quosdam videlicet gladiatorum animadversionibus (vápnbitn.?) interimens, alios patibulis appendens, aliis laqueis acerbissime vitam extorquens, alios marinorum sive aquarum fluctibus submergens". W. Müller, altd. Relig. 77 f. 60, Anm. Fornald. S. 1, 447: „hertekna þræla". 488: „9 þræla, þá hafdi hann tekit i vestrvíking". Rechtsalterthümer 320 f.

[3] Sn. 24 (Arn. 84): „Hann [Odinn] heitir ok Hánga-gud ok Haptagud" („Deus suspensorum, Deus vinctorum [Deorum]" u. s. w. Hiezu Sæm. 165 a (M. 93 a): „at Fiöturlundi; hann lagdi igögnum Helga med geirnum [Odins]" u. s. w. Tac. Germ. 39: „Est et alia luco reverentia: nemo nisi vinculo ligatus ingreditur, ut minor et potestatem numinis præ se ferens" u. s. w. Myth. 144: „Onslunda."

hernuminn, gebunden und kriegsgefangen, gerne stabreimend zusammen [1].

Für die Odinsweihe in Rúnatal, verglichen mit den besprochenen andern Fällen, ergibt sich, wie bei Vikar, die gleichzeitige Opferung mit dem Speer und am Baumaste, ferner die bloß sinnbildliche Handlung, wie sie auch bei Vikar für beide Arten beabsichtigt war und durch das Zeichnen mit dem Speer in der Yngl. S. ausgedrückt ist, dann aber insbesondre noch die Übertragung derselben sinnbildlichen Vornahmen von Odin dem Kampfgott auf ihn als den Vater der Rúnen- und Zauberkunde, die Anwendung eines, wie immerhin durchscheint, im Leben selbst bestandenen Gebrauchs, auf gänzlich mythisches Gebiet.

Daß es üblich war, mittelst der angegebenen Zeichen Jünger oder Verkünder odinischer Weisheit opferartig einzuweihen, dafür ist außerhalb des Rúnenlieds kein besondres Zeugnis vorhanden, aber in diesem Liede findet sich noch eine Stelle, aus der erhellt, daß man zu fruchtbarem Betriebe des Rúnenwesens Gebet und Opfer für erforderlich hielt. Es werden daselbst die zur Übung der Rúnenkunst gehörigen Thätigkeiten aufgezählt, erst die bekannteren, Ritzen und Malen, Rathen und Prüfen, dann weiter noch Bitten und Opfern, welch Beides auch anderwärts zusammengeht [2]. Überhaupt war es Sitte, göttliche Weisung in wichtigen Dingen mit Hilfe veranstalteter Opfer einzuholen oder, wie man es nannte, zur Erfragung (til frêttar) zu opfern [3]. Die Einrich-

[1] Sæm. 187, 7: „nu ertu haptr ok hernuminn, æ kveđa bandingja bifaz." 8: „eigi em ek haptr, þótt ek væra hernumi" u. s. w. 212, 9: „þá varđ ek hapta ok hernuma" u. s. w.

[2] Sæm. 28, 7 (M. 19, 145): „Veiztu hve rísta skal? veiztu hve ráđa skal? veiztu hve fá skal? veiztu hve freista skal? veiztu hve biđja skal? veiztu hve blóta skal?" Ebd. 8 (19, 146): „Betra er óbeđit en sê ofblótiđ, ey [æ] sêr til gildis giöf. Selbst hier die Klugheitslehre? s. ob. vgl. Sæm. 77, 21 f. Sn. 241 (Arn. 63 b) als Sprichwort: „sêr giöf til launa" (donum respicit remunerationem). Sæm. 113, 4 (M. 67, 4): „þór mun [mân] hon blóta, þess mun [mân hon] biđja" u. s. w.

[3] Tac. Germ. C. 10. Fornald. S. 1, 451 f.: „Í þann tíma kom hallæri mikit á Reiđgotaland, svá at til landauđna þótti horfa; voru þá giörđir hlutir af vísenda mönnum, ok feldr blótspónn til (vgl. bei Vikar ebd. 3, 31: „þeir feldu spán til byrjar"); en svá gekk frêttin, at aldri mundi ár fyrri koma á Reiđgotaland, enn þeim sveini væri blótat, er æđstr væri þar í landi" u. s. w. 454: „Hann [Heiđrekr] mælti þá: svá lízt mer, at goldit

tungen und Thätigkeiten des Götterlebens sind im Allgemeinen ein gehobenes Bild der menschlichen; entsprechend dem irdischen Gerichtsbaume mit der zu Weissagung und Opfer dienenden heiligen Quelle stehen die Rathstühle der zwölf Äsen bei der Weltesche, darunter die Brunnen Mimis und der Nornen befindlich sind [1]; gleicherweise wird der Gebrauch des Losens und der Orakelfrage auch den Göttern zugeschrieben. Hieran reiht es sich, daß, um der vollen Rünen- und Zauberweisheit mächtig zu werden, der Hohe, d. i. Odin, die Opferweihe an sich vollziehen läßt; da er aber keinen Höheren über sich hat, so kann das Opfer nur ihm gebracht, nur er selbst sich selbst gegeben sein. Wenn weiterhin in Rünatal Odin mit diesem eigensten Namen oder

muni vera Oðni fyrir einn svein, ef þar kemr fyrir Haraldr konûngr ok son hans, ok herr hans allr" u. s. w. Lêt Heidrekr konûngr þâ rioða godastalla blôði Haralds konûngs ok Hâlfdanar, en fal Oðni allan þann val, er þar hafði fallit, til ârbôtar, î stað Ângantýrs sonar sîns. Ok er Helga drottnîng frêtti fall föður sîns, fengu henni svâ mikils þessi tiðendi, at hûn heingði sik î dîsarsal" (offenbar um auf ihre Weise mitgeopfert zu sein). Vgl. 1, 526 f.: „Sîðan var feldr blôtspânn ok gekk svâ frêttin u. s. w. kveðst hann þetta fôlk gefa Oðni fyri sun sinn, ok lêt rioða stalla blôði konûngs ok Hâlfdanar, sunar hans; kona hans fôr ser î dîsar sal." Heimskr. 1, 24 f.: „gekk hann [Dagr konûngr] þâ til sônar blôts, til frêttar, ok fekk þau svör u. s. w. Svâ segir þioðolfr u. s. w. valteins til Vörva kom spakfrömuðr." 1, 225: „gerði hann [Hâkon iarl] þar blôt mikit. þâ kômo þar fliugandi hrafnar tveir ok gullo hâtt, þâ þikkiz iarl vita, at Odinn hefir þegit blôtit, ok þâ mun iarl hafa dagrâð til at berjaz. þâ brennir iarl skip sîn öll, ok gengr â land upp með liði sîno öllo, ok fôr allt herskildi u. s. w. Frâ þesso segir î Vellekló [vgl. Dietr. 34 b]: Flôtta gêkk til frêttar felli niörðr â velli, draugr gat dôlgasögo dagrâð Heðins vâða u. s. w. Tyr vildi þâ týna teinhlautar fiör Gauta u. s. w. Hlaut Oðinn val" u. s. w. Auch Sæm. 141, 2 (M. 77, 2): „Mundu við Atla u. s. w. fugl frôðhugaðr! fleira mæla? Mun ek, ef mik buðlûngr blôta vildi, ok kýs ek þaz ek vil ok konûngs garði." Sæm. 52, 1 (M. 36, 1): „Âr valtîvar u. s. w. hristu teina ok â hlaut sâ" u. s. w. (vgl. Myth. 1064 ob.) Sæm. 94, 9: „[Yggr] frêtta beiddi" (vgl. 93, 3: „frêttir sögðu"; bei M. beide Stellen nur in den Anm. 195 b. 196 a). Fornald. S. 2, 17: „lêt þorri fâ at blôta, ok blôta til þess, er þeir yrði vissir, hvar Gôi væri niðrkommin; þat kölluðu þeir gôiblôt; einskis urðu þeir vîsir um hana at heldr." Fagrsk. 2: „[Gunnhildr] blotaðe til guðanna ok feck þa frett at" u. s. w. Fornald. S. 1, 464. 532.

[1] Rechtsalt. 797 ff. Sn. 17 f.

mit sonst bekannten heiti (Fimbulþulr, Hrôptr, Hrôptatŷr, Þundr) genannt wird, so erscheint er als dritte Person [1] und erst im Aufzählen der achtzehn Lieder tritt die Rede mit „ich" fortwährend wieder ein [2]. Von dieser zwiespältigen Sprechweise, obgleich in beiden Fällen Odin der Sprecher ist, haben sich schon im ersten der unter Hâvamâl begriffenen Theile Spuren gezeigt (s. ob. S. 350); es genügt nicht, hiebei überall nur Einschiebsel und Mischwerk vorauszusetzen [3], die Sache muß in den weiteren Zusammenhang der Odinslieder gerückt werden. Das erheblichste in dieser Hinsicht, Grimnismâl, führt den unerkannten Gott, unter dem Namen Grimnir, zu seinem vormaligen Zögling, König Geirröd, dessen wirkliche Gesinnung er prüfen will; Geirröd läßt den Fremdling in blauem Mantel, der ihm als böser Zauberer verdächtigt ist und nicht über sich Rede stehen will, zur Peinigung zwischen zwei Feuer setzen [4], und erst nachdem Grimnir acht Nächte lang so gesessen, mit versengtem Haar und brennendem Mantel, gibt er umständliche Kunden aus der Götterwelt, zu der er aufblickt, wobei Odin mehrmals, doch stets nur als Dritter genannt wird; einzelne Äußerungen deuten allmählich das wirkliche Verhältnis an [5], bis zuletzt aus einer

[1] Sæm. 28, 5 f. (M. 19, 143 f.): „Rûnar muntu finna u. s. w. er fâđi fimbulþulr (vgl. 20, 81. 9, 60: „â fimbultŷs fornar rûnar") u. s. w. ok reist hroptr rögna (vgl. 195, 13: „þær of-reist, þær of-hugđi Hroptr"). 6: Ođinn međ âsum" u. s. w. 28, 8 (M. 19, 146): „svâ þundr um reist" u. s. w. 30, 23 (M. 20, 161): „afl gôl hann âsum u. s. w. hyggju Hroptatŷ."

[2] Sæm. 28, 9 ff. (M. 147 ff.): „Liođ ek þau kann u. s. w. þat kann ek u. s. w. mer u. s. w. minna" u. s. w. u. dgl. m.

[3] Die in der altnordischen Dichtkunst anderwärts vorkommende alterthümliche Anwendung der dritten Person, mittelst des Eigennamens, statt der ersten (Gr. 4, 294. 955 ob. vgl. Nib. 816, 4. 827, 4. 1020, 4. Müllenh. 47 ob.), setzt sich doch nicht in längerer Rede fort.

[4] Sæm. 40 (M. 28 a): „Konûngr lêt hann pîna til sagna, ok setja milli elda tveggja" u. s. w. Dieselbe Marter in Hâlfs. S. C. 8 (Fornald. S. 2, 34): „Hiörleifr konûngr var uppfestr î konûngs höll međ skôþvengjum sînum sialfs, millum elda tveggja" u. s. w. Grîmn. m. Str. 2: „Âtta nætr sat ek milli elda hêr, svâ at mêr mangi mat ne baud" u. s. w. gemahnt an die Stellen in Rûnatal: „Veit ek at ek hêkk vindga meiđi â nætr allar nîu geiri undađr u. s. w. Viđ hleifi mik seldu nê viđ hornigi" u. s. w.

[5] Str. 24: „mîns magar" [Þôrs]. Str. 36: „Hrist ok Mist vil ek at mer horn beri" u. s. w. Str. 42: „Þvîat opnir heima heimar verđa um âsa sonum" u. s. w.; vgl. Str. 45 (Lex. poet. 122 a ob.). Str. 51.

langen Reihe von „heiti“ Odins dieser sein eigentlicher Name hervorspringt: „nun kannst du Odin sehn, Odin heiß ich jetzt, sie alle sind aus mir einem geworden“ [1]; trunken und von Odins Banne getroffen, fällt Geirröd in sein eigenes Schwert. Gleicher Weise birgt sich Odin andre Mythenlieder hindurch unter angenommenen, zum Theil in Grimnismál mitaufgezählten Namen und kehrt meist erst am Schlusse den rechten heraus; in Vafthrúdnismál forscht er als Gángrád den Jötun aus, der erst an der Frage, was Odin dem Sohn ins Ohr gesagt habe, erkennt, mit wem er wettgesprochen; dasselbe wiederholt sich im Räthselliede mit Gest, dem Heidrek, sobald Odin genannt ist, zuruft: „Niemand weiß deine Worte, außer du selbst“ [2]; ebenso am Ende des Wegtamsliedes die getäuschte Vala: „nicht bist du Vegtam, wie ich dachte, eher bist du Odin“ [3]; im Liede von Harbard bleibt der Gott gänzlich unter diesem Namen versteckt und spricht, wie in den zwei vorhergehenden Fällen, von Odin in dritter Person, obgleich er es nicht an merklichen Winken fehlen läßt [4]; es ist zu vermuthen, daß in irgend einem verlorenen Mythenliede vom Suttúngsmeth die Umwandlung Bölverks zu Odin nachdrücklicher abschloß [5]. Von den überaus zahlreichen Odinsheiti [6]

[1] Str. 53: „nû knáttu Odin siá“ u. s. w. Str. 54: „Odinn ek nû heiti u. s. w. er ek hygg at ordnir sé allir af [B. at, M. 32, 54. 193a) einum mer.“ Vgl. Str. 48: „einu nafni hêtumk aldregi siz ek med fölkum fór.“

[2] Fornald. S. 1, 487: „engi veit þau ord þín, útan þú sialfr“ u. s. w. Schon in Vafþr. m., Sæm. 38, 54 (M. 26, 54): „hvat mælti Odinn u. s. w. sialfr í eyra syni?“ an Rûnat. Str. 1: „sialfr sialfum mer“ gemahnend. Vgl. Sæm. 97, 6: „sialfr leidtu sialfan þik.

[3] Sæm. 95, 18 (M. 57, 13): „Ertattu Vegtamr, sem ek hugda, heldr ertu Odinn alda-[B. aldinn]gautr“. Lex. poet. 226a. 7b.

[4] Sæm. 77, 24. 80, 54.

[5] Sæm. 24, 111 (M. 16, 109): „at Bölverki þeir [hrímþursar] spurdu“ u. s. w. dann in der nächstfolgenden Schlußstr.: „baugeid Odinn hygg ek at unnit hafi“ u. s. w.; sonst kommt im ersten Theile von Hávam. der Name Odin nur einmal vor, Sæm. 22, 99 (M. 15, 97): „skaltu Odinn koma,“ wo jedoch die Lesart: „skaltu inn koma“ (Sæm. 22, 99, 4) besser lautet.

[6] Außer der Aufzählung in Grímn. m., Sæm. 46 f., 46 bis 50. 54 (M. 31 f.) und der entsprechenden Sn. 24 (Arn. 84 ff. 2, 265 f.) auch die Odins nöfn Sn. 2, 472 f., darunter vafódr, valfódr (vgl. Sæm. 76, 16: „vega ok val fella), sigmundr, gæstumblindi, sowie die Verzeichnisse im Lex. myth. 365 ff.

beziehen sich wohl manche noch auf besondre Vorgänge, die auch in eigenen Liedern dargestellt sein mochten, bei mehreren weist Grimnismál selbst darauf, und wenn man die ähnlichen Andeutungen des Harbardliedes hinzunimmt, so ergeben sich verschwommene Umrisse eines vordem viel ausgedehnteren Kreises odinischer Mythen [1].

In Rúnatal selbst wird mit einem solchen Odinsnamen zugleich eine sonst unbekannte Vorgeschichte angeklungen: die Warnung vor übermäßigem Opfern ist von Thundr, der aufstieg und wiederkam, den Völkern zur Richtschnur eingeschnitten worden [2]. Als besondrer Name

[1] Grimn. m. Str. 49: „Grimni mik hêtu at Geirrödar, en Ialk at Âsmundar, en þá Kialar, er ek kialka drô (s. S. 265), þrôr þingum at: Vidur at vîgum“ u. s. w. Str. 50: „Svidurr ok Svidrir ek hêt at Sökkmimis“ u. s. w. Im Harbardsl. die Anspielungen Str. 16. 18. 20. 24. 30. 32. 38 (M. Str. 40).

[2] Sæm. 28, 8 (M. 19, 146): „Betra er ôbedit en sê ofblôtid u. s. w. svâ þundr um reist fyr(ir) þioda rök [vgl. 195, 12: „er þiodir skulu î fulla dôma fara“]; þar hann upp um-reis, er hann aptr of-kom.“ Hiezu die Kehrzeilen in Alvíssmál (Sæm. 49, 10. M. 33, 10 ff.): „Segdu mer þat, Alvîss! öll of-rök fîra vörumk, dvergr! at vitir“ u. s. w., sowie in Völuspâ (Sæm. 1, 6. 2, 9. 5, 27. 29. M. 1, 6. 2, 9. 4, 27. 29): „þâ [gengêngo] gêngu regin öll â rökstôla, ginheilög god, ok um þat gættuz“ u. s. w. Biörn 2, 214a: „rök, n. pl. argumenta, ratio“ (hier nicht anwendbar: röckr n. crepusculum; vgl. Myth. 774: rökstôlar „nebelstühle“). Sæm. 63, 25 (M. 42, 25): „firriz æ forn rök fîrar“. Lex. poet. 192b: „priscorum operum recensus“. 172b: „recensere refugiant, vereantur!“ Grimn. m. Str. 54: „Odinn ek nû heiti, Yggr ek âdan hêt, hêtumk þundr fyrir þat“. Zu þundr vgl. Myth. 1206 f. Namen des Donners 8; zu „er hann aptr of-kom“ das frühere: „fêll ek aptr þadan“ (Sæm. 28, 2. M. 19, 140). Auch die vorhergehende Stelle (Sæm. 28, 5. M. 19, 143: „Rûnar u. s. w. er fâdi fimbulþulr ok gördu ginnregin ok reist hroptr rögna“) scheint mit zwei Odinsnamen (es folgt unmittelbar, zu „reist“ mitgehörend: „Odinn med Âsom,“ vgl. auch Sæm. 196, 19) an einen vorzeitlichen Mythus anzuknüpfen; Fimbulthulr, der große Sprecher (Myth. 785. Lex. poet. 170), gleichermeise Sæm. 20, 81 (M. 14, 79): „enum reginkunnum [rûnum], þeim er gördu ginnregin ok fâdi fimbulþulr“ u. s. w. vgl. Sæm. 9, 60 (M. 7, 58): „[Æsir] minnaz þar â megindôma ok â fimbultýs fornar rûnar“. Ginregin, wie ginheilög god, ist in den angeführten Stellen gleichlaufend mit æsir, so auch in Thiodôlfs Haustlöng, Sn. 121b u. Arn. 314: „ginnregin,“ zuvor: „Æsir“, und bedeutet überhaupt weitwaltende Mächte (Myth. 297, vgl. ebd. 23 f.) und kann daher in Alv. mâl (Sæm. 50,

des in diesem Liede mit „ich" Sprechenden, ist Hár gedacht, denn es sind, wie schließlich gesagt wird, fortwährend die Reden des Hohen; der Hauptname Odin springt hier nicht erst am Ende hervor, sondern macht sich schon durch jenes: „dem Odin gegeben, ich selbst mir selbst" für die Anwendung auf den Redner vernehmlich. Soweit hält auch Rúnatal die in andern Odinsliedern aufgezeigte Form ein. Aber mislich bleibt, daß Derjenige, welcher spricht: „die Lieder kann ich" u. s. w., „das kann ich das zweite" u. s. f., eine Reihe von Zaubersängen als ihm selbst, seinem Ich, dienlich und geläufig aufzählt, die doch überall, wenn auch auf wunderbare Weise, in irdischen Nöthen und menschlichen Angelegenheiten zu helfen und zu fördern bestimmt sind; hier kann nicht der halbverhüllte Gott das Wort führen, aber auch nicht, wie Rúnatal jetzt gefaßt ist, der lauschende Jünger, der ja eben mit Empfehlung dieser Lieder als Lodsáfnir angeredet wird [1]. Auffallen muß zugleich, daß,

20. 51, 31. M. 34, 21. 35, 31), etwa auch Sæm. 52, 4. M. 36, 4: „mærir tífar [vorher Str. 1: valtífar] ne ginnregin," während „ríkir tívar" Sæm. 72a 16 und 93, 1. M. 48, 14 und 56, 1 einerlei sind mit „æsir allir ok ásynjur allar", auch für Vanir gebraucht werden (daselbst, Sæm. 49, 11. M. 33, 11: „uppregin," wie es scheint, einmal für Lichtálfe, während für die Zwerge, gegen den sonstigen Gebrauch des Liedes, nur álfar, hier also im Sinne von svartálfar, Sn. 130, übrig bleibt). Hängt hroptr mit „hrôpa, clamare" (Biörn 1, 397a, vgl. Gr. 2, 194 f.: ahd. hruofi clamor, hrôft evocatio, wuoft fletus u. s. w.) zusammen, im Sinne der für Rúnen- und Zauberwesen sonst vorkommenden Zeitwörter œpa (Sæm. 28, 2: „nam ek upp rûnar, œpandi nam;" Heimskr. 1, 128: „œpti ok kalladi") und gala, so ordnen sich die verschiedenen hieher einschlagenden Benennungen Odins: hroptr, wie er auch einfach genannt wird, bezeichnet, gleich þulr, den Rufer und Redner höherer, runischer Wissenschaft; in Sigurdr. m. wird Odin wohl nicht beziehungslos unter diesem Namen als Meister der Hugrúnen hervorgehoben (Sæm. 195, 13. M. 114, 13: „hugrûnar skaltu kunna u. s. w. þær of-rêd, þær of-hreist, þær of-hugdi Hroptr" u. s. w. vgl. Sæm. 30, 23: „hyggju Hroptatý"); hroptr rögna ist sodann der Rufer, Verkünder bei den Göttern (über die Form rögnir, gen. pl. rögna, Myth. 24. Sn. 120a, Arn. 308: „vîngrögnir"; vgl. Sæm. 196, 16: „undir reid Rögnis"), und ihm entspricht jener große Redner, fimbulþulr, mit den ginregin; endlich der Name Hroptatýr, Gott der Rufer (Sæm. 30, 23. 47, 54. Heimskr. 1, 167, XIV), läßt in Odin den göttlichen Schutzherrn auch der irdischen Herolde seiner Weisheit erkennen.

[1] In Str. 25: „liođa þeirra [þessa] muntu, Lodfáfnir! lengi vanr vera" u. s. w.

während es sich bis zur 9ten Strophe hauptsächlich um Runenkunde handelt, hier nun damit abgebrochen und auf die Lieder oder Zaubersegen übergesprungen wird, die, wenn auch mit den Runenstäben mehrfach zusammenwirkend, doch immerhin eine eigene Gattung zauberischer Mittel ausmachen [1]. Wie die Aufzählung der achtzehn Lieder mit der 9ten Strophe selbständig anhebt, so bietet sie auch in der 26sten Strophe eine besondre Schlußzeile und läßt sich, wenn einzig die Anrede an Lodfáfnir hinweggenommen oder der Anredende für einen andern als den göttlichen Lehrer angesehen wird, als ein in sich abgerundeter Theil der Spruchgedichtsammlung ausheben [2]. Was bleibt dann aber vom eigentlichen Rúnatal übrig? An der Weltesche schwebend, spähte Odin (Hár) nieder, nahm lauten Rufes Rúnen auf und fiel wieder herab; neun Hauptlieder lernt' er von dem kundigen Bölthorn, Bestlas Vater [3], und einen Trunk erlangt' er des kostbaren Meths, geschöpft aus Ódrörir; da begann er zu gedeihen und kundig zu sein, zu wachsen und sich wohl

[1] Nur in Str. 20 noch: „svá ek rist ok í rúnom fák“ u. s. w. sonst Str. 12: „svá ek gel“ u. s. w. 15: „þann kann ek galdr gala.“ 19: „undir randir ek gel“ u. s. w. 23: „er gol þiodrœrir u. s. w. afl gol hann ásum“ u. s. w.

[2] Anfang Str. 9: „Liod ek þau kann“ u. s. w. Schlußzeile in Str. 26: „þat fylgir lioda lokum“. Lex. poet. 213a: „id clausulam carminum constituit“. In den Str. 25 und 26 ist offenbare Verschiebung, sie lassen sich so ordnen: „25. þat kann ek it siautiánda, at mik mun seint firraz id manúnga man [auch Str. 10 ist nur dreizeilig]. 26a. þat kann ek id átiánda, er ek æva kennik mey né manns konu (nema þeirri einni, er mik armi verr eda mín systir sé), alt er betra er einn um kann; þat fylgir lioda lokum.“ Hiernächst, wenn überhaupt zulässig: „26b. Lioda þessa [þeirra] muntu, Lodfáfnir! lengi vanr vera; þó sé þer góđ ef þú getr, nýt ef þú nemr, þörf ef þú þiggir.“ (Vgl. Sæm. 24, 3 ff. „niota muntu ef þú nemir.“ 196, 20: „niottu ef þú namt“ u. s. w.) Rúnat. Str. 27: „nioti sá er nam.“

[3] Str. 3: „Fimbulliod [Lex. poet. 170b: „carmina præstantissima“] níu nam ek af enum frægja [syni] Bölþorni Bestlu födur“ u. s. w. Muß hier gebessert werden (M. setzt „Bölþorns,“ was einen sonst nicht bekannten, keineswegs berühmten Bruder Bestlas herbeiführt), so ist das einfachste, den versüberladenden Beisatz „syni“ wegfallen zu lassen. Vgl. Sn. 7 (Arn. 46): „Hann [Börr] fékk þeirrar konu er Besla [B. Bestla] hét, dóttir Bölþorns iötuns, ok fengu þau III sonu: hét einn Odinn, annarr Vili, III Ve.“ Sn. 98a (Arn. 244): „vid son Bestlu.“

zu gehaben [1]; Wort vom Worte sucht' ihm nach dem Worte [2], Werk vom Werke sucht' ihm nach dem Werke [3]; hierauf folgen kurze Angaben über Runen und Stäbe, ihre Urheber und Verbreiter bei verschiedenen Wesenklassen, ihre manigfache Handhabung und Einiges, was dabei zu beobachten (Str. 2 bis 8). Es sind in diesen einleitenden Gesätzen zwei Hauptquellen der Runenkunde des Sprechers angegeben, die eine aus der urweltlichen Naturkunde des Riesengeschlechts, die auf Odin schon von seinem Ahn, dem Jötun Bölthorn, verpflanzt ist, die andre in der geistigern Erweckung mittelst des Dichtertranks, der nur Göttern und durch sie den Menschen vergönnt ist [4].

Jene zweifache Triebkraft der empfangenen Begabung, in Wort und in Werk, kann auf die gesammte vom Geist ausgehende Lebensthätigkeit sich erstrecken; ist sie aber nur auf den besondern Inhalt des Rúnatal zu beziehen, so sind ja eben die Galder das wirkende Wort und könnten die aufgezählten achtzehn Lieder für ein Fortwuchern des in den neun Urliedern gepflanzten Wortes und Werkes gelten. Gleichwohl ist das Aufheben der Rúnen so entschieden an die Spitze gestellt und nachher die Runenkunde so feierlich eingeleitet, daß sich die Vermuthung rechtfertigt, es sei hier gerade das ausgefallen, was mit Recht Rúnatal hieß, und dafür eine Aufzählung von Zaubersängen, ein Lioda- oder Galdratal, eingefügt worden, worin nicht die Reden des Hohen sich fortsetzen, sondern etwa der im Eingang des zweiten Theils sprechende Lodfáfnir weitere Errungenschaften des genossenen Unterrichts darlegt. Wie ungefähr das ausgefallene Stück beschaffen sein mochte, kann man sich aus der Rúnenlehre in Sigrdrifamál [5] deutlich machen, und da diese

[1] Str. 4: „þá nam ek vaxa ok vel hafaz“. Vgl. Sæm. 103, 19: „Hann nam at vaxa ok vel dafna“ u. s. w. Heimskr. 1, 166, X: „vex nú gengi goda“ u. s. w. Sn. 241 (Arn. 636): „vex hverr af gengi“, „quisque successu crescit“. Daß in Rúnat. geistiges Wachsthum und Gedeihen gemeint sei, zeigt das gleichgehende „frôdr vera“ und nachfolgende „ord“ u. s. w.

[2] Lex. poet. 171a: „finna ord.“ Sæm. 99, 16: „mín ord“.

[3] Fornm. S. 2, 33: „bædi í ordum ok verkum.“

[4] Vgl. Str. 27: „Nú eru Háva-mál kvedin u. s. w. allþörf ýta sonum, óþörf iötna sonum.“ Sæm. 174, 17: „hôn mun ríkjum þer rúnar kenna, allar þær er aldir eignaz skyldu ok á manns tûngu mæla hverja, líf med lækning“ u. s. w.

[5] Sæm. 194, 5 bis 196, 20 (M. 114 f., 5 bis 19).

doch nur als ein Einschiebsel in den Kreis der Sigurdslieder anzusehen ist[1], so läßt sich wohl denken, daß sie, mit gutbefundenen Abänderungen, aus einem älteren Rûnatal herübergenommen und letzteres dafür durch das Verzeichnis der Galder entschädigt worden sei. Es sind theilweise dieselben Wirkungen, die von Sigrdrifa den Rûnenstäben und im jetzigen Rûnatal den Liedern beigemessen werden[2]; auch dort wird des heiligen Methes gedacht[3] und die Formeln, deren sich jene für ihre Unterweisungen bedient, begegnen sich mit denen in Hâvamâl[4]. Die lehrhafte Sammlung dieses Namens ist zwar darauf angelegt, Odin als Quell der drei Wissensklassen, Klugsprüche, Rûnen und Galder, darzustellen; aber nur die Sprüche geben wirklichen Lehrinhalt, die Rûnen, wenn man auch Sigrdrifumâl beizieht, und die Galder, auch das Grôalied hinzugenommen, sind fast durchaus nur nach Form und Wirkung, ohne den eigentlichen Bestand des Zaubersangs oder wirkenden Zeichens, aufgezählt, so daß überhaupt nicht der alterthümlichere, gläubige, nur der einer vorgerückteren Bildungsstufe angehörende verständige Lehrtheil zu wirklicher Mittheilung kommt. Das jedoch ist sämmtlichen unter Hâvamâl begriffenen Lehren gemein, daß der Hörer und Verkünder, der wißbegierige Lodfâfnir, seinen Unterricht in denselben von Odin unmittelbar empfangen und dieser Unterricht sich nur in seinem Innern, auf geistigem Gebiete, vollzogen hat; Hâvahöll besteht nur mythisch, im Reiche des Gedankens.

[1] Vgl. W. Grimm, Heldens. 392. Mone, Unters. 115. Sæm. 174, 17: „Hôn mun rîkjum þer rûnar kenna“ u. s. w. Simrocks Edda 404 f.

[2] Vgl. Sigrdr. m. Str. 10: „Brimrûnar“ u. s. w. mit Rûnat. Str. 17; Sdr. 11: „Limrûnar“ u. s. w. mit Rt. 10; Sigdr. 12: „Mâlrûnar“ u. s. w. mit Rt. 16.

[3] Sigrdr. 19: „[rûnar] hverfdar vid inn helga miöd“ u. s. w. auch hinter Str. 2: „hôn tôk þá horn fullt miadar, ok gaf hânom minnisveig“ und Str. 5, mit Rt. 3: „ok ek drykk of-gat ens dýra miadar“ u. s. w.

[4] Sdr. 20: „niottu ef þû namt“ u. s. w. Rt. 24: „nýt ef þû nemr“ u. s. w. 27: „nioti sá er nam.“ Sdr. 23 ff.: „þat ræd ek þer id fyrsta“ u. s. w. Lodf. m. 3 ff.: „Râdumk þer, Lodfâfnir, en þû râd nemir! niota muntu ef þû namt“ u. s. w. Rt. 10 ff.: „þat kann ek annat“ u. s. w. Ähnliches in Grôug. Str. 6 ff.: „þann gel ek þer fyrstan“ u. s. w. Sig. Kv. II, Str. 19: „Segþu mer þat, Hnikarr“ u. s. w. 21 f.: „þat er annat“ u. s. w. Fâfnism. Str. 12 ff.: „Segþu mer, Fâfnir! u. s. w. 20: „Ræd ek þer nû, Sigurdr! enn þû râd nemir“ u. s. w.

Kunstpflege.

Das altnordische Liederwesen, selbst in seiner kunstreichen skaldischen Ausbildung, erscheint doch nirgend als Sache eines schulmäßigen Unterrichts oder zunftartigen Betriebs. Da dem Leben mehrerer Skalden eine eigene Saga, meist größeren Umfangs, gewidmet ist, so wäre von ihrer Schule zu sprechen aller Anlaß gewesen; es heißt aber nur, der berühmte Egill, Skalagrims Sohn, habe schon in seinem dritten Jahre begonnen, Verse zu machen, ebenso Grettir schon als gänsehütender Junge, auch Gunnlaug Ormstünga sei schon in frühen Jahren als Skalde bekannt gewesen [1]. Der jüngere Dichter lernte vom Beispiel der älteren, erhielt auch wohl die Anweisung eines einzelnen Vorgängers [2], der Grundton aber war von Haus aus in einer allgemeineren Stimmung gegeben, in jener auch von den Geschichtsagen bezeugten volksüblichen Fertigkeit des belebteren Ausdrucks im kurzen Stegreifverse (vgl. S. 286 f.). Es ist gezeigt worden, wie Starkad von Odin selbst seine dichterische Begabung empfieng, wie Bragi der Alte und die nachfolgenden Skalden sich als unmittelbar belehnte Träger des Odinstrankes kennzeichnen; Hallbiörn, ein Schafhirte, der am Grabhügel des Skalden Thorleif weidet und sich um einen Sang zu dessen Lobe vergeblich abmüht, wird dadurch zum Skalden des Volks und der Häuptlinge geweiht, daß Thorleif als Traumerscheinung ihm die Zunge rührt und ein Gesetz vorsingt [3]; überall eine höhere, geistige Eingebung. Diese, wieder durch

[1] Sagabibl. 1, 63. 112. Grettis S. C. 16 (Markuss. 90). [Kormak?] S. Ol. Tr. C. 152 (Fornm. S. 2, 7): „skâld var hann [Hallfreyðr] þegar â unga aldri“ u. s. w.

[2] Biörn Hitdälakappi, Sohn einer Schwestertochter von Egil Skalagrim, ist bei einem anverwandten Skalden erzogen und zeichnet sich dann selbst als Dichter aus. Sagabibl. 1, 159 f.

[3] Þâttr Þorleifs iarlaskâlds C. 7 (Fornm. S. 3, 102 f.): „Þat var eina nâtt sem optar, at hann [Hallbiörn sauðamaðr] liggr â hauginum, ok hefir hina sömu iðn fyrir stafni [hêr liggr skâld], ef hann gæti aukit nökkut lof um haugbûann, síðan sofnar hann, ok eptir þat sêr hann at opnast hauginn, ok gengr þar ût maðr mikill vexti ok vel bûinn; hann gekk upp â hauginn at Hallbirni ok mælti: þar liggr [þû], Hallbiörn! ok vildir þû fâst î þvî, sem þèr er ekki lânat, at yrkja lof um mik, ok er þat annathvört at þèr verðr lagit î þessi îþrótt, ok munt þû

Odin selbst, erwies sich zuletzt noch für Lodfáfnis Rûnen- und Galderkunde. Nach der Auffassung im Eingang der Yngl. Saga erscheinen freilich Odin und seine zwölf Äsen als ein Verein göttlich verehrter Tempel- und Opferpriester, von dem alle Wissenschaft und Fertigkeit in Dichtkunst, Rûnen und Zauber ausgegangen [1]; dieß beruht jedoch gänzlich

þat af mèr fâ, meira enn vel flestum mönnum ödrum, ok er þat vænna svâ verdi, ella þarftu ekki î þessu at briotast lengr; skal ek nû kveda fyrir þèr vîsu, [S. 103] ok ef þû getr numit vîsuna ok kant hana þâ er þû vaknar, þâ munt þû verda þiodskâld ok yrkja lof um marga höfdîngja, ok mun þèr î þessi îþrôtt mikit lagit verda; sîdan togar hann â honum tûnguna, ok kvad vîsu þessa: Hèr liggr skâld þat er skâlda skörûngr var mestr at flestu [B. af flestum) naddveiti [B. nâveiti] frâ ek nŷtan nîd Hâkoni smîda; âdr gat engr nê sîdan annara svâ manna, frægt hefir ordit þat fyrdum, fèrân lokit hânum. Nû skaltu svâ hefja skâldskapinn, at þû skalt yrkja lofkvædi um mik, þâ er þû vaknar, ok vanda sem mest bædi hâtt ok ordfæri ok einna mest kennîngar; sîdan hverfr hann aptr î hauginn, ok lŷkst hann aptr, en Hallbiörn vaknar ok þikist siâ â herdar honum; sîdan kunni hann vîsuna, ok fôr sîdan til bygda heim med fè sitt eptir tîma, ok sagdi þenna atburd. Orti Hallbiörn sîdan lofkvædi um haugbûann, ok var hit mesta skâld, ok fôr ûtan fliotliga, ok kvad kvædi um marga höfdîngja, ok fèkk af þeim miklar virdîngar ok gôdar giafir, ok græddi af þvî stôrfè, ok gengr af honum mikil saga bædi hèr â landi ok ûtlendis, þô at hûn sè hèr eigi ritut."

[1] Yngl. S. C. 2 (Heimskr. 1, 6): „Fyrir austan Tanaqvîsl î Asia, var kallat Asa-land, edr Asaheimr; enn höfutborgina, er var î landinu, kölludu þeir Asgard. Enn î borginni var höfdingi sâ, er Odinn var kalladr; þar var blôtstadr mikill. þat var sidr at XII hofgodar voru æztir: skylldu þeir râda fyrir blôtum oc dômum manna î milli; þat eru Diar [Myth. 176 ****] kalladir edr drottnar: þeim skylldi þionustu veita allt folk oc lotning." C. 5 (1, 10): „Odinn tôk ser bûstad vid lauginn, þar sem nû eru kalladar forno Sigtûnir, ok gerdi þar mikit hof ok blôt, eptir sidvenju Asana. Hann eignadiz þar lönd sva vîtt, sem hann let heita Sigtûnir: hann gaf bûstadi hofgodunum: Niördr biô î Noatûnum" u. s. w. C. 6 (ebd.): „mællti han allt hendingum, sva sem nû er þat qvedit, er skalldskapr heitir: Hann oc hofgodar hans heita lioda-smidir, þvi at sû îþrôtt hôfz af þeim î Nordrlöndum" u. s. w. C. 7 (1, 12): „Allar þessar îþrôttir kendi hann med rûnum oc liodum, þeim er galldrar heita; fyrir þvî eru Æsir kalladir galldra-smidir. Odinn kunni þâ îþrôtt er mestr mâttr fylgdi, oc framdi sialfr, er seidr heitir u. s. w. Enn hann kendi flestar îþrôttir sînar blôtgodunum; voru þeir næst hönum um allan

darin, daß mythische Verhältnisse zu menschlichen umgewandelt sind, womit die Göttersage als solche hinwegfällt und für die priesterliche Genossenschaft kein Gott übrig bleibt, dem sie ihre Opfer darbringen könnte. Geschichtliche Nachrichten aus dem alten Norden wissen von keiner abgeschlossenen Priesterzunft; der Häuptling oder König steht den allgemeinen Opfern vor; selbst der große Tempel zu Upsal und die dortigen Opferfeste sind unter der Obhut des Königsgeschlechts, der Söhne Freys, die auch in der Schlacht mitfechten; in Norwegen und auf Island pflegen die Goden, Hofgoden, das Heiligthum, das auf ihrem Grunde steht, und hegen gleichzeitig das Gericht des zugehörigen Bezirks; daneben gibt es noch manche Männer, die für sich und ihren besondern Hausstand Götterhäuser bauen und Opfer verrichten.

Nirgends, meines Wissens, findet sich ein heidnischer Priester als Skalde genannt; dagegen kommt es vor, daß angesehene Skalden, die sich als Kriegsleute, Vikinge, Kauffahrer umtreiben, des Runenzaubers und Beschwörungsanges mächtig sind. Als Egil, dessen frühzeitiger Skaldschaft vorhin gedacht worden, bei einem Gelage merkt, daß ihm durch die zauberkundige Königin Gunnhild Gift in den Trank gemengt ist, ritzt er mit der Messerspitze Runen auf das Trinkhorn, bestreicht sie mit Blut aus seiner Hand und spricht dazu mit lauter Stimme einen Vers, worauf das Horn in Stücke springt und alles Äl ausläuft[1]; das stimmt ganz mit Sigrdrífum. 7: „Älrunen sollst du verstehen, wenn du willst, daß nicht eines Andern Weib, der du traust, dich verrathe; auf das Horn sollst du die ritzen und auf den Rücken der Hand“[2]. Auch Thorleif, zugenannt „iarlaskáld“, den sein Oheim und Erzieher Skeggi in altem Geheimwissen unterrichtet hat[3], erweist sich zauber-

fródleik oc fiölkyngi. Margir adrir námu þó mikit af; oc hefir þadan af dreifz fiölkyngin vída, oc halldiz lengi. Enn Odinn oc þá höfdingia XII blótudu menn, oc kölludu god sín oc trúdu á lengi sídan.“

[1] Ettmüller, Vsp. XIII f. Sagabibl. 1, 113; vgl. 116. Derselbe Skalde schneidet dann auch Runen auf Roßhaupt und Neidstange mit gesprochener Formel (vgl. Vatnsd. S. 142. 136).

[2] Sæm. 194, 7 (M. 114, 7): „Ölrúnar skaltu kunna, ef þú vill annars kvæn vélit þik í trygd, ef þú trúir; á horni skal þær rísta ok á handar baki“ u. s. w.

[3] Þáttr Þorleifs iarlaskálds C. 1 (Fornm. S. 3, 90): „Þorleifr u. s. w. var snemma gildr ok giörviligr ok hinn mesti atgiörvimadr um íþróttir; hann var

kundig; er will an dem Jarl Hakon, der ihm ein Kaufschiff ausraubte und verbrannte, dazu die Mannschaft hängen ließ, Rache nehmen und kommt, als alter Bettler (stafkarl) vermummt, in Hakons Halle, wo er, um seinen Namen befragt, sich Nidüng, Giallandis Sohn, aus den Trauerthalen im kalten Schweden nennt[1] und ihm gestattet wird, die Lieder, die er auf den Jarl gedichtet, vorzutragen; bis zur Mitte des angestimmten Liedes findet Hakon in jedem Gesätze sein Lob verkündet, wie auch der Heldenthaten seines Sohnes darin gedacht, im Fortgang aber fährt ihm ein unleidliches Jucken über den Leib, das Lied bedünkt ihn, weniger Lob, als Schmähung (níd), heißen zu können, der Sänger verheißt zwar Besseres, hebt dann aber die Gesätze an, die man Nebelweisen nennt und die, mitten im „Jarlsneide“ stehend, so beginnen: „Nebel zieht draußen auf, Ungewitter dringt im Westen an, die Rauchwolke des Schatzraubs zieht hieher“; als die Nebelweisen zu Ende sind, wird es dunkel in der Halle, der Sänger nimmt wieder Jarlsneid auf und als er das letzte Drittel singt, fahren alle Eisenwaffen in der Halle umher und wird das vieler Männer Tod; der Jarl fällt in Unmacht und der Alte verschwindet bei verschlossenen Thüren, mit beendigtem Lied aber weicht die Finsternis und wird es in der Halle licht[2].

skáld gott; hann var á fóstri med Midfiardar-Skeggja, módurbródur sínum, at Reykjum í Midfirdi, þartil er hann var 18 [B. 17] vetra gamall. Skeggi unni mikit Þorleifi ok lagdi vid hann ástfóstr. Þat töludu menn at Skeggi mundi fleira kenna Þorleifi í frædum fornligum, enn adrir menn mundi vita.“

[1] Ebd. C. 3 (3, 95): „Jarl spurdi hann at nafni, ætt ok ódali. Úvant er nafn mitt, herra! at ek heiti Nídúngr Giallandason ok kynjadr or Syrgisdölum [B. Sorgardölum] af Svíþiod hinni köldu; er ek kalladr Nídúngr hinn nákvæmi, hefir ek vída farit ok marga höfdíngja heimsótt; giörumst ek nú gamall miök, svá at trautt má ek aldr minn segja sakir elli ok úminnis.“ Stadaregistr, Fornm. S. 12, 359 a: „Syrgisdalir (Sorgardalir), 3, 95; í Svíþiod hinni köldu; máske sama sem Surzdalir edr herad vid Asowska hafn; stundum nefnast Sylgis eda Syrgisdalir í Svíþiod, sem þá likliga á ad vera Soldalen vid Suraborg á Vestmannalandi í Svíaríki.“ Ebd. 358 b: „Svíþiod hin mikla edr kalda, 3, 95. og Cithia, 11, 414. Austr- og sudaustr-hluti Nordrhálfunnar, frá Svartahafinu ad sunnan til Gandvíkur (hvíta hafs) ad nordan.“ Fornald. S. 3, 736 b. Vgl. Fornald. S. 2, 91 und 499: „í Ángri (uppfœddr). Nithart von Riuwental.

[2] Ebd. C. 4 (3, 97 f.): „Kvedit iarls níd“ u. s. w. Jarl mælti: búit er ad komi at gömlum ordskvid: at þat er opt gott, er gamlir kveda [B. „þat

Seltsamer noch lautet die Erzählung, wie der rachesinnende Jarl durch einen verzauberten Holzmann, der nach Island geschickt wird, den Skalden mit Speerwurf durchbohren läßt [1]. Noch unter Harald Hard-

er sialdan gott skåld, er gamalt kvedr"; vgl. jedoch Sæm. 27, 24], ok flyttu framm kvædit, karl! en vèr munum til hlýda. þå hefir karl upp kvædit, ok kvedr framan til mids, ok þikir iarli lof î hverri vîsu, ok finnr at þar er getit ok î framaverka Eirîks sonar hans. En er åleid kvædit, þå bregdr iarli nokkut undarliga vid, at óværi [B. óværd] ok klådi hleypr svå mikill um allan bûkinn å honum ok einna mest um þioinn, at hann måtti hvergi kyrr þola, ok svå mikil býsn fylgdi þessum ûværa at hann lèt hrîfa sèr med kömbum, þar sem þeim kom at; en þar sem þeim kom eigi at, lèt hann taka strigadûk ok rîda å þriå knûta, ok draga 2 menn milli þioanna å sèr. Nû tók iarli illa at gedjast kvædit, ok mælti: kann þinn heljar karl ekki betr at kveda, þvîat mèr þikir þetta eigi sîdr heita mega nîd enn lof, ok låt þû um batna, ella tekr þû giöld fyrir. Karl hèt gódu um, ok hóf þå upp vîsur, ok heita þokuvîsur, ok standa î midju Jarlsnîdi, ok er þetta upphaf at: þoku dregr upp hit ytra [B. eystra], èl festist hit [B. vid] vestra, [S. 98] mökkr [B. nokkr] mun nåms af nökkvi nadr hinga kominn [B. komit] hingat. En er hann hafdi ûti þokuvîsur, þå var myrkt î höllinni, ok er myrkt er vordit î hallini, tekr hann aptr til Jarlsnîds, ok er hann kvad hinn efsta ok sîdasta þridjûng, þå var hvert iarn å gångi, þat er î var hallinni ån manna valda, ok vard þat margra manna bani. Jarl fèll þå î ûvit, en karl hvarf þå î brott at luktum dyrum ok óloknum [B. luktum] låsum; en eptir aflidit kvædit minkadi myrkrit ok giördi biart î höllinni. Jarl raknadi vid ok fann, at honum hafdi nær gengit nîdit, så þå ok vegs ummerki, at af var rotnat skegg [B. rifid kvidskeggit] alt af iarli ok hårit ödrumegin reikar [B. reikjar, a. å höfdi], ok kom aldri upp sîdan. Nû lætr iarl ræsta hallina, ok eru hinir daudu ûtbornir, þikist hann nû vita at þetta mun þorleifr verit hafa en karl engi annarr, ok mun launat þikjast hafa honum mannalåt ok fiårtion. Liggr iarl nû î þessum meinlætum allan þenna vetr ok mikit af sumrinu."

1 Ebd. C. 6 (3, 100 f.): „Dråp þorleifs. En nû er þar til at taka, er Håkon iarl er, at honum batnadi hins mesta meinlætis; en þat segja sumir menn, at hann yrdi aldri samr madr ok ådr; ok vildi iarl nû giarna hefna þorleifi þessarar smånar, ef hann gæti, heitir nû å fulltrûa sîna þorgerdi hörgabrûdi [B. hölgabrûdr] ok Irpu systur hennar, at reka þann galdr ût til Îslands, at þorleifi ynni at fullu, ok færir þeim miklar fórnir ok gekk til frèttar, en er hann fèkk þå frètt, er honum lîkadi, lèt hann taka einn rekabût ok gera or trèmann, ok med fiölkýngi ok atkvædum iarls, en tröllskap ok fitons [B. Pythons, Phytons] anda þeirra systra, lèt hann drepa einn mann, ok taka or hiartat, ok låta î

rådi, Olafs des Heiligen jüngstem Bruder, zeigt sich Thorleifs Jarlsnid in lebhaftem Gedächtnis: Sneglu-Halli, ein namhafter Skalde am Hofe dieses Königs, hat einen mächtigen Häuptling, Einar Flugi, der niemals Wergeld zahlt, vergeblich um solches für die Tödtung eines Blutsverwandten gemahnt und erzählt nun dem König, als einem Traumkundigen, wie ihm geträumt habe, daß er selbst der Skalde Thorleif, Einar aber Hákon Jarl sei und er diesen verneidet, was ihm auch noch beim Erwachen nachgehalten; wirklich fängt er, vom Hochsitze zurück-

þenna trêmann, ok færdu sîdan î föt ok gâfu nafn ok kölludu þorgard, ok mögnudu hann med svâ miklum fiandans krapti, at hann gekk ok mælti vid menn, kvomu honum sîdan î skip ok sendu hann ût til Îslands þess eyrindis, at drepa þorleif iarlaskâld; gyrdi Hâkon hann atgeir þeim, er hann hafdi tekit or hofi þeirra systra ok Hörgi [vgl. Sn. 154] hafdi âtt. þorgardr kom ût til Îslands î þann tîma, er menn voru (â) alþingi. þorleifr iarlaskâld var â þingi; þat var einn dag at þorleifr gekk frâ bûd sinni, er hann sâ at madr gekk vestan yfir Öxarâ, sâ var mikill vexti ok illsligr î bragdi. þorleifr spyr þenna mann at heiti; hann nefndist þorgardr, ok kastadi þegar kaldyrdum at þorleifi; en er þorleifr heyrdi þat, ætladi hann at bregda sverdinu konûngs naut, er hann var gyrdr med, en î þessu bili lagdi þorgardr atgeirnum â þorleif midjan ok î gegnum hann; en er hann fèkk lagit, hiô hann til þorgards, en hann steyptist î iördina nidr, svâ at iljarnar var at siâ. þorleifr snaradi at sèr kyrtilinn ok kvad vîsu: Hvarf hinn hildar diarfi hvat vard af þorgardi villu madr â velli vîgdiarfr refilstîga; farit hefir gautr at grioti gunnelds enn fiölkunni sîdan mun hann î helju hvîlast stund ok mîlu. þâ gekk þorleifr heim til bûdar sinnar, ok sagdi mönnum þenna atburd, ok þôtti öllum mikils um vert um þenna atburd; sîdan varpar þorleifr frâ sèr kyrtlinum, ok fèllu þâ ût idrin, ok lèt þorleifr þar lîf sitt vid gôdan ordstîr; ok þôtti mönnum þat allmikill skadi; þôttust nû allir vita at þorgardr þessi hafdi engi verit annarr enn galdr ok fiölkŷngi Hâkonar iarls.“ (12, 69 f.: „þorleifr jarlaskâld: Hinn hildar djarfi, vîgdjarfr villumadr refilstîga [örœsa, firninda] hvarf â velli; hvat vard af þorgardi? Enn fjölkunni gautr gunnelds [madr] hefir farit at grjóti stund ok mîlu [leingi og um lángan veg]; sîdan mun hann hvîlast î helju.) Der Vers, auf den es hier, wie anderwärts, zumeist ankommt, weiß nichts von einem Holzmann, ihm ist vielmehr Thorgard ein zauberkundiger (fiölkunni) Kriegsmann; der Holzmann scheint misverständlich aus dem Neidzauber in die Prosa gekommen zu sein, wie in Vatnsd. S. (K. 34, S. 142; vgl. K. 33, S. 136) an das Ende der errichteten Neidsäule ein Mannshaupt mit verwünschenden Runen geschnitten ist: „fóru þeir Jökull ok Faxa-Brandr til saudahûss Finnboga, er þar var hiâ

tretend, bereits zu murmeln an, worauf Harald seinem Freunde Einar ernstlich anräth, eine Buße zu zahlen; Halli sei ein großer wortscharfer Skalde, und ein kleines Spottlied, das sich im Gedächtnis befestige, sei schlimmer, als ein geringes Geldopfer; das sei kein Traum, wie Halli gesagt, dieser vermöge wohl, die Neidung zu vollbringen; es gebe Beispiele, daß sie noch mächtigere Männer getroffen, und niemals würde das verhallen, so lange die Nordlande bewohnt seien; auf diese Fürsprache bewilligt Einar drei Mark Silbers [1]. Die angebliche

gardinum, ok tóku súlu eina, ok báru undir gardinn; þar vóru ok hross, er þangat höfdu farid til skiols í hrídinni. Jökull skar karls höfut á súlu endann, ok risti á rúnar med öllum þeim formála sem fyrr var sagdr, sídan drap Jökull mer eina, ok opnudu hana hiá briostinu, ok færdu á súluna, ok létu horfa heim á Borg" u. s. w. Auch der hohe, moosbewachsene Holzmann auf Samsey, den Ragn. Lodbr. S. C. 21 (Fornald. S. 1, 298 f.) sein Geschick in Versen erzählen läßt, war nach diesen „blótinn til bana mönnum," (wie jener „at drepa þorleif iarlaskáld") und es beantwortet sich damit das in der Prosa vorhergehende: „hverr blótat mundi hafa þetta et mikla god" (die erste Strophe ist wesentlich dieselbe, die in Hálfs S. C. 2, aus Ögvalds Grabhügel ertönt, Fornald. S. 2, 26. Sagabibl. 2, 468; der Anfang der dritten Strophe: „þar bádu standa medan strönd þollr" gemahnt an die Stelle der Haralds hardr. S. in nächster Anm. „medan Nordrlönd eru bygd"); unter den „trémönnum" in Hávam. (Sæm. 16, 50) sind doch am einfachsten gleichfalls Holzbildsäulen zu verstehen (zu „velli á" vgl. Fornm. S. 3, 101: „villu madr á velli"; anders Dietrich, Zeitschr. f. d. Alt. 3, 402 f.).

[1] Haralds hardráda S. K. 104 (Fornm. S. 6, 371 f.): „Stód Halli þá upp, ok gekk fyrir konúng, ok kvaddi hann svá segjandi: heill, herra! Velkominn, Halli! segir konúngr, edr hvat viltu? Herra! segir Halli, ek vil segja ydr draum minn, þér erud draumspakir; þat dreymdi mik at ek væri allr annar madr enn ek er, ek þóttumst vera þorleifr skáld [B. iarlaskáld], en Einar fluga þótti mér vera Hákon iarl, ok þóttumst ek nída hann, ok munda ek nökkut í, er ek vaknadi; hann veik sér þá frá hásætinu ok umladi vid, heyrdu allir at hann mudladi [B. v. í H.] nökkut fyrir munni sér, en ekki nam ordaskilin. Þá mælti konúngr: giör svá vel, Einar! bæt honum nökkuru fyrir ord mín, hann er skáld mikit, ok svá ordhákr, at hann svífst eingis, ok er þér verri einn hædiligr kvidlíngr, ef í minni er festr, sem hætt verdr, ef uppkemr í fyrstu, slíkr madr sem þú ert, heldr enn litlir [B. miklir] fémunir; þvíat vèr megum siá hverja setníng [B. þvî vit megum sía hvern setníng] hann hefir á, ok er þetta engi draumr, sem hann sagdi, þvíat þetta mun hann efna,

Traumerscheinung hatte ihr Vorbild in der Thorleifssage selbst (s. oben S. 375 f.).

Daß nun von einem Skalden, der, obgleich nicht zu den ältesten zählend, mit den Wundern der Sage umkleidet ist, doch nur wenige Gesätze erhalten sind und der ihm eigens gewidmete Thâttr selbst von seinem berühmtesten Gesange nur ein einziges bewahrt hat, kann nicht so sehr befremden, wenn die Art dieses Liedes und die anerzogene Richtung des Skalden, mit welcher dasselbe zusammenhängt, ins Auge gefaßt wird. Jarlsneid mit den Nebelweisen wurzelt im heidnischen Galderwesen und der Sänger desselben war von seinem Pflegevater Skeggi in die alten Kunden eingeweiht worden. Mit Namen und Bildern aus der Göttersage durfte sich wohl der Skaldensang auch an den Höfen der christlichen Könige, der eifrigsten Bekehrer, schmücken, aber ernstlich und thätlich sollte das Heidenthum nicht zu Tage treten. Der Bischof Biarni nimmt keinen Anstand, seine Drâpa auf Hâkon Jarls Sieg über die Jômsvikinge als Yggs Bier (Odins Meth) zu bezeichnen, das er vor den Menschen auftrage; zugleich aber verwahrt er sich, niemals unter Wasserfällen gewesen oder nach Galdern ausgegangen zu sein (s. oben) [1], eine Verwahrung, die dadurch geboten war, daß der Dichter, wie er nachher nicht verschweigt, die Sage vernommen hatte, wonach Hâkon, nachdem er viel Volks verloren, seinen siebenjährigen Sohn Erling um Sieg geopfert und hierauf seine übermenschliche Beschützerin Thorgerd Hölgabrûd ein verderbliches Ungewitter gegen die Flotte der Vikinge getrieben haben soll [2]. Erheblich für den

at nída þik, ef hann fær ekki af þèr, ok eru dœmi til þess, at nídit hefir bitit enn ríkari menn enn þû ert, ok mun þat aldri nidrfalla medan Nordrlönd eru bygd; giör nû fyrir bæn mína, ok bæt honum nökkuru sinn frænda [B. skada]! Einar svarar: þèr skulud rûda, herra! segir hann, taki hann af fèhirdi mínum 3 merkr silfrs, hann mun greida honum. Halli mælti: haf þökk fyrir, ok gezt mèr nû vel at.“

1 Jômsvíkingadrâpa Biarna biskups Str. 1: „fram mun ek fyrir öldum Yggjar bior um fœra“ u. s. w. (Lex. poet. 165 a: „carmen coram hominibus recitare.“ Str. 4: „Varkat ek firri [B. firir] und forsum, fór ek aldrei at göldrum“ u. s. w. (Fornm. S. 11, 163 f.; vgl. 1, 161. S. Ol. Tr. C. 86: „þess getr Biarni biskup í Jômsvíkinga drâpu.“)

2 Ebd. Str. 29 (11, 171): „Hvervitna [O. Hvarvetna] frá ek hölda, herr æxti [O. ægsti] gný darra, fyrir [O. fur] hreggvidum hiörva

Zusammenhang des Zaubers mit dem Götterglauben sind die Nachrichten über heidnische Männer, die ihren Widerstand gegen den gewaltsamen Bekehrungseifer Olafs Tryggvason mit Marter und Tod büßten.

Hrôald, ein mächtiger Opfermann auf Godey (in Hâlogaland) rief die Götter häufig an, brachte ihnen täglich Opfergaben und bat sie demüthig, ihn zu schirmen, daß er nicht zu einem andern Glauben gedrängt und durch König Olaf von seiner Heimatherde vertrieben würde; er war so bestrickt von den Lockungen des Feindes, daß die Götter ihm für seine Gaben Bescheide gaben; so oft der König, der von ihm erfahren, nach diesem Eiland fahren wollte, ward er durch Gegenwind verhindert, denn Hrôald rief unablässig zu den Göttern, daß sie dem Gott Olafs kräftig widerstehen möchten, endlich aber flehten der König und der Bischof zu Gott und alsbald kam rechter Fahrwind, mit dem sie segelten; es zeigten sich zwei Winde, wie wenn einer den andern bekämpfte; da füllte der Bischof ein großes Gefäß mit Wasser, weihte[1] dieses und warf es in die See, den widrigen Winden und Wogen entgegen, worauf dieselben sich legten und die Schiffe rasch dem Eiland zufuhren; dort wurde Hrôald ergriffen und ihm die Wahl gegeben, entweder von seinem Brauche zu lassen oder zu sterben; es halfen aber

hrökva [O. hrökkva] gunnar rökkum [O. rekkum]; âdr î örva drîfu ŷtum grimmr at blôta, fram kom heipt hin [O. en] harđa, Hâkon þegar [O. syni] tæki." 12, 245: „Herr æxti [jôk] darra gnŷ [bardagann]. Ek frâ hölda hvervitna hrökkva fyrir gunnar rökkum hjörva breggviđum [hermönnum], âdr Hâkon, grimmr ŷtum, tæki at blôta î örva drîfu [orustu]: hin harđa heipt kom þegar fram". Str. 31 (11, 172): „þâ frâ ek el hit illa æđa [O. ædast] Hölgabrûđi [O. Hölga brûđar], glumdi hagl â hlîfum [O. hialmum], harda grimt or norđri; þar er [O. þars] î ormfrân augu ŷtum skŷagrioti [O. skŷja grioti], þî knâtti [O. nâdi] ben blasa, barđi hreggi keyrdu." 12, 245, 31: „Ek frâ þâ Hölgabrûđar hit illa el æđa; harđa grimt hagl or norđri glumdi â hlîfum: þar er skŷja grioti [hagli], hreggi [af stormi] keyrđu, barđi [laust] î ormfrân [ormsnör] augu ŷtum; þî [þvî] knâtti ben blâsa [þióta]. Erzählung von Opfer und Zaubersturm: S. Ol. Tr. C. 90 (Fornm. S. 1, 174 bis 76). S. Ol. Tr. Christ. 1853, C. 11, S. 15. Jômsvîk. S. C. 44 (11, 134 bis 39. 142). Vgl. Fornm. S. 2, 108. Færeyingas. C. 23, S. 103. Myth. 103. Sagabibl. 1, 179 f. 276. 3, 93 f. S. af Hörde C. 18 (Marcuss. 8°, S. 95 f.) Saxo 10, 183.

[1] Vgl. Aufseßs Anz. 3, 289: Exorcismus aquæ.

weder freundliche noch strenge Worte und, dem Tode verfallen, erklärte Hróald: „Ziemlicher ist mir, den Tod zu dulden, als den Dienst unsrer Götter zu lassen." Der König ließ ihn an den hohen Galgen aufhängen [1]. Ähnliches meldet dieselbe Saga weiterhin von einem andern Hróald, der, in Moldafiörd wohnhaft, gleichfalls ein großer Zauberer

[1] Fornm. S. 10, 290 bis 92 (S. Ol. Tr. K. 33): „Frá Hróalldi. Svá er sagt, at einn blótmadr hèt Hróalldr, hann bió í Godey, hann var ríkr ok mikill fyrir sèr; hann heitr á gudin optliga ok fœrir þeim fórnir á hveriom degi, ok bad þau lítillátlega, at þau hlífdi honum, at eigi væri honum þrönct til átrúnadar annars, oc eigi væri hann af Ólafi konúngi brotflæmdr af föstriördu sinni. Svá miök var þessi madr blecþr af fiandans teygingu at gudin veittu honum svör firir sínar fórnir. Oc nú frèttir Ólafr konúngr til þessa mannz, oc býr þángat ferd sína, oc í hvert sinn er hann bióz til ferdar, þá gerdi andvidri ímóti, svá at hann mátti eigi fara á skipum til eyjar þeirrar, oc fór svá nocqvorum sinnum at hvert sinn heptiz ferd þeirra, oc lá konúngr lengi til þessar ferdar. Hróalldr calladi úaflátliga á gudin, at þau stœþi vel ímóti gudi Ólafs, oc fœrdi þeim fórnir. Oc er Ólafr konúngr hafdi lengi vafiz í þessum rádum, er at vísu má vel kallaz vegr Nordmanna, tóc hann þá þat rád, sem allzvalldandi gud kendi honum, oc bad hann þá þángat leita hialpar sem gud var, oc fœra honum fórnir, at hann gefi þeim byrleidi ímóti þessum vindi, er hann sá at gerr var ímóti þeim af fiandans crapti. Hètu þeir nú, konúngr oc byscup, á gud sialvan, oc þegar kom hœgr byrr, oc gerdu þeir gudi þackir; sigla þeir nú fagran byr, oc þá gerir II vinda á siónum, oc svá sem hvárr berdiz ímóti adrum; þá tóc byscup eitt ker mikit, oc lèt í vatn, oc blezadi, oc castadi sídan á sióinn ímóti vindinum oc bylgionum, þeim er ímóti gengu, oc lægduz þær, en skipin gengu mikit. Oc med fulltíngi almáttugs guds, þá comuz þeir til eyarinnar, oc lögdu í lægi skipunum, oc gengu á land, oc tócu þenna hinn micla guds úvin oc sinn, oc gera honum II costi, hvárt hann vill láta sid sinn, oc hava líf sitt oc vingan þeirra, eda deyia. Konúngr bad hann til stundum blídum ordum, en stundum strídum, ok hèt honum hördum píslum. Hann neigdiz ecki af sinni þrályndi, hvárki geck hann firir blídyrdum nè ógnarmálum. Oc er konúngr hèt honum daudanum, þá mælti hann: þat hœfir mèr oc sœmilegra er mèr þat at þola helldr daudann, en láta þionustu guda várra. Oc er konúngr sá, hversu hann var þrályndr á sitt mál, þá baud hann at festa hann up á hávan gálga, oc var siá daudi hans." 12, 298a: „Godey u. s. w. Godeyjar u. s. w. Eyjan eda eyjarnar sýnast hafa legid fyrir Sálptafjardarmynni á Hálogalandi í Noregi, hvar ennú heitir Gudöe." S. Ol. Tr. Christ. 1853, C. 28, S. 31.

war und weder das Christenthum annehmen, noch von seinen Stammgütern fortziehen wollte; sehr zauberkundig „weckte“ er vor seinen Bezirken gegen den König zwei so heftige Wogen, daß drei Jahre lang Olaf und seine Leute nicht zu ihm kommen konnten, überhaupt Niemand ohne sein Zulassen in seinen Wohnort zu gelangen vermochte; zuletzt aber ließ der König rasch auf die furchtbaren Wogen lossegeln und beim Anrennen der Schiffe fielen dieselben sogleich nieder; auch dieser Hrôald wurde getödtet, weil er sich standhaft zu seinen Göttern bekannte [1]. Auf einem der Eilande des Namens Godey, in der Bucht Sálfti hauste, wie der erstere Hrôald, auch ein mächtiger und reicher Häuptling, Raud der Starke, dem selbst eine Menge Finnen zu Gebote standen; auch er war eifrig in Opfer und Zauberei und bekämpfte zur See den König Olaf auf dessen Bekehrungsfahrt nach Hálogaland; Raud besaß ein Kriegsschiff, das vermöge der Galder des Mannes immer Fahrwind hatte, wohin er segeln wollte, und das ihn aus unglücklichem Seetreffen nach Godey heimbrachte; dort wollte der König ihn aufsuchen, aber eine volle Woche lang war innerhalb der Bucht Schlagregen und Sturm, außerhalb blies günstiger Wind, mit dem Olaf nordwärts fuhr; auch

[1] Fornm. S. 10, 324 f. (S. Ol. Tr. C. 51): „Frá Ólafi konúngi oc Hrôalldi. 51. Hrôalldr hèt madr, er bió í Molldafirdi, blótmadr mikill oc ríkr, hann vildi eigi taca vid cristni, eigi ok brot fara af sínum ættiördum; hann var miök fiölkunnigr, oc neytti diöfulegrar íþróttar. En svá fór fram III ár at siá hinn fiölkunnigi madr vacþi up II boda micla ímóti konúngi firir sínum hèrudum, oc med svá miclum ákalleik at konúngr oc hans menn máttu eigi comask á fund hans, oc engi án hans leyfi comsk í þat þorp er hann bygdi. Ólafr konúngr býr ferd sína til hans; oc er hann com þar, er þessar bárur fèllo, þá býdr hann skiott sigla á þer, oc yfir þá hina ógorlega boda; oc þegar er skipin rendu á bodann, þá lægduz þeir oc fèllu nidr. Oc var Hrôalldr tekinn höndum, oc bodadi konúngr honum trú rètta; en hann neitadi guds nafni; en ídtadi gudum sínum, oc [S. 325] eptir þat sem maclect var, baud konúngr at drepa hann, oc týndi hann macliga lífi sínu.“ [S. Ol. Tr. Christ. 1853, C. 42, S. 42: „trvde hann a blotgod sin at konungr munde eigi sigra hann.“] 12, 326b: „Moldafjördr, 9, 32. 143. 226. 228. Fjördr á Hálogalandi í Noregi; nú Saltensfjord. Moldafjördr, 10, 324. Fjörd í Nordfirdi, í Firdafylki í Noregi. Moldi (Molgi, Mjolgi), 9, 526. Nordast á Raumaríki eda sydst á Þotni; máske núverandi bæir nyrdri og sydri Molden. á Hadalandi á Upplöndum í Noregi.“

als er nachher zur Bucht zurückkam, trieb einige Tage lang Regen und Sturmfluth aus derselben, bis der Bischof Sigurd endlich Rath fand; im vollen Messeschmuck trat er vor auf den Steven des Königsschiffs, ließ hier das heilige Kreuz aufrichten, Kerzen und Weihrauch anzünden, las das Evangelium und andre Gebete, besprengte das Schiff überall mit geweihtem Wasser und hieß dann in die Bucht rudern, auch alle die andern Schiffe sich anschließen, da ward ruhige See und sie gelangten in der Nacht vor den Hof Rauds, der im Schlaf überfallen und, als er, vor den König geführt, an Christ zu glauben verschmähte, mit den ausgesonnensten Martern getödtet wurde; sein Hauptschiff, viel größer und schöner, als das des Königs, eignete sich dieser zu, vorn daran war ein Drachenkopf und in einen Schweif lief es aus, beide Seiten und der Steven waren mit Gold ausgelegt und wenn das Segel flatterte, galt das für die Schwingen des Drachen, darum nannte der König es Orm (Schlange) und war dieß das schmuckste Schiff in ganz Norwegen [1]; als König Olaf nachmals auf demselben mit gelindem

[1] Fornm. S. 2, 175 f. (S. Ol. Tr. C. 210): „Frá Rauti hinum ramma. 210. Raudr hinn rammi er nefndr einn ríkr bóndi ok audigr, hann bió í firdi þeim á Hálogalandi, er heitir Sálfti [B. Skálpti, Skjálfti, Sjálfti, þar sem heitir Godey. Raudr hafdi med sèr marga húskarla, ok hèlt hann ríkmannliga menn sína, þvíat hann var höfdíngi mestr í fírdinum, ok svá vídara nordr þar, fylgdi honum fiöldi Finna, þegar hann þurfti nökkurs vid. Raudr var blótmadr mikill ok allfiöl-kunnigr, hann var vinr mikill þessi manns, er fyrr var nefndr, er hèt þórir hiörtr, hann rèd fyrir nordr í Vágum, þeir voro bádir höfdíngjar miklir. En er þeir spurdu, at Ólafr konúngr fór med her manns sunnan um Hálogaland, þá samnadu þeir her at sèr, ok budu skipum út, fengu þeir lid mikit. Raudr hafdi dreka mikinn ok gullbúin höfud á, var þat skip þrítögt at rúma tali ok þó mikit at því. þórir hiörtr hafdi ok mikit skip. þeir hèldo lidi því sudr med landi í móti Ólafi konúngi, en er þeir hittust, lögdu þeir þegar til bardaga vid konúng, vard þar mikil orrosta ok hörd, snèri brátt mannfallinu í lid heidíngja, ok hrudust skip þeirra, en því næst sló á þá felmt ok flótta. Raudr rèri dreka sínum út til hafs, því næst lèt hann vinda á segl sitt, hann hafdi iafnan byr, hvert er hann vildi sigla, ok var þat af fiölkyngi hans ok göldrum; er þat skiotazt at segja af ferd Rauds, at hann sigldi þar til er hann kom heim nordr í Godey. þórir hiörtr flýdi med sitt lid inn til lands“ u. s. w. Folgt sein Tod. 2, 177 ff. (C. 211): „Um aftöku Rauds hins ramma. 211. Ólafr konúngr hèlt lidi síno nordr med landi

Winde südwärts dem Land entlang segelte, bat ein ansehnlicher, rothbärtiger Mann, der auf einer Klippe stand, um Aufnahme; als ihm diese gewährt war, maß er sich mit den Königsmännern im Ringen, erklärte jedoch, daß sie elende Schwächlinge seien, nicht würdig des schönen Schiffes, das in Rauds des Starken Besitze so viel tüchtiger

ok kristnadi alt fólk þar sem hann fór, en er hann kom nordr at Sálfti, ætladi hann at fara inn á fiördinn ok finna Raud, en hreggvidri ok stakastormr lá innan [V. innan eptir, inn á] fiördinn, lá konúngr þar til viku fulla ok hèlzt æ hit sama styrkvidri innan eptir firdinum, en hit ytra var blásandi byrr at sigla nordr med landi, sigldi þá konúngr alt nordr í Avmd [V. Avnd], ok gekk þar alt fólk undir kristni. Sídan snèri hann ferd sinni aptr sudr. En er hann kom nordan at Sálfti, þá var hregg ok siádrif út fiördinn, konúngr lá þar nökkurar nætr, ok var vedr hit sama, þá taladi konúngr vid Sigurd biskup ok spurdi, ef hann kynni þar nökkut rád til at leggja? Biskup sagdi at hann mun freista, ef gud vill sinn styrk tilgefa, at sigra þenna fianda krapt. Sídan skrýddist biskup öllum messuskrúda sínum, ok gekk fram í stafn á konúngs skipinu, lèt hann þar setja upp ródukross ok tendra fyrir kerti ok bar reykelsi, hann las þar fyrir gudspiall ok margar bænir adrar, stavkti hann vígdu vatni um alt skipit; sídan bad hann taka af tiöldin ok róa inn á fiördinn, hann lèt þá kalla til annarra skipa, at allir skulu róa inn eptir þeim; en er ródr var greiddr á Travnunni, þá gekk hún inn á fiördinn, ok kendo þeir engan vind á sèr, er á því skipi voro, ok svá stód sá töpt eptir í varr simanum, at þar var logn, en svá laus siórokan brott frá á hvárntveggja veg, at hvergi sá fiöllin; rèri þá hvert skip eptir avdru þar í logninu, fóro þeir svá allan daginn, ok um nóttina eptir, komu þeir litlu fyrir dagan inn í Godeyjar u. s. w. Tod Rauds. S. 179: Ólafr konúngr tók þar allmikit fè í gulli ok silfri ok ödru lausafè í vopnum ok margskonar dýrgripum, en menn alla þá, er fylgt höfdo Raud, ok þá voro á lífi, lèt hann skíra, þá er trú vildu taka, en þá, er þat vildo eigi, lèt hann drepa edr pína. Þar tók Ólafr konúngr drekann, er Raudr hafdi átt, ok stýrdi sialfr, þvíat þat var skip miklu meira ok frídara enn Tranan; var framan á drekahöfut, en aptr krókr, ok framaf svásem spordr, var hvártveggi svírinn ok svá stafninn med gulli lagdr, þat skip kalladi konúngr orminn, þvíat þá er segl var á lopti, skyldi þat vera fyrir vængi drekans, var þetta skip þá frídazt í öllum Noregi. Eyjar þær, er Raudr bygdi, heita Gilling ok Hæring [V. Æring, Hræring], en allar saman heita þær Godeyjar, ok Godeyja straumr fur nordan ímilli, ok meginlands [sic.]" Auch Heimskr. 1, 290 bis 295. Fornm. S. 2, 182 bis 184 (S. Ol. Tr. C. 213). 10, 328 f. (S. Ol. Tr. C. 55). Thór S. 37 bis 39.

bemannt gewesen; es ergab sich, daß der Rothbart kein andrer war, als Thôr, einst der Befreier des Landes von gewaltigen Riesenweibern, seitdem der glaubig angerufene Helfer des Volks, jetzt aber durch König Olaf aller seiner Freunde beraubt. Schon vor der Tödtung beider Hrôalde und Rauds hatte Olaf Tryggvason auf einer Versammlung in Vik verkündet, daß alle die Leute, Männer und Weiber, die kundbar mit Galdern und andern Zauberkünsten umgiengen, insbesondre Seidmänner, aus dem Lande wegziehen sollten, auch ließ er sämmtliche Leute dieser Art in dortigem und den benachbarten Bezirken aufsuchen und zu sich entbieten; sie erschienen in großer Zahl, an ihrer Spitze Eyvind Kelda, ein überaus zauberkundiger Seidmann, reich und von hohem Geschlecht, Urenkel des Königs Harald Schönhaar; Olaf sprach ihnen freundlich zu, die Taufe und den rechten Glauben anzunehmen, vom Zauberwesen aber abzustehen, widrigenfalls sie Gut und Vaterland verlassen müsten; als sie seinen Worten kein Gehör gaben, wies er sie alle in einen großen Eßsaal, wo ihnen reichlich Speise und Trank bereitet war, und nachdem sie wohlbezecht eingeschlafen waren, ließ er Feuer an den Saal legen, so daß alle verbrannten, außer Eyvind Kelda der mittelst Zaubers entrann und durch Begegnende dem König sagen ließ, er werde fortan womöglich noch mehr zaubern; die nächsten Ostern feierte Olaf nördlich auf Ögvaldsnes und wurde dort, wie erzählt worden, Abends vor dem Feste von Odin heimgesucht; in derselben Nacht aber kam Eyvind in einem großen dichtbesetzten Langschiffe mit einem Geleite von Seidmännern und Zauberleuten zu der Insel und gieng mit ihnen ans Land; er zauberte hier den Hulidshelm, nemlich solche Nebelfinstre, daß der König und sein Gefolg sie nicht sollte sehen können; jedoch gieng es, als sie den Höfen nahten, ganz anders, der Nebel kam über sie selbst und sie wurden so blind, daß sie nicht besser mit den Augen als mit dem Hinterhaupt sahen und alle rings und krings giengen; die wunderlichen Irreläufer wurden eingefangen und vor den König gebracht, der eben aus der Messe kam; Eyvind gestand, daß er denselben überfallen und im Schlaf erschlagen oder mit allem seinem Gesinde verbrennen wollte; Olaf erräth nun, daß Odin, der Sendbote des Bösen, durch seine ergetzlichen Mähren ihn habe wach erhalten wollen, damit er nachher um so fester einschliefe, und er segnet sich, daß die Wache der Gottesengel mächtiger gewesen, als all jene

Zauberkunst. Nochmals fordert er den bloßgestellten Eyvind und seine Schaar auf, endlich an den wahren Gott zu glauben; als sie aber beharrlich sich weigern, werden sie nach seinem Befehl, geblendet und gebunden, auf eine Fluthklippe ausgesetzt, auf der sie sämmtlich ihr Leben lassen und die davon den Namen Skrattasker, Klippe der Schrate, bösen Geister, erhält[1]. Auch des Namens Eyvind (wie Hróald) gab

[1] Fornm. S. 2, 134 bis 136 (S. Ol. Tr. C. 195): „At þessi sömu veizlu [í Víkinni] taladi konûngr marga luti til sidbótar þeim mönnum, er þar voro samankomnir, ok gerdi þat opinbert fyrir alþýdu, at þeir menn allir, svâ karlar sem konur, er sannir ok kunnir yrdi at því at færi med galdra ok görníngar, einkannliga seidmenn, skyldi allir fara af landi á brott; sídan lèt konûngr leita at öllum þesshâttar mönnum um Víkina, ok öll nálæg hèruth ok bygdir, ok baud þeim öllum á sinn fund; en er þeir komo til konûngs, var þat fiöldi manna, ok var einn allra þeirra foríngi, sá hèt Eyvindr kellda, hann var seidmadr ok allmiök fiölkunnigr. Eyvindr var ættstórr ok audigr, hann var sonarson Rögnvalds rèttilbeina, sonar Harald konûngs hárfagra. Konûngr taladi til þeirra blídliga, ok bad þá taka skírn ok rètta trû, en láta af forneskju ok fiölkýngi, en at ödrum kosti, sagdi hann, skulut þèr fara útlægir af mínu ríki, ok fyrirlâta fè ok föstrlönd“ u. s. w. S. 135: „At ver fyrirlâtim várn átrûnat nè íþróttir u. s. w. brann þar stofan ok alt þat er inni var, nema Eyvindr kellda komst út um glugginn [V. liorann, laundyr] med fiölkýngi ok fiandans krapti u. s. w. en alt á sömu leid ok furr mun fara med alla seid sína ok fiölkýngi, utan nökkut megi vidauka.“ 2, 140 bis 142 (C. 198): „Eyvindr kelda kemr vid Avgvaldsnes. 198. Nû er þar til at taka, at á þessi sömu páskanótt kom þar vid eyna Eyvindr kellda, hann hafdi mikit lángskip alskipat, voro þat alt seidmenn ok fiölkunnigt fólk. Eyvindr gekk upp af skipi, ok alt fólk hans, tôku þá at magna fiölkýngi sína. Giördi Eyvindr þeim hulids hialm, ok þoku myrkr svá mikit, at konûngr ok lid hans skyldi eigi mega sià þá; en er þeir komo nærr bænum á Ögvaldsnesi, þá vard miök annann veg enn Eyvindr hafdi ætlat, þoku myrkvi sá, er hann hafdi giört med fiölkýngi, stód yfir honum ok hans föruneyti, vurdu þeir allir senn svá blindir, at þeir sá eigi heldr augum enn hnakka, ok gengu allir í hring ok í kring u. s. w. fara at vita, hvat manna þeir væri, er svá fóro undarliga u. s. w. at hann hafdi þá ætlat at koma at konûngi óvörum ok drepa hann sofandi edr brenna hann inni med alla sína sveit u. s. w. ef eigi hefdi blindleikr sá meinat, er fèll á þik ok þína menn, var ok þess vân, at meira mundi mega miskun almáttigs guds ok styrkr hans âgætra engla, er hann skipar til vardveizlu ok verndar sínu fólki enn fiölkýngi þín edr sá hinn bölvadi fiandans sendibodi Odinn, er til þess dvaldi fyrir

es zwei heidnische Märterer; unter den angesehenen Männern in Hålogaland, welche dem Bekehrer Olaf widerstanden, befand sich Eyvind Kinnrifa; durch Verrath eines heimlich übergetretenen Freundes ward er vor den König gebracht, der ihm reiche Begabung und seine vollste Freundschaft bot, wenn er die Taufe empfangen wollte, und als dieß vergeblich war, ein Becken mit glühenden Kohlen ihm auf den Leib setzen ließ. Eyvind sprach: „Nimm von mir das Becken! ich will einige Worte sprechen, bevor ich sterbe." Es geschah und nun fragte der König: „Willst du nun, Eyvind, an Christ glauben?" „Nein," sagt dieser, „ich kann die Taufe nicht nehmen, wenn ich auch wollte;" denn, erzählt er, seine Eltern, die sich, um ein Kind zu erhalten, mit großer Gabe an die Zauberkunst der Finnen gewendet, seien beschieden worden, diese vermögen das nicht zu schaffen, aber es könne geschehen, wenn die Eheleute eidlich verheißen, daß das Kind bis zum Todestage Thôr oder Odin dienen solle. „Hierauf," schließt Eyvind, „gewannen sie mich und gaben mich Odin; ich ward auferzogen und sobald ich zu eigener Kraft gelangt war, erneute ich ihr Gelübde, habe auch seitdem mit aller Liebe Odin gedient und bin ein mächtiger Häuptling geworden; jetzt bin ich so vielfältig Odin gegeben, daß ich damit auf keine Weise wechseln kann und auch nicht will." Nach diesem starb Eyvind, er war der zauberkundigste Mann gewesen [1].

oss svefninn á tækiligum tíma med sinum skemtiligum skröksögum, at hann mætti því avdveldligarr oss svíkja ok svæfa, þá er vèr skyldim vaka, sem ek kom vid í morgin u. s. w. En med því, Eyvindr! at þú hefir nú fullkomliga reynt, at þín forneskja ok fiölkýngi vinnr þèr ok avdrum ekki utan ílt, þá muntu nú vilja ok þínir sveitúngar láta af lángri villu ok trúa um sídir á sannan gud. En med því at Eyvindr ok hans fèlagar neittu því þverliga, þá lèt konúngr byrgja þá alla í einu húsi, en annann dag eptir voro þeir fluttir í eitt flædisker at konúngs rádi skamt frá eyjunni blindir ok bundnir; lètu þeir Eyvindr þar allir líf sitt, ok er þat sídan kallat Skrattasker." 10, 288 bis 290 (S. Ol. Tr. C. 32: „Frá seidmannum."). 303 bis 305 (C. 40: „Frá Ólafi konúngi oc Eyvindi kelldu."). S. Ol. Tr. Christ. 1853, S. 30 f. (C. 27: „Frá heidmonnum." S. 34 f. (C. 32: „Fra Odni."). Heimskr. 1, 275 bis 277 (S. Ol. Tr. C. 69: „Seidmanna brenna." C. 70: „Dráp Eyvindar Kelldo.").

[1] Fornm. S. 2, 167 f. (S. Ol. Tr. C. 204: „Daudi Eyvindar Kinnrifu" S. 164 bis 168): „Sídan lèt konúngr bera inn munlaug fulla af glódum ok setja á kvid Eyvindi, ok brátt brast kvidrinn sundr. [Fornm. S. 1,

Es ist nicht zu verwundern, daß, als endlich auch das treue Hålogaland sich durch Olaf den Heiligen christnen ließ, die alten Götter zürnten

306. S. Ol. Tr. C. 150: Ólafr konúngr spurdi þat, at Háleygir höfdo her úti ok ætladu at verja konúngi land, ef hann kvæmi nordr þángat: voro þeir höfdíngjar fyrir lidi því: Hárekr or Þiótto Þórir hiörtr or Vágum ok Eyvindr, er kalladr var kinnrifa.] Þá mælti Eyvindr: taki af mèr munlaugina, ek vil mæla nökkur ord ádr ek dey; ok var þat gert. Konúngr mælti: viltu nú, Eyvindr! trúa á Krist? nei, segir hann, ek má enga skírn fá, þó at ek vildi, þvíat fadir minn ok módir máttu ekki barn eiga, ádr þau fóro til fiölkunnigra Finna, ok gáfu þeim mikit fè til at gefa þeim getnat med sinni kunnustu; þeir sögdust þat ekki mega gera, en þat má vera, segja þeir [at ver megim þiggja at þat barn er þit eigit næst líkamliga lífi, bætir vid S.], ef þit heitit því med svardaga, at sá madr skal alt til daudadags þióna Þór ok Odni, [ef vèr megum ödlast þat barn er líf ok aldr hafi til. Þau gerdu þetta eptir því sem þeir lögdu rád til [vantar í C. S.]; sídan gátu þau mik ok gáfu Odni, fæddumst ek upp, ok þegar ek mátta mèr nökkut, endrnýjada ek þeirra heit, hefir ek sídan med allri elsku þionat Odni, ok vordit ríkr höfdíngi; nú em ek svá margfaldliga gefinn Odni, at ek má því med engu móti bregda, ok eigi vil ek. Eptir þat dó Eyvindr, hafdi hann verit hinn fiölkunnigazti madr." 10, 292 (S. Ol. Tr. C. 34): „Frá Háleyiom. 34. Nordr á Hálogalandi váro III ættstórir menn oc audgir, hèt einn Þórir, oc var calladr hiörtr; annarr hèt Hárekr, þridi Eyvindr kinnriva; þessir váro blótmenn miclir oc villdu eigi láta sid frænda sinna. Oc er þeir vissu von Olafs konúngs nordr þángat, þa söfnudu þeir ímóti honum miclu lidi ok mörgum skipum, oc ætludu at banua honum at hann kæmi í þeirra ríki, oc beriast ímóti honum, er hann bodadi þeim annan sid, en þeir hefdi ádr." 10, 306 f. (S. Ol. Tr. C. 41): „Oc litlu sídarr tók Hárekr Eyvind kinnrivu med vèlum, oc flutti hann á fund Olafs konúngs. Oc hann tók þegar at boda honum úaflátliga guds örendi, oc lagdi á allan hug at snúa honum frá blótum; en hann neitadi med mikilli þrályndi. Þá bad konúngr hann til med blídmæli, oc baud honum veralliga tign, oc micla sæmd, ef hann lèti villu sína. Oc þar com um sídir at konúngr baud honum ríki yfir fim fylkiom [um 4 war Hårek abgefallen; 10, 306: „En þat er fylki callat med Nordmönnum er gera má af XII skip alskipud af mönnum oc vápnum, oc á hverio skipi LX manna eda LXX, sem þá var sidr til"] ef hann villdi cristnaz. En hann neitadi þrásamliga. Þá baud konúngr honum, at setia scylldi á qvid honum munnlaug fulla af elldi. Oc er hann kendi hitans; þá spurdi konúngr, ef hann villdi iáta cristninni. Eigi, sagdi hann; en þó bid ec, at pèr lýdit því, er ec segi, oc hyggit at vandliga! Konúngr mælti: seg þá luti, er þèr licar, en vèr munum lýda. Eyvindr mælti: fadir minn oc

und über die nördlichen Landschaften ein Misjahr verhängten [1]. Die treuesten Anhänger des Heidenthums sind übrigens in den aufgezählten Fällen bald als Opfermänner (blótmenn), bald als Zauberkundige (fiölkunnigir) und in dieser Eigenschaft besonders noch als Seidmänner (seidmenn) bezeichnet; letzterer Name war um so geeigneter, im Munde der christlichen Geistlichkeit das Gehässige des heidnischen Treibens zu betonen, als unter seid zuvor schon hauptsächlich der böse, schädigende Zauber verstanden war. In solcher Weise schildert nicht bloß Yngl. Saga den Seid [2] und es wird in den Geschichtssagen genau berichtet, wie Harald Schönhaar, zwar noch den öffentlichen Opfern vorstehend, aber allerdings dem Odinsglauben bereits abgeneigt, seinen eigenen

módir váro saman lánga hríd med lögligum hiúscap, oc áttu ecki barn; oc er þau ellduz, þá hörmudu þau þat miöc, ef þau dœi erfingialauss. Fóru þau sídan til Finna med mikit fè, oc bádu þá geva sèr nocqvorn ærfingia af fiölkýngis íþrott. Finnar cölludu þá til höfdíngia þeirra anda, er loptit byggia, fyrir því at iafnfullt er loptit af úhreinum andum, sem iördin. Oc siá andi sendi einn úreinan anda í þessa hina döcku myrqvastovu, er at sönnu má callaz minnar módur qvidr; oc sá hinn sami andi em ek, oc hollgudumk ec svá med þessum hetti, oc sídan sýndumc ec med mannlegri ásiá, oc var ec svá borinn í heim, tóc ec oc erfd eptir födur minn oc módur oc mikinn höfdíngscap, oc firir því má ec eigi sciraac, at ec em eigi madr; oc er hann hafdi þetta sagt, þá dó hann." S. Ol. Tr. Christ. 1853, S. 31. 35 f. Heimskr. 1, 272. 288 bis 290.

[1] S. Ol. helg. Christ. 1853, C. 93 f., S. 102: „Olafr konungr dvaldiz mestan lut sumars a Halogalandi oc for i allar þinghár oc cristnadi þar allan lyd u. s. w. þat havst var i þrandheimi halleri a corni. en adr hafdi oc verit lengi god arferd. en halleri var allt nordr i land oc þvi meira er nordarr var u. s. w. C. 94: at avllom monnom þotti þat avdsynt, at gudin havfdv reiz þvi er Haleygir hofdo horfit til cristni." Fornm. S. 4, 234 (S. Ol. helg. C. 102): „þat fylgdi þar, at öllum mönnum þótti þat sýnt, at godin höfdu reidzt því, er Háleygir höfdu til kristni horfit." Heimskr. 2, 180 f. Vgl. Fagrsk. 28 f. 37. Heimskr. 1, 209 f. Fornm. S. 1, 91 f.

[2] Yngl. S. C. 7 (Heimskr. 1, 12): „Odinn kunni þá idrótt er mestr máttr fylgdi, ok framdi sialfr, er seidr heitir: enn af því mátti hann vita örlög manna ok óordna luti, svá ok at göra mönnum bana edr óhamingju, edr vanheilindi; svá ok at taka frá mönnum vit edr afl, ok gefa ödrum; enn þessi fiölkyngi, er framit er, fylgir svá mikil ergi, at eigi þótti karlmönnum skammlaust vid at fara; ok var gydjunum kend sú idrótt."

Sohn Rögnvald, den Großvater Eyvinds Kelda, weil jener ein Seidmann geworden war und die Seidleute den König übel bedünkten, mit achtzig solcher Zauberer durch dessen Bruder Eirik Blutaxt in den Flammen umkommen ließ [1]; schon den Mythenliedern ist der Seid in diesem gehässigen Sinne bekannt: Völuspá sagt von der umherziehenden Vala Gullveig, auf Seid habe sie sich verstanden, selbst durch Seid getäuscht, stets sei sie übeln Volkes Lust gewesen [2], und bei Ögis Trinkmahl rückt Loki dem Odin vor, auf Samsey soll er Seid getrieben und gleich Valen angeklopft haben [3]. Hier jedoch handelt es sich nicht von fahrenden Zauberleuten, die um Lohn ihre Kunst treiben; jene Hróalde, Raud, Eyvinde sind reiche und mächtige Häuptlinge, selbst von königlicher Abstammung, mit großem Gefolge, sie führen Heer und Schiffe zu offenem Kampfe gegen den König, Rauds Hauptschiff Orm ist stattlicher als Olafs Trana (Kranich), der König bietet ihnen Freundschaft und Ehre, Eigen und Lehen, dem Eyvind Kinnrifa bis zu fünf Fylken (Landschaften), wenn sie ihren Irrthum abschwören; er spricht offen aus, welch großen Schaden es ihm, welche Verödung seinem Reiche bringen würde, wenn so viele und herrliche Leute hinwegziehen sollten, die er

[1] Fornm. S. 1, 10 f. (S. Ol. Tr. C. 4): „Rögnvaldr rèttilbeini átti Hadaland, hann nam fiölkýngi ok gerdist seidmadr. Haraldi konûngi þóttu illir seidmenn; á Hördalandi var sá seidmadr er Vitgeirr hèt; konûngr sendi honum ord ok bad hann hætta seidi; hann svarar ok kvad: þat er vá lítil, at vèr seidim karla börn ok kerlínga, er Rögnvaldr seidir rèttilbeini, hródmögr Haralds á Hadalandi. En er Haraldr konûngr heyrdi þetta, þá fór Eiríkr blódöx med hans rádi til Upplanda, ok er hann kom á Hadaland, brendi hann inni Rögnvald med 80 seidmanna, ok var þat verk miök lofat.“ Ebenso 4, 10 (S. Ol. helg. C. 1; nur mit den Var.: „hætta seidum,“ „þótt vèr seidim,“ „Rögnvald sidr,“ „er Haraldr spurdi þat,“ „þá fór med hans rádum Eiríkr, son hans, blódöx, til Uppl., ok kom á Hadal.; hann brendi inni brødur sinn med“ u. s. w.), auch S. Ol. Helg. Christ. 1853, C. 1, S. 5. Vgl. Yngl. S. C. 16 f. (Heimskr. 1, 19 bis 21).

[2] Sæm. 4 f., 25 (M. 4, 26): „seid hon kunni, seidi hon leikin, æ var hon angan illrar þiodar [B. brúdar].“

[3] Sæm. 63, 24 (M. 42, 24): „En þik sìda kodu Samseyju í, ok draptu á vett [B. vætt] sem völur: vitka líki fórtu verþiod yfir, ok hugda ek þat args adal.“ Ebd. 25. Myth. 988. 375 (vgl. Lex. poet. 106 b).

doch als Heiden nicht im Lande zu behalten sich getraue [1]. Sieht man dann auch die Hexereien näher an, die ihnen als Seidmännern schuld gegeben werden, so beschränkt sich der ganze Thatbestand darauf, daß sie Gegenwind, Unwetter und Wogenschlag wecken, um den König von ihren Buchten abzutreiben, daß Rauds Orm, wie Freys Luftschiff Skidbladnir, beständigen Fahrwind hat und daß Eyvind Kelda durch Hulidshelm und Nebelfinstre, die auch der Skalde Thorleif zu galdern verstand, seine Schaar unsichtbar macht, um den König Olaf zur Vergeltung für dessen mörderischen Verrath zu überfallen [2]; wird doch

[1] Fornm. S. 2, 135 (S. Ol. Tr. C. 195): „þá kom konúngr enn til þeirra [Eyv. K.] ok mælti: þat mun ilýsast, at mèr þikkir mikit fyrir at láta ydr, þvíat mikinu skada gerit þèr oss ok ándo riki voro, ef svá margt ok herligt fólk, sem hèr er samankomit, skal á brotto fara, en ek nenni þó eigi at hafa ydr hèr í laudi, ef þèr látit eigi af villu ydvarri; nú vil ek giarna, ef hins er kostr, at þèr látit at minum fortölum, ok leggit nidr fornan átrúnat, en takit í stadinn kristni ok sanna trú almáttigs guds, skulut þèr þá halda eignum ydrum ok ættlöndum, ok þar med hafa med oss samfagnat ok sæmd, vald ok virding nærr sem þèr kunuit beida ek mèr sè heyriligt at veita.“ 10, 289 (S. Ol. Tr. C. 32): „Í þeirri sveit var sá madr, er Eyvindr hèt; hann var af göfuglegri ætt, hann var hinn þridi madr eda hinn fiordi frá Haralldi hárfagra. Konúngr geck á fund þeirra, ok mælti: Mikinn scada geri þèr mèr oc minu riki í ydarri brautferd; oc í várum skilnadi man mèr vera meiri missa en hialp, at þèr farit frá mèr med svá miclum kröptum oc megni, er þèr hafid umfram adra menn.“ S. Ol. Tr. Christ. 1853, C. 27, S. 30.

[2] Fornm. S. 2, 141 (S. Ol. Tr. C. 198): „Giördi Eyvindr þeim hulids hialm, ok þoku myrkr svá mikit, at konúngr ok lid hans skyldi eigi mega siá þá u. s. w. þoku myrkvi sá, er hann hafdi giört med fiölkýngi, stód yfir honum ok hans föruneyti, vurdu þeir allir senn svá blindir, at þeir sá eigi heldr augum enn hnakka“ u. s. w. (Hulids-hialmr bedeckt den, der sich bergen will, þoku-myrkr lagert sich über den, der nicht sehen soll. Vgl. Saxo 8, 157. MS. II, 236 b: „daz gehilwe.“ Fornald. S. 1, 474 f.: „Hverr er sá enn mörkvi“ u. s. w.) 10, 303 f. (S. Ol. Tr. C. 40): „hann [Eyv. K.] þóttisc nú eiga mikit traust, þar sem lid hans var, oc þó þar mest sem váro fiölkunnigir menn, því at þeir váro margir í hans sveit, en þó kunni hann þeirra flest. Oc nú ætlar hann at gánga at Ólafi konúngi, oc drepa hann med allu lidi sínu. En nú com þat hèr fram, sem psálmascálldit segir u. s. w. Oc nú gánga (þeir) af skipum sínum, oc up á eyna, oc til þeirrar kirkio, er konúngr oc byscup oc allt cristit fólk var þá at staddt. Oc er Eyvindr sá heilaga kirkio, þá

von dem neugläubigen König und seinem Bischof ganz derselbe Zauber in christlicher Form entgegengesetzt, indem sie durch Aufpflanzung des Kreuzes, durch Kerzen, Rauchwerk, Aussprengung geweihten Wassers über Schiff und See und Lesung des Evangeliums sich Bahn schaffen, wie auch mit Hilfe der Engel die Blendung auf Eyvind und seine Genossen zurückfällt, merkwürdige Beispiele von dem Fortleben tiefgewurzelter heidnischer Vorstellungen und Gebräuche unter dem Zeichen der neuen Lehre [1]. Olafs Bekehrungswerk, das vom südlichen Norwegen zum nördlichen aufstieg, fand zuletzt noch den hartnäckigsten Widerstand in Hálogaland, wo eben auch mehrere der genannten Opfer ihres väter-

vard hann blindr oc allir hans menn. Gengu þeir þá aptr oc fram um eyna." S. Ol. Tr. Christ. 1853, C. 32, S. 34 u. Heimskr. 1, 276 u. („gerdi Eyvindr þeim huliz hialm oc þoko myrkr sva mikit" u. s. w.) f. Fornm. S. 3, 184 (S. af þorsteini Bæarmagni C. 5): „Rida þeir nú sinn veg, bad þorsteinn þá ei fela sik: þvíat ek kann at giöra þann hulins hialm at mik sèr engi. Godmundr segir þat góda kunnáttu." Vgl. Biörner 823 b. Fornald. S. 3, 219: „Smidr hafdi hulinshialm yfir skipi þeirra." Sæm. 50, 19 (M. 34, 19): „kalla [ský] í Helju hialm hulids." (Myth. 432.) Fornm. S. 10, 383: „Stutt ágrip af Noregs konúnga sögum, K. 6: Nei, qvad hann [Hocon kon.], mic vill hann hitta, scal hann oc þvi mic finna; varp af havfþi ser dulhetti er Scaldaspiller hafþi sett a hialm goilroþinn, er konungrenn havfþi a havfþi til laundar, at þa væri hann torkendri enn aþr, þvi at hann var auþcendr fur hværar sacar oc yfirbragþz. Siþan gec konungrinn undan merkionom fram imot honum kappanom i silki scurtu, oc hialm a havfþi, sciold fur ser, en sverþ i hendi er kvernbiti het; oc syndisc maþrenn sva buinn avllom havcligr." 1, 43 f. (S. Ol. Tr. C. 28: „Bardagi i Stord"): „Hákon konúngr hafdi þá fylkt lidi síno, ok segja menn at hann steypti af sèr brynjunni adr orrostan tækist; Hákon konúngr valdi miök menn med sèr í hird at afli ok hreysti, svá sem gert hafdi Haraldr konúngr fadir hans" u. s. w. S. 44: „Hákon konúngr var audkendr, meiri enn adrir menn, lýsti ok miök af hialmi hans er sólin skein á; þá vard vopnaburdr mikill at konúngi; tók þá Eyvindr Finnsson hatt [V. hettu, hött sinn] einn, ok setti yfir hialm konúngsins; þá kalladi hátt Eyvindr skreyja: leynist hann nú Nordmanna konúngr, edr hefir hann flýit, þvíat horfinn er nú gullhialmrinn?" Fagrsk. 24. Heimskr. 1, 160 f.

[1] Ähnlicher Weise verlangt der h. Martin, dem König (S. 44) Olaf Tr. im Traum erscheinend, daß statt Thors und Odins Becher seine und andrer Heiligen Minne getrunken werde, Fornm. S. 1, 280. 10, 278. S. Ol. Tr. Christ. 1853, C. 24, S. 24 (Myth. 53).

lichen Glaubens heimisch waren. Auf den dortigen Inseln, die schon ihr Name Godeyjar als Stätten des Götterdienstes kenntlich macht [1], walteten Raud und der erste Hröald; Eyvind Kinnrifa war einer der drei haleygischen Häuptlinge, die dem König Olaf ihr Land wehren wollten. Das Heidenthum dieser nördlichsten Landschaft bietet eigenthümliche Züge, die sich mit den dorther stammenden Hladejarlen auch nach Drontheim herab verpflanzt hatten. Man verehrte den Urkönig und Namengeber Hålogalands Hölgi und seine Tochter Thorgerd, genannt Hölgabrud [2], nebst ihrer Schwester Irpa; „Hölgis Geschlecht" hieß die Einwohnerschaft des Landes [3]. Håkon Jarl, der als Hersteller der alten Heiligthümer besungen ist [4], setzte sein besondres Vertrauen auf jene göttlichen Schwestern, sie waren von ihm um den tödtlichen Galder angerufen, der mit dem ihrem Tempel entnommenen Speere Hölgis wider Thorleif Jarlaskåld ausfuhr (s. oben S. 379), vor Thorgerds reichgeschmücktem Bilde warf er sich nieder, um zur Hilfe für seinen Freund Sigmund, der um

[1] Münter S. 482.

[2] Sn. 154 (Arn. 1, 400. 2, 363): „Svá er sagt, at konúngr sá er Hölgi er kalladr, er Hålogaland er vid nefnt [V. nefndr, red fyrir Haulgalandi, hann var], var fadir þorgerdar Hölgabrúdar; þau vorn bædi blótud, ok var haugr Hölga kastadr, önnur fló af gulli eda silfri [V. avnnur af silfri], þat var blótfèit, en önnur flò [V. þridja] af moldu ok grioti. [Fagrsk. 212 a (Reg. ov. Stedsnavne): „Hålogaland, eller Håleygjafylki, det nordlige Kystland med tilhörende Öer fra Bindalen (Birnudalr) indtil Finnmarken u. s. w.] Svá kvad Skúli þorsteinsson u. s. w. Hölga haugþök" u. s. w. (vgl. Sn. 128 u.). Dieser Skalde Skuli, wahrscheinlich ein Thrönder, befand sich im Schiffsgefolge (als „stafnbúi") Eiriks, des Sohnes Håkon Jarls. Fornm. S. 3, 6 f., S. Ol. Tr. C. 256: „Svá sagdi Skúli þorsteinssons, Egilssonar frá Borg, at hann sá Ólaf konúng standa í lyptíngu á Orminum, þá er Skúli sótti aptr á skipit med Eiríki iarli" u. s. w. Vgl. 2, 310. 320. Zu Hålogi auch Fornald. S. 2, 383 f. 392. 446; zu Thorgerd ebd. 2, 131: „þorgerdr Hörgatröll ok adrar stórvættir nordan úr landi."

[3] Fornm. S. 1, 7 (Heimskr. 1, 98): „Hölga ættar". Fornm. S. 12, 25: „Hölga ætt, Håleygir, þeir sem bjuggu á Hålogalandi".

[4] Heimskr. 1, 209 f. (S. Ol. Tr. C. 16), vgl. Fornm. S. 1, 91. 10, 269, Stada-Reg., mehrere Borg, darunter: „Borgin í Nidarósi" u. s. w. 329 f.: „Nidarós u. s. w. Höfudstadr þrándheims í Noregi u. s. w. nú Trondhjem. Merkiligustu örnefni og byggingar í og kríngum Nidarós nefnast: u. s. w. kirkjur: u. s. w. skulagardr" u. s. w.

Vaterrache und Erbnahme nach den Färeyjen schiffen wollte, einen goldenen Armring zu erlangen [1]; den grösten Beweis seiner Zuversicht gab er jedoch, indem er ihnen um den Sieg in der schwankenden Seeschlacht mit den Jómsvikingen seinen Sohn opferte, worauf auch wirklich furchtbarer Hagelsturm gegen seine Feinde losbrach und nachher auf Hákons Schiff erst ein Weib, dann ihrer zwei gesehen wurden, denen fort und fort aus jedem Finger ein Pfeil flog, jeder einem Manne den Tod bringend, so daß endlich der Führer der Jómsvikinge, sich zur Flucht wendend, rief: „nicht gelobten wir, uns mit Unholden zu schlagen" [2]. Die Wirksamkeit dieser nicht dem gesammtnordischen Mythenkreis angehörenden, sondern eigenthümlich haleygisch-thröndischen Gottheiten [3] besteht zumeist in Galdern, die sich ebenso mit denen jener

[1] Fornm. S. 2, 107 f. (S. Ol. Tr. C. 184): „Gekk iarl [Hákon] til at seá, þá er flotat var skipunum ok ferdin albúin; þá mælti iarl: nú sýnist mèr, Sigmundr! sem þín ferd muni búin sem bezt ero faung á u. s. w. nú vil ek þat vita, Sigmundr! hvern átrúnat þú hefir. Sigmundr svarar heldr seint: þat er eigi merkiligt, herra! segir hann, þvíat ek hefir engan átrúnat annann enn ek treystumst hamíngju minni ok sigrsæli, ok hefir mèr þat vel dugat, medan ek hefi verit í hernadi. Jarl mælti: ekki má svá vera, ok verdr þú þángat trausts at leita, sem ek hefir allan trúnat á, er þorgerdr er hölgabrúdr, skulum vid fara ok finna hana. Gengu þeir þá til hofsins, ok fèll iarl allr til iardar fyrir líkneski hennar, þar lá hann lengi; líkneskit var prýdt miök ok hafdi digran gullhríng á armi, en er iarl stód upp, þá tók hann til hríngsins ok vildi ná af henni; en Sigmundi sýndist sem hún beygdi hreifann [V. hnefann]. Jarl mælti: ekki er henni blídt til þín, Sigmundr! ok veit ek eigi, hvárt ek get þèr í sætt komit vid hana, en þat megum vid þar at marki hafa, hvárt hún vill midla okkr hrínginn, er hún hefir á hendi; tók iarl þá silfr mikit ok lagdi á fótstallinn fyrir hana, lagdist iarl þá nidr í annat sinn á gólfit fyrir hana, ok fann Sigmundr, at hann táradist miök, en er hann stód upp, tók hann til hríngsins, ok lèt hún þá lausan. Jarl fèkk Sigmundi hrínginn ok mælti: þenna hríng gef ek þèr til heilla, ok skaltu honum aldri lóga. Sigmundr hèt því." 2, 109 (C. 185): „Nú er at segja frá þeim Sigmundi, þeim gaf vel byri, þartil er þeir áttu eigi lángt til Færeyja" u. s. w. Færeyinga S. C. 23, S. 103 (Sagabibl. 1, 179 f.).

[2] Die Belegstellen sind oben S. 382 f. angemerkt.

[3] Vgl. Munch, Nordmænd. Gudelære 29 f. Wenn weiter herab, in den Gudbrandsthalen, ein Tempel mit dem Bilde der Thorgerd Hölgabrud neben denen andrer Götter vorkommt, so gehörte ja auch dieser zur Hälfte dem Hladejarl Hákon; Njálss. C. 89. Myth. 87. Fornm. S. 12, 295 b

sobenannten Seidmänner, als mit dem in altnordischen Sagen und Geschichtquellen vielbesprochenen Finnenzauber begegnen. Hålogaland grenzte an Finnmörk, den Herd alles Zauberwesens, wohin man von Norwegen herüberkam, um sich Raths zu befragen oder in geheime

(Stada-Reg.): „Gudbrandsdalir (Dalir) u. s. w. þannin kalladist så hluti Upplanda, er lå millum Dofraſjalla ad nordvestan og nordan" u. s. w. Ein Thorgerdtempel auf Island war das Heiligthum eines aus Orkadal in Throndheim stammenden Geschlechts. Sagann af Hördi C. 18, Marcuss. 8°. S. 95 f.: „Grijmkell foor til Hofs þorgerdar Hölda-Brwdar, og villde mæla til Raadabag Þeirra þorbiargar: Eñ er hañ kom i Hoſid, voru Goþiñ i Husle miklu, og Burt-Bvninge af Stöllunum. Grijmkell mællti: Hvörin æter þetta, Edur hvört ætle þier? Hvört vilie þier nu Heillum snwa? Þorgerdur mællti: Ei munum vær til Hardar Heillum snwa, þar sem hañ hefur rændt Soota Broodur voru Gullhrijng sijnum hinum Gooda, og geördi hönum margu Sköm adra; vil ek þo helldur snwa Heillum til þorbiargar, er yfir heñni Lioos mikit, svo mig ugger ad þad skilie med ockur, eñ þu munt eiga skamt epter U-lifad. Hañ foor brott, og vard reidur miög Goþunum, took sier Elld, brendi Hoſid og öll Goþiñ, og qvad þau skylldu ei optar segia sier Harm-Sögur: Og umm Kvölldid er Meñ sastu under Bordum, vard Grijmkell Goþi Braad-daudur, og jardadur Sudur fraa Gardi." (Sagabibl. 1, 276). Ebd. C. 1, S. 69: „A Dögum Harallds Hiñs Haarfagra, Bygdist mest Island, þviad Menn þoldu ei Anaud hañs og Ofrijke: Einkañlega þeir, sem voru stoorrar Ættar og mikillrar Lundar, eñ attu gooda Kosti, og villdu Þri helldur flya Eigner sijnar og Odul, eñ þola Agaang og Ojafnad, ei helldur Kongi eñ ödrum Mönnum: Einn af þeim var Biörn Gull-Beri, hañ foor wr Orkna-Dal til Islands, og nam Reykiadal eñ Sydra, fraa Grijms-Aa til Flookadals-Aar, og bioo au Gullberastödum u. s. w. [Fornm. S. 12, 334 b (Stada-Reg.): Orkadalr (Orknadalr) u. s. w. þartr af Orkdælafylki i þrándheimi i Noregi u. s. w. Orkdælafylki (Orkndælafylki) u. s. w. Fylki i þrándheimi i Noregi, milli Nordmæris og Gaulardals, þad yfirgreip Orknadal, Medaldal og Rennabu, en bar samt nafn af Orkadal.] Son hañs hiñ Elldsti het Grijmkell, hañ var bædi mikill og sterkur" u. s. w. C. 2, S. 70: „Grijmkell bioo fyrst Sudur a Fiöllum, skamt fraa Ölvis-Vatni, þar er nu kallast aa Grijmkelsstödum: Og eru nu Sauda-Hws, Grijmkell hafdi Godord; Audugur var hañ og Höfdingi stoor, og kalladur ecki um allt Jafnadar-Madur. Hañ færdi Bw sitt eptir Konu sijna dauda til Aulvis-Vatns, Þviad hönum Þooktu þar Land-Kostir betri: Bioo hañ þar sijdañ medañ hañ lifdi: Kalladur var hañ Grijmkell Goþi." C. 6, S. 75: „Grijmkell var Bloot Madur mikill: Og var þad eiñ Dag, ad Hof-Helgi var halldiñ ad Ölvis-Vatni" u. s. w.

Kunst einweihen zu lassen, wo die Eindringenden von manigfachem Blendwerk beirrt und befallen wurden und von wo die kundigsten Zauberleute mit ihren Fertigkeiten in andre, vornehmlich die nächstgelegenen Länder ausgiengen. Diese Beziehungen sind an den aufgezählten Beispielen altnordischen Galders im Besondern nachweisbar. Als Harald Schönhaar einmal am Julabend zu Thopten in Uppland (Gudbrandsthale) am Gelage saß, ward er von dem Finnenkönige Svasi an das gegebene Versprechen eines Besuchs in dessen Hofe jenseits der Anhöhe gemahnt und begab sich mit demselben dahin; dort reichte Snäfrid, Svasis schöne Tochter, ihm das Methgefäß, Harald ergriff zugleich mit diesem ihre Hand; es war, als ob Feuerglut ihm die Haut durchdränge, und er führte sie als Vermählte heim; seine Liebe zu ihr war so wahnsinnig, daß er Reichsführung und Königswürde preisgab; als sie dann starb und doch ihre Farbe roth und lebensfrisch blieb, ließ er sie nicht bestatten, sondern saß drei Jahre lang über ihr (von einer Drâpa, die er damals auf sie dichtete, wird ein Gesätz mitgetheilt), er betrauerte die Todte und das Volk ihn als einen Irren, bis zuletzt ein weiser Freund das verzauberte Leintuch, das ihr von Svasi mitgegeben und über ihr ausgebreitet war, wegnehmen ließ, worauf der Leichnam plötzlich in Fäulnis zusammenfiel; von der Zeit wurde König Harald so zornig auf Galder und Zauberkünste jeder Art, daß in seinem Reiche Keiner mit solchen aufkommen konnte, der nicht mit Tod oder Landesflucht bestraft worden wäre [1]; gleichwohl schlug einer seiner Söhne von

[1] In einzelnem verschiedene Darstellungen dieses Abenteuers mit Snäfrid, Sniofrid, das an die bekannte Sage von Karl dem Großen (D. Sag. 2, 128 f. [Karlmeinet Bl. 317, S. 880. Pfeiffers Germania 5, 179 f. K.]), entfernter an das namenverwandte „Sneewittchen“ (Br. Grimm, Hausmärch. 1, 6te Aufl. 1850, 315 f. 3, 93) erinnert: Heimskr. 1, 102 bis 104 (S. Haralds ens hárfagra C. 25: „Frá Svása iötni“ u. s. w.); Fornm. S. 10, 178 (Upphaf ríkis Haraldar hárfagra): Jóla-aptan annan kom Svasi, ok sveik Harald at eiga Snæfridi finnsku; vid henni átti hann Sigurd hrísa, Hálfdán hálegg, Gudröd stíru [Hann nefnist annars í Hkr. Gudrödr liomi, en annar sonr Haralds hárfagra ok Áshildar Hríngsdóttur Gudrödr skirja], Rögnvald réttilbeina.“ 10, 207 f. (þáttr Hauks Hábrokar): „gat hann [Haraldr kon] ok varast alla fiölkýngi ok forneskju, sídan hann gat skilit blekking Svasa, dverga [Svasi nefnist Finnr í sögu Har. hárf. 25 kap., en Jötun í yfirscrift hins sama] þess er til hans kom einn jóla aptan, ok sneri hug hans til einnar finnskrar konu er Sniófrídr hét, med svá heitri

Snäfrid, Rögnvald, der finnischen Mutter nach, wurde darum auch Seidmann und Schrat geheißen, es ist derselbe Rögnvald Rettilbeini, von dem der zauberkundige Eyvind Kelda abstammte und den König

ást, at hann gekk at eiga hana ok unni henni yfir allt fram, þvíat honum sýndist hún hverri konu vænni sakir atkvæda Svasa; átti hann sonu vid henni, sem fyrr segir, ok at endödum þeirra álögum andadist Sniófridr, ok var breidd yfir hana blæan Svasanautr, er svá mikill galdr var í fölginn, at Haraldi konúngi leizt hennar líkami svá biartr ok inniligr, at hann vildi hana eigi iarda láta, ok sat sjálfr yfir henni III vetr, ok gádi einkis sins geds fyrir ofrást vid hana andada; kvad Haraldr konúngr þá um hana drápu, er sídan er köllut Snjófridar drápa, ok er þetta upphaf at: Hneggi ber ek æ ugg ótta blídin [máske réttara hlýdi] mèr drótt dána vek ek dular mey drauga á kerlaug; drápu let ek or Dvalins greip dynja medan fram hrynur, rekkum býd ek Regins drykk réttan, á bragar stétt. Sídan lagdi til einn vitr madr er var med Haraldi konúngi, ok Egill ullserkr [Hkr. nefnir þann mann þorleif spaka] hèt, at af skyldi taka blæuna líkinu, ok svá var giört; var þá líkaminn rotinn eptir líkendum ok illa þefadr, ok sídan greptradr at fornum sid. Eptir þetta vard Haraldr konúngr svá reidr göldrum ok gerníngum ok allri forneskju, at hann lèt öngvan mann þann þrífast í sínu ríki, svá at eigi væri annathvárt drepinn edr landflótta. Sídan var þetta kvedit: Ekki var þat fordum farald, Finnan gat þá ærdan Harald, honum sýndist sólbiört sú; slíks dæmi verdr mörgu(m) nú." 12, 226 f.: „Haraldr hárfagri: Drótt, hlýdin mèr, hnéggi [hnekki] ótta; ek ber æ [eigi] ugg drauga [eg hrædist ekki drauga]: ek vek dular mey [huldu meyna, hana Snjófridi], dána á kerlaug [eptir þessu hefir þá Snjófridr dáid í badi]. Ek let [læt] drápu dynja á bragar stétt [bragar völlinn], medan hrynr or Dvalins greip [úr hendi dvergsins; meiníngin er: eg yrki drápuna, jafnótt og yrkisefnid dettr mèr í hug; hann lætr, sem Dvalinn (dvergrinn) skamti sèr skáldskapinn úr hnefa sínum]; ek býd rekkum réttan Regins drykk [skáldskap]." 12, 227: „þat var ekki farald [almennt] fordum; þá [þó] gat Finnan [hún Snjófridr] ærdan Harald: honum sýndist sú [hún vera] sólbiört; mörgum verdr nú slíks dæmi [marga hendir enn þad sama]." Heimskr. 1, 104: Eptir þat er Haralldr konungr hafdi reynt svik Finnunnar, þá vard hann sva reidr, at hann rak frá ser sonu sína oc finnurnar, oc villdi eigi siá þá." Fornm. S. 10, 378 bis 380 (Stutt ágrip af Noregs konúnga sögum K. 3 f.). 3. Jola aftan er Haraldr sat at mat, þa com Svasi furir dur, oc sendi konungi boþ, at hann sculdi utt ganga til hans, en konungr braz reiþr viþ þeim sendiboþom, oc bar inn sami reiþi hans utt, er boþ hans hafþi borit inn; en hinn bad hann þa eigi furir þvi at siþr annat sinn, oc gaf honom biorscinn eitt til, oc qvaþ sic vera

Harald wegen Zauberns durch Eirik Blutaxt, seinen ältesten Sohn aus andrer Ehe, mit achtzig Seidgenossen verbrennen ließ [1]. Aber auch Eirik,

þann finnenn er hann hafþi iat at settia gamma sinn annan veg breccon-nar a þoptyn, þar sem þa var konungrenn. En konungrenn gec utt, oc varþ honum þess iatce, at hann gec ufir i gamma hans meþ aengian sumra sinna manna, þo at sumer letti. Stoþ þar upp Sniofriþ, dotter Svasa, kvenna vænost, oc burllaþi ker miaþar fult konunginom, oc hann toc alt saman oc havnd hennar; oc þegar com sem elz hiti komi i havrund hans, oc vildi þegar hafa hana a þeirri nott; en Svasi sagþi at þat mundi eigi vera, nema honum nauþgom, nema konungrenn festi hana, oc fengi at lögom, oc hann festi oc fecc (hennar) oc unni sva meþ ærslom, at riki sitt oc alt þat er hans tign buriaþi, þa furlet hann, oc satt hia henni nott oc dag naliga, meþan þau lifþu bæþi, oc iij vetr, siþan hon var dauþ, syrgþi hann hana dauþa, en landz lyþr allr syrgþi hann viltan. 4. En þessa villu at legja coma til læcnanar þorleifr spaci, er meþ viti logþe þa villo oc meþ eftermæli meþ þessom hætti: eigi er, konungr, cunlegt, at tu muner sva friþa kono oc kunstora, oc tigner hana a duni oc a guþvefi, sem hon baþ þic; en tign þin er þo minni enn havfir oc hennar i þvi at hon liggr of lengi i sama fatnaþi; er myclo sanligra at hon se bravrþ; oc þegar er hon var bravrþ, þa slær [þannig leidrett; slæri A] a oþefiani oc yldu, oc hverseyns illum fnycc oc licamanum; var þa hvatat bali, oc hon brend; blanaþi þo aþr allr licaminn, oc ullu avr ormar oc æþlor froscar oc pavddor oc alscyns illyrmi; seig hon sva i ösko; en konúngr steig til vitzco, oc hugþi af heimsco, sturþi siþan riki sino oc sturcþi, gladdisk hann af þegnum sinom oc þegnar af honum, en rikit af hvavrotveggia, oc sat a Noregi einvalz konungr sextogo vetra, siþan er hann hafþi innan tio vetra aflat alz Noregs.“ Es fragt sich, ob nicht die Sage vom Zauber, durch den Harald an die Todte gefesselt war, aus misverstandenen Worten der Sniðfrìdardrâpa erwachsen ist.

[1] Vgl. S. 392 f. Fornm. S. 10, 378 (Stutt âgr. K. 2): [Haraldr hârf.] âtti suno tvitian, oc meþ morgom conom u. s. w. var Eiricr bloþax ælztalagi sona hans u. s. w. X. Rögnvaldr u. s. w. XX. Rögnvaldr raykill, er sumer calla Ragnar, er var sunr finncono einnar er colloþ var Sniofriþ, dotter Svasa Finnconungs, oc bra honum til moþor sinnar, var hann callaþr seiþmaþr, þat er spamaþr, oc var staþfastr a Haþallandi, oc siþdi þar oc var callaþr scratti.“ Dagegen ist Fornm. S. 10, 178 (s. S. 399), ebenso 1, 5 (S. Ol. Tr. K. 2: „Sigrödr hrîsi, Hâlfdân hâleggr, Gudravdr liomi, Rögnvaldr rèttilbeini; þeir voru synir Sniðfrîdar finnsku: Dagr Hrîngr, Ragnar rykkil; þeirra môdir hêt Âlfhildr, dôttir Hrîngs Dagssonar af Hrîngarîki“ u. s. w.), ebd. S. 6 („Konûngr skipti landi med sonum sînum: u. s. w. Heidmerk ok Gudbrandsdali gaf hann Dag og Hrîng ok Ragnari; Snæfrîdar sonum gaf hann Hrîngarîki, Hadaland, þotn ok

der Vollzieher dieses Befehls, konnte sich des finnischen Zauberkreises nicht ganz erwehren; seine Gemahlin Gunnhild, Tochter des Özur Töti aus Hålogaland, war in jungen Jahren nach Finnmörk gegangen, um daselbst Zauberkunde bei zwei Finnen zu erlernen, welche für die erfahrensten darin galten; als sodann Eirik auf seinen Kriegszügen dorthin kam, fanden Leute seines Heers die schöne Gunnhild im Hause der beiden auf der Jagd abwesenden Finnen, deren eifersüchtige Bewerbungen ihr lästig waren, vor deren ungemeinem Vermögen sie aber warnte: dieselben haben die Spürkraft der Jagdhunde, verstehen sich auf den Schrittschuhlauf, daß ihnen weder Menschen noch Thiere entrinnen können, treffen Alles, wonach sie schießen; wenn sie zornig werden, drehe sich die Erde vor ihren Blicken um, und was ihnen dann Lebendiges unter die Augen komme, das falle sogleich todt nieder. Dennoch weiß sie Rath, wie man die Heimgekehrten bewältige, und als dieß gelungen, wird sie zu Eiriks Schiffen gebracht, der darauf in Hålogaland bei ihrem Vater um sie wirbt und sie nach dem Süden heimführt [1]; daß aber etwas von den Finnenkünsten an ihr haften blieb,

þat er þar lá til" u. s. w.; vgl. Heimskr. 1, 114) und S. Ol. helg. Christ. 1853, C. 1, S. 4, Rögnvald Rettilbeini, als Sohn Haralds von Snäfrid genau unterschieden von Ragnar Rykill, dessen Sohne von Álfhild; auch wird nach denselben Zeugnissen Hadaland den Snäfridssöhnen zugetheilt; als Inhaber dieser Landschaft ist noch besonders Rögnvald genannt; dort treibt er, laut des Verses selbst, den Seid und dort wird er mit 80 andern Seidmännern verbrannt; auch ist es der einleuchtendste Zusammenhang, daß Harald, des Finnenzaubers an Snäfrid milde geworden, denselben streng verbietet und sogar an seinem, der finnischen Mutter nachartenden Sohne bestraft.

[1] Fornm. S. 1, 8 bis 10 (S. Ol. Tr. C. 3): „Eptir þat fór hann [Eiríkr blodöx] nordr á Finnmörk ok alt til Biarmalands, ok átti þar orrosto, ok hafdi sigr; þá er hann kom aptr á Finnmörk, fundo menn hans í gamma einum konu þá er their höfdo enga sied iafn frída; hún nefndist fyrir þeim Gunnhildr; en fadir minn, segir hún, býr á Hálogalandi, er heitir Özurr toti; ek hefir hèr verit at nema kunnastu at Finnum 2, þeim er hèr ero frôdaztir á mörkinni; þeir ero nú farnir á veidar, en bádir þeir vilja eiga mik; þeir ero svá vísir at þeir rekja spor sem hundar bædi á þá ok á hiarni, en þeir kunna svá vel á skídum, at ekki má fordast þá hvárki menn nè dýr; þeir hæfa ok alt þat er þeir skiota til; svá hafa þeir fyrirkomit hverjum manni, er hèr hefir komit í nánd; en ef þeir verda reidir, þá snýst iördin um [V. springr iördin] fyrir siónum þeirra, ok ef þá verdr nakkvat kvikt fyrir siónum þeirra,

davon zeugt der Trank, den sie dem Skalden Egil mischte (s. oben S. 377). Hakon Jarl besiegt die Jomsvikinge durch das Unwetter, welches Thorgerd und Irpa der feindlichen Flotte entgegentreiben, und durch die tödtlichen Pfeile, die von ihren Fingern fliegen; Beides erscheint unter den Finnenkünsten, das Wettermachen ganz herkömmlich und einmal auch das Pfeilschießen aus allen Fingern [1]; die Finnen waren überhaupt als Bogenschützen berühmt und Zauberpfeile, die von ihnen kommen, sind ein wesentlicher Bestandtheil der norwegischen Sagen von Orvarodd und seinen Voreltern [2]. Auch die von Olaf Tryggvason verfolgten Seid-

þá fellr þegar daudt nidr; nú megut þér fyrir engan mun verda á veg þeirra. Ek mún fela ydr hèr í gamma mínum; skulom vèr þá freista at vèr fáem drepit þá; þeir þekkjast þetta u. s. w. S. 10: Gunnhildr görir þá bending konúngsmönnum; laupa þeir þá upp, bera vopn á Finnana ok fá bladit þeim [ok drápu Finnana], draga þá sídan út or gammanum; voro þá reidar þrumur svá stórar, at þeir máttu hvergi fara. En at morni [nokkuru sídar] fóro þeir til skipa ok höfdu Gunnhildi med ser ok færdo hana Eiríki; fór þá Eiríkr leidar sinnar; en er hann kom á Hálogaland, stefndi hann til sín [fann hann] Özuri tota, ok sagdi, at hann vildi fá dóttur hans. Özurr játadi því; fèkk Eiríkr þá Gunnhildar, ok hafdi hana med sèr sudr í land." Heimskr. 1, 111 u. bis 113. S. Har. hárf. C. 34. Fagrsk. 14. Vgl. Fornm. S. 1, 18. 4, 14. Ol. Tr. S. Christ. 2 f.

[1] S. Ol. Tr. Christ. 1853, C. 22, S. 18 f.: „Þa gördu Finnir um nottina med fiolkingi ödi vedr [Lex. poet. 147 b] oc storm sevar u. s. w. [S. 19] matti þa meira hamingia konungs en fiolkyngi Finna" u. s. w. Heimskr. 2, 8 (S. Ol. Tr. C. 8). Fornald. S. 2, 117: „hygg ek at valdi Finna fiölkýngi feikna vedri". 2, 179 f. (515 f.) Ebd. 3, 444 (Sörla S. C. 20): „Tveir brædr voru med honum [Sörla] finnskir, hèt annar þeirra Falr, enn annar Fródel; þeir voru bádir vel mentir í kýngikröptum öllum ok forneskju, svá at, nær þeim sýndist, voru þeir adra stund í iördu; en svá þótti mönnum, sem ór flýgi af hverjum þeirra fingri, ok fyrir hverri ör madr til dauda kiörinn." Die Saga von Sörli dem Starken ist zwar gänzlich romanhaft (Sagabibl. 2, 621 ff.), gleichwohl scheint dieser Finnenzauber alterthümlicher Überlieferung entnommen zu sein.

[2] Die Erwerbung der Pfeile Gusisnautar in der S. Ketils Hængs C. 3 (Fornald. S. 2, 118 ff.), die Übergabe derselben an Örvarodd durch seinen Vater Grim Lodinkinni, den Sohn Ketils, in Örvaroddssaga C. 4 (Fornald. S. 2, 173; vgl. 2, 511, C. 7): „hèr eru gripir þeir, er ek vil gefa þèr, Oddr frændi! sagdi Grímr, þat eru þriár örvar, en þær eiga nafn, ok eru kalladar Gusisnautar. Hann selr nú Oddi örvarnar; hann litr á, ok

männer bezeigen sich als solche hauptsächlich wieder durch ihre Macht im Luftgebiete, mittelst welcher sie Gegenwind und Fahrwind, Schlagregen und Nebelwolke, stürmische und stille See zu bewirken im Stande sind; zugleich aber sind sie mehrentheils ausdrücklich mit den zauberkundigen Finnen in Beziehung gebracht: Raud dem Starken, der, wie der erste Hróald, auf einer Godey heimisch war, standen benachbarte Finnen in Menge zu Gebot (s. oben S. 385 f.); Eyvind Kelda stammte in zweitem Gliede von dem Seidmann Rögnvald, dem Sohne der Finnenschülerin Snäfrid, mit dem Scheltnamen Schrat, wie auch Eyvind und seine Zaubergenossen genannt sind (s. oben S. 389); Eyvind Kinnrifas Geburt hieng mit der Befragung zauberkundiger Finnen zusammen, ja nach der einen Darstellung hielt er sich selbst für einen unreinen Geist, den der oberste der finnischen Luftgeister, auf Anrufen der Zauberer, in den Schoß seiner Mutter gesandt habe, weshalb er auch nicht getauft werden könne [1]. Olaf Tryggvason selbst, der Vertilger dieser Widerspenstigen, hatte sich einmal, obgleich schon Christ geworden, bestimmen lassen, bei einem weisen Finnen Rath und Voraussage einzuholen [2], und noch unter Olaf dem

mælti: þetta eru hinar mestu gersimar; þær voru gulli fidradar [V. fialladar], ok þær flugu sialfar af streng ok á, ok þurfti aldri at leita þeirra. þessar örvar tók Ketill hængr af Gusi Finnakonûngi; þær bíta allt þat, þeim er til vísat, þvíat þær eru dverga smídi." Dichterisch heißt das Geschoß „Finna vápn" (arma Finnorum), die Pfeile „Finna giöld" (tributa Finnorum), Lex. poet. 171 b. Finnbegi war ein altnordischer Name.

[1] Fornm. S. 10, 307 (S. Ol. Tr. C. 41); Heimskr. 1, 290 (S. Ol. Tr. C. 63); s. S. 391, Anm.

[2] Fornm. S. 10, 261 bis 263 (S. Ol. Tr. C. 16): „þeir mæltu þá: þat vitum vèr at finnr einn á hèr bygd í fialli þessu, oc veit hann marga luti firir; comum oc hittum hann, oc spyriom hvat vèr scolum gera, bidiom hann ráda oss nocqvor heilrædi. Ólafr mælti þá: leitt er mèr oc lítit um at hitta þesskyns menn, eda þeirra traust at sækia; en med því at ydr líki þetta, þá verdi guds vili oc várr. Sídan gengu þeir í myrkrinu um nótt, oc var þar feniótt mlöc oc blautt at fara; oc þá liop Ólafr í fen eitt bádum fótum miök, en tócu til hans oc studdu hann or feninu; þá mælti Ólafr: því bar svá til at mèr hefndi, oc sýndiz þat at illa samir at leita sèr traustz eda fulltíngs at finninum; oc vard þetta af mínum verdleik. þeir mælto þá: þat er fornt mál at býsna scal at betr verdi. Fidrinn veit nú firir ferd þeirra, oc lýcr up durum húss síns at þeir mætti hitta bygd hans. Oc er þeir sá þángat liós, þá hitta þeir leid sína þángat; oc finnrinn mæltisc innan firir, oc sagdi svá:

Heiligen befaßte sich ein mächtiger Mann in Hålogaland mit Finnenzauber; derselbe hieß Thorir Hund, war bei der Bekehrung dieser Landschaft Lehensmann Olafs geworden, schwor aber nachher dem Dänenkönige Knût Lehentreue, machte mit dessen Unterstützung Kauffahrten zu den Finnen, auf denen er großen Reichthum erwarb und sich ein Zaubergewand aus Rennthierfellen verschaffte, das allen Waffen widerstand und mit welchem angethan er in der Schlacht bei Stiklastad an der Spitze der Haleygjer dem König Olaf entgegentrat und, vor dessen Schwertschlag durch diesen Finnenzauber geborgen, ihn mit dem Speere durchstach; nachmals aber verkündigte Thórir den Heiligenruhm Olafs und pilgerte nach Jerusalem, von wo er nicht wiederkam, so daß auch aus diesem letzten Zusammenstoß des haleygisch-finnischen Zaubers mit dem christlichen Wunder das letztere siegreich hervorgieng; die machtstarken Galder zauberkundiger Finnen sind hier wieder durch den Vers eines gleichzeitigen Skálden, Sighvats, bezeugt [1]. Auch noch die norwegischen

veit ec, Ólafr, hverr þú ert, eda hvers þú leitar, eda hverr þú mant verda; en ecki þarft þú at gánga í hús mín; oc þúnct hefir mèr verit í dag firir þèr, sídan er þú comt vid land; oc eigi fara litlar fylgior firir þèr, því at í þínu föruneyti ero biört gud; en þeirra samvistu má ec eigi bera, því at ec hefi annarsconar náttúru; oc firir því scallt þú útan firir mælasc. Þá mælti Ólafr: seg nú, finnr, hvat vèr scolum at havaz, eda hvat tídinda verda man um vár vidskipti, eda hvárt man ec fá ríki þetta eda eigi. Finnrinn svarar" u. s. w. S. 263: „Oc fór þetta alt eptir því sem finnrinn hafdi sagt". S. Ol. Tr. Christ. 1853, C. 12, S. 16 f. (Nichts von dem Finnen Fornm. S. 1, 206 und Heimskr. 1, 256.)

[1] Fornm. S. 4, 233 (S. Ol. helg. C. 101): „Ólafr konúngr dvaldi mestan luta sumars á Hálogalandi, oc fór þar í allar þinghár, oc kristnadi þar allan lýd. Þá bió í Biarkey Þórir hundr, hann var ríkastr madr nordr þángat, hann gerdist lendr madr Ólafs konúngs." 5, 3 f. (C. 164): „stefndi hann [Knútr] þá í Þrondheimi átta fylkja þing, ok var á því þingi Knútr til konúngs tekinn um allan Noreg. Þórir hundr hafdi farit or Danmörku med Knúti konúngi, ok þar var Hárekr or Þiótta kominn; giördust þeir Þórir lendir menn Knúts konúngs, ok bundu svardögum; konúngr gaf þeim stórar veizlur, ok fèkk þeim finnferd" u. s. w. 5, 42 (C. 182): „Þórir hundr hafdi Finnferd haft þessa 2 vetr, oc hafdi verit lengi hvárntveggja vetr á fialli uppi, oc fengit óof fjár, hann hafdi átt mörg kaup vid Finna. Hann lèt giöra sèr 12 hreinbialba med svá mikilli fiölkýngi, at ekki vápn festi á, ok sídr myklu enn á brynju" u. s. w. 5, 82 f. (C. 211): „á adra hönd Kálfi Árnasyni

Christenrechte strafen das Fahren zu den Finnen und den Glauben an ihre Wahrsagerei [1]. [S. Anm. unten S. 408.] Es lag in der Art und Lebens-

gekk fram Þórir hundr. Olafr konûngr hiô til Þôris ok um Þverar herdarnar; sverdit beit ekki, en svâ sýndist sem dust hryti or hreinbialfanum; Þessa getr Sighvatr skâld: Mildr fann giörst, hve galdrar, gram [B. grams, gramr] sialfr [B. silfrs], megin-rammar fiölkunnigra Finna fullstôrum barg Þôri; Þâ er hýr sendir, Hundi, hûna gulli bûnu, slætt rèd sizt at bita, sverdi laust um herdur." [12, 101: „Sialfr mildr gramr fann giörst, hve meginrammir galdrar fiölkunnigra Finna barg fullstôrum Þôri: Þâ er hûna hyrsendir laust gulli bûnu sverdi um herdar Hundi; slætt rèd sizt at bita. Hat etwa Raudr hinn rammi diesen Beinamen auch von den „meginrammir galdrar"? Vgl. Sæm. 196, 20: „meginrûnar;" „ramme runer" Myth. 1176. Vgl. jedoch Vatnsd. S. 2: „rammr at afli."] Þôrir hiô til konûngs, ok skiptust Þeir Þô vid nökkurum höggum, ok beit ekki sverd konûngs, Þar er hreinbialfinn var fyrir, en Þô vard Þôrir sâr â hendi. Enn kvad Sighvatr" u. s. w. S. 83: „Konûngrinn mælti til Biarnar stallara: ber Þû hundinn, er eigi bita iarnin; Biörn snèri öxinni î hendinni sèr ok laust med hamrinum, ok kom â öxlina, ok vard allmikit högg ok hratadi Þôrir vid; en eptir Þetta snèri konûngr î môti Þeim Kâlfi frændum, ok veitti banasâr Ólafi, frænda Kâlfs; Þâ lagdi Þôrir hundr spioti til Biarnar stallara, ok â honum midjum, ok veitti hônum banasâr; Þâ mælti Þôrir: svâ bötu vèr biörnuna. Þorsteinn knarrarsmidr hiô til Ólafs konûngs med öxi, ok kom â fôtinn vinstra vid knèit; Finnr Arnason drap Þegar Þorstein; en vid sâr Þat hneigdist konûngr vid stein einn, ok kastadi sverdinu, ok bad sèr gud hialpa; Þâ lagdi Þôrir hundr spioti til konûngs, kom lagit nedan undir brynjuna, ok rendi upp î kvidin; Þâ hiô Kâlfr til konûngs, kom Þat högg enum vinstra megin â kâlfann [B. hâlsinn]; ok greinast menn â Þat, hvârt Kâlfr veitti konûngi sâr; Þessi Þriû sâr hafdi Ólafr konûngr til lîflâts; eptir fall hans fèll sû sveit öll, er fram hafdi gengit med Ólafi konûngi" u. s. w. 5, 85 (C. 213): „Þôrir hundr gekk Þar til, sem lâ lîk Ólafs konûngs, ok veitti Þar umbûnad, lagdi nidr lîkit, ok rètti ok breiddi klædi yfir, ok er hann Þerdi blôdit af andlitinu, Þâ sagdi hann svâ sidan, at andlit hans væri svâ fagrt ok rodinn î kinnunum, sem Þâ at hann svæfi, en miklu biartara enn Þâ er hann lifdi; Þâ kom blôd konûngsins â hönd Þôri, ok rann upp â greipina, Þar er hann hafdi âdr sâr fengit, ok Þurfti um Þat sâr eigi at binda Þadan frâ, svâ grèri Þat skiott; vottadi Þôrir Þenna atburd sialfr, Þâ er helgi Ólafs konûngs kom upp fyrir alÞýdu, vard Þôrir hundr fyrstr manna til Þess, at halda upp helgi Ólafs konûngs, Þeirra manna at Þar höfdu verit î môtstöduflokki hans." 5, 124 (C. 239): „Þôrir hundr fôr af landi litlu eptir fall Ólafs konûngs; Þôrir fôr ût til Jôrsala, ok er Þat margra manna sögn, at hann hafi eigi aptr komit.

weise des Volkes und in der natürlichen Beschaffenheit des Landes, daß man den Finnen jene außerordentlichen Kunden und Fertigkeiten zuschrieb;

Sigurðr hèt son Þôris, Þôrir hèt [B. hann var] faðir Rannveigar, er âtti Jôn u. s. w. Þeirra börn voru u. s. w. ok Sigurðr hundr u. s. w. ok Jarðþrûðr." 5, 207 f. (Viðraukar við Ólafs sögu helga, er hin handritin hafa helzta umfram aðalskinnbôkina): „Þ. Þôrir hundr segir Knûti iarteignir Ólafs [Eptir Kap. 226 î A bætir F þessum innî]. Mikil var umræða um helgi Ólafs konûngs, ok svâ um þat, hverr at Knûti konûngi skyldi segja. Þôrir hundr kveðst þat gera mundu, þvîat ek hefi iarteign fengit af konûngi, ok leynt helzti lengi; vèr höfum keypt at Finnum 12 mötunautar, at þeir gerði oss þâ bialba, at ekki bîti iarn â, ermr var sköm â bialba þeim, er ek hafða, ek var höggvinn â höndina, svâ at miök svâ leysti frâ þumalfingrinn, en þâ er vèr unnum â konûnginum, hôf hann til himins augu sîn, þâ kom mèr î hug glæpr minn, ok brâ mèr við miök, svâ at frâ mèr tôk sýn, ok þâ meðan rann blôð konûngsins eptir spiotskeptinu ok upp â hönd mèr, þâ var fingr minn viðgrôinn, er ek tôk sýn, ok er sem þrâðr liggi eptir um fingrinn, þessa iarteign skal ek sýna Knûti konûngi, hann veit hversu makligr ek var. Þôrir hundr ferr til Englands, ok segir Knûti konûngi allt, hversu farit hafði. Konûngr varð miök ûglaðr við þessa sögu. Þôrir spurði, hverju þat gegndi. Konûngr svarar: ek þôttumst þat vita, at annarhvor okkar mundi heilagr vera, ok hafða ek mèr þat ætlat, þô skal ek nû leggja fè fyrstr til skrîns Ólafs konûngs, hans ûvina, ok trûa fyrstr helgi hans, ok eigi skal ek koma î Noreg, með þvî er Ólafr er heilagr." 5, 235 bis 237 (Viðrauk.): „Eptir drâp Karla fèkk Þôrir hundr mikla ûblîðu af Ólafi konûngi. Sâ konûngr rèð þâ fyrir Finnmörk, er Möttull hèt (hier scheint die Bezeichnung des Überkleids, das sonst bialbi heißt, möttull m., Mantel, misverständlich zum Namen eines Finnenkönigs geworden zu sein]; hann var heiðinn blôtmaðr ok miök fiölkunnigr; þangat fôr Þôrir â fund hans. Þôrir gekk fyrir Möttull, ok kvaddi hann; konûngr tôk kveðju Þôris, ok spurði, hve sætti, er hann var þangat kominn allt norðr. Þôrir svarar: harðr var nû â annat borð, þvîat mèr (er) eigi ûhætt nû heima at bûum mînum fyrir Ólafi digra. Möttull svarar: þat mun eigi satt, er þû segir nû, at þèr muni eigi ûhætt vera fyrir konûngi yðrum Ólafi, þvîat ek veit, at hann hefir lengi verit mikill vinr þinn, ok mun hann halda fast vinfengi sînu við yðr kristna menn, þvîat þèr, kristnir mennî kallið konûng yðvarn vitran ok vel at sèr; nû er sâ einn allvel at sèr, er bæði er vinfastr ok vingôðr. Þôrir svarar: veit ek, at þû munt spurt hafa missætti þat, er gerzt hefir með okkr Ólafi konûngi, hversu hann tôk af lîfi Þôri, frænda minn, með mikilli svîvirðîngu; fyrir þat hefir ek drepit nokkura menn, ok þô einum til fâtt, er ek hefir eigi konûnginn sialfan við velli lagt; nû er ek þvî

das Wissen von verborgenen und künftigen Dingen beruhte, wie sich in einem Falle aus Raumsdal deutlich hervorstellt, auf dem eben diesen

á þinn fund kominn, at ek veit at þú ert bædi vitr ok stórrádr ok kannt mart þat, er eigi kunna adrir menn; nú ætla ek mèr þar til trausts ok fulltingis sem þú ert. Möttull svarar: ef þèr er þetta svá gefit, sem þú segir, þá mun þèr at því verda, sem þú væntir; skaltu vera hèr med mèr vid tólfta mann, ok bída svá þins sóma; þviat eigi munu fleiri mik heimsækja enn svá af lidi Ólafs konúngs enn mèr er naudsýn á at gera þeirra för góda híngat. Nú var þórir þar, ok þeir 12 saman, ok nam þar fiölkýngi. Um vorit gekk þórir fyrir Möttul, ok bad hann leggja til med sèr rád sín ok hamingju: þviat ek treystum framarliga ydrum frúdleik um alla luti. Möttull svarar: fúss vil ek mína hamingju tillegja med þèr ímót Ólafi konúngi, ok svá segir mèr hugr um, at þú munir um sídir sigrast á honum: nú eru hèr 12 hreinbialfar, er ek vil þèr gefit hafa, hefir ek þá svá signada ok magnada, at engan þeirra mun iarn bíta. þessa bialfa hafdi þórir ok hans menn á Stiklastödum.“ Ólafs S. hins helga, Christ. 1849, C. 91, S. 69: „þorer hundr oc þæir .XII. saman ero firir utan fylcingarnar oc lausir oc varo i vargskinz stackum.“ (Vgl. Vatnsd. S. 36 f.) K. 92, S. 70: „Sva sægia menn at Biorn digri hio med sværdi til þores hunnz um dagenn. en þar sem a kom bæit æigi væundi bærdium. En þorer oc þæir .XII. saman varo i vargskinz stakcum þæim er Finnar hafdu gort þæim med mikilli fiolkyngi. þa er Biorn sa at sværdet bæit æigi. þa kallade hann a konongenn oc mællte. Æigi bita vopnen hundana. Bæri þer þa hundana. sagde konungrenn. þa tok Biorn ser klubbu mikla ok laust þore hund sva at fell vid. Oc æ sidan bar hann hallt haund iamnan. Oc þa liop hann upp oc lagde Biorn med spiote oc mællte. Sva bæitum ver biarnuna a morkenne nordr sagde hann. Biorn gecc a laget oc bæit a kampenom.“ (Weiter ebd. C. 93, S. 70. C. 99, S. 73.) S. Ól. helg. Christ. 1853, S. 102. 198. 218 f. 225. 237. Heimskr. 2, 180. 328. 366. 399. 406 bis 410. (Heimskr. Peringsk. 2, 15: Magn. Góð. S. C. 12: „þorir for ut til Jorsala u. s. w.“) Fornm. S. 7, 129 (S. Sigurd. Jórsalaf. C. 29): „þat lèn, at ek skyldi hafa finnför ok kaup vid Finna u. s. w.“

¹ [Zu S. 406.] Ældre Borgarthings-Christenret 16 (Norges gamle Love 1, 350 f.): „þæt er ubota værk at gera finfarar. fara at [at fara a Finmork oc] spyria spa“. Ældre Eidsivathings-Christenret 45 (1, 389 f.): „Engi madr a at trua. a finna. eda fordædor. eda a vit. eda blot. eda rot. eda þat. er til hæidins sidar hœyrir. eda læita ser þar bota. En ef madr fær til finna. oc uærdr hann sannr at þui. þa er hann utlægr. oc ubota madr. oc firigort fe sinu allu u. s. w.“

Bewohnern des hohen Nordens eigenthümlichen Hellsehen [1], die ungemeine Spürkraft und das zauberhafte Geschoß hängt mit ihrem Jägerleben zusammen, das gefeite Überkleid mit der vielbetriebenen Kauffahrt nach den Fellen der Finnmark, das Wettermachen und der Zaubernebel mit den raschen Wechseln der Luftstimmung in Gebirg und Buchten, die wunder-

[1] Fornm. S. 12, 339: „Raumsdalr [Rómsdalr] u. s. w. Sama sem Raumdæla-fylki; lá milli Nord- og Sunnmæris, en adskildi þær þó ekki fullkomliga ut til sjóar. Upp frá Raumsdal tóku Gudbrandsdalir vid". Vatnsdæla S. C. 12, S. 50 [Ausg. von Gudbrandr Vigfusson S. 22. K.] ff.: „Ingemundr kvad [zu Har. hárf.] sêr fýst á at vita ok reyna hvert hann fyndi ecki hlutinn þann er gêfinn væri fyrir öndvegissûlum hans, kann ok vera at þat sê eigi til enskis gért, er nû ok ecki þvî at leyna, herra! at ek ætla at gera eptir finnum þeim er mér sýni hérads vöxt ok landskipun þar sem ek skal vera, ok ætla ek at senda þá til Islands u. s. w. Ingimundr fôr heim ok sat at bûum, hann sendir eptir finnum ok komu nordan iij. Ingimundr sagdi, at hann vill kaupa at þeim, ok vil ek gefa ydr smiör ok tin, enn þér farit sendifôr mîna til Islands, ok leitit eptir hlut mînum, ok segit mér frá lands legi. þeir svara: sem [sendi-] sveinum er þat forsendîng at fara, enn þó fyrir þîna áskorun vilium vér prôfa; nû skal oss byrgia eina saman î hûsi ok nefni oss engi madr, ok sva var gert. Ok er lidnar voru iij nætr kom Ingimundr til þeirra. þeir risu þá upp ok vörpudu fast öndinni, ok mælltu: sem [sendi-] sveinum er erfidt, ok mikit starf höfum vér nû haft, enn þó munum vér med þeim jarteiknum fara at þû munt kenna land, er þû kemr at vorri frásögn, enn torveldt vard oss at leita at hlutnum ok mega mikit atkvædi finnunnar, þvîat vér höfum lagt oss î mikla ánaud; þar komum vér á land sem þrîr firdir gânga af landnordri, ok vötn vôru mikil fyrir einu fiördin; sîdan komum vér î dal einn diúpan, î dalnum undir fialli einu var hollt mikit, þar var byggiligr hvammr, ok þar î holltinu var hlutrinn, ok er vér ætludum at taka hann þá skautst hann î annat holltit, ok sva sem vér sôttum eptir fôr [V. hliop] hann ávallt undan, ok nockr hulda lá ætid yfir sva at vér nádum eigi ok muntu sialfr fara verda. Hann kvadst þá ok skylldi burt fara, ok kvad ecki mundi stoda vid at sporna, hann gerdi vel vid finnana ok fôru þeir burt u. s. w." [Vgl. S. 55, Anm. zur Übersetzung: „y) Denne heele Fortælling stemmer ganske overeens med de nyere Skribenteres Efterretninger om de lappiske Troldmænds Kunster, med at lade Sielen fare til fremmede Lande medens Legemet ligger som dödt, i hvilken Tid ingen maa röre ved dem u. s. w. Schefferi Lapponia, p. 130. jfr. Olafsens Reise I. S. 475."] C. 14, S. 62: „Ingimundr kaus ser bûstad î hvammi einum ok efnadi til bæar, enn reisti hof mikit (feta lángt, ok er hann grôf fyri öndvegis-sûlum þá

bare Lenksamkeit der Fahrzeuge mit dem Ansehen finnischer Schiffbauer [1]. Bei dieser heimathlichen Begründung des Finnengalders und dem nachgewiesenen Übergang desselben auf das angrenzende Norwegen gewinnen auch die finnischen Anklänge in nordischen Mythenliedern und Göttersagen an Bedeutung, wie solche mit Vafthrûdnismâl und dem Vegtamsliede, dann besonders mit den odinischen Galdern im Rûnatal sich

fann hann hlut sinn sem hönum var fyrir sagt." [Eine finnische völva ebd. S. 44 f. (Landn. S. 186 f.) 50. 62.] C. 10, S. 42 f.: „þeir Ingialldr efla þar seid eptir fornum sid, til þess at leita eptir forlögum sínum, þar var kominn finna ein fiölkunnig u. s. w. finnan var sett hátt ok búit um hana veglîga, þángat gengu menn til frétta u. s. w. ok spurdu at forlögum sínum, hun spâdi hverium eptir því sem gèck u. s. w. þeir fóstbrædur u. s. w. gengu eigi til frétta, þeir lögdu ok öngvan hug á spâr hennar" u. s. w.

[1] Fornm. S. 7, 215 f. (S. Inga Haraldsson. C. 7): „7. þann vetr er sagt at Sigurdr lèti Finna gera ser skûtur tvær inn í fiördum, ok voru sambundnar [simbundnar edr sinibundnar, H.; sini bundnar, HK.], ok eingi saumr í, en vidjar [vidlar, H.] fyrir kne; ok rero 12 menn á bord hvárri. Sigurdr var med Finnum, þá er þeir gerdu skûturnar, ok höfdu Finnar þar munngát, ok gerdu honum veizlu. Sidan kvad Sigurdr þetta u. s. w. Skûtur þær voru svâ skiotar, at ekki skip tôk þær á vatni, svâ sem kvedit er: Fátt eitt fylgir [flýgr, H.] furu hâleyskri [hâleysk, H.]; svipar [svífr, H.] und segli sinbundit skip. [12, 187: „Fátt eitt fylgir hâleyskri furu; sinbundit skip svipar und segli.] En um várit fóru þeir Sigurdr ok Magnûs nordan med skûtur þær tvær, er Finnar höfdu gert. En er þeir komu í Vâga, drápu þeir þar Svein prest ok sonu hans tvá." Vgl. 7, 344 (S. Sigurd. Slembidjácns C. 7). Von den Finnen überhaupt Saxo 5, 93: „Sunt autem Finni ultimi septentrionis populi, vix quidem habitabilem orbis terrarum partem cultura ac mansione complexi. Acer iisdem telorum est usus. Non alia gens promptiore jaculandi peritia fruitur. Grandibus et latis sagittis dimicant, incantationum studiis incumbunt, venationibus callent. Incerta illis habitatio est vagaque domus, ubicunque feram occupaverint locantibus sedes. Pandis trabibus vecti, conferta nivibus juga percurrunt. Hos Arngrimus conciliandæ sibi claritatis causa adortus, obtrivit" u. s. w. [Folgen finnische Blendwerke.] Quibus Arngrimus hanc tributi legem instituit, ut recensito Finnorum numero, rheda ferinis pellibus conferta, ab unaquaque decade loco census, exacto triennio, penderetur." Auch Præfat. 4 (Schrittschuhlauf der „Scricfinni", dann): „Eadem [gens] apud finitimos mercium loco quorundam animalium pellibus uti consuevit." Zeuß 272 f. 684 bis 686.

ergeben haben und auch einige bei Saxo verlauten, einmal wenn Odin, Rache suchend für den Tod seines Sohnes Baldr, sich bei Wahrsagern befragt und von dem Finnen Rosthiof Bescheid erhält [1], ferner wenn er zu Gunsten seines Schützlings Hadding in dessen Schlacht mit den Biarmen erst von einem mächtigen Geschoß je zehen sicher treffende Pfeile aussendet, sodann, als die Biarmen heftigen Regenguß heranzaubern, diesen durch eine entgegengeschickte Wolke vertreibt, beides den Finnenkünsten unverkennbar gleichartig [2]. Aus allem dem folgt aber noch keineswegs ein tieferer, die innere Selbständigkeit des skandinavischen Götterdienstes gefährdender Einfluß des Finnenthums. Die Zaubersegen waren den übrigen Germanenstämmen mit den nordischen gemein, diese suchten nur ihren angestammten Besitz aus dem gleichartigen Schatze der nachbarlichen, wenn auch viel ferner verwandten Finnen zu erweitern, von denen das Zauberwesen mit besondrer Vorliebe und Kennerschaft gepflegt wurde. Jene des Finnenzaubers angeschuldigte Norweger sind aber nicht bloß als Seidmänner, sondern,

[1] Saxo 3, 44: „At Othinus, quanquam deorum præcipuus haberetur, divinos tamen et aruspices, cæterosque quos exquisitis præscientiæ studiis vigere compererat, super exequenda filii ultione sollicitat. Plerumque enim humanæ opis indiga est imperfecta divinitas. Cui Rostiophus Phinnicus alium ex Rinda Ruthenorum regis filia suscitandum prædixit, qui fraternæ cladis pœnas exigere debeat.“ Die Weissagung ist dieselbe, die er in Vegtamskv. (Sæm. 95, 16. M. 57, 11) von der aus dem Grab erweckten Vala empfängt. Sonst steht Hrosthiofr unter den „iötna heiti,“ zusammen mit einem Valanamen Sæm. 118, 31 (M. 70, 31): „Heidr ok Hrossþiofr“; als Name eines Berserks Fornald. S. 3, 114. 128.

[2] Saxo 1, 17: „Ipse [senex] post bellatorum terga consistens ac folliculo, quem cervici impensum habebat, balistam extrahens, quæ primum exilis visa, mox cornu tensiore prominuit, denos nervo calamos adaptavit, qui vegetiore jactu pariter in hostem detorti totidem numero vulnera confixerunt. Tunc Biarmenses, arma artibus permutantes, carminibus in nimbos solvere cœlum lætamque aeris faciem tristi imbrium aspergine confuderunt. E contrario senex obortam imbrium molem obvia nube pellebat, madoremque pluviæ nubilo castigabat objectu.“ Daß der hilfreiche Greis Odin war, ergibt schon der Zusammenhang der Haddingssage. Zu „folliculo“ vgl. Fornald. S. 2, 164 f. 506. Der Kampf im Luftgebiete mahnt an die Erzählung von Hróald auf Godey Fornm. S. 10, 291: „þá gerir II vinda á siónum, oc svá sem hvárr bardiz imóti ođrum“ (s. S. 384). S. Ól. Tr. Christ. 1853, C. 28, S. 31.

nach den angeführten Zeugnissen, zugleich als große Opfermänner („blótmenn miklir“) bezeichnet und ihre Opfer beziehen sich in den meisten Fällen auf die Verehrung der heimischen Götter, hauptsächlich Thórs und Odins[1]. Man kann es nicht anders verstehen, wenn von dem Opfermanne Hróald gesagt wird, er habe die Götter vielmals angerufen und ihnen täglich Gaben dargebracht, damit sie ihn bei seinem Glauben schützen und ihm für die Geschenke Antworten geben, worauf dann auch der Gegenwind sich erhebt, der dem König Olaf die Anfahrt zu den Inseln wehrt[2]; ebenso wenn der zweite Hróald in Moldafird auf seine Opfergötter vertraut, daß der König ihn nicht besiegen werde und durch seine Zauberkunde zwei große Wogen wider denselben weckt[3]; genannt wird aber auch der durch Gegenwind hilfreiche Gott in der Erzählung von Raud auf Raudsey, wieder einer Insel vor Hálogaland, der, von einem Opfermann erzogen und unterrichtet, selbst durch großen Opferdienst das Bild Thórs im dortigen Tempel belebt haben soll, so daß Thór ihm über künftige Dinge Bescheid gibt und auf sein Verlangen, als Olaf Tryggvason heranschiffen will, die Bartstimme erhebt und in den Knebelbart bläst, in Folge dessen der König durch heftiges

[1] Vgl. Myth. 32 f. zum altn. blóta (blèt und blótadi): „der sinn ist immer sacrificio venerari.“

[2] Fornm. S. 10, 250 bis 92 (s. S. 384): „Svá er sagt, at einn blótmadr hèt Hróalldr, hann bió i Godey u. s. w. hann heitr á gudin optliga oc færir þeim fórnir á hveriom degi, oc bad þau litillátlega, at þau hlífdi honum, at eigi væri honum þröngt til átrúnadar annars u. s. w. Svá miöc var þessi madr blecþr at fiandans teygingu at gudin veittu honum svör firir sínar fórnir. Hróalldr calladi úaflátliga á gudin, at þau stædi vel ímóti gudi Ólafs, oc færdi þeim fórnir u. s. w. þá mælti hann: þat hæfir mèr oc sæmilegra er mèr þat at þola helldr daudann, en láta þiónustu guda várra. S. Ol. Tr. Christ. 31: „hann blótade miok godum ok sva veitti fiandin honom svor fyrir gudin u. s. w. En Hróaldr bad gvdin þess at ecke metti Ólafr konungr sigraz a þeim.

[3] S. Ol. Tr. Christ. 1853, C. 42, S. 42: „Roalldr het madr er bio i Mollda firde u. s. w. ok trvde hann a blotgod sin at konungr munde eigi sigra hann u. s. w.“ Fornm. S. 10, 324 (S. Ol. Tr. K. 51): „Hróaldr hèt madr, er bió í Molldafirdi, blótmadr mikill oc ríkr u. s. w. hann var miök fiölkunnigr u. s. w. hann neitadi guds nafni; en játadi gudum sínum u. s. w.

Gegenwetter mehrmals abgetrieben wird [1]. Nach dem Tode Rauds des Starken (s. oben S. 386 ff.), eines großen Opfermanns und Zauberkundigen, der gleichfalls mit Wind und Wetter zu schalten wußte, erscheint auf dessen Schiffe vor König Olaf auch der rothbärtige Thôr, rühmt die viel tüchtigere Bemannung des Fahrzeugs, als es noch in Rauds Besitze

1 Fornm. S. 1, 294 f. (S. Ol. Tr. C. 145): „Fyrir eyju þeirri, er bâtrinn var at kominn, rèd einn blôtmadr, var þar mikit hof ok eignat þôr; þessi madr fann rekann, ok þôtti undarliga um bûit, leysti hann sveininn u. s. w. nafn skal hann taka af lit kyrtils sîns ok heita Raudr u. s. w. Blôtmadr þessi vard ekki gamall, en er hann var daudr, þâ tôk Raudr þar vid fiâr forrâdum ok allri eign; gerdist Raudr þâ enn mesti blôtmadr [vgl. 2, 73. 75], ok er svâ sagt at hann magnadi med miklum blôtskap likneski þôrs þar î hofinu, at fiandi mælti vid hann or skurdgodinu, ok hrærdi þat svâ, at þat sýndist gânga ûti med honum um dögum, ok leiddi Raudr þat optliga med sèr um eyna.“ 1, 296 (C. 146): „annarr madr heitir Raudr, er rædr fyrir eyju einni nordr fyrir Hâlogalandi“ u. s. w. 12, 338 b: „Raudsey eda Raudseyjar, 1, 302; 2, 218. Eyjar â Hâlogalandi î Noregi; nû Rödöe.“ 1, 302 f. (C. 150): „þvî næst sigldi Ôlafr konûngr inn â Hladir, ok lèt brióta ofan hofit, ok taka brottu fè alt þat, er þar var, ok alt skraut af godonum, hann tôk gullhring mikinn or hofshurdinni, er Hâkon iarl hafdi gera lâtit, eptir þat lèt hann brenna alt saman hofit ok gudin; en er bændr verda þessa varir þâ lâta þeir fara herör um öll hin næstu fylki, ok stefna lidi ût ok ætla at fara at konûngi med her. Ôlafr konûngr hèlt lidi sîno ût eptir firdi, hann stefndi nordr med landi, ok ætladi at fara nordr â Hâlogaland ok kristna þar. En er konûngr kom nordr fyrir Naumudal, þâ ætladi hann ût î Raudseyjar; þann morgin gekk Raudr til hofs sîns, sem hann var vanr; þôrr var þâ heldr hryggiligr, ok veitti Raud engi andsvör, þô at hann leitadi orda vid hann. Raud þôtti þat miök undarligt, ok leitadi marga vega at fâ mâl af honum, ok spurdi hvî þat sætti. þôrr svarar um sîdir ok þô heldr mædiliga, sagdi at hann gerdi þetta eigi fyrir sakleysi, þvîat mèr er, segir hann, miök þröngt î kvâmu þeirra manna, er hingat ætla til eyjarinnar, ok miök er mèr ûþokkat til þeirra. Raudr spurdi, hverir þeir menn væri. þôrr segir, at þar var Ôlafr konûngr Tryggvason ok lid hans. Raudr mælti: þeyt þû î môt þeim skeggravdd [B. brodda] þina, ok stöndum î môt þeim knâliga. þôrr kvad þat mundo fyrir lîtit koma; en þô gengu þeir ût, ok blès þôrr fast î kampana, ok þeytti skeggraustina; kom þâ þegar andvidri môti konûngi svâ styrkt, at ekki mâtti vid halda, ok vard konûngr at lâta sîga aptr til sömu hafnar, sem hann hafdi âdr verit, ok fôr svâ nökkurum sinnum en konûngr eggjadist þvî meirr at fara til eyjarinnar,

war, und grollt dem Könige, der ihn aller seiner Freunde beraubt hat [1]. Eyvind Kelda (s. S. 388) wird zwar gänzlich als Seidmann bescholten, aber doch steht seine und seines Gefolges Ankunft auf Ögvaldsnes mit dem gleichzeitigen Gastbesuch Odins bei König Olaf im Zusammenhang [2].

ok um sídir varđ ríkari hans gôđvili međ guđs krapti, enn sá fiandi er í môti stôđ. Rauđr kom enn til hofsins, ok var Þôrr þá miök ûfrýnligr ok í hörđum hug. Rauđr spurđi, hví þat sætti. Þôrr segir, at þá var konûngr kominn í eyna. Rauđr mælti: viđ skulum þá standa í môti þeim međ öllu afli, en gefast ekki upp þegar, en Þôrr kvađ þat lítit mundo gera" u. s. w. 304 f.: „Rauđr svarađi máli konûngs: áheyriligt getr þû gert, konûngr! þitt mál, en eigi er mèr mikit um at láta þann átrûnađ, sem ek hefir haft, ok fôstri minn kendi mèr, ok eigi má þat mæla, at guđ várr Þôrr, er hèr byggir í hofi, megi lítit, þvíat hann segir fyrir ûvorđna luti, ok raunöruggr verđr hann mèr í allri þraut, ok fyrir því man ek ekki bregđa okkru vinfengi, međan hann heldr trûlyndi viđ mik, en ekki man ek meina öđrum mönnum at halda þá trû, sem hverjum sýnist. [Folgt der Ziehkampf Olafs mit Thor, der zuletzt ins Feuer stürzt.] Rauđr svarar: reynt er nû þetta, konûngr! at þû berr sigr af ykkrum viđskiptum, ok aldri skal ek síđan á hann trûa, en þô ferr fiarri, at ek láta skírast at sinni. Konûngr lèt þá handtaka Rauđ ok hafđi hann međ sèr í varđhaldi u. s. w. en alt fôlk annat í eyjunni var skírdt ok tôk sanna trû." Vgl. die zwei Str. der Steinunn môđir Skáldrefs 2, 204 f. Thôr 23. Myth. 161 f.

[1] Fornm. S. 2, 175 (S. Ol. Tr. C. 210). „Rauđr var blôtmađr mikill ok allfiölkunnigr u. s. w." 2, 182 f. (C. 213): „þat var einn dag er Ólafr konûngr sigldi suđr međ landi lítinn byr ok fagran, at mađr stôđ á hamri einum ok kallađi á þá, bađ þá hafa til lítillæti at veita sèr far suđr í land. Ólafr konûngr stýrđi orminum at berginu, þar er mađrinn stôđ, ok stè hann ût á skipit. Þessi mađr var mikill vexti ok ûngligr, friđr sýnum ok rauđskeggjađr" u. s. w. S. 183: „var harđskipađr dreki þessi, þá er Rauđr hinn rammi átti hann u. s. w. alt þar til er landsmenn tôko þat ráđ at heita á þetta hit rauđa skegg til hialpar sèr, en ek greip þegar hamar minn u. s. w. ok hefir þetta landsfôlk haldit því at kalla á mik til fulltîngs, ef þeir hafa nökkura viđþurft, alt hertil er þû hefir, konûngr! miök svá eydt öllum mínum vinum, sem hefnda væri fyrir verdt" u. s. w. Vgl. 2, 180 f.

[2] Fornm. S. 2, 134 (S. Ol. Tr. C. 195): „sá hèt Eyvindr kellda, hann var seiđmađr ok allmiök fiölkunnigr." 2, 140 (C. 197): „heldr hefir ûvinr alls mannkyns fiandinn siálfr brugđit á sik ásiánu hins ôdygga Odins, þess er heiđnir menn hafa lángan tíma trûat á, ok sèr fyrir guđ haft, en nû sýnir hann sik eigi mega þola heitan bruna sinnar logandi

Eyvind Kinnrifa (S. 389 ff.), von dem es heißt, er sei der zauberkundigste Mann gewesen, wird auch zu den großen Opfermännern gezählt, und während er nach der einen Fassung ein finnischer Geist gewesen sein soll, haben nach der andern die Finnen nur angewiesen, das zu erwartende Kind auf Lebenszeit dem Dienste Thôrs oder Odins zu geloben, und demgemäß geben die Eltern ihren Sohn dem Odin und erneut der herangewachsene Eyvind selbst das Gelübde, besiegelt auch die treuste Liebe zu Odin, dem er so manigfach gegeben ist, mit seinem qualvollen Tode [1]; diese Fassung aber stimmt mit dem anderwärts bekundeten Gebrauche des nordischen Heidenthums (s. S. 362, 4). Auch Hâkon Jarl trieb nicht bloß Galder, er ist noch mehr als Hersteller der Tempel und Opfer namenkundig [2], und wenn er mit besondrer Ergebenheit seine haleygischen Schutzgeister Thorgerd und Irpa verehrt, der erstern sogar seinen

ôfundar, er hann sèrr eydast sveit manna sinna“ u. s. w. 140 ff. (C. 198): „Nû er þar til at taka, at á þessi sömu pâskanôtt kom þar vid eyna Eyvindr kellda, hann hafdi mikit lângskip alskipat, voro þat alt seidmenn ok fiölkunnigt fôlk u. s. w. Sagdi Eyvindr þá allan atburd um sîna ferd, ok svá þat, at hann hafdi þá ætlat at koma at konûngi ûvörum ok drepa hann sofandi edr brenna hann inni med alla sîna sveit. Konûngr mælti u. s. w. var ok þess vân, at meira mundi mega miskun almâttigs guds ok styrkr hans âgætra engla, er hann skipar til vardveizlu ok verndar sînu fôlki enn fiölkýngi þîn edr sá hinn bölvadi fiandans sendibodi Odin, er til þess dvaldi fyrir oss svefninn á tækiligum tîma med sînum skemtiligum skröksögum, at hann mætti u. s. w. oss svîkja ok svæfa, þá er vèr skyldim vaka“ u. s. w.

[1] Fornm. S. 10, 292 (S. Ol. Tr. C. 34): „Nordr á Hâlogalandi vâro III ættstôrir menn u. s. w. þridi Eyvindr kinnriva. þessir vâro blôtmenn miclir oc villdu eigi lâta sid frænda sinna.“ 2, 168 (S. Ol. Tr. C. 204): „en þat má vera, segja þeir [Finnar], ef þit heitit því med svardaga, at sá madr skal alt til daudadags þióna þôr ok Odni u. s. w. þau gerdu þetta eptir því sem þeir lögdu râd til; sîdan gâtu þau mik ok gâfu Odni u. s. w. ok þegar ek mâtta mèr nökkut, endrnýjada ek þeirra heit, hefir ek sîdan med allri elsku þiónat Odni ok vordit rîkr höfdingi; nû em ek svá margfaldliga gefinn Odni, at ek má því med engu môti bregda, ok eigi vil ek. Eptir þat dô Eyvindr, hafdi hann verit hinn fiölkunnigazti madr.“

[2] Heimskr. 1, 209: „þá baud hann þat um rîki sitt allt, at menn skylldo hallda upp hofom oc blôtom, oc var svá gert“ u. s. w. Fornm. S. 1, 91. Fagrsk. 37 ob.

Sohn opfert [1], so sind doch in seinem Haupttempel viele Götter versammelt, und als er nach Darbringung eines großen Opfers zwei Raben heranfliegen sieht, ist ihm das ein Zeichen, daß Odin dieses Opfer angenommen habe und die günstige Zeit zur Schlacht gekommen sei [2]. Nicht genannt sind die Götter, denen die Königin Gunnhild, einst Zöglingin der Finnen, in ihrem Wittwenstand opferte, um zu erfahren,

[1] Fornm. S. 11, 134 f. (ob. S. 382). Ihre Namen sind keine fremde, obschon ihre Galder den finnischen gleichen (s. oben S. 398); Irpa Myth. 1216; auch der mit ihrer Hilfe lebendig gezauberte Holzmann hat heimischen Namen: Thorgardr (oben S. 379, Anm.); vgl. Fornald. S. 2, 5 f.

[2] Fornm. S. 1, 302 f. (S. Ol. Tr. C. 150): „Þvî næst sigldi Ôlafr konûngr inn â Hladir, ok lèt briota ofan hofit, ok taka brottu fè alt þat, er þar var, ok alt skraut af godonum, hann tôk gullhring mikinn or hofshurdinni [vgl. 6, 271], er Hâkon iarl hafdi gera lâtit, eptir þat lèt hann brenna alt saman hofit ok gudin; en er bændr verda þessa varir, þâ lâta þeir fara herör um öll hin næstu fylki, ok stefna lidi ût ok ætla at fara at konûngi med her.“ Heimsk. 1, 272. Das Ereignis fand im nächsten Jahre nach Hâkon Jarls Tode statt (12, 5). Auch im Tempel, der auf Island der Thorgerd geweiht war, befanden sich mehrere Götter (s. oben S. 398, Anm.). Fornm. S. 1, 131 (S. Ol. Tr. C. 71): „Er hann [Hâk. iarl] kom austr fyrir Gautasker, lagdi hann at landi, ok gerdi blôt mikit, þâ komu þar hrafnar 2 fliugandi ok gullu hâtt, þôttist iarl þâ vita, at Odinn mundi þegit hafa blôtit, ok þâ mundi iarl hafa dagrâd til at berjast, lagdi hann þâ eld î skip sîn ok brendi öll, gekk sîdan â land upp med lidi sîno, ok fôr alt herskildi u. s. w. fèkk Hâkon iarl sigr, en Ôttar iarl fèll ok mestr luti lids hans u. s. w. Þessa getr Einarr skâlaglamm: Flôtta gekk til frèttar felli niördr â velli, draugr gat dôlga sagu dagrâd Hèdins vâda; ok haldbodi hildar hrægamma sâ ramma, tŷr vildi sâ tŷna teinlautar fiör Gauta.“ 12, 37: „Fellinjördr flótta [hermk., sá sem fellir (leggr ad velli) flŷandi óvini, hèr Hákon jarl] gekk til frèttar á velli; draugr Hèdins váda [hermk.] gat dagrád dólga sagu [dagrád, (hæfiligr og heillavænligr tími), dólga sagu (til bardaga); dólga saga (ekki sága), orusta, eins og dólga senna]; ok hildar haldbodi [hermk., hann Hákon] sá ramma hrægamma [hrafna], sá tŷr tŷra [gizkad; allar bækr, sem eg hefi séd, hafa hèr tŷna] teinlautar [í stadinn fyrir tŷr tŷra lautar teins, mk. s. s. sverda tŷr, af tŷra (sverda) lautar (skjaldar) teinn, sverd] vildi [nfl. hafa] fjör Gauta. Heimskr. 1, 225 f. Fagrsk. 40 (vgl. 190): „Þá er Hákon kom austr fyrir Gautland, þá feldi hann blôtspôn, ok vitradisk svâ sem hann skyldi hafa dagrâd at berjask, sèr â [B. ok hann sèr þá] â hrafna tvâ, hversu gialla ok fylgja alt lidinu. Svâ sem her segir u. s. w.“

was die ihren Söhnen aufsätzigen Häuptlinge in geheimem Gespräche berathen hatten, schwerlich aber sind andre als die norwegischen Landesgötter gemeint [1]; obgleich Gunnhild mit ihrem Gemahl Eirik Blutaxt, als sie aus Norwegen flüchtig waren, in England die Taufe empfangen hatte [2], ließ sie doch nachmals auf den Fall desselben das Lied dichten, wie er zu Odin nach Valhöll fährt.

Anhang.

Unter den Mythenliedern der ältern Edda zeichnet sich eines, Skirnisför, dadurch eigenthümlich aus, daß es eine Gruppe des Vanenkreises, ohne Zutritt irgend einer Äsengottheit, in Handlung setzt. Gegenstand desselben ist die Brautwerbung Freys durch seinen Diener Skirnir um die schöne Gerd, Tochter des Jötuns Gymir; diese Beiden aber sind in keinem andern Mythenliede, wenn auch ihre Namen genannt werden, handelnd betheiligt. Zugleich gibt Freys sehnsuchtvolle, träumerische Liebe diesem Lied einen dichterischen Schmelz, wodurch es einzig in der eddischen Reihe dasteht. Nicht als ob dasselbe, wie es gefaßt ist, die vollzogene Aufnahme der Vanengötter in die Gemeinschaft der Äsen verläugnete [3], aber der Grundbestand der Fabel ist

[1] S. Ol. Tr. Christ. 1853, C. 1, S. 2: „eptir þat satv þeir .IIII. höfþingiar a ein hiali sva at enger visso hialit nema þeir sialfir. ok þat harmadi Gvnhilldi ok forvitnade oc kom i hvg at þat mvnde taka henda sono henar. ok blotade til gvdanna ok feck þá frett at þat mvndi verit hafa i ein hiali sem hon gat. oc þat hafa menn fyr sátt en enge veitt hvart hon var sön at þvi. Oc eptir þat sagde hon sonvm sinvm oc gerdu þau rad sin med mikille slegd.“ (Nichts davon Fornm. S. 1, 38. Heimskr. 1, 181 u.) Vorher in dems. Cap. 1, S. 2: „oc er Noregs menn voro iþessom villom at svmir blotvdv skvrdgvd svmir skoga eda vötn. þa er þat sagt et synir Gvnhilldar höfdu tegit skirn i Englandi. en þo voro þeir ekci upp hallz menn cristninar. leto vera hvern hvart er villde cristin eda heidinn.“ Vgl. Heimskr. 1, 173.

[2] Fornm. S. 1, 23: „Eirîkr skyldi láta skîrast, kona hans ok börn ok alt lid, þat er honum hafdi þángat fylgt. Var Eirîkr þá skîrdr ok tök trû rètta.“ Heimskr. 1, 130.

[3] Skirnisf. (Sæm. 81 ff. Munch 58 ff.) Str. 7: „âsa ok álfa“. Str. 17 f. „álfa nê âsa sona, nê vîssa vana.“ Str. 21 f. Beziehung auf Baldrs Leichenbrand. Str. 33 Berufung auf die drei Hauptgötter Odin, Thôr

vanisch und bei allen Drohungen und Verwünschungen, mit denen Skirnir auf Gymis Tochter einstürmt, ist der weichere Grundton und die glänzende Färbung des Ganzen im eigensten Wesen des Vanenstammes begründet. Den Sinn des Mythus zu ermitteln, ist zunächst der dichterische Gebrauch des Namens Gymir behilflich; im Räthselliede sind die Wellen Gymis Töchter von Rân, gerade wie sie dort auch Ögis Töchter genannt werden (s. oben S. 261), also Gymir und Ögir nur zwei verschiedene Namen des riesenhaften Meergotts; ebendort heben die Nebel sich aus Gymis Bette, der See; „ursvöl Gymis völva,“ Gymis kalte Vala, heißt dem Skalden Ref die Meereswoge und dazu bemerkt Skálda erläuternd, daß es Eines besage: Ögir, Hler und Gymir; mit erstern wird Gymir noch anderwärts, namentlich auch in den Gedenkversen zur Bezeichnung der See, gleichgestellt [1]. Aufschlüsse, die um so erwünschter sind, als in Skirnisför Gymir gänzlich im Hintergrunde bleibt und nichts an ihm den Meerriesen zu erkennen gibt. Jener Gleicherklärung mit Ögir unerachtet, gehört Gymis Name zum Sondergut der Vanenfabel und ist von ihr aus in die Dichtersprache übergegangen [2].

Wo die Namen der Ögistöchter, Appellative oder Umschreibungen für Welle und Brandung, verzeichnet sind, findet sich niemals Gerd mitaufgezählt [3] und auch im Skirnisliede kennzeichnet nichts sie als

(âsa bragr) und Frey selbst. Str. 34: „synir Suttunga.“ Str. 8 f. aus der Sigurdssage: „visan vafrloga.“

[1] Fornald. S. 1, 478 f.: „Gýmir hefir ser getit dœtr râđsviđar viđ Rân; bylgjur þær heita ok bârur u. s. w.“ „öldur þat eru, Ægis dœtr u. s. w.“ 1, 475: „gengr op [upp] mörkvum [-inn] ör Gýmis fletjum u. s. w.“ Sn. 125 (Arn. 326): „sem kvađ Refr u. s. w. 1 Ægis kiöpta u. s. w. ursvöl Gýmis völva (in Ægeris rictus u. s. w. frigida Gymeris saga) u. s. w. Hêr er sagt at allt er eitt: Œgir ok Hlêr ok Gýmir“. Vgl. Sn. 184. Arn. 496. Sn. 183 (Arn. 492): „Hver 'ro sævar heiti? Hann heitir marr, Œgir, Gûmir [V. Gýmir], Hlêr u. s. w.“ Sn. 217a (Arn. 573 f.): „Sær u. s. w. Œgir u. s. w. Gýmir u. s. w.“ Sæm. 50 (Munch 40): „Œgir, er ödru nafni hêt Gýmir u. s. w. Vgl. Myth. 1210 u.

[2] Beli.

[3] Sn. 124 (Arn. 324). 185 (Arn. 500). Vgl. 217b (Arn. 575). Weder in der prosaischen Einleitung zu Ögis Trinkmahl, in welcher eben Gymir nur für einen andern Namen Ögis erklärt wird (Sæm. 59, s. vor. Anm.), noch im

Wellenmädchen. Der Name Gerd wird gleich denen andrer Göttinnen, mit Vorsetzung eines auf weibliche Beschäftigungen oder Zugehörden bezüglichen Wortes oder mit derartigen Beisätzen, zur dichterischen Bezeichnung der Frauen verwendet, aber auch außerhalb der Dichtkunst ist Gerd ein Frauenname oder sind damit, als zweitem Worte, solche zusammengesetzt [1], es scheint darin eine weibliche Umlautform des Masc. gardr zu liegen, welches Umhegung zugleich und Umhegtes bedeutet [2].

Die Mutter der mythischen Gerd hieß, nach dem Hyndlalied, Aurboda und war, nach der jüngern Edda, vom Geschlecht der Bergriesen; aur m. ist Lehmboden und dichterisch die Erde [3]. Erwägt man nun, daß Frey, der Brautwerber, es ist, der als Gott des Erdsegens angerufen wird, und daß die Beschwörung seines Boten hauptsächlich dahin geht, Gerd solle, wenn sie der Werbung sich sträube, unvermählt, unfruchtbar und nahrungslos in kalter Tiefe wie eine Distel verdorren [4],

Liede selbst (auch nicht Sn. 129), ist Gerd unter den mit ihren Gemahlen geladenen Göttinnen genannt; während Frey mit einem Diener und einer Dienerin erschienen ist, fehlt seine Genossin in der Halle ihres angeblichen Vaters. Als früher Ögir in Åsgard zu Gaste war, soll sich, nach Sn. 79, mit den andern Åsinnen auch Gerd beim Gastgebot befunden haben.

[1] Åsgerdr, Thórgerdr, Valgerdr, Ingigerdr u. s. w. (Gr. 2, 494). Belege der skaldischen Verwendung im Lex. poet. 235 a; darunter: „Gerdr garda, dea corollarum, femina“ (Gisla S. Kiöbh. 1849, S. 179, 32). Freygerdr, Frögertha, Nam. des Donn. 7. Saxo 6, 99 u. 101 f.

[2] Vgl. Myth. 285 f.

[3] Hyndl. Str. 29 (Sæm. 117. Munch 70 a): „Freyr átti Gerdi, hon var Gýmis dóttir, iötna ættar, ok Aurbodu.“ Sn. 39 (Arn. 120): „Gýmir hét madr, en kona hans Örboda, hon var bergrisa ættar; dóttir þeirra er Gerdr, er allra kvenna er fegrst.“ Alvissm. Str. 11 (Sæm. 49 a. Munch 33): „Iörd heitir med mönnum u. s. w. kalla aur uppregin.“ Lex. poet. 36 b: „aurr, m. terra limosa, argillosa, arenacea; it. terra, humus“ u. s. w. Der Nachdruck, das Bezeichnende, pflegt bei solchen Zusammensetzungen im ersten Worte zu liegen, wogegen das Fem. -boda, wie das Masc. -bodi weiteren Spielraum läßt. Lex. poet. 71 a u. 71 b u. Vgl. Sæm. 111, 39. Munch 174, 38: „Örboda.“ Sæm. 118, 35: „Avrgiafa.“ Munch 70, 35: „Eyrgiafa“. Lex. poet. 146 a: „eyrr, f. arena; locus arenosus fluvio adjacens u. s. w. litus maris u. s. w.“)

[4] Skirn. f. 29 (Munch 60 f.): „Tópi ok ópi, tiösull ok óþoli, vaxi þer tár med trega u. s. w.“ 30: „til hrimþursa hallar þú skalt hverjan

so legt es sich nahe, in Gerd, der Tochter des Meerjötuns und der Erdriesin, das meerumgürtete baufähige Land zu erkennen, das von dem Geber alles Wachsthums zu fruchtbarem Stande berufen wird. Man kann im Skirnislied allgemein den Bund des Luft- und Lichtgottes mit der tragbaren Erde zur Erschließung derselben dargestellt finden, es läßt sich aber wohl auch denken, daß der Mythus, in seiner vanischen Abgeschlossenheit und der Besonderheit seiner Namen, sich ursprünglich bestimmter auf Freys eigenstes Besitzthum, auf das schwedische Bauland und dessen Befruchtung durch ihn bezogen habe, gleich örtlich, wie es über die Entstehung Seelands die von Bragi besungene Fabel gab (s. oben S. 170). Upsalgut, von den Windungen des Meeres und der Seen umzogen, bildet einen Bezirk, der füglich als Gymisgardar, Gehöfte Gymis, der Gerd Wohnstätte, bezeichnet werden konnte; wenn sie dort wandelt, leuchten vom Glanz ihrer Arme Luft und Meer [1]. Der örtliche Haft ist aber auch noch in einer Stelle des Liedes näher aufweisbar. Am Schlusse desselben verheißt Gerd, der ungestümen Werbung nachgebend, im Haine Barri werde sie nach neun Nächten dem Sohne Niörds Freude gönnen. Barri, der knospende [2], stimmt

dag kranga kostalaus, kranga kostavön." (Vgl. 35.) 31: „Med þursi þrîhöfdudum þû skalt æ nara eda verlaus vera u. s. w. verdu sem þistill, sá er var þrunginn î önn ofanverda!" 34: „Hvê ek fyrir byd, hvê ek fyrir banna manna glaum mani, manna nyt mani." 36: „þurs rîst ek þer ok þriá stafi: ergi ok œdi ok óþola" u. s. w. Gegensätzlich die eilf goldnen Äpfel 19 f.; vgl. den befruchtenden Apfel Fornald. S. 1, 117 f.

1 Skirn. f. 6: „Freyr: Î Gýmis gördum ek sá gánga mer tîda mey; armar lýstu, en af þadan alt lopt ok lögr." 14: „Gerdr: iörd bifask en allir fyrir skiálfa gardar Gýmis." 22: „Gerdr: era mer gulls vant î gördum Gýmis, at deila fê födur." Sn. 39 (Arn. 120): „lýsti af höndum hennar bædi î lopt ok á lög" u. s. w. Arn. 2, 276: „lýsti af hári hennar bædi lopt ok log" u. s. w. Als Skirnir zu den Gymishöfen kommt, trifft er einen Hirten, der auf dem Hügel sitzt (Sk. f. Sæm. 82b, doch hat auch Hymir eine Herde), die Erde bebt und alle Gymishöfe, und er läßt sein Roß „til iardar taka", Sæm. 83, 14 f.

2 Lex. poet. 38b: „Barri m. u. s. w. nomen luci (qs. frondosus, barr, n.), Skf. 39, qui locus SE. 1, 122 vocatur Barey v. Barrey." Ebd. 38a: „Barr, n., gemma arboris u. s. w. granum, semen u. s. w. hordeum u. s. w." Ebd. 38b: „Barrhaddadr, adj., caput fronde, comæ instar, velatus, (barr, haddadr), frondicomus, frondifer, frondeus, epith. Telluris, SE. I. 236, 2

ganz wohl zu der angenommenen Deutung; dagegen ist keineswegs genügend und ungezwungen erklärt, warum dieser Hain wiederholt als „lundr lognfara“ bezeichnet wird; auch andre Lesarten der Handschriften „logafara“, „lofafara“ hellen nicht auf und zeigen nur, daß hier ein nicht mehr verstandener Ausdruck Entstellung zu befahren hatte [1]. Nun lautet der alte Name des Mälarsees Lögrinn, Acc. Löginn (Dat. Leginum) [2]; das Subst. lögr m., Wasser, Meer, See, ist mit angehängtem Artikel für den besondern See gebräuchlich und zum Eigennamen desselben geworden; mit dem Logen hängt der Hielmarsee zusammen, weitere Nachbarn sind Wener- und Wettersee; die Bewohner dieses seenreichen Landes (Geijer S. 18) überhaupt, insbesondre die Befahrer des Mälar- und des angrenzenden Hielmarsees, konnten, nach der Weise

(„barr-haddada bidkvân þridja, feminam Thridio ambitam, fronde comantem, i. e. sylvâ, arboribus consitam, quum dubium non sit, quin intelligenda sit Norvegia). Arn. 122 (Sn. 40): „þâ för Skîrnir, ok bad honum konunnar, ok fékk heitid hennar, ok niu nóttum sidar skyldi hon þar koma er Barey heitir, ok gânga þâ at brullaupinu med Frey. Carmen Skîrnismâl hunc locum appellat Barri; quæ ita conciliari possunt, ut Barrey (Barrøy) fuerit insula quædam (ipsum nomen historicum est), Barri vero lucus aliquis in hac insula.“ Arn. 2, 276 weder Barri noch Barey.

[1] Biörn 2, 40: „Logn n. malacia, aeris tranquillitas“ (vgl. Sæm. 50, 23, seefahrenden Völkern allerdings eine wichtige Sache); -fara kann Gen. Sing. und Plur. von fari, M. (vector, navigator), und Gen. Plur. von för, F. (profectio, iter) sein; letzteres scheint Afzelius 84 zu meinen, wenn er übersetzt: „Lugn-färds lunden“; aber was soll man sich dabei vorstellen? Finn Magnusen gibt Lex. myth. 117a: „in luco tranqvillo“; Edd. 1, 193 f.: „den lune Lund“; Simrock 31 f.: „stiller Wege Wald“; Sæm. 283 wird Lognfari im Reg., als Eigenname, aufgeführt; beharrt man bei logn, so bleibt auch kaum eine andre Wahl, als „lundr Lognfara“ für einen Hain des Gottes Frey zu nehmen, dessen Schiff Skidbladnir allezeit Fahrwind hatte (Sn. 48. 132), der also auch bei Meeresstille (logn) fahren konnte; Gerd wird aber den Bräutigam nicht in einen schon nach ihm benannten Hain, sondern nach einem ihrer Heimath beschieden haben. Drei Hdschr. haben: „Logafara“, andre „Lofafara“ (Sæm. 86, 3), dessen Verbesserung in „Lofnfara“, Gen. Sing. von Lofnfari (ebd. 283b), wohl einen Brautfahrer, mit Bezug auf die heirathvermittelnde Göttin Lofn (Sn. 37. Arn. 116), im Auge hat.

[2] Sn. 16 (Arn. 32). Heimskr. 1, 9. S. Ol. helg. Christ. 1853, 17. Fornald. S. 2, 466. 472. (Heimskr. 2, 104: „konûngrinn“, „konûnginom.“) Vgl. Gr. 4, 432 f., 3. 5. (Gr. 1, 2te Ausg., 653.)

von „sæfari“ u. s. w., füglich laga-farar, lög- oder löginfarar heißen [1], und so gelesen würde sich „lundr lognfara“ zum Haine der Upsalschweden, zur heiligen Stätte des fortan dem Freydienste geweihten Landes umgestalten. Sprößling des im Haine Barri zwischen Frey und Gerd geschlossenen Bundes war Fiölnir, der erste Yngling, laut der Saga Herrscher über die Schweden und Upsalgut, reich und glücklich in Jahressegen und Frieden, Zeitgenosse und Gastfreund des dänischen Friedenskönigs Frôdi, des Besitzers der Goldmühle [2]; es hat auch hier

[1] „Sæfari“, Gen. „Sæfara“ (Sæm. 114 f., 12. Fornald. S. 2, 7. 3, 193); Dagfari ok Nâttfari (Fornald. S. 2, 7. 3, 193. 215 f.); „Sigurdr Jôrsalafari (ebd. 2, 15). Es fragt sich, ob der Artikel so fest in Lögrinn als Eigennamen eingeschmolzen ist, daß sich mit dem Acc. Löginn die Zusammensetzung „Löginfara“ bilden konnte. Vgl. Gr. 2, 431. Lex. poet. 155b u.: „fara stôran siâ“ u. s. w. Zu laga-fara Gr. 2, 603 u.

[2] Yngl. S. C. 12 (Heimskr. 1, 15): „Gerdr Gŷmis dôttir hêt kona hans [Freys]; sonr þeirra hêt Fiölnir.“ C. 14 (1, 17): „Fiölnir son Yngvi-Freys rêd þâ fyrir Svíum ok Uppsala audi; hann var ríkr ok ârsæll ok fridsæll; þâ var Fridfrôdi at Hleidru, þeirra î millum var vinfengi mikit ok heimbod.“ Fornald. S. 2, 12: „Freyra, födur Fiölnis“ u. s. w. Sn. 146 (Arn. 374 f.): „Sonr Fridleifs hêt Frôdi u. s. w. en fyrir því at Frôdi var allra konûnga ríkastr â Nordrlöndum, þâ var honum kendr fridrinn um alla danska tûngu, ok kalla Nordmenn þat Frôdafrid u. s. w. Frôdi konûngr sôtti heimbod î Svíþiod, til þess konûngs er Fiölnir er nefndr u. s. w. Frôdi konûngr lêt leita ambâttirnar til kvernarinnar, ok bad þær mala gull ok frid ok sælu Frôda.“ Yngl. S. C. 14 (Heimskr. 1, 17): „Frôdi âtti mikinn hûsabæ; þar var gert ker mikit margra âlna hâtt, ok okat med stôrum timbrstokkum; þat stôd î undirskemmu, enn lopt var yfir uppi, ok opit gôlfþilit, svâ at þar var nidr hellt leginum; enn kerit fullt miadar; þar var drykkr furdu sterkr u. s. w. var hann [Fiöln.] svefnærr ok dauda drukkinn u. s. w. misti þâ fôtom ok fell î miadarkerit, ok tŷndiz þar. Svâ segir Þiodôlfr hinn Hvinverski: u. s. w. vâgr vindlaus“ u. s. w. Vgl. Saxo 1, 19 u. 5, 94 u. Fiölnir ist auch ein bekannter Name Odins und dieser stellt sich soweit dem Upsalkönige gleich, als er selbst bekennt, daß er von Suttungs Methe „trunken und übertrunken wird“. (Sæm. 12, 15): „ölr ek vard, vard ofrölvi at ins frôda Fialars“. In Grimnismâl stehen die zwei Odinsnamen „Bölverkr, Fiölnir“ unmittelbar beisammen (Sæm. 46, 47); ebenso Fengr und Fiölnir, Sæm. 184, 18 (vgl. Arn. 2, 472a. 555a), jenes doch wohl als Erbeuter des Meths, wie auch die Dichtkunst, das Lied, ein Fang, Odins fengr, Vidurs fengr heißt (Arn. 244. 250, 3. Lex. poet. 164a, ebd. 177a und 184b: „Fiölnis [föl- Gr. 2, 731] fleyti fengr); in gleichem Sinne Fiölnis veig, Odinis potus

eine Sagenverbindung zwischen Schweden und Dänen stattgefunden: die beiden Völker, die so vielfach im Streite lagen, beschicken sich mit den Vertretern je ihres saturnischen Gold- und Friedensalters. Wie Fiölnis Name schon die Vielheit, den Überfluß andeutet, so geschah es auch, daß er in der Fülle versank; auf einem Besuche bei Fridfrôdi fiel er, trunken und schlafbetäubt, in die Methkufe, auf der das Gelag bereitet war, und ihn erstickte, nach Thiodolfs Worten, „die windstille See“ [1]; dieses Ertrinken im Überschwang des Guten findet sich auch in

(Korm. 23, 1. Lex. poet. 177a; ebd. auch: „fyll fiulla Fiölnis, potus gigantis [Suttûngs], poesis, carmen, SE. 1, 340, 1“); in Krâkum. 25 (Fornald. S. 1, 309) freut sich der sterbende Held auf das Trinkgelag in Fiölnis Behausungen („dýrs at Fiölnis hûsum“); vgl. Lex. myth. 557a. Vielleicht schon in einigen der angeführten Fälle, entschieden in andern, ist Odin nur herkömmlich und ohne nähere Beziehung auf den Methtrunk Fiölnir genannt; gleichwohl ist darin der Anlaß des Namens zu suchen und dieser bezeichnet für den Âsen wie für den Ŷngling einen Vieltrinker, Völler. (Als geschichtlicher Eigenname Lex. myth. 726.)

[1] Von Hâlfdan Hvitbein, der als Eroberer das Reich der Ŷnglinge in Norwegen gründete, sagt Ŷngl. S. C. 49 (Heimskr. 1, 58): „hann vard gamall madr, ok vard sôttdaudr â Þotni, ok var sídan flutr ût â Vestfold, ok heygdr þar sem heitir Skæreid î Skîringssal. Svâ segir Þiodolfr: u. s. w. ok Skæreid î Skîringssal, of brynjâlfs beinom drûpir.“ Sögubr. C. 10 (Fornald. S. 1, 388) meldet aus Sigurd Hrings Zeit: „þâ voru höfud blót î Skîringssal, er til var sôtt um alla víkina“ [über Vík s. Droplaugars. S. 29. Munch 1, 104. 110]; vollständiger Munch 2, 81 nach Arngrim Jonssons hdschr. Suppl. zur dän. Geschichte. Fagrsk. 2 f., von der Bestattung des ertrunkenen Hâlfdans des Schwarzen, des Vaters Harald Schönhaars: „En svâ var mikil ârsæli [vorher: madr; ârsæll ok vinsæll] Hâlfdanar, at þegar er þeir funnu lík hans, þâ skiptu þeir líkam hans î sundr, ok vâru innyfli hans iordud â Þengilsstödum â Hadalandi, en líkamr hans var jardadr â Steini â Hringaríki, en höfud hans var flutt î Skîrissal â Vestfold ok var þar jardat. En fyrir því skiptu þeir líkam hans, at þeir trûdu því, at ârsæli hans myndi iafnan med hânum vera, hvârt sem hann væri lifs eda daudr“ (vgl. Heimskr. 1, 74). Ottars og Ulfstens Rejseberetn. af R. Rask, Kjöbh. 1816, S. 42 ff.: „Donne is ân port on sudeveardum þæm lande þone man hæt Sciringesheal“ (im Drucke verändert in Cininges-heal [Konûngahella], noch mehrmal). Munch 139. Skîringssalr, Skîrissalr (Bezirk und einzelner Ort, „Skæreid î Skîringssal“, „Skîrissal â Vestfold“) gemahnt an Freys Beiwort Sæm. 45, 43: „skîrom Frey“ und den Namen seines Dieners Skîrnir (s. oben S. 152). Vgl. jedoch Munch 1, 50.

andern Sagen von vormaliger Segenszeit [1]. Durch Fiölnir verstärkt und rundet sich für Gerd, Gymis Höfe und den Hain Barri die Verörtlichung am Mälarsee. Beschaffenheit der Luft und des Bodens, Anbau des Landes, uralte Einrichtung des Staats und des Tempeldienstes, stimmen mit der Art der hier besonders verehrten Vanengötter vollkommen überein. Während der alte Landås des gebirgigen Norwegens mit dem Donnerkeile Steinriesen zermalmt, segnet der milde Frey sein schwedisches Ackerland mit Regen und Sonnenschein. Eine Seeküste mit bequemen Hafenbuchten stand hier zu Gebot und das stillere Binnenmeer lud zum Schifffahrtsverkehr mit nahen und fernen Inseln und Uferlanden ein, so daß auch Niörd, der Herr der Schiffstätten (Nôatûn n. pl.), seine Heimath fand. Zwar ist nicht ausgesprochen, daß dort zu Ehren Freys oder Niörds geopfert wurde, aber die Vanengötter waren ja die angestammten dieser Vestfoldkönige und es kommt hiezu eine bedeutsame Kunde: Hålfdan der Schwarze, Harald Schönhaars Vater, war beim Ritt über einen beeisten Strom ertrunken; weil nun an diesem beliebten Könige der Jahressegen sichtlich haftete, zertheilte man seinen Leichnam, die Eingeweide wurden zu Thengilsstad in Hadaland, der Leib zu Stein in Hringariki, das Haupt aber zu Skirissal in Vestfold beerdigt, die Leute glaubten, daß Hålfdans Jahressegnung beständig bei ihnen bleiben werde, wo immer er lebendig oder todt weile [2]. Diese heilwirkende Eigenschaft Hålfdans wird mit denselben Worten ausgedrückt, mit denen sie schon den Stammgöttern Niörd und Frey zugeschrieben ist [3], aber auch das Umgekehrte begab sich mit den schwedischen Vorkönigen: als die großen Opfer zu Upsal zwei Jahre lang nicht gegen Miswachs gefruchtet hatten, opferten die Schweden im dritten Herbst ihren König

1 Myth. 659 f. Fr. Kuenlin, die Schweiz in ihren Ritterburgen 1, 113. In das große Weinfaß der Abtei Salmannsweiler soll vor Zeiten ein Mönch zum Spundloch hineingefallen und darin ertrunken sein; Rhein. Antiquar. Frankfurt 1744, S. 103.

2 Hiezu die Stelle aus Fagrsk. 2 f. oben S. 423, 1.

3 Fagrsk. a. a. O.: „fyrir Þvî at hann var madr årsæll ok vinsæll. En svå var mikil årsæli Hålfdanar" u. s. w. Yngl. S. C. 12 (Heimskr. 1, 19): „Freyr var vinsæll ok årsæll sem fadir hans." Noch Olaf der Heilige heißt in einem Skåldenliede (Heimskr. 2, 291): „Olafr iöfurr årsæll" u. s. w. (S. Ol. ens h., Christ. 1853, 160a. 283, C. 135.)

Dómaldi, dem sie die Schuld des Unheils aufbürdeten [1]; und als später bei den Auswanderern in Vermaland Theurung und Hunger einfiel, bezichtigte das Volk, nach schwedischer Gewohnheit, Fruchtbarkeit und Misjahr dem Könige beizumessen, den König Olaf, daß er kein großer Opferer sei, und verbrannte ihn, als Opfer zum Jahressegen; doch fanden die Weiseren, daß Übervölkerung die Ursache des Mangels war, und veranstalteten den Weiterzug nach Norwegen [2]. Gab es auch anderwärts solche Verantwortlichkeit des Königs für Wetter und Wachsthum [3], so steht doch dieselbe gerade bei den Ynglingen im genauesten Zusammenhang mit ihrer Abkunft von den Vanengöttern, den eigentlichen Gebern alles Gedeihens, deren Segnung zu vermitteln sie be-

[1] Ŷngl. S. C. 18 (Heimskr. 1, 21): „giördiz ì Svíþiod sultr mikill ok seyra. Þá efldo Svíar blót stór at Uppsölum; it fyrsta haust blótudu þeir yxnom, ok batnadi ekki árferd at heldr. Enn annat haust hôfu þeir mannblót; enn árferd var söm edr verri. Enn et þridia haust kômu Svíar fiölmennt til Uppsala, þá er blót skyldu vera: þá áttu höfdíngjar râda giörd sína, ok kom þat ásamt med þeim at hallærit mundi standa af Dómalda konúngi þeirra; ok þat med, at þeir skyldu hönum blóta til árs ser, ok veita hönum atgöngu ok drepa hann, ok rioda stalla blódi hans; ok svá gerdu þeir. Svá segir Þiodólfr: u. s. w. árgiörn u. s. w. Svía kind.“

[2] Ŷngl. S. C. 47 (Heimskr. 1, 56): „gerdiz þar hallæri mikit ok sultr; kendu þeir þat konúngi sínum, svá sem Svíar eru vanir at kenna konúngi bædi ár ok hallæri. Olafr [Trételgia] konúngr var lítill blótmadr; þat líkadi Svíum illa, ok þótti þadan mundo standa hallærit: drógu Svíar þá her saman, gördu för at Olafi konúngi, ok tóku hús á hönum, ok brendu hann inni, ok gáfu hann Odin, ok blétu hönum til árs ser: þat var vid Væni. Svá segir Þiodólfr: u. s. w. af Svía iöfri; sá áttkonr frá Uppsölum lofda kyns“ u. s. w. Von dem „gáfu hann Odin“ enthält die Liedesstelle keine Spur; es mag von früheren Annahmen des Verfassers der Prosa (C. 8 am Schlusse, C. 15, wo auch nur die Prosa Odins gedenkt) herrühren.

[3] Ammian. Marc. 28, 5, S. 586: „Apud hos [Burgund.] generali nomine rex appellatur Hendinos, et ritu veteri potestate deposita removetur, si sub eo fortuna titubaverit belli, vel segetum copiam negaverit terra: ut solent Ægyptii casus ejusmodi suis assignare rectoribus.“ Vgl. Fornald. S. 1, 451 ff. (526 f.), wo zwar auch „hallæri mikit“ der Anlaß des Opfers und zuletzt gesagt ist (1, 454): „en fal [Heidrekr kon.] Odni allan þann val, er þar hafdi fallit, til árbótar, í stad Ángantýrs, sonar síns“, zugleich aber das Ganze eine kriegerische Wendung genommen hat.

sonders gewürdigt und darum auch verpflichtet schienen; das Mislingen musten Dómaldi in Upsal und Olaf in Vermaland mit dem Tode büßen, der glückliche Erfolg bewirkte Hálfdans Verehrung in Skiringssal [1].

[1] Die Beziehung Freys zu Álfheim und den Lichtálfen ist früher S. 152 f. dargelegt worden. Zum Opferfest in Skiringssal kommt die schöne Álfsól, Tochter des Königs Álf von Viudill, Schwester Álfs und Yngvis, wie eben auch zwei königliche Brüder in Upsal hießen (Yngl. S. C. 24); feindliche Nachbarn des Vestfoldkönigs sind die Söhne Gandálfs von Álfheim (Munch 2, 81. 134 f.); im nahen Geirstad opferte man nachmals einem Bruder Hálfdans des Schwarzen, Olaf, der dort im Hügel bestattet war und auch als ein Schutzgeist den Ehrennamen Geirstadálf erhielt (Munch 2, 139. 162. Fornm. S. X, 210 bis 212. Yngl. S. C. 54); in Gautland wird noch zu Olafs des Heiligen Zeit „álfa blót“ begangen (Heimskr. 2, 137. S. Olafs k. ens helga, Christ. 1853, 80; vgl. jedoch Kormaks S. S. 216. 218. Myth. 416 f.).

Inhalt.